De Bourne Sanctie

ROBERT LUDLUM'S

DE BOURNE SANCTIE

Eric van Lustbader

UITGEVERIJ LUITINGH

© 2008 Myn Pyn, LLC
Published in agreement with the author, c/o BAROR INTERNATIONAL, INC.,
Armonk, New York, U.S.A.
All rights reserved
© 2009 Nederlandse vertaling
Uitgeverij Luitingh ~ Sijthoff B.V., Amsterdam
Alle rechten voorbehouden
Oorspronkelijke titel: *The Bourne Sanction*
Vertaling: Hugo Kuipers
Omslagontwerp: Rob van Middendorp
Omslagfotografie: Douglas Black / Arcangel Images

ISBN 978 90 245 2926 1
NUR 332

www.boekenwereld.com

Voor Dan en Linda Jariabka,
met dank en liefde.

Mijn dank aan:

De onversaagde verslaggevers van *The Exile*. Bournes avonturen
in Moskou en Arkadins belevenissen in Nizjni Tagil zouden niet
mogelijk zijn geweest zonder hun hulp.

Gregg Winter omdat hij me heeft uitgelegd hoe transport van LNG
in zijn werk gaat.

Henry Morrison voor het uitwisselen van ideeën op alle uren.

Een opmerking voor mijn lezers:

Ik probeer me in mijn romans zo veel mogelijk aan de feiten te
houden, maar dit is een roman. Om het verhaal zo opwindend
mogelijk te maken heb ik me hier en daar artistieke vrijheden
gepermitteerd met plaatsen, voorwerpen en misschien ook met de
tijd. Ik vertrouw erop dat lezers deze kleine afwijkingen over het
hoofd zien en van het boek genieten.

PROLOOG

Streng beveiligde strafkolonie 13, Nizjni Tagil, Rusland / Campione d'Italia, Zwitserland

Terwijl de vier gedetineerden op de komst van Borja Maks wachtten, leunden ze tegen vuile muren waarvan de kou hun niet meer deerde. Ze stonden op de binnenplaats van de gevangenis, waar ze dure sigaretten van de zwarte markt rookten, gemaakt van scherpe, zwarte Turkse tabak, en maar wat praatten alsof ze niets beters te doen hadden dan de bittere rook in hun longen te zuigen en vervolgens weer uit te blazen in wolkjes die in de ijskoude lucht leken te bevriezen. In het glitterlicht van de sterren veranderde de wolkeloze hemel in een diepteloze schelp van email. Grote Beer, Lynx, Jachthonden, Perseus – dezelfde sterrenbeelden schitterden in de hemel boven Moskou, duizend kilometer naar het zuidwesten, maar hoe anders was het leven hier dan in de opzichtige, oververhitte clubs aan Trehgorni Val en de Sadovnisjeskajastraat.

Overdag maakten de gevangenen van kolonie 13 onderdelen voor de T-90, de vervaarlijke Russische gevechtstank. Maar waarover praatten mannen zonder geweten of emotie 's avonds met elkaar? Vreemd genoeg over hun gezin. De stabiliteit van vrouw en kinderen was bepalend geweest voor hun vorige leven, zoals de dikke muren van de streng beveiligde strafkolonie bepalend waren voor het leven dat ze nu leidden. Wat ze deden om aan geld te komen – liegen, bedriegen, stelen, afpersen, chanteren, martelen en moorden – was het enige wat ze kenden. Het stond vast dat ze die dingen goed deden, want anders zouden ze dood zijn geweest. Ze leidden hun leven buiten de beschaving zoals de meeste mensen die kenden. Het idee van thuiskomen bij de warmte van hun eigen vrouw, met de knusse geur van rode bieten, gekookte kool, gebraden vlees, met het vuur van pittige wodka, riep bij hen allen nostalgische gevoelens op. Die nostalgie verbond hen net zo goed met elkaar als de tatoeages van hun schimmige beroep.

Door de ijskoude avondlucht sneed een zachte fluittoon die hun herinneringen liet vervliegen als de terpentijn uit olieverf. Toen Borja Maks verscheen, verloor de avond zijn gefantaseerde kleuren en keerde hij terug tot blauw en zwart. Maks was een grote man – iemand die elke dag sinds hij hier was binnengekomen een uur lang met gewichten trainde, gevolgd door anderhalf uur touwtjespringen. Als huurmoordenaar van de Kazanskaja, een afdeling van de

Russische *grupperovka* die in drugs en gestolen auto's handelde, bezat hij onder de vijftienhonderd gedetineerden van kolonie 13 een zekere status. De bewakers vreesden en verachtten hem. Zijn reputatie was hem voorafgegaan als een schaduw bij zonsondergang. Hij was te vergelijken met het oog van een orkaan waaromheen de huilende winden van geweld en dood kolkten. Hij was de vijfde man van de groep die nu uit vier personen bestond. Kazanskaja of geen Kazanskaja, Maks moest worden gestraft, anders wisten ze allemaal dat hun dagen in kolonie 13 geteld waren.

Ze glimlachten naar Maks. Een van hen bood hem een sigaret aan, een ander stak hem voor Maks aan terwijl hij zich naar voren boog en maakte een kom van zijn hand om het vlammetje tegen de wind te beschermen. De twee anderen grepen ieder een van Maks' armen vast, terwijl de man die de sigaret had aangeboden een geïmproviseerd mes dat hij ijverig in de gevangenisfabriek had scherpgeslepen in de richting van Maks' maag dreef. Op het laatste moment sloeg Maks het met een welgemikte snelle handbeweging opzij. Onmiddellijk gaf de man met de opgebrande lucifer een venijnige uppercut tegen de punt van Maks' kin.

Maks wankelde achterover tegen de twee mannen die zijn armen vasthielden, maar tegelijk stampte hij met de hak van zijn linkerlaars op de wreef van een van die mannen. Hij schudde zijn linkerarm vrij, bewoog zijn lichaam in een scherpe boog en dreef zijn kromme elleboog in de ribbenkast van de man die zijn rechterarm vasthield. Nu hij los was, drukte hij zijn rug tegen de muur, die in diepe schaduw gehuld was. De vier sloten zich aaneen en kwamen naar hem toe om hem af te maken. De man met het mes kwam naar voren en een tweede liet een krom stuk metaal over zijn knokkels glijden.

Het gevecht kwam nu echt op gang, met gekreun van pijn en inspanning, stromend zweet en vegen bloed. Maks was sterk en sluw; zijn reputatie was verdiend, maar hoewel hij evenveel slagen uitdeelde als incasseerde, stond hij tegenover vier vastberaden vijanden. Als Maks een van hen op de knieën kreeg, nam een ander zijn plaats in, zodat er altijd twee op hem in sloegen terwijl de anderen zich zo goed mogelijk herstelden om weer in de aanval te gaan. De vier mannen maakten zich geen illusies over de taak die hun te wachten stond. Ze wisten dat ze het nooit met de eerste of zelfs de tweede aanval van Maks konden winnen. Ze waren van plan hem een voor een te lijf te gaan; terwijl zij steeds pauzes namen, gunden ze hem die niet.

En blijkbaar werkte het. Bebloed en gekneusd gingen ze door met hun meedogenloze aanval, totdat Maks de zijkant van zijn hand in de keel van een van de vier mannen dreef – die met het zelfgemaakte mes – en het kraakbeen van zijn strottenhoofd verbrijzelde. Terwijl de man in de armen van zijn kameraden viel, zijn mond wijd open als een aan de haak geslagen vis, greep Maks het mes uit zijn hand. Toen rolden de ogen van de man omhoog en werd hij dood gewicht. Verblind van razernij en bloeddorst gingen de drie anderen Maks te lijf.

Met hun aanval braken ze bijna door Maks' verdediging heen, maar hij rekende kalm en efficiënt met hen af. Terwijl zijn armspieren opbolden, keerde hij hun zijn linkerzij toe om een kleiner doelwit te vormen, en tegelijk haalde hij telkens snel en kort met zijn mes uit om een aantal steekwonden te maken die weliswaar niet diep waren maar toch een enorme hoeveelheid bloed produceerden. Dat was opzettelijk. Het was Maks' verweer tegen hun afmattingstactiek. Vermoeidheid was tot daar aan toe; bloedverlies was veel erger.

Een van zijn belagers dook naar voren, gleed uit over zijn eigen bloed, en Maks beukte hem neer. Zo ontstond er een opening, en de man met de geïmproviseerde boksbeugel kwam naar voren en sloeg met het metaal tegen de zijkant van Maks' hals. Maks kreeg meteen geen lucht meer en was zijn kracht kwijt. De resterende mannen roffelden genadeloos op hem in en stonden op het punt hem onder te ploegen toen een bewaker uit de schemering opdook en hen systematisch terugdreef met een massief houten knuppel waarvan de kracht veel vernietigender was dan die van welk stuk schrootmetaal ook.

Een schouder kraakte onder de bekwaam gehanteerde knuppel; van een andere man werd de zijkant van de schedel ingeslagen. De derde, die zich omdraaide om te vluchten, werd midden op zijn derde staartwervel geslagen, die op slag verbrijzelde, zodat zijn rug brak.

'Wat doe je?' zei Maks tegen de bewaker, tussen zijn pogingen om op adem te komen door. 'Ik dacht dat die schoften alle bewakers hadden omgekocht.'

'Dat hebben ze ook.' De bewaker greep Maks' elleboog vast. 'Deze kant op.' Hij wees met het glanzende uiteinde van de knuppel.

Maks kneep zijn ogen samen. 'Dat is niet richting cellen.'

'Wil je hier weg of niet?' zei de bewaker.

Maks knikte met enig voorbehoud, en de twee mannen liepen met grote stappen over de verlaten binnenplaats. De bewaker liep dicht langs de muur en Maks volgde zijn voorbeeld. Hun bewegingen, zag hij, waren erop ingesteld dat ze buiten de lichtbundels van de heen en weer zwaaiende schijnwerpers bleven. Hij zou zich hebben afgevraagd wie deze bewaker was, maar daar was geen tijd voor. Trouwens, in zijn achterhoofd had hij wel zoiets verwacht. Hij wist dat zijn baas, het hoofd van de Kazanskaja, hem niet voor de rest van zijn leven in kolonie 13 liet wegrotten, al was het alleen maar omdat hij daar te waardevol voor was. Wie zou de grote Borja Maks ooit kunnen vervangen? Misschien maar één persoon: Leonid Arkadin. Maar Arkadin – wie hij ook mocht zijn, want niemand die Maks kende had hem ooit ontmoet of zijn gezicht gezien – wilde niet voor de Kazanskaja of een van de families werken; hij was een freelancer, de laatste van een uitstervend ras. Als hij al bestond, iets wat Maks eerlijk gezegd betwijfelde. Maks was opgegroeid met verhalen over boemannen die over ongelooflijke krachten beschikten. Om de een of andere absurde reden schiepen Russen er behagen in hun kinderen bang te maken. Maar het was nu eenmaal zo dat Maks niet in boemannen geloofde en nooit bang was. Hij had ook geen reden om bang te zijn voor het spookbeeld van Leonid Arkadin.

Inmiddels had de bewaker een deur halverwege de muur opengetrokken. Ze doken naar binnen op het moment dat de lichtbundel van een schijnwerper over de stenen gleed waar zij enkele ogenblikken geleden nog tegenaan hadden gestaan.

Via verscheidene gangen kwamen ze in de gang die naar de gemeenschappelijke mannendouche leidde. Hij wist dat dit een van de twee toegangen tot de vleugel van de gevangenis was. Het was een raadsel hoe deze bewaker hen langs de controleposten zou krijgen, maar Maks zou er niets mee opschieten als hij daarnaar probeerde te raden. Tot nu toe had de bewaker precies geweten wat hij moest doen en hoe hij het moest doen. Waarom zou het nu anders gaan? De man was duidelijk een professional. Hij had een grondige studie van de gevangenis gemaakt en het was duidelijk dat hij machtige figuren achter zich had: ten eerste omdat hij hier was binnengekomen, en ten tweede omdat hij blijkbaar kon gaan en staan waar hij wilde. Hier was Maks' baas aan het werk.

Toen ze naar de doorgang van de douches liepen, vroeg Maks: 'Wie ben jij?'

'Mijn naam is onbelangrijk,' zei de bewaker. 'Wie me gestuurd heeft niet.'

Max nam alles in de onnatuurlijke stilte van de gevangenisavond in zich op. De bewaker sprak onberispelijk Russisch, maar met zijn geoefende oog zag Maks dat hij er niet Russisch uitzag, en trouwens ook niet Georgisch, Tsjetsjeens, Oekraïens of Azerbeidzjaans. Hij was klein voor Maks' begrippen, maar ja, vergeleken met hem was bijna iedereen klein. Zijn lichaam was gespierd en zijn bewegingen waren goed getraind. Hij bezat de bovennatuurlijke onbeweeglijkheid van volkomen beheerste energie. Hij maakte geen beweging tenzij het echt moest en gebruikte dan alleen de hoeveelheid energie die nodig was en niet meer dan dat. Maks was zelf ook zo, en hij zag dan ook gemakkelijk de subtiele tekenen die anderen ontgingen. De ogen van de bewaker waren flets, zijn gezicht stond grimmig, bijna afstandelijk, als dat van een chirurg in een operatiekamer. Hij had dicht, lichtgekleurd haar op de bovenkant van zijn hoofd, met uitlopers in een stijl die Maks niet zou hebben gekend als hij geen liefhebber van internationale tijdschriften en buitenlandse films was geweest. Sterker nog: als Maks niet beter wist, zou hij zeggen dat de bewaker een Amerikaan was. Maar dat kon niet. Maks' baas nam geen Amerikanen in dienst; hij lijfde ze in.

'Dus Maslov heeft je gestuurd,' zei Maks. Dimitri Maslov was het hoofd van de Kazanskaja. 'Dat werd verdomme tijd. Als je hier vijftien maanden zit, lijkt het wel vijftien jaar.'

Op dat moment, toen ze ter hoogte van de douches waren gekomen, sloeg de bewaker, zonder zich helemaal om te draaien, met de knuppel tegen de zijkant van Maks' hoofd. Maks, volledig verrast, zakte in elkaar op de kale betonnen vloer van de doucheruimte. Die vloer rook naar schimmel, desinfecterende middelen en onhygiënisch levende mannen.

De bewaker kwam zo nonchalant op hem af alsof hij een avondje uit was met een meisje aan zijn arm. Hij zwaaide bijna loom met de knuppel. Hij trof Maks op zijn linkerbiceps, net hard genoeg om hem achteruit te drijven naar de rij douchekoppen, die uit de vochtige achtermuur staken. Maar Maks liet zich niet dirigeren, niet door deze bewaker en niet door iemand anders. Toen de knuppel over het hoogste punt van zijn boog heen was en met een fluitend geluid naar beneden kwam, ging Maks een stap naar voren en brak de neergaande beweging met een klap van zijn gespierde onderarm. Nu hij binnen de verdedigingslinie van de bewaker was gekomen, kon hij doen wat de situatie vereiste.

Hij had het zelfgemaakte mes in zijn linkerhand en stak het met de punt naar voren. Toen de bewaker in actie kwam om het tegen te houden, haalde Maks ermee uit om door de huid van de bewaker te snijden. Hij had op de onderkant van de pols gemikt, het knooppunt van aderen dat, indien doorgesneden, de hand onbruikbaar zou maken. Maar de reflexen van de bewaker waren even snel als die van hemzelf, en het mes kraste over de mouw van het leren jasje en drong niet door het leer heen, zoals de bedoeling was. Maks had nog net de tijd om te beseffen dat het jasje gevoerd moest zijn met kevlar of een ander ondoordringbaar materiaal, voordat de bewaker het mes met de eeltige zijkant van zijn hand wegsloeg.

Een volgende klap liet Maks achteroverwankelen. Hij struikelde over een van de afvoerputjes, zijn hak zakte erin weg, en de bewaker stampte met de zool van zijn laars tegen de zijkant van Maks' knie. Met het afschuwelijke geluid van bot dat over bot knarst zakte Maks' rechterbeen onder hem weg.

Toen de bewaker dichterbij kwam, zei hij: 'Ik ben niet door Dimitri Maslov gestuurd, maar door Pjotr Zilber.'

Max probeerde zijn hak uit het afvoerputje te trekken. 'Ik weet niet over wie je het hebt.'

De bewaker greep de voorkant van zijn overhemd vast. 'Je hebt zijn broer Aleksei vermoord. Eén schot in zijn achterhoofd. Hij dreef op zijn buik in de Moskwa.'

'Dat was zakelijk,' zei Maks. 'Puur zakelijk.'

'Ja, nou, dit is persoonlijk,' zei de bewaker terwijl hij zijn knie in Maks' kruis dreef.

Maks klapte dubbel. Toen de bewaker zich bukte om hem overeind te hijsen, sloeg Maks met de kruin van zijn hoofd tegen de kin van de bewaker. Diens tanden sneden in zijn tong en het bloed spoot tussen zijn lippen vandaan.

Maks maakte van de gelegenheid gebruik om zijn vuist in de zij van de andere man te pompen, net boven de nier. De ogen van de bewaker gingen wijd open – het enige teken dat hij pijn voelde – en hij schopte tegen Maks' verwoeste knie. Maks zakte in elkaar en bleef liggen. De pijn stroomde als een rivier door hem heen. Terwijl hij zijn best deed om de pijn tot een bepaald deel van zijn lichaam terug te dringen, schopte de bewaker hem opnieuw. Maks voelde dat zijn ribben bezweken en zijn wang drukte tegen de stinkende betonvloer. Hij bleef verdoofd liggen en kon niet overeind komen.

De bewaker hurkte bij hem neer. Toen hij zag dat de bewaker een grimas trok, beleefde Maks daar een zekere voldoening aan, maar meer troost zou hij niet krijgen.

'Ik heb geld,' bracht Maks zwakjes uit. 'Het ligt begraven op een veilige plaats waar niemand het vindt. Als je me hieruit haalt, breng ik je erheen. Je mag de helft hebben. Dat is meer dan vijfhonderd-duizend Amerikaanse dollars.'

Dat maakte de bewaker alleen maar kwaad. Hij sloeg Maks hard op zijn oor, zodat hij sterretjes zag. Zijn hoofd galmde van een pijn die voor ieder ander ondraaglijk zou zijn geweest. 'Denk je dat ik zo ben als jij? Dat ik geen trouw ken?' Hij spuwde in Maks' gezicht.

'Arme Maks, de moord op die jongen was een grote fout van je. Mensen als Pjotr Zilber vergeten zoiets niet. En ze kunnen hemel en aarde bewegen om hun zin te krijgen.'

'Goed,' fluisterde Maks. 'Je mag het allemaal hebben. Meer dan een miljoen dollar.'

'Pjotr Zilber wil je dood hebben, Maks. Ik ben hierheen gekomen om je dat te vertellen. En om je te doden.' Er kwam een subtiele verandering op zijn gezicht. 'Maar eerst...'

Hij trok Maks' linkerarm opzij, trapte op de pols en drukte hem hard tegen het ruwe beton. Vervolgens haalde hij een snoeischaar met dikke bladen tevoorschijn.

Dat wekte Maks uit zijn staat van verdoving. 'Wat doe je?'

De bewaker pakte Maks' duim, waarop een tatoeage van een schedel prijkte; diezelfde afbeelding had hij in groter formaat op zijn borst. Het was een symbool van Maks' verheven status in zijn moorddadige beroep.

'Pjotr Zilber wilde niet alleen dat je wist wie tot je dood heeft bevolen. Hij wilde ook het bewijs dat je dood was, Maks.'

De bewaker zette de schaar op de onderkant van Maks' duim en drukte de handgrepen naar elkaar toe. Maks maakte een gorgelend geluid als een baby.

Zoals een slager zou doen, verpakte de bewaker de duim in een stukje waspapier. Hij deed er een elastiekje omheen en stopte hem in een plastic zak.

'Wie ben jij?' kon Maks nog uitbrengen.

'Ik heet Arkadin,' zei de bewaker. Hij maakte zijn overhemd open en liet een tatoeage van twee kandelaars op zijn borst zien. 'Of in jouw geval: Dood.'

Met een beweging vol gratie brak hij Maks' nek.

De heldere alpiene zon verlichtte Campione d'Italia, een kleine exquise Italiaanse enclave van anderhalve vierkante kilometer in het volmaakte Zwitserse landschap. Dankzij zijn prachtige ligging aan de oostelijke rand van het Meer van Lugano was het zowel verbazingwekkend schilderachtig als een uitstekende plek om domicilie te kiezen. Net als Monaco was het een belastingparadijs voor rijken, die hier schitterende villa's bezaten en de tijd verdreven door te gaan gokken in het Casino di Campione. Geld en kostbaarheden konden worden opgeslagen in Zwitserse banken, die terecht de reputatie genoten een discrete service te verlenen, volledig afgeschermd van de nieuwsgierige ogen van internationale politiediensten.

Pjotr Zilber had deze weinig bekende, idyllische omgeving uitgekozen voor zijn eerste persoonlijke ontmoeting met Leonid Arkadin. Hij had via een tussenpersoon contact met Arkadin opgenomen, want om allerlei veiligheidsredenen had hij niet rechtstreeks met de huurmoordenaar in verbinding willen treden. Al van jongs af had Pjotr geleerd dat er niet zoiets als te veel veiligheidsmaatregelen bestond. Als je in een familie met geheimen was geboren, drukte er een zware verantwoordelijkheid op je schouders.

Vanaf zijn hoge plek op het uitzichtpunt bij de Via Totone had Pjotr een adembenemend zicht op de roodbruine pannendaken van de chalets en appartementengebouwen, de met palmen omzoomde pleinen van het stadje, het hemelsblauwe water van het meer en de bergen waarvan de flanken in mantels van mist waren gehuld. Terwijl hij daar in zijn grijze BMW zat, drong het verre ronken tot hem door van de speedboten die een kielzog van schuimige kromzwaarden achterlieten. Met een deel van zijn gedachten was hij al bij de reis die hij zou maken. Nadat hij het gestolen document in handen had gekregen, had hij het de lange reis door zijn netwerk naar zijn uiteindelijke doel laten maken.

Hij vond het bijzonder opwindend om hier te zijn. De verwachting van wat zou komen, van de lofprijzingen die zijn deel zouden zijn, vooral van de kant van zijn vader, joeg een elektrische lading door hem heen. Hij stond op het punt een onvoorstelbare overwinning te behalen. Arkadin had hem vanaf het vliegveld van Moskou gebeld om te zeggen dat de operatie succesvol was verlopen en dat hij in het bezit was van het fysieke bewijs waarom Pjotr had gevraagd.

Pjotr had een risico genomen toen hij tot Maks' dood had bevolen, maar de man had zijn broer vermoord. Moest hij hem nu zijn andere wang toekeren en vergeten wat er was gebeurd? Beter dan wie ook kende hij het strikte bevel van zijn vader om in de schaduw te blijven, in het verborgene, maar deze ene daad van wraak leek hem het risico waard. Trouwens, hij had de zaak via tussenpersonen afgehandeld, zoals zijn vader zou hebben gedaan.

Toen hij het diepe grommen van een automotor hoorde, draaide hij zich om. Hij zag een donkerblauwe Mercedes de helling naar het uitzichtpunt opkomen.

Het enige echte risico nam hij op dit moment, en daar was niets aan te doen. Als Leonid Arkadin in kolonie 13 in Nizjni Tagil kon binnendringen en Borja Maks kon doden, was hij de man voor het volgende karwei dat Pjotr in gedachten had. Een karwei dat zijn vader al jaren geleden had moeten ondernemen. Nu kreeg hij de kans om af te maken wat zijn vader niet had durven proberen. De brutalen hebben de halve wereld. Het document dat hij in handen had gekregen, bewees dat de tijd van al te grote voorzichtigheid voorbij was.

De Mercedes kwam naast zijn BMW tot stilstand, en een man met licht haar en nog lichtere ogen stapte met de soepelheid van een tijger uit de auto. Hij was geen bijzonder grote man, en hij was niet overdreven gespierd, zoals veel Russische *grupperovka*-mannen. Niettemin straalde iets in hem een stille dreiging uit die Pjotr indrukwekkend vond. Al van jeugdige leeftijd af had Pjotr met gevaarlijke mannen te maken gehad. Toen hij elf was, had hij een man gedood die zijn moeder had bedreigd. Hij had geen moment geaarzeld. Zou hij dat wel hebben gedaan, dan zou zijn moeder die middag in de Azerbeidzjaanse bazaar door een huurmoordenaar met een mes zijn vermoord. Die huurmoordenaar was, evenals anderen in de loop van de jaren, gestuurd door Semion Ikoepov, de onverzoenlijke vijand van Pjotrs vader. Op dit moment zat Ikoepov veilig verschanst in zijn villa aan de Viale Marco Campione, amper een kilometer van de plaats waar Leonid Arkadin en Pjotr nu stonden.

De twee mannen begroetten elkaar niet en spraken elkaar ook niet bij de naam aan. Arkadin haalde het roestvrijstalen koffertje tevoorschijn dat Pjotr hem had gestuurd. Pjotr reikte naar net zo'n koffertje in de BMW. De uitwisseling kwam op de motorkap van de Mercedes tot stand. De mannen legden de koffertjes naast elkaar en maakten ze open. In dat van Arkadin zat Maks' afgeknipte duim, verpakt in een zakje. In dat van Pjotr zat voor dertigduizend dollar aan diamanten, het enige betaalmiddel dat Arkadin accepteerde.

Arkadin wachtte geduldig af. Terwijl Pjotr de duim uitpakte, keek hij naar het meer. Misschien wenste hij dat hij in een van de speedboten zat die een pad door het water sneden. Maks' duim was tijdens de reis vanuit Rusland een beetje verschrompeld. Er kwam ook een zekere geur van af die Pjotr Zilber wel kende. Hij had zijn portie familieleden en landgenoten begraven. Hij hield de tatoeage in het zonlicht en haalde een klein vergrootglas tevoorschijn om naar de figuur te kijken.

Ten slotte stopte hij het vergrootglas weg. 'Was het moeilijk?'

Arkadin keek hem aan. Enkele momenten staarde hij onverzoenlijk in Pjotrs ogen. 'Niet heel erg.'

Pjotr knikte. Hij gooide de duim over het hekje van het uitzichtpunt en wierp de verpakking erachteraan. Arkadin, die daaruit afleidde dat hun transactie tot stand was gekomen, stak zijn hand uit naar het pakje met diamanten. Hij maakte het open, nam een juweliersloep, pakte er een willekeurige diamant uit en bestudeerde hem met het aplomb van een expert.

Toen hij knikte, tevreden over helderheid en kleur, zei Pjotr: 'Wat zou je ervan denken om drie keer zoveel te verdienen als wat ik je hiervoor heb betaald?'

'Ik ben drukbezet,' zei Arkadin zonder iets te laten blijken.

Pjotr boog zijn hoofd met respect. 'Ongetwijfeld.'

'Ik neem alleen opdrachten aan die me interesseren.'

'Zou Semion Ikoepov je interesseren?'

Arkadin vertrok geen spier. Er kwamen twee sportwagens voorbij. Ze reden alsof ze op het circuit van Le Mans zaten. In de echo van hun schorre uitlaten zei Arkadin: 'Wat een toeval dat we hier in het vorstendommetje zijn waar Semion Ikoepov woont.'

'Zie je wel?' Pjotr grijnsde. 'Ik weet precies hoe drukbezet je bent.'

'Tweehonderdduizend,' zei Arkadin. 'De gebruikelijke condities.'

Pjotr, die dit honorarium had verwacht, knikte instemmend. 'Bij onmiddellijke levering.'

'Akkoord.'

Pjotr maakte de kofferbak van de BMW open. Er lagen nog twee koffertjes in. Uit een daarvan bracht hij voor honderdduizend dollar aan diamanten naar het koffertje op de motorkap van de Mercedes over. Uit het andere koffertje gaf hij Arkadin een pakje papieren, waaronder een satellietkaart met de exacte locatie van Ikoepovs villa, een lijst van Ikoepovs lijfwachten en een stel blauwdrukken van de villa, inclusief de elektrische circuits, het noodstroomsysteem en details van de aangebrachte beveiligingsapparatuur.

'Ikoepov is momenteel thuis,' zei Pjotr. 'Je moet zelf zien hoe je in zijn huis komt.'

'Ik neem contact op.' Nadat Arkadin de papieren had doorgebladerd en hier en daar een vraag had gesteld, legde hij ze op de diamanten in het koffertje. Hij klapte het deksel dicht en zwaaide het koffertje zo gemakkelijk op de passagiersplaats van de Mercedes alsof het gevuld was met ballonnen.

'Morgen, zelfde tijd, zelfde plaats,' zei Pjotr toen Arkadin achter het stuur ging zitten.

De Mercedes startte; de motor zoemde. Arkadin zette hem in de versnelling. Toen hij de weg op reed, draaide Pjotr zich om naar de voorkant van de BMW. Hij hoorde piepende remmen, een auto die om een bocht gierde en draaide zich om. De Mercedes kwam recht op hem af. Een ogenblik was hij verlamd. *Wat nou?* Hij zette het op een lopen, maar het was te laat: de Mercedes had hem al te pakken. De radiateur drukte tegen hem aan en zette hem klem tegen de zijkant van de BMW.

In een waas van pijn zag hij Arkadin uit zijn auto stappen en naar hem toe komen lopen. Toen bezweek er iets in hem en raakte hij buiten bewustzijn.

Hij kwam bij bewustzijn in een gelambriseerde studeerkamer met glanzende koperen ornamenten en weelderige kleden uit Isfahan, gekleurd als juwelen. In zijn gezichtsveld stonden een walnotenhouten bureau en dito stoel, en hij zag ook een enorm raam dat uitkeek op het fonkelende water van het Meer van Lugano en de versluierde bergen daarachter. De zon stond laag in het westen en wierp lange schaduwen met de kleur van een verse kneuzing over het water tot aan de witte muren van Campione d'Italia.

Hij zat vastgebonden op een eenvoudige houten stoel die helemaal niet op zijn plaats leek in deze kamer van rijkdom en macht. Hij probeerde diep adem te halen en kromp ineen van een verlammende pijn. Toen hij omlaagkeek, zag hij dat er verband strak om zijn borst was gewikkeld en hij besefte dat hij minstens één gebarsten rib had.

'Je bent tenminste teruggekeerd uit het rijk der doden. Ik heb me een tijdje zorgen over je gemaakt.'

Het was pijnlijk voor Pjotr om zijn hoofd opzij te draaien. Elke spier in zijn lichaam voelde aan alsof hij in brand stond. Aan de andere kant was hij nieuwsgierig, en dus beet hij op zijn lip en bleef hij met zijn hoofd draaien tot er een man in zicht kwam. Het was een nogal kleine man met kromme schouders. Voor zijn grote, waterige ogen zaten ronde brillenglazen. Zijn gebronsde hoofdhuid, doorgroefd als een landkaart, bevatte geen enkele haar, maar alsof ze de kaalheid van zijn kruin wilden compenseren, staken zijn wenkbrauwen verbijsterend dik boven zijn oogkassen naar voren. Hij leek net een van die sluwe Turkse kooplieden uit de Levant.

'Semion Ikoepov,' zei Pjotr. Hij hoestte. Zijn mond voelde stijf aan, alsof er watten in waren gepropt. Hij proefde de zilte koper-smaak van zijn eigen bloed en slikte langdurig.

Ikoepov had van plaats kunnen veranderen, zodat Pjotr zijn nek niet zover hoefde te verdraaien om hem in zicht te houden, maar dat deed hij niet. In plaats daarvan sloeg hij zijn blik neer naar het vel dik papier dat hij had opengerold. 'Weet je, deze blauwdrukken van mijn villa zijn zo uitgebreid dat ik dingen over het gebouw te weten kom die ik nooit heb geweten. Bijvoorbeeld dat er een extra kelder onder de kelder is.' Hij streek met zijn dikke wijsvinger over de plattegrond. 'Het zal wel een heel werk zijn om in die kelder te komen, maar wie weet is het de moeite waard.'

Hij keek abrupt op en richtte zijn blik strak op Pjotr. 'Het zou bijvoorbeeld een ideale plek zijn om jou gevangen te houden. Zelfs mijn naaste buur zou je niet horen schreeuwen.' Hij glimlachte, een teken dat hij zijn energie op een verschrikkelijke manier ging con-centreren. 'En je zúlt schreeuwen, Pjotr. Dat verzeker ik je.' Hij draaide zijn hoofd opzij. Zijn felle ogen zochten naar iemand an-ders. 'Nietwaar, Leonid?'

Nu verscheen Arkadin in Pjotrs gezichtsveld. Plotseling greep hij met zijn ene hand Pjotrs hoofd vast en groef hij met zijn andere hand in het scharnier van zijn kaak. Pjotr kon niets anders doen dan zijn mond opendoen. Arkadin bekeek zijn kiezen een voor een. Pjotr wist dat hij op zoek was naar een valse kies die gevuld was met vloeibare cyanide. Een zelfmoordpil.

'Allemaal van hemzelf,' zei Arkadin nadat hij Pjotr had losgelaten.

'Ik ben nieuwsgierig,' zei Ikoepov. 'Hoe ben je in godsnaam aan deze blauwdrukken gekomen, Pjotr?'

Pjotr, die elk moment een klap verwachtte, zei niets, maar plot-seling trilde hij zo onbedaarlijk dat zijn tanden ervan klapperden.

Ikoepov gaf een teken aan Arkadin, die een dikke deken om Pjotrs bovenlichaam heen sloeg. Ikoepov zette een kersenhouten stoel met veel beeldsnijwerk tegenover Pjotr en ging erop zitten.

Hij ging gewoon verder, alsof hij geen antwoord had verwacht. 'Ik moet toegeven dat het blijk geeft van vrij veel initiatief van jouw kant. Dus de slimme jongen is een slimme jongeman geworden.' Ikoepov haalde zijn schouders op. 'Het verbaast me niet. Maar nu moet je naar me luisteren. Ik weet wie je werkelijk bent – dacht je dat je me kon misleiden door steeds weer je naam te veranderen? Je hebt een wespennest opengetrokken en dus moet je nu niet verbaasd zijn dat je wordt gestoken. En gestoken en gestoken en gestoken.'

Hij boog zijn bovenlichaam naar Pjotr toe. 'Hoezeer je vader en ik ook een hekel aan elkaar hadden, we zijn met elkaar opgegroeid. Ooit hadden we zo'n nauwe band met elkaar als broers. Dus uit respect voor hem zal ik niet tegen je liegen, Pjotr. Deze drieste actie van jou loopt niet goed af. Sterker nog, van het begin af kon het niet goed gaan. En wil je weten waarom? Je hoeft geen antwoord te geven; natuurlijk wil je het weten. Je aardse lusten hebben je verraden, Pjotr. Dat verrukkelijke meisje met wie je de afgelopen zes maanden naar bed gaat is van mij. Ik weet dat je dat niet zult geloven. Ik weet dat je haar grondig hebt doorgelicht; dat is je werkwijze. Ik was op al je vragen voorbereid; ik zorgde ervoor dat je de antwoorden kreeg die je moest horen.'

Pjotr keek Ikoepov aan en merkte dat zijn tanden weer klapperden, hoe hij zijn kaken ook op elkaar klemde.

'Thee, alsjeblieft, Philippe,' zei Ikoepov tegen een onzichtbare persoon. Even later zette een slanke jongeman een zilveren Engels theeservies op een tafeltje bij Ikoepovs rechterhand. Als een aardige oom schonk Ikoepov de thee in en deed hij er suiker bij. Hij hield het porseleinen kopje tegen Pjotrs blauwige lippen en zei: 'Toe dan, drink, Pjotr. Het is voor je eigen bestwil.'

Pjotr keek hem onverzoenlijk aan, tot Ikoepov zei: 'O ja, ik begrijp het.'

Hij nam zelf een slokje uit het kopje om Pjotr te bewijzen dat het alleen maar thee was en hield het hem toen weer voor. De rand sloeg tegen Pjotrs tanden, maar uiteindelijk dronk Pjotr van de thee, eerst langzaam en toen gretiger. Toen het kopje leeg was, zette Ikoepov het op zijn schoteltje terug. Inmiddels trilde Pjotr niet zo erg meer.

'Voel je je beter?'

'Ik voel me beter,' zei Pjotr, 'als ik hier weg ben.'

'Tja, dat zit er voorlopig niet in,' zei Ikoepov. 'Als je hier al ooit weg komt. Tenzij je me vertelt wat ik wil weten.'

Hij schoof zijn stoel dichterbij; de gelaatsuitdrukking van een vriendelijke oom was nu helemaal verdwenen. 'Je hebt iets gestolen wat van mij is,' zei hij. 'Ik wil het terug.'

'Het was niet van jou. Jij had het ook gestolen.'

Pjotr antwoordde met zoveel venijn dat Ikoepov zei: 'Jij haat mij net zo erg als je van je vader houdt. Dat is jouw grote probleem, Pjotr. Je hebt nooit geleerd dat haat en liefde in wezen hetzelfde zijn en dat iemand die liefheeft even gemakkelijk te manipuleren is als iemand die haat.'

Pjotr trok zijn mond samen, alsof Ikoepovs woorden daar een bittere smaak in achterlieten. 'Trouwens, het is te laat. Het document is al onderweg.'

Onmiddellijk veranderde Ikoepovs gezicht. Het werd zo gesloten als een vuist. Door de spanning leek zijn kleine lichaam een wapen dat op het punt stond gelanceerd te worden. 'Waar heb je het heen gestuurd?'

Pjotr haalde zijn schouders op, maar zei niets meer.

Ikoepovs gezicht werd duister van woede. 'Denk je dat ik niets weet van het systeem van informatie en materieel dat je in de afgelopen drie jaar hebt opgebouwd? Op die manier stuur je informatie die je van mij hebt gestolen naar je vader toe, waar hij ook mag zijn.'

Voor het eerst sinds hij was bijgekomen glimlachte Pjotr. 'Als jij iets belangrijks over dat systeem wist, had je het al opgerold.'

Nu kreeg Ikoepov zijn emoties weer ijzig in bedwang.

'Ik zei toch dat het geen zin had om met hem te praten?' zei Arkadin vanaf zijn plaats recht achter Pjotrs stoel.

'Evengoed,' zei Ikoepov, 'moeten we bepaalde protocollen in acht nemen. Ik ben geen beest.'

Pjotr snoof.

Ikoepov keek naar zijn gevangene. Hij leunde achterover, trok zorgvuldig zijn broekspijp op, sloeg zijn benen over elkaar en vouwde zijn kleine dikke handen op zijn onderbuik samen.

'Ik geef je één laatste kans om dit gesprek voort te zetten.'

Pas toen de stilte bijna ondraaglijk lang had geduurd, keek Ikoepov naar Arkadin op.

'Pjotr, waarom doe je me dit aan?' zei hij berustend. En tegen Arkadin: 'Begin.'

Hoewel het hem pijn deed en in ademnood bracht, draaide Pjotr zijn hoofd zover als hij kon, maar hij kon niet zien wat Arkadin deed. Hij hoorde het geluid van voorwerpen op een metalen wagentje dat over de vloerbedekking werd gereden.

Pjotr keek weer naar voren. 'Je maakt mij niet bang.'

'Ik wil je niet bang maken, Pjotr,' zei Ikoepov. 'Ik wil je pijn doen, heel, heel erg pijn.'

Met een pijnlijke kramp trok Pjotrs wereld zich samen tot de speldenknop van een ster in de nachtelijke hemel. Hij zat gevangen in zijn eigen geest, maar ondanks al zijn training, al zijn moed, kon hij de pijn niet tot één zone terugdringen. Over zijn hoofd zat een kap die strak om zijn hals was aangetrokken. Dat maakte de pijn honderd keer zo erg, want ondanks zijn grote moed leed Pjotr aan claustrofobie. Voor iemand die zich nooit in grotten, kleine ruimten of zelfs onder water begaf was zo'n kap het ergste wat er bestond. Zijn zintuigen mochten hem dan vertellen dat hij in werkelijkheid helemaal niet opgesloten zat, zijn geest wilde dat niet accepteren – die verkeerde in grote paniek. De pijn die Arkadin hem toebracht was tot daar aan toe, maar de vergroting daarvan door de kap was meer dan Pjotr kon verdragen. Zijn geest wervelde in het rond. Hij voelde dat er iets wilds in hem kwam – de wolf die in een val beklemd zat en koortsachtig zijn eigen poot afknaagde. Maar de geest was geen arm of been; hij kon hem niet wegknagen.

Vaag hoorde hij dat iemand hem een vraag stelde waarop hij het antwoord wist. Hij wilde het antwoord niet geven, maar hij wist dat hij het zou doen, want de stem zei dat de kap van zijn hoofd af zou gaan als hij antwoord gaf. Zijn dolgedraaide geest wist alleen dat de kap eraf moest. Zijn geest kon geen onderscheid meer maken tussen goed en kwaad, juist en verkeerd, leugen en waarheid, en reageerde op maar één bevel: de noodzaak om in leven te blijven. Hij probeerde zijn vingers te bewegen, maar blijkbaar drukte de ondervrager, die zich over hem heen boog, daar met de muizen van zijn handen op.

Pjotr hield het niet meer uit. Hij gaf antwoord op de vraag.

De kap ging niet af. Hij schreeuwde het uit van verontwaardiging en angst. *Natuurlijk ging de kap niet af*, dacht hij in een klein moment van helderheid. Als dat gebeurde, zou hij geen reden hebben om de volgende vraag te beantwoorden, en de volgende en de volgende.

En hij zou ze beantwoorden – allemaal. Hij wist dat met huiveringwekkende zekerheid. Al vermoedde een deel van hem dat de kap nooit meer af zou gaan, zijn opgesloten geest zou het risico nemen. Die had geen andere keuze.

Maar nu hij zijn vingers kon bewegen, was er wel een andere keus. Kort voordat de wervelwind van waanzinnige paniek hem weer meesleepte, maakte Pjotr die keuze. Er was één uitweg, en nadat hij een stil gebed tot Allah had gezegd, koos hij daarvoor.

Ikoepov en Arkadin stonden bij Pjotrs lichaam. Pjotrs hoofd lag opzij; zijn lippen waren erg blauw en er kwam een vaag maar onmiskenbaar schuim uit zijn halfopen mond. Ikoepov bukte zich en snoof de geur van bittere amandelen op.

'Ik wilde hem niet dood hebben, Leonid. Dat heb ik je heel duidelijk gezegd.' Ikoepov keek geërgerd. 'Hoe is hij aan cyanide gekomen?'

'Ze hebben een variant gebruikt die ik nooit eerder heb meegemaakt.' Arkadin keek zelf ook niet erg blij. 'Hij had een valse vingernagel.'

'Hij zou hebben gepraat.'

'Natuurlijk zou hij hebben gepraat,' zei Arkadin. 'Hij was al begonnen.'

'Dus hij besloot zijn eigen mond voorgoed te sluiten.' Ikoepov schudde vol walging zijn hoofd. 'Dit zal grote gevolgen hebben. Hij heeft gevaarlijke vrienden.'

'Ik zal ze vinden,' zei Arkadin. 'Ik zal ze doden.'

Ikoepov schudde zijn hoofd. 'Zelfs jij kunt ze niet allemaal op tijd doden.'

'Ik kan contact opnemen met Misja.'

'En het risico lopen alles te verliezen? Nee. Ik weet wat hij voor je betekent. Hij is je beste vriend en mentor. Ik begrijp dat je met hem wilt praten, hem wilt ontmoeten. Maar dat kun je niet doen, niet voordat dit afgelopen is en Misja naar huis komt. Dat is definitief.'

'Ik begrijp het.'

Ikoepov liep naar het raam en keek met zijn hand op zijn rug naar de vallende duisternis. Langs het meer fonkelden lichtjes op de helling van Campione d'Italia. Er volgde een lange stilte waarin hij naar de veranderende omgeving keek. 'We moeten het tijdschema naar voren verschuiven; dat is alles. En jij begint in Sebastopol. Je gebruikt de enige naam die je uit Pjotr hebt gekregen voordat hij zelfmoord pleegde.'

Hij draaide zich om en keek Arkadin aan. 'Alles draait nu om jou, Leonid. Deze aanval zit al drie jaar in de planningfase. Het is de bedoeling dat de Amerikaanse economie wordt lamgelegd. We hebben nog maar amper twee weken de tijd voor het zover is.' Hij liep geluidloos over de vloerbedekking. 'Philippe zal je voorzien van geld, papieren, wapens die aan elektronische detectie ontsnappen, alles wat je nodig hebt. Vind die man in Sebastopol. Haal het document op, en als je het hebt, volg dan het informatienetwerk terug en rol het op, zodat het nooit meer kan worden gebruikt om onze plannen in gevaar te brengen.'

Deel een

I

'Wie is David Webb?'

Moira Trevor, die voor zijn bureau op de Georgetown University stond, stelde die vraag zo ernstig dat Jason Bourne zich verplicht voelde antwoord te geven.

'Vreemd,' zei hij. 'Dat heeft niemand me ooit eerder gevraagd. David Webb is een taalwetenschapper, een man met twee kinderen die een gelukkig leven leiden bij hun grootouders' – Maries ouders – 'op een boerderij in Canada.'

Moira fronste haar wenkbrauwen. 'Mis je ze niet?'

'Ik mis ze verschrikkelijk,' zei Bourne, 'maar ze zijn daar echt veel beter af dan bij mij. Wat voor leven zou ik ze kunnen bieden? En dan is er het voortdurende gevaar dat uit mijn Bourne-identiteit voortkomt. Marie is ontvoerd en bedreigd om mij te dwingen iets te doen wat ik niet wilde. Die fout maak ik niet nog een keer.'

'Maar je ziet ze van tijd tot tijd toch wel?'

'Zo vaak als ik kan, maar het is moeilijk. Ik wil absoluut niet dat iemand mij naar hen volgt.'

'Ik heb met je te doen,' zei Moira, en ze meende het. Ze glimlachte. 'Ik moet zeggen dat ik het vreemd vind je hier op een universiteit achter een bureau te zien zitten.' Ze lachte. 'Zal ik een pijp en een jasje met elleboogstukken voor je kopen?'

Bourne glimlachte. 'Ik ben hier tevreden, Moira. Echt waar.'

'Ik ben blij voor je. Martins dood was moeilijk voor ons beiden. Ik verzacht de pijn door me op mijn werk te storten. Jij doet dat blijkbaar hier, in een nieuw leven.'

'Eigenlijk een oud leven.' Bourne keek in het kantoor om zich heen. 'Marie was het gelukkigst toen ik lesgaf en ze erop kon rekenen dat ik 's avonds thuiskwam om met haar en de kinderen te eten.'

'En jij?' vroeg Moira. 'Was jij hier het gelukkigst?'

Bournes gezicht betrok. 'Ik was gelukkig toen ik bij Marie was.' Hij keek haar aan. 'Ik zou dat nooit tegen iemand anders zeggen dan tegen jou.'

'Een zeldzaam compliment van jou, Jason.'

'Zijn mijn complimenten zo zeldzaam?'

'Net als Martin ben je goed in het bewaren van geheimen,' zei ze. 'Maar ik weet niet of dat wel zo gezond is.'

'Ik weet wel zeker dat het helemaal niet gezond is,' zei Bourne. 'Maar we hebben nu eenmaal voor dat leven gekozen.'

'Over ons leven gesproken.' Ze ging op een stoel tegenover hem zitten. 'Ik ben alvast naar je toe gekomen om met je over een andere baan te praten, maar nu ik zie hoe tevreden je hier bent, weet ik niet of ik verder moet gaan.'

Bourne herinnerde zich de eerste keer dat hij haar had gezien, een slanke, welgevormde figuur in de mist, donker haar dat om haar gezicht waaide. Ze stond aan de balustrade in de Cloisters en keek uit over de Hudson. Ze waren daar samen heen gegaan om afscheid te nemen van hun wederzijdse vriend Martin Lindros, nadat Bourne een dappere maar vergeefse poging had gedaan hem te redden.

Vandaag droeg Moira een wollen pakje en een zijden blouse die open was bij de hals. Ze had krachtige trekken, een markante neus, donkerbruine ogen die ver uit elkaar stonden en intelligent de wereld inkeken, enigszins omlaag bij de buitenhoeken. Haar haar viel in weelderige golven over haar schouders. Er was een ongewone sereniteit aan haar: een vrouw die wist wat ze deed, die zich door niemand liet intimideren, door geen vrouw en door geen man.

Misschien vond Bourne dat laatste haar mooiste eigenschap. In dat opzicht, en in geen enkel ander, leek ze op Marie. Hij had zich nooit in haar relatie met Martin verdiept, maar hij nam aan dat het een romantische was geweest, want Martin had Bourne ooit bevel gegeven voor haar twaalf rode rozen te kopen op de dag dat hij zou sterven. Bourne had dat gedaan met een droefheid zo diep dat hij er zelf door werd verrast.

Zoals ze daar in haar stoel zat, haar lange welgevormde been over haar knie, leek ze het prototype van de Europese zakenvrouw. Ze had hem verteld dat ze half Frans en half Engels was, maar in haar genen had ze nog de sporen van haar Venetiaanse en Turkse voorouders. Ze was trots op het vuur in haar gemengde bloed, het resultaat van oorlogen, invasies en hartstochtelijke liefde.

'Ga verder.' Hij boog zich naar voren, zijn ellebogen op zijn bureau. 'Ik wil horen wat je te zeggen hebt.'

Ze knikte. 'Goed. Zoals ik je heb verteld, heeft NextGen Energy Solutions onze nieuwe terminal voor LNG, vloeibaar gemaakt aardgas, in Long Beach voltooid. We verwachten onze eerste zending over twee weken. Ik kwam op een idee. Het lijkt me nu volslagen krankzinnig, maar oké. Ik zou graag willen dat jij de leiding nam van de beveiliging. Mijn bazen zijn bang dat de terminal het doelwit van terroristen wordt, en ik ben het met ze eens. Eerlijk gezegd kan ik niemand bedenken die hem veiliger kan maken dan jij.'

'Ik voel me gevleid, Moira, maar ik heb hier verplichtingen. Zoals je weet, heeft professor Specter me tot hoofd van de subfaculteit Vergelijkende Linguïstiek benoemd. Ik wil hem niet teleurstellen.'

'Ik mag Dominic Specter graag, Jason, echt waar. Je hebt duidelijk gemaakt dat hij je mentor is. Eigenlijk is hij de mentor van David Webb, nietwaar? Maar ik heb Jason Bourne het eerst ontmoet en ik heb het gevoel dat ik in de afgelopen maanden Jason Bourne heb leren kennen. Wie is de mentor van Jason Bourne?'

Bournes gezicht betrok, zoals ook was gebeurd toen Marie werd genoemd. 'Alex Conklin is dood.'

Moira bewoog op haar stoel. 'Als je met me komt samenwerken, zit daar geen bagage aan vast. Denk erover na. Het is een kans om je vroegere levens achter te laten – zowel dat van David Webb als dat van Jason Bourne. Ik vlieg binnenkort naar München omdat daar een essentieel element van de terminal wordt geproduceerd. Ik wil dat een expert zijn mening geeft als ik de gegevens bestudeer.'

'Moira, er zijn veel experts die je dat kunt vragen.'

'Maar niemand in wiens mening ik zoveel vertrouwen stel als in de jouwe. Dit is materiaal van cruciaal belang, Jason. Meer dan de helft van de goederen die naar de Verenigde Staten worden gebracht komt via de haven van Long Beach binnen. Onze beveiligingsmaatregelen moeten dus heel goed zijn. De Amerikaanse overheid heeft al laten blijken dat ze geen tijd en ook geen zin heeft om handelsverkeer te beveiligen, en dus moeten we dat zelf doen. Deze terminal loopt een heel reëel en heel groot gevaar. Ik weet dat jij zelfs de meest geheimzinnige beveiligingssystemen te slim af kunt zijn. Niemand is beter dan jij in staat onconventionele maatregelen in te voeren.'

Bourne stond op. 'Moira, luister. Marie was David Webbs grootste fan. Sinds haar dood heb ik hem helemaal losgelaten. Maar hij is niet dood en hij is ook geen invalide. Hij leeft in mij voort. Als ik in slaap val, droom ik van dit leven alsof het van iemand anders is en word ik zwetend wakker. Ik voel me alsof een deel van mezelf is weggesneden. Ik wil dat gevoel niet meer hebben. Het wordt tijd dat David Webb recht wordt gedaan.'

Veronica Hart liep met lichte, onbezorgde tred. Ze passeerde de ene na de andere controlepost op weg naar de bunker die de West Wing van het Witte Huis was. De baan die ze straks zou krijgen – directeur van de CIA – was formidabel, vooral in de nasleep van de moorden en de grove inbreuken op de geheimhouding in het afgelopen jaar. Evengoed had ze zich nooit zo gelukkig gevoeld als nu. Het was belangrijk voor haar om een doel te hebben. Het feit dat juist zij voor deze ontzaglijke taak was uitgekozen was de ultieme beloning voor al het harde werken, alle tegenslagen, alle bedreigingen die ze vanwege haar sekse had moeten doorstaan.

Dan was er ook nog de kwestie van haar leeftijd. Op haar zesenveertigste was ze de jongste CIA-directeur uit de recente geschiedenis. Overigens was het niets nieuws voor haar om de jongste in iets te zijn. Haar verbazingwekkende intelligentie, gecombineerd met haar felle vastbeslotenheid, had haar de jongste laten zijn die aan haar college afstudeerde, de jongste die bij de militaire inlichtingendienst kwam te werken, de jongste in het opperbevel van de strijdkrachten, tot en met een uiterst lucratieve inlichtingenpositie bij het bedrijf Black River in Afghanistan en de Hoorn van Afrika: tot op de dag van vandaag wisten zelfs de hoofden van de zeven directoraten van de CIA niet precies waar ze gestationeerd was geweest, wie er onder haar leiding hadden gestaan en wat haar missie was geweest.

Nu was ze eindelijk nog maar enkele stappen verwijderd van de top van de inlichtingenpiramide. Ze had alle hordes met succes genomen, was om elke valkuil heen gestapt en had geleerd met wie ze vriendschap moest sluiten en wie ze haar rug moest toekeren. Ze had steeds weer seksuele insinuaties moeten verdragen, en geruchten over ongepast gedrag, verhalen over haar afhankelijkheid van haar mannelijke ondergeschikten, van wie werd gezegd dat ze het denkwerk voor haar deden. Steeds weer had ze getriomfeerd, had ze nadrukkelijk een staak in het hart van de leugens gedreven en in sommige gevallen degenen die erachter zaten ten val gebracht.

In deze fase van haar leven was ze een machtsfactor van belang, iets waarvan ze uiteraard genoot. Ze ging dan ook opgewekt naar haar gesprek met de president. In haar koffertje zat een dikke map met de veranderingen die ze in de CIA wilde aanbrengen om de puinhopen op te ruimen die waren ontstaan door het debacle rond Karim al-Jamil en de moord op haar voorganger. Zoals te verwachten was, verkeerde de CIA in grote verwarring. Het moreel was lager dan ooit, en natuurlijk was er alom rancune aan de kant van de hoofden van directoraten, allemaal mannen, die stuk voor stuk het gevoel hadden dat ze zelf op de stoel van directeur zouden moeten zitten.

Aan die verwarring en dat lage moreel zou nu een eind komen, en ze had initiatieven uitgedacht om dat voor elkaar te krijgen. Ze was er absoluut zeker van dat de president niet alleen blij zou zijn met haar plannen maar ook met de snelheid waarmee ze ze zou uitvoeren. Een inlichtingenorganisatie die van zo'n vitaal belang was als de CIA moest snel iets doen aan de wanhoop waaraan ze ten prooi was gevallen. Alleen de clandestiene antiterreurafdeling, Typhon, geesteskind van Martin Lindros, functioneerde normaal, en dat was te danken aan de nieuwe directeur daarvan, Soraya Moore. Soraya had de leiding naadloos overgenomen. Haar agenten waren gek op haar, zouden voor haar door het vuur van de Hades gaan als ze erom vroeg. Wat de rest van de CIA betrof, was het aan haar om de organisatie te genezen, te stimuleren en weer doelgericht te maken.

Ze was verrast – misschien was 'geschokt' een te sterk woord – toen ze in het Oval Office niet alleen de president aantrof maar ook Luther LaValle, de inlichtingenchef van het Pentagon, en zijn plaatsvervanger, generaal Richard P. Kendall. Zonder de anderen aan te kijken liep ze over het weelderige Amerikaans blauwe tapijt om de president een hand te geven. Ze was lang en slank en had een lange hals. Haar asblonde haar was modieus gekapt, net niet mannelijk maar wel zakelijk. Ze droeg een donkerblauw pakje, pumps met lage hakken en kleine gouden oorhangers en had zich minimaal opgemaakt. Haar nagels waren recht afgeknipt.

'Ga zitten, Veronica,' zei de president. 'Je kent Luther LaValle en generaal Kendall.'

'Ja.' Veronica boog haar hoofd een heel klein beetje. 'Heren, het is me een genoegen.' Al zou niets verder bezijden de waarheid kunnen zijn.

Ze had de pest aan LaValle. In veel opzichten was hij de gevaarlijkste man van de Amerikaanse inlichtingenwereld, vooral omdat hij gesteund werd door de enorm machtige E.R. 'Bud' Halliday, de minister van Defensie. LaValle was een op macht beluste egoïst die geloofde dat hij en zijn mensen de leiding van de hele Amerikaanse inlichtingenwereld zouden moeten hebben – punt uit. Hij voedde zich met oorlog zoals anderen zich te goed deden aan vlees en aardappelen. En hoewel Veronica het nooit had kunnen bewijzen, vermoedde ze dat hij achter enkele van de ergste geruchten zat die over haar de ronde hadden gedaan. Hij genoot ervan om de reputatie van anderen te verwoesten en vond het prachtig om ongegeneerd op de schedels van zijn vijanden te trappen.

Al sinds Afghanistan en daarna Irak had LaValle ernaar gestreefd – onder de typisch veelomvattende, troebele Pentagon-leus dat hij 'het slagveld voorbereidde' voor toekomstige troepen – de reikwijdte van de inlichtingenactiviteiten van het Pentagon uit te breiden, totdat die activiteiten inbreuk dreigden te maken op die van de CIA. Het was in Amerikaanse inlichtingenkringen een publiek geheim dat hij een begerig oog had laten vallen op de agenten en oude internationale netwerken van de CIA. Wel, nu de Oude Man en zijn gedoodverfde opvolger dood waren, zou het typisch iets voor LaValle zijn om op een agressieve manier een stuk territorium in te pikken. Daarom gingen er keihard alarmbellen in Veronica's hoofd af toen ze hem en zijn schoothondje daar zag zitten.

Drie stoelen stonden ongeveer in een halve kring tegenover het bureau van de president. Twee daarvan waren natuurlijk bezet. Veronica nam de derde stoel en was zich er pijnlijk van bewust dat ze nu geflankeerd werd door de twee mannen, ongetwijfeld met opzet. Ze zou er eigenlijk wel om kunnen lachen. Als die twee dachten dat ze haar konden intimideren door haar te omsingelen, hadden ze het lelijk mis. Maar toen de president begon te praten, hoopte ze dat haar lach niet over een uur hol door haar hoofd zou galmen.

Dominic Specter kwam vlug de hoek om toen Bourne bezig was de deur van zijn kamer op slot te doen. De diepe rimpel in zijn hoge voorhoofd verdween zodra hij Bourne zag.

'David, wat ben ik blij dat ik je nog zie voordat je weggaat!' zei hij met groot enthousiasme. Toen richtte hij zijn charme op Bournes metgezellin en voegde eraan toe: 'En ook nog wel met de charmante Moira.' Als echte gentleman boog hij op Europese wijze voor haar.

Toen keek hij Bourne weer aan. Hij was een kleine man die ondanks zijn meer dan zeventig jaar over een ongebreidelde energie beschikte. Zijn hoofd leek volmaakt rond en werd omringd door een krans van haar die van oor tot oor ging. Zijn ogen waren donker en onderzoekend en zijn huid was diep gebronsd. Door zijn royale mond leek hij wel wat op een kikker die op het punt stond van het ene waterlelieblad naar het andere te springen. 'Er doet zich een probleem voor en ik wil je mening horen.' Hij glimlachte. 'Ik zie dat het vanavond niet gaat. Schikt het je morgen met me te dineren?'

Bourne zag iets in Specters glimlach; er zat zijn oude mentor iets dwars. 'Waarom spreken we niet af voor het ontbijt?'

'Weet je zeker dat het niet ongelegen komt, David?' Maar onwillekeurig keek hij opgelucht.

'Nou, ontbijten komt me zelfs beter uit,' loog Bourne om het voor Specter gemakkelijker te maken. 'Acht uur?'

'Voortreffelijk! Ik verheug me erop.' Na een knikje in Moira's richting liep hij weg.

'Een kei,' zei Moira. 'Had ik maar zulke professoren gehad.'

Bourne keek haar aan. 'Je studententijd moet een hel zijn geweest.'

Ze lachte. 'Zo erg was het nu ook weer niet. Maar ik heb ook maar twee jaar gestudeerd voordat ik naar Berlijn vluchtte.'

'Als je professoren als Dominic Specter had gehad, zou je heel andere ervaringen hebben opgedaan.' Ze liepen om studenten heen, die bij elkaar stonden om een praatje te maken of vragen uit te wisselen over hun vakken.

Ze liepen door de gang en de deur uit en daalden de trap af naar het grote plein. Even later liepen Moira en hij met ferme pas over de campus in de richting van het restaurant waar ze zouden dineren. De studenten die zich over de paden tussen bomen en gazons haastten, trokken in drommen aan hen voorbij. Ergens speelde een band in het onverstoorbare, bijna plichtmatige ritme dat bij campussen van universiteiten leek te horen. De hemel was gevuld met wolken die voorbijzeilden als klippers op hoge zee. Een vochtige winterwind kwam aanjagen vanaf de Potomac.

'Ooit leed ik aan zware depressies. Ik wist dat wel, maar wilde het niet accepteren – je weet wat ik bedoel. Professor Specter legde contact met me. Hij kon het pantser doorbreken dat ik gebruikte om mezelf te beschermen. Tot op de dag van vandaag heb ik geen idee hoe hij het deed, zelfs niet waarom hij het volhield. Hij zei dat hij iets van zichzelf in mij zag. In elk geval wilde hij helpen.'

Ze kwamen langs het met klimop begroeide gebouw waarin Specter, die tegenwoordig aan het hoofd stond van de School of International Studies in Georgetown, zijn kantoor had. Mannen in een tweed- of corduroyjasje liepen in en uit, hun gezicht een en al concentratie.

'Professor Specter gaf me de baan van docent linguïstiek. Dat was zoiets als een reddingsboei voor een drenkeling. Ik had vooral behoefte aan orde en stabiliteit. Ik weet echt niet wat er van me geworden zou zijn als hij er niet was geweest. Hij was de enige die begreep dat het me gelukkig maakt om me op taal te storten. Wie ik ook ben geweest, de enige constante factor is mijn bekwaamheid in talen. Talen leren is zoiets als geschiedenis leren van binnenuit. In de taal zijn alle gevechten vervat die ooit zijn geleverd: etniciteit, religie, compromissen, politiek. Omdat taal door geschiedenis is gevormd, kun je er veel van leren.'

Inmiddels hadden ze de campus verlaten en liepen ze door 36th Street, NW, naar 1789, een favoriet restaurant van Moira, gevestigd in een herenhuis. Toen ze daar aankwamen, werden ze naar een tafel aan het raam op de eerste verdieping geleid, in een schemerige, gelambriseerde, ouderwetse kamer met kaarsen die fel stonden te branden op tafels die gedekt waren met fraai porselein en fonkelend glaswerk. Ze gingen tegenover elkaar zitten en bestelden iets te drinken.

Bourne boog zich over de tafel en zei met gedempte stem: 'Luister nu goed naar me, Moira, want ik ga je iets vertellen wat maar heel weinig mensen weten. De Bourne-identiteit blijft me dwarszitten. Marie was altijd bang dat de beslissingen die ik moest nemen, de dingen die ik als Jason Bourne moest doen, me uiteindelijk van alle gevoel zouden beroven, dus dat David Webb op een dag voorgoed weg zou zijn. Ik mag dat niet laten gebeuren.'

'Jason, jij en ik zijn veel bij elkaar geweest sinds we samen Martins as hebben verstrooid. Ik heb nooit gemerkt dat je iets van je menselijkheid verloor.'

Ze leunden zwijgend achterover toen de ober hun drankjes voor hen neerzette en hun de menu's gaf. Zodra hij weg was, zei Bourne: 'Dat is geruststellend. Echt waar. In de korte tijd waarin ik je ken ben ik je mening op prijs gaan stellen. Jij bent anders dan iedereen die ik ooit heb ontmoet.'

Moira nam een slokje en zette haar glas neer, dat alles zonder haar blik van hem weg te nemen. 'Dank je. Uit jouw mond is dat een groot compliment, vooral omdat ik weet hoeveel Marie voor je betekende.'

Bourne keek naar zijn glas.

Moira pakte over het gesteven witte tafellaken zijn hand vast. 'Sorry. Nu dwalen je gedachten af.'

Hij keek naar haar hand over de zijne, maar trok zijn hand niet weg. Toen hij opkeek, zei hij: 'Ik was voor veel dingen van haar afhankelijk, maar ik merk dat die dingen nu van me af glijden.'

'Is dat slecht of goed?'

'Dat is het nou juist,' zei hij. 'Ik weet het niet.'

Moira zag aan zijn gezicht hoe moeilijk hij het had en had medelijden met hem. Nog maar enkele maanden geleden had ze hem bij de balustrade in de Cloisters zien staan. Hij had de bronzen urn met Martins as in zijn armen gehouden alsof hij hem nooit wilde loslaten. Op dat moment zou ze, zelfs als Martin het haar niet had verteld, hebben geweten wat ze voor elkaar hadden betekend.

'Martin was je vriend,' zei ze nu. 'Je hebt jezelf in groot gevaar gebracht om hem te redden. Zeg niet dat je niets voor hem voelde. Trouwens, je hebt zelf toegegeven dat je niet meer Jason Bourne bent. Je bent David Webb.'

Hij glimlachte. 'Daar heb jij weer gelijk in.'

Haar gezicht betrok. 'Ik wil je een vraag stellen, maar ik weet niet of ik daartoe het recht heb.'

Hij zag haar ernstig kijken en reageerde meteen. 'Natuurlijk mag je dat, Moira. Ga je gang.'

Ze haalde diep adem en stak van wal. 'Jason, ik weet dat je hebt gezegd dat je tevreden bent op de universiteit; en als dat zo is, vind ik het prima. Maar ik weet ook dat je het jezelf kwalijk neemt dat je Martin niet kon redden, al moet je begrijpen dat als jij hem niet kon redden niemand dat kon. Je hebt je best gedaan; dat zal hij vast en zeker hebben geweten. En nu vraag ik me af of je soms denkt dat je ten opzichte van hem tekort bent geschoten – dus dat je het niet meer aankunt Jason Bourne te zijn. Misschien heb je wel eens gedacht dat je het aanbod van professor Specter om op de universiteit te komen werken alleen maar hebt aangenomen om niet meer Jason Bourne te hoeven zijn.'

'Natuurlijk heb ik dat wel eens gedacht.' Na Martins dood had hij voor de zoveelste keer besloten het leven van Jason Bourne de rug toe te keren, het leven van een voortvluchtige, al die mensen die doodgingen, een rivier met naar het scheen evenveel lijken als de Ganges. Altijd lagen de herinneringen op de loer. De trieste herinneringen die waren blijven hangen. De andere, schimmige herinneringen die in de zalen van zijn geest rondzweefden en vorm leken aan te nemen tot hij dicht bij ze kwam en ze van hem wegstroomden als de zee bij eb, met achterlating van niets dan de gebleekte botten van al degenen die hij had gedood of die waren omgekomen omdat hij was die hij was. Maar hij wist zeker dat de Bourne-identiteit niet zou sterven zolang hij ademhaalde.

Hij had een gekwelde blik in zijn ogen. 'Het valt niet mee om twee persoonlijkheden te hebben die altijd met elkaar in oorlog zijn. Kon ik maar een van die twee persoonlijkheden uit me wegsnijden.'

'Welke dan?' vroeg Moira.

'Dat is het nou juist,' zei Bourne. 'Telkens wanneer ik denk dat ik het weet, besef ik dat ik het niet weet.'

2

Luther LaValle was even telegeniek als de president maar lang niet zo oud als hij. Hij had stroblond haar dat naar achteren was gekamd als bij een filmster uit de jaren dertig of veertig, en zijn handen waren voortdurend in beweging. Generaal Kendall daarentegen had hoekige kaken en kraaloogjes – typisch de strenge officier. Hij was groot en vlezig, iemand die fullback in het team van Wisconsin of Ohio had kunnen zijn. Hij keek LaValle aan zoals een running back zijn quarterback aankijkt om instructies te krijgen.

'Luther,' zei de president, 'omdat jij om deze bijeenkomst hebt gevraagd, moet jij maar beginnen.'

LaValle knikte, alsof het vanzelfsprekend was dat de president hem het woord gaf. 'Na het debacle van kortgeleden, toen de CIA op het hoogste niveau werd geïnfiltreerd, met als dieptepunt de moord op de directeur, is het tijd voor verdergaande veiligheidsmaatregelen. Alleen het Pentagon is daartoe in staat.'

Veronica voelde zich gedwongen met een tegenwerping te komen voordat LaValle te veel voorsprong kreeg. 'Daar ben ik het niet mee eens, president.' Ze richtte het woord niet tot LaValle, maar tot de president. 'Het verzamelen van inlichtingen door mensen is altijd het domein van de CIA geweest. Ons netwerk op de grond kent zijn gelijke niet, en dat geldt ook voor ons leger van contactpersonen dat in de loop van tientallen jaren is opgebouwd. De expertise van het Pentagon heeft altijd op het terrein van de elektronische surveillance gelegen. Het zijn twee afzonderlijke terreinen waarvoor verschillende methoden en mentaliteiten nodig zijn.'

LaValle glimlachte zo innemend als toen hij in *Larry King Live* van Fox TV verscheen. 'Het zou een groot verzuim van mij zijn als ik er nu niet op wees dat het landschap van het inlichtingenwerk sinds 2001 radicaal is veranderd. We zijn in oorlog. Ik denk dat die stand van zaken zal blijven voortduren. Daarom heeft het Pentagon het terrein van zijn expertise de laatste tijd uitgebreid. We hebben teams van clandestien DIA-personeel en commando's in het leven geroepen die succesvolle contraspionageoperaties in Irak en Afghanistan hebben uitgevoerd.'

'Met alle respect, maar meneer LaValle en zijn militaire machine willen elk vacuüm wel opvullen. Desnoods creëren ze dat vacuüm zelf. Meneer LaValle en generaal Kendall willen ons laten geloven dat we voortdurend in staat van oorlog verkeren, of dat nu de waarheid is of niet.' Veronica haalde een map uit haar koffertje. Ze maakte hem open en las eruit voor. 'Zoals uit deze gegevens blijkt, hebben ze het werkterrein van hun inlichtingenteams systematisch uitgebreid naar andere landen dan Afghanistan en Irak – landen die tot het territorium van de CIA behoren –, vaak met rampzalige resultaten. Ze hebben informanten gecorrumpeerd en in minstens één geval een lopende undercoveroperatie van de CIA in gevaar gebracht.'

Nadat de president de papieren had bekeken die Veronica hem had gegeven, zei hij: 'Dit is heel interessant, Veronica, maar het Congres staat blijkbaar aan Luthers kant. Het heeft hem vijfentwintig miljoen dollar per jaar gegeven om informanten te betalen en huurlingen aan te werven.'

'Dat is een deel van het probleem, niet van de oplossing,' zei Veronica nadrukkelijk. 'Hun methoden zijn ondeugdelijk. Die methoden gebruiken ze al sinds de tijd van de OSS in Berlijn na de Tweede Wereldoorlog. Onze betaalde informanten hebben zich vaak tegen ons gekeerd. Ze gingen voor de tegenpartij werken en gaven ons desinformatie. En de huurlingen die we hebben gerekruteerd – zoals de Taliban en allerlei andere groepen van islamitische opstandelingen – zijn uiteindelijk allemaal onze onverzoenlijke vijanden geworden.'

'Daar zit wat in,' zei de president.

'Het verleden is het verleden,' zei generaal Kendall kwaad. Zijn gezicht was roder aangelopen bij elk woord dat Veronica zei. 'Uit niets blijkt dat onze nieuwe informanten en onze huurlingen – die in beide gevallen van vitaal belang zijn voor onze overwinning in het Midden-Oosten – zich ooit tegen ons zullen keren. Integendeel, de inlichtingen die ze hebben verstrekt zijn van grote betekenis geweest voor onze mannen op het slagveld.'

'Huurlingen werken per definitie voor degene die hun het meest betaalt,' zei Veronica. 'Dat is bewezen in eeuwen van geschiedenis, al vanaf de Romeinen.'

'Al deze argumenten zijn van weinig betekenis.' LaValle verschoof onbehaaglijk op zijn stoel. Het was duidelijk dat hij niet op zo'n vurige verdediging had gerekend. Kendall gaf hem een map, die hij aan de president voorlegde. 'Generaal Kendall en ik hebben bijna twee weken gewerkt aan dit voorstel voor een reorganisatie van de CIA. Het Pentagon is bereid dit plan uit te voeren zodra we uw toestemming hebben, meneer de president.'

Tot Veronica's schrik keek de president naar het voorstel en gaf het toen aan haar door. 'Wat vind je hiervan?'

De woede laaide in Veronica op. Ze werd al ondermijnd. Aan de andere kant, zag ze, was dit een goede les voor haar. Je moest niemand vertrouwen, zelfs geen mensen die bondgenoten leken. Tot aan dat moment had ze gedacht dat ze de volledige steun van de president had. Het feit dat LaValle, die in feite alleen maar de spreekbuis van defensieminister Halliday was, de macht bezat om deze bijeenkomst te laten houden, had haar niet hoeven te verbazen, maar het was ongehoord en eerlijk gezegd ook angstaanjagend dat de president haar vroeg hoe ze over een overname van de CIA door het Pentagon dacht.

Zonder zelfs maar een blik op de verfoeilijke papieren te werpen trok ze haar schouders recht. 'President, dit voorstel is op zijn best irrelevant. Ik verzet me tegen de flagrante poging van meneer La-Valle om zijn inlichtingenimperium uit te breiden ten koste van de CIA. Al was het alleen maar omdat het Pentagon, zoals ik al heb uiteengezet, er ongeschikt voor is om de dienst te leiden, laat staan dat het ooit het vertrouwen zou kunnen winnen van ons immense netwerk van mensen in het veld. Verder zou zo'n coup een gevaarlijk precedent scheppen voor de hele inlichtingenwereld. Als de strijdkrachten de leiding daarvan krijgen, komt dat ons potentieel om informatie te verzamelen niet ten goede. Integendeel, we hebben in het verleden vaak meegemaakt dat het Pentagon geen enkele consideratie voor mensenlevens had, dat het illegale operaties uitvoerde en daarbij aantoonbaar overheidsgeld verkwistte. Het zou wel heel onverstandig zijn om zo'n organisatie territorium te laten wegkapen van een andere organisatie, vooral de CIA.'

Alleen omdat de president erbij was, kon LaValle zijn woede in toom houden. 'President, de CIA verkeert in een staat van totale ontreddering. Er moet zo snel mogelijk orde op zaken worden gesteld. Zoals ik al zei, kan ons plan vandaag nog worden uitgevoerd.'

Veronica haalde de dikke map met haar plannen voor de CIA tevoorschijn. Ze stond op en legde hem in de handen van de president. 'President, ik voel me verplicht een van de hoofdpunten van ons vorige gesprek te herhalen. Ik heb in het leger gediend, maar ik kom uit de particuliere sector. De CIA heeft niet alleen behoefte aan een grote schoonmaak, maar ook aan een nieuw perspectief, zonder het monolithisch denken waardoor we in deze onhoudbare situatie terecht zijn gekomen.'

Jason Bourne glimlachte. 'Eerlijk gezegd weet ik vanavond niet wie ik ben.' Hij boog zich naar voren en zei heel zacht: 'Luister. Ik wil dat je je mobieltje uit je handtas haalt zonder dat iemand het ziet. Ik wil dat je me belt. Kun je dat?'

Moira bleef hem aankijken terwijl ze haar mobieltje in haar handtas vastpakte en op de desbetreffende sneltoets drukte. Zijn mobieltje ging over. Hij leunde achterover en nam op. Hij sprak in zijn telefoon alsof er iemand aan de andere kant van de lijn was. Toen sloot hij het apparaatje en zei: 'Ik moet weg. Het is dringend. Sorry.'

Ze bleef hem aankijken. 'Kun je dan niet tenminste doen alsof je het erg vindt?' fluisterde ze.

Zijn mondhoeken gingen omlaag.

'Moet je echt weg?' zei ze met een normale stem. 'Nu?'

'Nu.' Bourne gooide enkele bankbiljetten op de tafel. 'Ik bel je.'

Ze knikte een beetje verbaasd. Ze vroeg zich af wat hij had gezien of gehoord.

Bourne liep de trap af en het restaurant uit. Hij sloeg meteen rechts af, liep een kwart stratenblok en ging een winkel binnen waar ze met de hand gemaakt aardewerk verkochten. Nadat hij een zodanige positie had gekozen dat hij door de etalageruit naar de straat kon kijken, deed hij alsof hij naar schalen en kommetjes keek.

Buiten liepen mensen voorbij, een jong stel, een oude man met een wandelstok, drie jonge vrouwen die lachten. Maar de man die precies negentig seconden nadat ze waren gaan zitten een tafel in de achterste hoek van het restaurant had gekregen, liet zich niet zien. Hij was Bourne opgevallen zodra hij was binnengekomen, en toen hij om een tafel had gevraagd vanwaar hij naar hen kon kijken, had Bourne niet meer getwijfeld: iemand volgde hem. Plotseling had hij die oude angst weer gevoeld die hem had geteisterd toen Marie en Martin bedreigd werden. Hij had Martin verloren en wilde niet ook Moira verliezen.

Bourne, die de bovenverdieping van het restaurant elke paar seconden met zijn inwendige radar had afgetast, had verder niemand gezien die hem verdacht voorkwam. Daarom stond hij nu in de aardewerkwinkel te wachten tot zijn volger voorbij kwam lopen. Toen dat na vijf minuten nog niet gebeurd was, ging Bourne naar buiten en stak hij meteen de straat over. Enkele minuten lang gebruikte hij straatlantaarns en glanzende oppervlakken van ruiten en autospiegels om te kijken of hij de man van het tafeltje ergens zag. Nadat hij had vastgesteld dat de man nergens te bekennen was, keerde Bourne naar het restaurant terug.

Hij liep de trap op naar de bovenverdieping, maar bleef op de donkere overloop staan en keek het restaurant in. Daar zat de man aan zijn tafeltje achterin. Iemand die naar hem keek, zou denken dat hij in *The Washingtonian* zat te lezen, zoals het een toerist betaamde, maar nu en dan keek hij een fractie van een seconde op naar Moira.

Er ging een koude rilling door Bourne heen. Deze man volgde niet hem; hij volgde Moira.

Toen Veronica Hart de laatste controlepost in het Witte Huis was gepasseerd, dook Luther LaValle uit de schaduw op en kwam naast haar lopen.

'Leuk gedaan,' zei hij ijzig. 'De volgende keer bereid ik me beter voor.'

'Er komt geen volgende keer,' zei Veronica.

'Minister Halliday denkt van wel. En ik ook.'

Ze waren in de stille vestibule met zijn koepel en zuilen aangekomen. Drukbezette presidentiële medewerkers liepen doelbewust in beide richtingen voorbij. Net als chirurgen straalden ze een groot zelfvertrouwen en een grote exclusiviteit uit, alsof hun club iets was waar jij ook wanhopig graag bij wilde horen maar waar je nooit zou worden toegelaten.

'Waar is je persoonlijke pitbull?' vroeg Veronica. 'In kruisen aan het snuffelen, denk ik.'

'Jij hebt wel veel praatjes voor iemand wier baan aan een zijden draadje hangt.'

'Het is dom, om niet te zeggen gevaarlijk, meneer LaValle, om zelfvertrouwen voor praatjes aan te zien.'

Ze duwden de deuren open en gingen de trap af naar buiten. Schijnwerpers drongen de duisternis terug naar de randen van het complex. Daarachter glinsterden straatlantaarns.

'Natuurlijk, je hebt gelijk,' zei LaValle. 'Ik verontschuldig me.'

Veronica keek hem met enige scepsis aan.

LaValle reageerde met een vaag glimlachje. 'Ik vind het echt jammer dat we een valse start hebben gemaakt.'

Wat hij echt jammer vindt, dacht Veronica, *is dat ik Kendall en hem in mootjes heb gehakt waar de president bij was. Eigenlijk is dat wel begrijpelijk.*

Terwijl ze de knopen van haar jas dichtmaakte, zei hij: 'Misschien zijn we allebei vanuit de verkeerde uitgangspositie in deze situatie terechtgekomen.'

Veronica knoopte haar halsdoek dicht. 'Welke situatie?'

'De instorting van de CIA.'

Een eind bij hen vandaan, voorbij de antiterroristenbarrières van zwaar gewapend beton, wandelden toeristen voorbij. Ze praatten levendig, bleven even staan om foto's te maken en gingen eten in de McDonald's of de Burger King.

'Ik denk dat we verder komen als we onze krachten bundelen dan wanneer we elkaar tegenwerken.'

Veronica keek hem aan. 'Hoor eens, jongen, zorg jij voor jouw toko, dan zorg ik voor de mijne. Ik heb werk te doen gekregen en dat ga ik doen zonder dat ik me door jou of minister Halliday voor de voeten laat lopen. Ik ben het zat dat jullie de streep steeds verder in het zand trekken om jullie imperium te vergroten. De CIA is en blijft verboden terrein voor jullie. Is dat duidelijk?'

LaValle trok een gezicht alsof hij ging fluiten. Toen zei hij heel kalm: 'Als ik jou was, zou ik maar een beetje voorzichtiger zijn. Je balanceert op het scherp van de snede. Eén verkeerde stap, één aarzeling, en je valt en er is niemand om je op te vangen.'

Haar stem werd staalhard. 'Ik heb ook genoeg van jouw dreigementen, meneer LaValle.'

Hij zette zijn kraag omhoog tegen de wind. 'Als je me beter leert kennen, Veronica, zul je weten dat ik niet dreig. Ik doe voorspellingen.'

3

Bij het geweld van de Zwarte Zee was Leonid Arkadin in zijn element. In storm en regen reed hij vanaf de luchthaven Belbek naar Sebastopol. Die stad nam een felbegeerd stukje territorium in beslag aan de zuidwestelijke rand van de Krim, een schiereiland dat aan Oekraïne toebehoorde. Omdat hier een subtropisch klimaat heerste, bevroor de zee nooit. Vanaf het jaar 422 voor Christus, toen Sebastopol onder de naam Chersonesus door Griekse handelaren werd gesticht, was de stad een belangrijke haven voor zowel vissers- als marinevloten. Na de achteruitgang van Chersonesus – 'schiereiland' in het Grieks – raakte de hele streek in verval, tot in 1783 het hedendaagse Sebastopol werd gesticht als marinebasis en fort aan de zuidgrens van het Russische rijk. De geschiedenis van de stad was vooral een kwestie van militaire roem: de naam 'Sebastopol' betekent in het Grieks 'hoogverheven, glorieus'. Die naam leek gerechtvaardigd; de stad overleefde twee bloederige belegeringen ten tijde van de Krimoorlog in 1854-1855 en de Tweede Wereldoorlog, toen het tweehonderdvijftig dagen van bombardementen door de asmogendheden doorstond. Hoewel de stad bij verschillende gelegenheden was vernietigd, was hij telkens uit zijn as herrezen. Als gevolg daarvan waren de inwoners harde, nuchtere mensen. Ze hadden een hartgrondige hekel aan de Koude Oorlog gehad, al vanaf ongeveer 1960, toen de Sovjet-Unie de stad vanwege de marinebasis afsloot voor alle bezoekers. In 1997 waren de Russen bereid de stad terug te geven aan de Oekraïeners, die hem weer openstelden.

Aan het eind van de middag kwam Arkadin op de Primorskiboulevard. De hemel was zwart, afgezien van een dunne rode streep aan de westelijke horizon. De havenstad lag vol met brede vissersboten en ranke stalen marineschepen. Een woedende zee beukte tegen het *Monument voor tot zinken gebrachte schepen*, dat was op-

gericht ter nagedachtenis van de laatste wanhopige verdedigings-
poging die de stad in 1855 tegen de gezamenlijke strijdkrachten van
Britten, Fransen, Turken en Sardiniërs had ondernomen. Uit een
bed van ruwe granieten rotsblokken verhief zich een Korinthische
zuil van drie meter hoog, bekroond met een adelaar die zijn vleugels wijd gespreid had, zijn trotse kop gebogen, een laurierkrans in
zijn snavel. In de brede zeewering tegenover het monument zaten
de ankers van de Russische schepen die tot zinken waren gebracht
om de haven voor de belegerende vijand te blokkeren.

Arkadin nam een kamer in Hotel Oblast, waar alles, inclusief de
wanden, van papier leek te zijn. De meubelen waren bekleed met
afschuwelijke patronen, waarvan de kleuren op elkaar botsten als
vijanden op een slagveld. Het hotel zou elk moment in vlammen
kunnen opgaan. Arkadin nam zich voor om niet in bed te roken.

Beneden, in de ruimte die voor een hal moest doorgaan, vroeg hij
de ratachtige receptionist of die hem een restaurant kon aanbeve-
len, en daarna vroeg hij om een telefoonboek. Met dat boek ging
hij naar een schamel beklede stoel bij een raam dat uitkeek op het
Admiraal Nakhimovplein. De admiraal, de held van de eerste verdediging van Sebastopol, stond op een indrukwekkend voetstuk. Hij
keek Arkadin ijzig aan, alsof hij wist wat er ging komen. Dit was
een stad als zovele in de voormalige Sovjet-Unie, met overal monumenten uit het verleden.

Na een laatste blik op de kromgebogen voetgangers die zich door
de slaande regen haastten keek Arkadin in het telefoonboek. De
naam die Pjotr Zilber hem had gegeven voordat hij zelfmoord pleegde, was Oleg Sjoemenko. Arkadin zou heel graag meer uit Zilber
hebben gekregen. Nu moest hij in het telefoonboek bladeren, op
zoek naar Sjoemenko, vooropgesteld dat de man een vaste telefoon
had, iets wat je buiten Moskou of St. Petersburg niet altijd mocht
verwachten. Hij maakte notities van de vijf Oleg Sjoemenko's in het
telefoonboek, gaf het boek aan de receptionist terug en liep de win-
derige valse schemering in.

De eerste drie Oleg Sjoemenko's leverden niets op. Arkadin deed
zich voor als een goede vriend van Pjotr Zilber en zei tegen elk van
hen dat hij zo'n dringende boodschap van Pjotr had dat hij haar
persoonlijk moest overbrengen. Ze keken hem verbaasd aan en
schudden hun hoofd. Hij kon in hun ogen zien dat ze niet wisten
wie Zilber was.

De vierde Sjoemenko werkte bij Joegretransflot, dat de grootste vloot van koelschepen in Oekraïne bezat. Omdat Joegretransflot een staatsbedrijf was, kostte het Arkadin enige tijd om binnen te komen en toegelaten te worden tot Sjoemenko, die transportmanager was. Zoals overal in de voormalige Sovjet-Unie zag de bureaucratie steeds weer kans bijna al het werk tot stilstand te brengen. Het was Arkadin een raadsel hoe er in de publieke sector ooit iets tot stand kwam.

Eindelijk verscheen Sjoemenko. Hij bracht Arkadin naar zijn kleine kamertje en verontschuldigde zich voor de vertraging. Hij was een kleine man met erg donker haar en de kleine oren en het lage voorhoofd van een neanderthaler. Toen Arkadin zich voorstelde, zei Sjoemenko: 'U bent hier duidelijk aan het verkeerde adres. Ik ken geen Pjotr Zilber.'

Arkadin keek op zijn lijstje. 'Ik heb nog maar één Oleg Sjoemenko over.'

'Laat u me eens kijken.' Sjoemenko keek op de lijst. 'Jammer dat u niet eerst naar mij toe bent gekomen. Die drie zijn mijn neven. En aan de vijfde, die u nog niet hebt gesproken, hebt u niets. Hij is dood. Een visongeluk, zes maanden geleden.' Hij gaf de lijst terug. 'Maar nog niet alles is verloren. Er is nog één Oleg Sjoemenko. We zijn geen familie, maar mensen verwarren ons altijd met elkaar omdat we dezelfde vadersnaam hebben: Ivanovitsj. Omdat hij geen vaste telefoon heeft, word ik steeds gebeld door mensen die hem willen spreken.'

'Weet u waar ik hem kan vinden?'

Oleg Ivanovitsj Sjoemenko keek op zijn horloge. 'Op dit uur zal hij op zijn werk zijn. Hij is wijnmaker, weet u. Champagne. De Fransen schijnen het niet goed te vinden dat je die term gebruikt voor een wijn die niet in de Champagne is geproduceerd.' Hij grinnikte. 'Evengoed levert Wijnmakerij Sebastopol een uitstekende champagne.'

Hij leidde Arkadin zijn kamer uit. Ze liepen door saaie gangen naar de enorme hal. 'Kent u de stad, *gospadin* Arkadin? Sebastopol is verdeeld in vijf districten. We zijn hier in het district Gagarinski, genoemd naar de eerste astronaut ter wereld, Joeri Aleksejevitsj Gagarin. Dit is het westelijke deel van de stad. Ten noorden hiervan ligt het district Nakhimovski; daar zijn de grote droogdokken. Misschien hebt u daarvan gehoord? Nee? Maakt niet uit. In het oosten, bij het water vandaan, hebben we het landelijke deel van de stad: weiden en wijngaarden, zelfs om deze tijd van het jaar schitterend om te zien.'

Hij liep over de marmeren vloer naar een lange balie waarachter zes personeelsleden de indruk wekten dat ze het afgelopen jaar weinig te doen hadden gehad. Van een van hen kreeg Sjoemenko een stadsplattegrond, waarop hij iets tekende. Toen gaf hij hem aan Arkadin. Hij wees naar een sterretje dat hij erop had gezet.

'Daar is de wijnmakerij.' Hij keek naar buiten. 'De lucht klaart op. Wie weet staat er zelfs een beetje zon als u daar aankomt.'

Bourne liep door de straten van Georgetown, veilig verscholen in de menigte studenten die over de keistenen sjokte, op zoek naar bier, meisjes en jongens. Hij volgde discreet de man uit het restaurant, die op zijn beurt Moira schaduwde.

Zodra hij had vastgesteld dat de man haar volgde, was hij het restaurant uitgegaan. Vanaf de straat had hij Moira gebeld.

'Weet je iemand die jou zou willen volgen?'

'Twee bedrijven,' zei ze. 'Ten eerste mijn eigen bedrijf. Ik heb je verteld dat ze paranoïde zijn geworden sinds we met de bouw van die LNG-terminal in Long Beach zijn begonnen. Of NoHold Energy. Die bieden me al zes maanden een plaats in hun directie aan. Misschien willen ze meer over me weten om hun aanbod aantrekkelijker te kunnen maken.'

'Afgezien van die twee?'

'Niemand.'

Hij had haar verteld wat ze moest doen, en nu ze door de avond van Georgetown liepen, deed ze dat. Ze hadden altijd gewoonten, die volgers, kleine eigenaardigheden die ze hadden opgedaan in de saaie uren waarin ze hun eenzame werk deden. Deze mocht graag aan de binnenkant van het trottoir lopen, want dan kon hij zo nodig vlug in een portiek wegduiken.

Zodra Bourne de eigenaardigheden van de volger had opgemerkt, werd het tijd om hem uit te schakelen. Toen merkte Bourne, daar in de menigte, steeds dichter bij de volger, iets anders op. De man was niet alleen. Een tweede volger liep met hem mee aan de overkant van de straat. Dat was begrijpelijk. Als Moira in deze drukte de straat overstak, zou het de eerste volger moeite kosten haar in het zicht te houden. Die mensen, wie het ook waren, lieten weinig aan het toeval over.

Bourne liet zich terugzakken en paste zijn tempo aan. Tegelijk belde hij Moira. Ze had haar Bluetooth-dopje in haar oor gedaan en kon dus naar hem luisteren zonder dat het opviel. Bourne gaf haar gedetailleerde instructies en hield toen op met het schaduwen van haar volgers.

Moira's nekhaartjes kriebelden alsof ze zich in het vizier van een sluipschuttersgeweer bevond. Ze liep M Street in. Het was vooral zaak, had Jason gezegd, dat ze in een normaal tempo liep, niet te snel en niet te langzaam. Jason had haar geschokt met het nieuws dat ze gevolgd werd. Ze was kalm doorgelopen, maar dat was een illusie. Er waren veel mensen uit haar heden en verleden die haar zouden kunnen volgen – ook mensen die ze niet had genoemd toen Jason ernaar vroeg. Evengoed was het zo kort voor de opening van een LNG-terminal een onheilspellend teken. Ze had erg graag aan Jason willen vertellen wat ze die dag had gehoord: dat de terminal misschien het doelwit van terroristen zou worden, niet in theorie maar in werkelijkheid. Maar dat kon ze niet vertellen, want hij was geen personeelslid van het bedrijf. Een strikte bepaling in haar contract verbood haar om vertrouwelijke informatie aan iemand van buiten de Firma door te geven.

In 31st Street, NW, zette ze koers naar het zuiden, in de richting van het Canal Towpath. Op een derde van het huizenblok aan haar kant bevond zich een discrete muurplaat waarin het woord JEWEL was gegraveerd. Ze maakte de robijnrode deur open en ging het dure nieuwe restaurant binnen. Het was het soort restaurant waar gerechten vergezeld gingen van *djoeroek poeroet* schuim, gevriesdroogde gember en rode grapefruitparels.

Met een charmante glimlach zei ze tegen de bedrijfsleider dat ze op zoek was naar een vriendin. Voordat hij in zijn reserveringenboek kon kijken, zei ze dat haar vriendin daar met een man was wiens naam ze niet wist. Ze was hier verscheidene keren geweest, ook een keer met Jason, en kende de indeling. Achter het tweede vertrek bevond zich een kort gangetje. Aan de rechterkant daarvan waren deuren naar twee unisekstoiletten. Als je doorliep, zoals zij deed, kwam je bij de keuken, een ruimte met felle lampen, roestvrijstalen koekenpannen, koperen kookpannen en kolossale fornuizen waarin het vuur laaide. Jonge mannen en vrouwen bewogen zich met militaire precisie door deze ruimte: souschefs, hulpkoks, serveersters, de banketbakster en haar mensen, allemaal onder de strenge leiding van de chef-kok.

Ze waren allemaal te druk bezig met hun taken om veel aandacht aan Moira te schenken. Toen haar aanwezigheid tot hen doordrong, was ze al door de achterdeur verdwenen. In een steegje met vuilcontainers stond een taxi met draaiende motor te wachten. Ze stapte in en de taxi reed weg.

Arkadin reed door de heuvels van het landelijke district Nakhimovski, dat zelfs in de winter weelderig groen was. Hij kwam langs rechthoekige akkers, met lage bomen op de achtergrond. De lucht klaarde op. De hoge cumuluswolken die voor de donkere regenwolken in de plaats waren gekomen blonken in het zonlicht dat overal doorheen brak. Toen hij Wijnmakerij Sebastopol naderde, lag er een gouden glans over de grote wijngaarden. In deze tijd van het jaar hadden de wijnranken natuurlijk geen vruchten of bladeren, maar de kromme lage stammetjes, als slurven van olifanten, hadden een eigen leven dat de wijngaarden een raadselachtig, mythisch aanzien verleende, alsof een tovenaar die ranken met zijn stokje uit hun sluimering zou kunnen wekken.

Een stevig gebouwde vrouw die Jetnikova heette stelde zich voor als de directe cheffin van Oleg Ivanovitsj Sjoemenko. Blijkbaar kwam er in de wijnmakerij geen eind aan de hiërarchie van chefs boven chefs. Ze had schouders zo breed als die van Arkadin en een rood rond wodkagezicht met trekken zo merkwaardig klein als die van een pop. Haar haar was opgebonden in een boerinnendoek, maar ze was een en al energie en zakelijkheid.

Toen ze vroeg wat Arkadin kwam doen, haalde hij een van zijn vele valse identiteitsbewijzen tevoorschijn. Volgens dit papier was hij kolonel bij de SBU, de veiligheidsdienst van Oekraïne. Zodra ze de SBU-kaart zag, verschrompelde Jetnikova als een plant die geen water had gekregen en wees ze hem de weg naar Sjoemenko.

Arkadin volgde haar instructies op en liep van gang naar gang. Hij maakte elke deur open die hij passeerde, keek in kamers, bezemkasten, opslagruimten en dergelijke en verontschuldigde zich telkens bij de mensen die hij daar aantrof.

Uiteindelijk trof hij Sjoemenko in de fermentatiekamer aan. Sjoemenko was een broodmagere man, veel jonger dan Arkadin zich had voorgesteld – niet ouder dan een jaar of dertig. Hij had dik haar met de kleur van guldenroede, omhoogstekend als een hanenkam, en er kwam muziek uit een portable speler – een Britse band, The Cure. Arkadin had het nummer vaak in Moskouse clubs gehoord, maar hier in het uiterste puntje van de Krim werd hij erdoor verrast.

Op een loopbrug, vier meter boven de vloer, stond Sjoemenko over een roestvrijstalen apparaat ter grootte van een blauwe vinvis gebogen. Zo te zien snoof hij aan iets, misschien de nieuwste partij champagne die hij aan het maken was. In plaats van de muziek zachter te zetten nodigde hij Arkadin met een gebaar uit bij hem te komen.

Zonder aarzeling beklom Arkadin de verticale ladder en liep vlug de loopbrug op. De zoetige gistgeur van de fermentatie kriebelde in zijn neusgaten, zodat hij hard over de punt van zijn neus moest wrijven om niet in niezen uit te barsten. Met zijn geoefende blik nam hij zijn onmiddellijke omgeving tot in de kleinste details in zich op.

'Oleg Ivanovitsj Sjoemenko?'

De broodmagere man legde een klembord weg, waarop hij noties had gemaakt. 'Tot uw dienst.' Hij droeg een pak dat hem slecht zat. De pen die hij had gebruikt stopte hij bij andere pennen in zijn borstzakje. 'En u bent?'

'Een vriend van Pjotr Zilber.'

'Nooit van gehoord.'

Maar zijn ogen hadden hem al verraden. Arkadin stak zijn hand uit en zette de muziek harder. 'Hij heeft van jou gehoord, Oleg Ivanovitsj. Je bent zelfs erg belangrijk voor hem.'

Sjoemenko glimlachte. 'Ik heb geen idee waar je het over hebt.'

'Er is een grote fout gemaakt. Hij moet het document terug hebben.'

Sjoemenko, die nog steeds glimlachte, stak zijn handen in zijn zakken. 'Nogmaals, ik moet je zeggen...'

Arkadin probeerde hem vast te grijpen, maar Sjoemenko's hand kwam weer tevoorschijn met een GS-18-pistool, dat nu op Arkadins hart gericht was.

'Hm. Het vizier is maar matig,' zei Arkadin.

'Alsjeblieft, geen beweging. Wie je ook bent – en doe maar niet de moeite een naam te noemen, want die is toch vals. Jij bent geen vriend van Pjotr. Hij zal wel dood zijn. Misschien zelfs door jouw toedoen.'

'En de trekker gaat relatief zwaar over,' ging Arkadin verder, alsof hij niet had geluisterd. 'Dat levert me een extra tiende van een seconde op.'

'Een tiende van een seconde is niets.'

'Meer heb ik niet nodig.'

Precies zoals Arkadin wilde, liep Sjoemenko voor alle zekerheid achteruit in de richting van de gebogen zijkant van een vat. 'Al rouw ik om Pjotrs dood, ik zal ons netwerk verdedigen, al kost het me mijn leven.'

Hij ging nog verder achteruit. Arkadin nam weer een stap in zijn richting.

'Het is hier een heel eind vallen, dus ik stel voor dat je je omdraait, de ladder weer afgaat en verdwijnt in het riool waar je uit gekropen bent.'

Toen Sjoemenko weer een stap achteruitging, gleed zijn rechtervoet uit over een beetje gistpasta dat Arkadin al had zien liggen. Sjoemenko's rechterknie vloog onder hem vandaan en hij stak instinctief zijn hand met het pistool omhoog om niet te vallen.

Met één grote stap was Arkadin bij hem. Hij greep naar het pistool maar kreeg het niet te pakken. Zijn vuist trof Sjoemenko op zijn rechterwang, zodat de magere man achteroverwankelde, tegen de zijkant van het vat aan, tussen twee hendels in. Sjoemenko haalde uit met zijn arm en de korrel op de loop van het pistool schampte over de rug van Arkadins neus, waar bloed uit kwam.

Arkadin greep weer naar het pistool en de twee mannen worstelden met elkaar, achterover tegen de gebogen plaat roestvrij staal. Sjoemenko was verrassend sterk voor iemand die zo mager was, en hij was blijkbaar ook goed in gevechten van man tegen man. Hij had het juiste verweer voor elke aanval die Arkadin deed. Ze waren nu erg dicht bij elkaar, met nog geen handbreedte tussen hen in. Hun lichamen bewogen bliksemsnel. Handen, ellebogen, onderarmen, zelfs schouders werden gebruikt om pijn toe te brengen of, door slagen tegen te houden, pijn te minimaliseren.

Geleidelijk leek het erop dat Arkadin de overhand zou krijgen, maar met een dubbele schijnbeweging zag Sjoemenko kans de kolf van het pistool tegen Arkadins keel te drukken. Hij maakte gebruik van zijn gunstige positie om Arkadins luchtpijp in te drukken. Een van Arkadins handen zat klem tussen hun lichamen. Met zijn andere hand beukte hij tegen Sjoemenko's zij, maar hij kon vanuit zijn positie niet goed kracht zetten en zijn slagen richtten geen schade aan. Toen hij een uithaal naar Sjoemenko's nier deed, draaide de man zijn heupen weg, zodat Arkadins hand tegen het heupbot schampte.

Sjoemenko boog Arkadin steeds verder over de reling. Met de kolf van zijn pistool en met zijn bovenlichaam probeerde hij Arkadin van de loopbrug af te duwen. Linten van duisternis zweefden door Arkadins gezichtsveld, een teken dat zijn hersenen zuurstof tekortkwamen. Hij had Sjoemenko onderschat en zou daar nu de prijs voor betalen.

Hij hoestte, kokhalsde, probeerde lucht te krijgen. Toen bewoog hij zijn vrije hand over de voorkant van Sjoemenko's jasje. Sjoemenko, die er helemaal op geconcentreerd was de indringer te doden, zou denken dat Arkadin één laatste vergeefse poging deed zijn klemgedrukte hand te bevrijden. Hij werd dan ook volkomen verrast toen Arkadin een pen uit zijn borstzakje trok en daarmee in zijn linkeroog stak.

Onmiddellijk deinsde Sjoemenko terug. Arkadin ving het pistool op toen het uit de verslapte hand van de getroffen man viel. Sjoemenko zakte op de loopbrug in elkaar. Arkadin greep hem bij de voorkant van zijn overhemd vast en knielde neer om op gelijke hoogte met hem te komen.

'Het document,' zei hij. Toen Sjoemenko's hoofd slap heen en weer bungelde, voegde hij eraan toe: 'Oleg Ivanovitsj, luister naar me. Waar is het document?'

Het goede oog van de man glinsterde van de tranen. Zijn mond bewoog. Arkadin schudde hem heen en weer tot hij kreunde van pijn.

'Waar?'

'Weg.'

Arkadin boog zijn hoofd om Sjoemenko ondanks de harde muziek te horen fluisteren. The Cure had plaatsgemaakt voor Siouxsie and the Banshees.

'Wat bedoel je, weg?'

'Doorgegeven.' Sjoemenko trok bij wijze van glimlach zijn mondhoeken enigszins op. 'Niet wat je wilde horen, "vriend van Pjotr Zilber", hè?' Hij knipperde tranen uit zijn goede oog weg. 'Want dit is voor jou het einde van de rit. Kom dichter naar me toe en ik vertel je een geheim.' Toen Arkadin deed wat hij zei, likte hij over zijn lippen, en toen beet hij vlug in de lel van Arkadins rechteroor.

Arkadin reageerde zonder na te denken. Hij stak de loop van het pistool in Sjoemenko's mond en haalde de trekker over. Bijna op hetzelfde moment besefte hij dat hij een fout had gemaakt en zei hij 'verdomme' in zes verschillende talen.

4

Bourne, diep weggedoken in de schaduw tegenover restaurant Jewel, zag de twee mannen naar buiten komen. Aan hun geërgerde gezichten kon hij zien dat ze Moira waren kwijtgeraakt. Hij hield hen in het oog terwijl ze samen wegliepen. Een van hen sprak in een mobieltje. Hij bleef even staan om zijn collega een vraag te stellen en ging toen verder met zijn telefoongesprek. Inmiddels had het tweetal M Street, NW, bereikt. Toen de man klaar was met zijn gesprek, stopte hij zijn mobieltje weg. Ze bleven op de hoek staan wachten en keken naar de meisjes die voorbijkwamen. Ze stonden niet gebogen, zag Bourne, maar kaarsrecht, hun handen duidelijk zichtbaar aan hun zijden. Blijkbaar stonden ze te wachten tot ze werden opgepikt. Dat was heel verstandig op een avond als deze, wanneer parkeren bijna onmogelijk was en het verkeer zich stroperig traag door M Street bewoog.

Bourne, die geen vervoer had, keek om zich heen en zag een fietser die vanaf het jaagpad door 31st Street, NW, kwam aanrijden. Om bij de auto's vandaan te blijven reed de man dicht langs de goot. Bourne liep vlug naar hem toe en ging voor hem staan. De fietser stopte abrupt en slaakte een kreet.

'Ik heb je fiets nodig,' zei Bourne.

'Nou, je krijgt hem niet,' zei de fietser met een zwaar Brits accent.

Op de hoek van 31st en M Street stopte een zwarte SUV, een GMC, voor de twee mannen.

Bourne drukte de fietser vierhonderd dollar in de hand. 'Nu meteen.'

De jongeman keek even naar het geld. Toen stapte hij van zijn fiets en zei: 'Ga je gang.'

Toen Bourne op de fiets stapte, gaf de jongeman hem zijn helm. 'Die zul je nodig hebben.'

De twee mannen waren al in de GMC gestapt en de wagen reed de dichte verkeersstroom weer in. Bourne reed ook weg. De fietser stapte schouderophalend het trottoir op.

Toen Bourne bij de hoek aankwam, sloeg hij rechts af, M Street in. De GMC bevond zich drie auto's voor hem. Bourne zigzagde door het verkeer om de SUV bij te houden. In 30th Street, NW, stond het licht op rood. Bourne zag zich gedwongen een voet op de grond te zetten, en daardoor liep hij een achterstand op, want vlak voordat het licht op groen sprong, reed de GMC al weg. De SUV reed met brullende motor voor de andere auto's uit, en Bourne zette zich af en fietste uit alle macht. Een witte Toyota reed vanaf 30th Street het kruispunt op en kwam met een hoek van negentig graden op hem af. Bourne maakte nog meer snelheid en reed bij de hoek het trottoir op. Een groep voetgangers deinsde voor hem terug en vloekte hem stijf. De Toyota reed met horten en stoten over M Street, rakelings langs Bourne en verwoed claxonnerend.

Bourne kon goed vooruitkomen, terwijl de GMC werd vertraagd door de moeizame verkeersstroom, die zich opsplitste op het punt waar M Street en Pennsylvania Avenue, NW, samen 29th Street kruisten. Vlak voor het stoplicht zag hij de GMC opeens hard wegrijden. Hij wist dat ze hem hadden gezien. Dat was het probleem als je op een fiets reed, vooral wanneer je al enig tumult had veroorzaakt door een rood stoplicht te negeren: je liep in de gaten. Precies het tegenovergestelde van wat Bournes bedoeling was.

Om er toch nog maar het beste van te maken liet Bourne alle voorzichtigheid varen en volgde hij de accelererende GMC het ingewikkelde kruispunt op. De SUV koos voor Pennsylvania Avenue. Het was gunstig dat de GMC door de verkeersdrukte niet goed op snelheid kon komen, en bovendien doemde er weer een rood licht op. Ditmaal was Bourne erop voorbereid dat de GMC zich dwars door het verkeer zou ploegen. Zigzaggend tussen auto's door maakte hij weer vaart en reed hij tegelijk met de grote SUV door rood licht, maar toen hij bij de oversteekplaats aan de andere kant kwam, waggelde een stel dronken tieners het trottoir af om over te steken. Ze sloten de rijstrook achter de GMC af en waren zo luidruchtig dat ze Bournes waarschuwende kreet niet hoorden of zich daar niets van aantrokken. Hij moest scherp naar rechts uitwijken. Zijn voorband stootte tegen de stoeprand en de fiets vloog als een projectiel omhoog. Mensen stoven uiteen. Bourne kon de fiets na de landing in bedwang houden, maar hij kon nergens heen zonder in een andere groep tieners terecht te komen. Hij kneep in de remmen, maar dat had niet genoeg effect. Toen ging hij naar rechts hangen om de fiets te laten omvallen. Hij gleed over het beton en scheurde zijn broekspijp.

'Bent u ongedeerd?'

'Wat was u van plan?'

'Zag je niet dat het rood was?'

'Je had je wel dood kunnen rijden – of iemand anders!'

Overal om hem heen waren er de stemmen van de voetgangers, die hem onder de fiets vandaan probeerden te helpen. Bourne krabbelde overeind en bedankte hen. Hij rende een paar honderd meter door de straat, maar zoals hij al had gevreesd, was de GMC nergens meer te bekennen.

Onder het uitstoten van obscene vloeken doorzocht Arkadin de zakken van Oleg Ivanovitsj Sjoemenko, die stuiptrekkend op de met bloed bevlekte loopbrug in Wijnmakerij Sevasopol lag. Terwijl Arkadin dat deed, vroeg hij zich af hoe hij zo stom had kunnen zijn. Hij had precies gedaan wat Sjoemenko had gewild; hem doden. De man was liever gestorven dan dat hij de naam van de volgende man in Pjotr Zilbers netwerk vertelde.

Toch was er een kans dat hij iets bij zich had wat Arkadin verder kon helpen. Arkadin had al een stapeltje gemaakt van kleingeld, papiergeld, tandenstokers en dergelijke. Elk stukje papier dat hij vond vouwde hij open, maar op geen daarvan stond een naam of een adres. Het waren alleen maar lijstjes van chemische stoffen, vermoedelijk de stoffen die de wijnmakerij gebruikte voor de fermentatie of het periodieke schoonmaken van de vaten.

Sjoemenko's portefeuille was een trieste zaak – flinterdun en met een verbleekte foto van een naar de camera glimlachend ouder echtpaar dat tegen de zon in keek, vermoedelijk Sjoemenko's ouders, een condoom in een versleten foliezakje, een rijbewijs, een kentekenbewijs, een identiteitskaart van een zeilclub, een schuldbekentenis voor tienduizend *hryvnia* – iets minder dan tweeduizend Amerikaanse dollars –, twee bonnetjes, een van een restaurant en een van een nachtclub, en een oude foto van een jong meisje dat naar de camera lachte.

Toen hij de bonnetjes in zijn zak stak, de enige redelijke sporen die hij had gevonden, keerde hij onwillekeurig de schuldbekentenis om. Op de achterkant was met een duidelijk, puntig vrouwelijk handschrift de naam DEVRA geschreven. Arkadin wilde verder zoeken, maar hij hoorde een elektronische sirene en meteen daarop ook

Jetnikova's harde stem. Hij keek om en zag een ouderwetse walkietalkie met een riempje aan de reling hangen. Hij stopte de papieren in zijn zak, liep vlug over de loopbrug, gleed de ladder af en maakte dat hij uit de fermentatiekamer kwam.

Sjoemenko's baas, Jetnikova, marcheerde door het labyrint van gangen naar hem toe alsof ze deel uitmaakte van de voorhoede van het Rode Leger dat Warschau binnentrok. Zelfs op deze afstand kon Arkadin zien dat ze kwaad was. Zijn Oekraïense papieren stelden, in tegenstelling tot de Russische, niet veel voor. Ze konden een oppervlakkige controle doorstaan, maar als ze zorgvuldig werden bestudeerd, maakte hij geen schijn van kans.

'Ik heb het sbu-kantoor in Kiev gebeld. Ze hebben wat onderzoek naar u gedaan, kolonel.' Jetnikova's stem was niet onderdanig meer, maar vijandig. 'Of wie u ook bent.' Ze blies zich op als een stekelvarken dat een gevecht aangaat. 'Ze hebben nooit gehoord van...'

Ze slaakte een zachte kreet toen hij zijn hand over haar mond legde en haar tegelijk in het midden van haar borst stompte. Als een lappenpop zakte ze in zijn armen in elkaar, en hij trok haar door de gang tot hij bij de bezemkast kwam. Hij maakte de deur open, duwde haar naar binnen en ging achter haar aan.

Jetnikova, languit op de vloer, kwam geleidelijk bij haar positieven. Ze begon meteen te razen. Ze vloekte en dreigde met de vreselijke gevolgen die zijn schandalige gedrag zou hebben. Arkadin hoorde haar niet; hij zag haar niet eens. Hij probeerde het verleden te blokkeren, maar zoals altijd lieten de herinneringen zich niet verdrijven. Ze namen bezit van hem en brachten hem buiten zichzelf. Wat dat betrof, waren het net drugs. Ze brachten hem in een droomachtige staat die hem in de loop van de jaren zo vertrouwd was geworden als een tweelingbroer.

Hij knielde bij Jetnikova neer en ontweek haar trappende voeten en happende kaken. Hij haalde een stiletto uit een schede op de zijkant van zijn rechterkuit. Toen hij het lange, dunne lemmet liet openspringen, vertrok Jetnikova's gezicht eindelijk van angst. Haar ogen gingen wijd open, ze hield haar adem in en ze bracht instinctief haar handen omhoog.

'Waarom doe je dit?' riep ze uit. 'Waarom?'

'Om wat je hebt gedaan.'

'Wat? Wat heb ik gedaan? Ik ken je niet eens!'

'Maar ik ken jou.' Arkadin sloeg haar van zich af en nam haar onder handen.

Toen hij even later klaar was, kon hij weer helder zien. Hij haalde lang en huiverend adem, alsof hij de effecten van een verdovend middel wilde verdrijven. Hij keek naar het onthoofde lijk. Toen herinnerde hij zich iets en schopte het hoofd in een hoek met vuile lappen. Een ogenblik bleef het als een schip op zee liggen schommelen. De ogen leken hem grijs van ouderdom, maar er zat alleen een laagje stof op, en het bevrijdende gevoel dat hij zocht was weer verdwenen.

'Wie waren het?' vroeg Moira.

'Dat is het probleem,' zei Bourne. 'Daar kon ik niet achter komen. Het zou helpen als je me kon vertellen waarom ze je volgden.'

Moira fronste haar wenkbrauwen. 'Het moet wel iets met de beveiliging van de LNG-terminal te maken hebben.'

Ze zaten naast elkaar in Moira's huiskamer, een klein en gezellig vertrek in een herenhuis van donkerrode baksteen in Georgetown. Het huis stond aan Cambridge Place, NW, niet ver van Dumbarton Oaks. In de haard knetterde een vuur; voor hen op de salontafel stond espresso met cognac. De met chenille beklede bank was zo diep dat Moira zich kon oprollen. Hij had grote ronde armleuningen en een rugleuning die tot je hals reikte.

'Eén ding kan ik je vertellen,' zei Bourne. 'Het zijn professionals.'

'Dat zou heel goed kunnen,' zei ze. 'Een concurrent van mijn bedrijf zou de beste mensen inhuren die te krijgen zijn. Dat hoeft nog niet te betekenen dat ik in gevaar verkeer.'

Evengoed voelde Bourne een steek van verdriet bij de gedachte aan het verlies van Marie. Toen zette hij die gedachte zorgvuldig, bijna eerbiedig, uit zijn hoofd.

'Nog meer espresso?' vroeg Moira.

'Ja, graag.'

Bourne gaf haar zijn kopje. Toen ze zich naar voren boog, liet de dunne trui met v-hals de bovenkant van haar stevige borsten zien. Op datzelfde moment keek ze naar hem op. Er zat een ondeugende glinstering in haar ogen.

'Waar denk je aan?'

'Waarschijnlijk aan hetzelfde als jij.' Hij stond op en keek waar zijn jas was. 'Ik moest maar eens gaan.'

'Jason...'

Hij bleef staan. Het licht van de lamp legde een gouden glans over haar gezicht. 'Ga niet weg,' zei ze. 'Blijf. Alsjeblieft.'

Hij schudde zijn hoofd. 'Je weet net zo goed als ik dat het een slecht idee zou zijn.'

'Alleen vanavond. Ik wil niet alleen zijn, niet na wat je me hebt verteld.' Ze huiverde een beetje. 'Ik heb me vandaag dapper gedragen, maar ik ben niet als jij. Ik kan er niet tegen om gevolgd te worden.'

Ze hield hem de kop espresso voor. 'Als je je daar beter door voelt: ik zou graag willen dat je hier bleef slapen. Deze bank is heel comfortabel.'

Bourne keek om zich heen naar de kastanjebruine wanden, de zonwering van donker hout, de hier en daar aangebrachte lichte accenten in de vorm van vazen en bloempotten. Op een mahoniehouten dressoir stond een doosje van agaatsteen op gouden pootjes. Daarnaast tikte een kleine koperen scheepsklok. De foto's van Franse landschappen in zomer en herfst stemden hem verdrietig en tegelijk nostalgisch. Hij zou niet kunnen zeggen waarom. Zijn geest viste naar herinneringen maar vond niets. Zijn verleden was als een meer van zwart ijs. 'Ja, dat is hij.' Hij pakte het kopje aan en ging weer naast haar zitten.

Ze trok een kussen tegen haar borst. 'Zullen we praten over de dingen die we de hele avond hebben vermeden?'

'Ik hou niet zo van praten.'

Haar brede lippen vormden een glimlach. 'Wie van jullie twee houdt niet zo van praten? David Webb of Jason Bourne?'

Bourne lachte en nam een slokje espresso. 'Als ik nu eens zei: wij beiden?'

'Dan zou ik je een leugenaar moeten noemen.'

'En dat kunnen we niet hebben, hè?'

'Ik zeg zoiets niet graag.' Afwachtend liet ze haar wang op haar hand zakken. Toen hij niets meer zei, ging ze verder: 'Alsjeblieft, Jason. Praat tegen me.'

De oude angst om een nauwe band met iemand aan te gaan stak weer de kop op, maar tegelijk smolt er iets in hem, alsof zijn bevroren hart ontdooide. Al enige jaren hield hij zich aan de waterdichte regel dat hij afstand tot andere mensen bewaarde. Alex Conklin was vermoord; Marie was gestorven; Martin Lindros was niet levend uit Miran Shah weggekomen. Allemaal dood, zijn enige vrienden en eerste liefde. Met een schok besefte hij dat hij zich tot niemand aangetrokken had gevoeld, behalve tot Marie. Hij had zichzelf geen gevoelens gegund, maar nu kon hij zich niet bedwingen. Was dat het werk van de David Webbpersoonlijkheid of van Moira zelf? Ze was sterk en zelfverzekerd. Hij zag een geestverwant in haar, iemand die net zo tegen de wereld aankeek als hij: als buitenstaander.

Hij keek haar aan en zei wat hij op zijn hart had. 'Iedereen met wie ik een nauwe band aanga, gaat dood.'

Ze zuchtte en legde haar hand even over de zijne. 'Ik ga niet dood.' Haar donkerbruine ogen glansden in het licht van de lamp. 'Trouwens, het is niet jouw taak om mij te beschermen.'

Dat was ook een reden waarom hij zich tot haar aangetrokken voelde. Op haar eigen manier was ze fel – een vechter.

'Vertel me dan de waarheid. Ben je echt tevreden op de universiteit?'

Bourne dacht even na. Het conflict in hem werd een vreselijk tumult. 'Ik denk van wel.' Na een korte stilte voegde hij eraan toe: 'Ik dacht van wel.'

Zijn leven met Marie had een gouden glans gehad, maar Marie was dood en dat leven was voorbij. Nu zij er niet meer was, stond hij voor de klemmende vraag: wat was David Webb zonder haar? Hij was geen huisvader meer. Hij zag nu in dat hij zijn kinderen alleen met haar liefde en hulp zou kunnen grootbrengen. En voor het eerst besefte hij wat het werkelijk had betekend dat hij zijn toevlucht tot de universiteit had genomen. Hij had geprobeerd het mooie leven terug te krijgen dat hij met Marie had gehad. Zeker, hij wilde professor Specter niet teleurstellen, maar ook en vooral Marie niet.

'Waaraan denk je?' vroeg Moira zachtjes.

'Aan niets,' zei hij. 'Helemaal niets.'

Ze keek hem even aan. Toen knikte ze. 'Goed dan.' Ze stond op, boog zich naar hem toe en kuste hem op zijn wang. 'Ik ga een bed maken op de bank.'

'Hoeft niet. Als je me maar vertelt waar de linnenkast is.'

Ze wees. 'Daar.'

Hij knikte.

'Welterusten, Jason.'

'Tot morgenochtend. Maar wel vroeg. Ik moet...'

'Ik weet het. Je moet ontbijten met Dominic Specter.'

Bourne lag met zijn arm achter zijn hoofd op zijn rug. Hij was moe. Hij was er zeker van geweest dat hij in slaap zou vallen, maar een uur nadat hij het licht had uitgedaan leek de slaap nog duizend kilometer ver weg. Nu en dan knapten de rode en zwarte resten van het haardvuur en zakten ze zachtjes in elkaar. Hij keek naar de strepen licht die door de brede latten van de zonwering naar binnen vielen en hoopte dat ze hem naar verre plaatsen zouden brengen.

In zijn geval betekende dat: naar het verleden. In sommige opzichten was hij net iemand die een geamputeerde arm nog steeds kon voelen. Het idee dat herinneringen net buiten bereik lagen maakte hem razend; het was een jeuk waaraan hij niet kon krabben. Vaak wenste hij dat hij zich helemaal niets zou herinneren; dat was een van de redenen waarom Moira's aanbod zo aanlokkelijk was geweest. Het idee dat hij helemaal opnieuw zou beginnen, zonder de bagage van verdriet en verlies, trok hem enorm aan. Dat conflict had altijd in hem gezeten. Het was een belangrijk deel van zijn leven, of hij nu David Webb of Jason Bourne was. En toch, of hij het nu wilde of niet: zijn verleden was er nu eenmaal. Het wachtte hem op als een wolf in de duisternis, als hij alleen de raadselachtige barrière in zijn hersenen maar kon doorbreken. Voor de zoveelste keer vroeg hij zich af welke andere vreselijke trauma's hem in het verleden hadden getroffen waar zijn geest zichzelf tegen beschermde. Het feit dat het antwoord ergens in zijn eigen geest zat deed het bloed in zijn aderen stollen, want het was zijn eigen persoonlijke demon.

'Jason?'

De deur van Moira's slaapkamer stond open. Ook in het halfduister konden zijn scherpe ogen haar silhouet langzaam op blote voeten naar hem toe zien komen.

'Ik kon niet slapen,' zei ze hees. Ze bleef enkele passen bij hem vandaan staan. Ze droeg een kleurrijke zijden ochtendjas met een ceintuur om haar middel. De weelderige rondingen van haar lichaam waren onmiskenbaar.

Een ogenblik zwegen ze.

'Ik heb tegen je gelogen,' zei ze zachtjes. 'Ik wil niet dat je hier slaapt.'

Bourne steunde op zijn elleboog. 'Ik heb ook gelogen. Ik dacht aan wat ik ooit heb gehad en besefte dat ik me daar wanhopig aan vastklampte. Maar het is weg, Moira. Het is allemaal voorgoed weg.' Hij trok een been omhoog. 'Ik wil je niet kwijtraken.'

Ze bewoog een heel klein beetje, en er viel een lichtstreep op de glinstering van tranen in haar ogen. 'Dat zul je niet, Jason. Dat beloof ik je.'

Opnieuw daalde er een stilte over hen neer, ditmaal zo diep dat het was of ze de twee enige overgebleven mensen op de wereld waren.

Ten slotte stak hij zijn hand uit, en ze liep naar hem toe. Hij kwam van de bank en nam haar in zijn armen. Ze rook naar citroen en geranium. Hij streek met zijn handen door haar dichte haar en pakte het vast. Ze hief haar gezicht naar hem toe, hun lippen vonden elkaar en er brak weer een laagje ijs van zijn hart. Na een hele tijd voelde hij haar handen bij haar middel en ging hij een stap terug.

Ze maakte de ceintuur los en de ochtendjas gleed van haar schouders. Haar naakte huid glansde als dof goud. Ze had brede heupen en een diepe navel; zo te zien was er niets aan haar lichaam waar hij niet van hield. Nu pakte ze zijn hand vast en leidde hem naar haar bed, waar ze op elkaar aanvielen als half uitgehongerde dieren.

Bourne droomde dat hij voor het raam van Moira's slaapkamer stond en tussen de latten van de zonwering door keek. Het licht van de straatlantaarns viel op het trottoir en de straat en wierp lange, schuine schaduwen. Hij zag een van de schaduwen uit de keistenen overeind komen en als een levend wezen recht naar hem toe lopen. Op de een of andere manier kon de schaduw hem door de spleten in de zonwering zien.

Bourne deed zijn ogen open. De scheiding tussen slaap en bewustzijn was ogenblikkelijk en volledig. De droom beheerste hem nog; hij voelde dat zijn hart sneller sloeg dan op dat moment nodig was.

Moira's arm lag over zijn heup. Hij duwde hem naar haar kant en kwam geruisloos van het bed af. Naakt liep hij naar de huiskamer. In de haard lag een koude, grijze hoop as. De scheepsklok tikte naar het vierde uur van de nacht. Hij liep recht naar de strepen straatlantaarnlicht en tuurde naar buiten zoals hij in zijn droom had gedaan. Net als in zijn droom wierp het licht schuine schaduwen over het trottoir en de straat. Er was geen verkeer. Alles was roerloos en geluidloos. Het duurde een minuut of twee, maar toen zag hij de beweging, minuscuul, kortstondig, alsof iemand die ergens stond zijn gewicht van de ene naar de andere voet wilde verplaatsen maar van gedachten veranderde. Hij wachtte of de beweging zich zou voortzetten. In plaats daarvan verscheen er een wolkje uitgeademde lucht in het licht om bijna meteen weer te verdwijnen.

Hij kleedde zich vlug aan. Hij maakte geen gebruik van de voorof achterdeur, maar glipte via een zijraam het huis uit. Het was erg koud. Hij hield zijn adem in, want een wolkje lucht zou zijn aanwezigheid kunnen verraden, zoals ook was gebeurd met degene die het huis in het oog hield.

Kort voordat hij bij de hoek van het huis was aangekomen, bleef hij staan. Behoedzaam gluurde hij om de bakstenen hoek. Hij zag de ronding van een schouder, maar die bevond zich op de verkeerde hoogte, zo laag dat Bourne de persoon voor een kind zou kunnen aanzien. In elk geval had hij niet bewogen. Bourne ging weer in de schaduw op, liep door 30th Street, NW, en sloeg links af naar Dent Place, evenwijdig met Cambridge Place. Aan het eind van het blok sloeg hij links af naar Cambridge Place, aan de kant van Moira's blok. Nu kon hij zien waar degene die naar haar huis keek zich bevond. De man zat tussen twee geparkeerde auto's gehurkt, bijna recht tegenover Moira's huis.

Een vochtige windvlaag drukte de man verder omlaag, met zijn hoofd tussen zijn schouders, als een schildpad. Bourne maakte gebruik van dat moment om de straat over te steken naar de kant van de man. Zonder te blijven staan liep hij snel en geruisloos door de straat. De man merkte hem te laat op. Hij was nog aan het omkijken toen Bourne hem bij de achterkant van zijn jasje vastpakte en ruggelings over de motorkap van de geparkeerde auto gooide.

Zo kwam de man in het licht. Bourne zag zijn zwarte gezicht en herkende de trekken in een fractie van een seconde. Meteen trok hij de jonge man overeind en duwde hem de schaduw weer in, waar ze onzichtbaar waren voor andere nieuwsgierige ogen.

'Jezus christus, Tyrone,' zei hij. 'Wat doe jij hier?'

'Dat mag ik niet zeggen.' Tyrone keek hem nors aan, misschien omdat hij betrapt was.

'Wat bedoel je: dat mag je niet zeggen?'

'Ik heb een geheimhoudingsverklaring getekend. Daarom niet.'

Bourne fronste zijn wenkbrauwen. 'Deron zou je nooit zoiets laten tekenen.' Deron was de kunstvervalser die Bourne voor al zijn papieren gebruikte, en soms ook voor unieke nieuwe technologieën of wapens waarmee Deron experimenteerde.

'Ik werk niet meer voor Deron.'

'Wie heeft je die verklaring laten tekenen, Tyrone?' Bourne greep hem bij de voorkant van zijn jasje vast. 'Voor wie werk je? Ik heb geen tijd om spelletjes met je te spelen. Geef antwoord!'

'Kan ik niet.' Tyrone kon verrekte koppig zijn als hij dat wilde. Die gewoonte had hij opgedaan toen hij opgroeide in een sloppenwijk in het noordoosten van Washington. 'Maar oké, ik kan je er wel heen brengen. Dan kun je het zelf zien.'

Hij leidde Bourne naar het naamloze steegje achter Moira's huis en bleef bij een onopvallende zwarte Chevrolet staan. Daar liep hij bij Bourne vandaan en tikte met zijn knokkel tegen het raam aan de bestuurderskant. Het raam ging omlaag. Toen hij zich bukte om met de inzittende te praten, kwam Bourne naar hem toe. Toen Bourne hem opzij trok om naar binnen te kunnen kijken, was zelfs hij geschokt. Achter het stuur zat Soraya Moore.

5

'We schaduwen haar nu al bijna tien dagen,' zei Soraya.

'De CIA?' zei Bourne. 'Waarom?'

Ze zaten in de Chevrolet. Soraya had de motor aangezet om wat warmte te krijgen. Ze had Tyrone naar huis gestuurd, al was duidelijk dat hij haar beschermer wilde zijn. Volgens Soraya werkte hij nu strikt onofficieel voor haar – een clandestiene eenheid van één persoon.

'Je weet dat ik je dat niet mag vertellen.'

'Nee, Tyrone mag het me niet vertellen. Jij wel.'

Bourne had met Soraya samengewerkt toen hij zijn missie op touw had gezet om Martin Lindros te redden, de oprichter en directeur van Typhon. Ze was een van de weinige mensen met wie hij in het veld had samengewerkt, beide keren in Odessa.

'Misschien wel,' gaf Soraya toe, 'maar ik doe het niet, want blijkbaar hebben Moira Trevor en jij een intieme band.'

Ze keek door het raam naar de lege glans van het wegdek. Haar grote, donkerblauwe ogen en haar agressieve neus stonden centraal in een krachtig Arabisch gezicht met de kleur van kaneel.

Toen ze Bourne weer aankeek, zag hij dat ze het niet prettig vond om CIA-informatie te moeten verstrekken.

'We hebben een nieuwe baas,' zei Soraya. 'Ze heet Veronica Hart.'

'Had je ooit van haar gehoord?'

'Nee, en de anderen ook niet.' Ze haalde haar schouders op. 'Dat zal ook de bedoeling zijn geweest. Ze komt uit de privésector, uit het bedrijf Black River. De president wilde een nieuwe bezem door de puinhoop halen die we van de gebeurtenissen rondom de dood van de Oude Man hebben gemaakt.'

'Wat is ze voor iemand?'

'Het is te vroeg om daar iets over te zeggen, maar één ding durf ik wel te beweren: ze is veel beter dan het alternatief.'

'En dat is?'

'Halliday, de minister van Defensie, probeert al jaren zijn domein uit te breiden. Hij doet dat via Luther LaValle, de inlichtingenchef van het Pentagon. Volgens de geruchten heeft LaValle geprobeerd de baan van CIA-directeur voor de neus van Veronica Hart weg te kapen.'

'En zij heeft gewonnen.' Bourne knikte. 'Dat zegt iets over haar.'

Soraya haalde een pakje Lambert & Butler-sigaretten tevoorschijn, tikte er een uit en stak hem op.

'Wanneer is dat begonnen?' vroeg Bourne.

Soraya liet haar raam een eindje opengaan en blies haar rook de nanacht in. 'De dag waarop ik tot directeur van Typhon werd gepromoveerd.'

'Gefeliciteerd.' Hij was onder de indruk. 'Maar nu zitten we met een nog groter raadsel. Waarom maakt de directeur van Typhon 's nachts om vier uur deel uit van een surveillanceteam? Dat lijkt me toch werk voor iemand die lager in de voedselketen van de CIA zit.'

'Dat zou het onder andere omstandigheden ook zijn geweest.' Soraya inhaleerde en blies weer rook het raam uit. Het restant van de sigaret volgde. Toen draaide ze zich naar Bourne toe. 'Mijn nieuwe baas zei tegen me dat ik dit zelf moet afhandelen. En dat doe ik dus.'

'Wat heeft al dit clandestiene werk met Moira te maken? Ze is een burger.'

'Misschien wel,' zei Soraya, 'en misschien niet.' Haar grote ogen keken Bourne onderzoekend aan. 'Ik heb me verdiept in de enorme aantallen mailtjes en telefoontjes tussen de verschillende diensten in de afgelopen twee jaar. Ik stuitte op onregelmatigheden en die heb ik aan de nieuwe directeur laten zien.' Ze zweeg even, alsof ze niet zeker wist of ze verder zou gaan. 'Weet je, bij die onregelmatigheden gaat het om Martins privécontacten met Moira.'

'Je bedoelt dat hij CIA-geheimen aan haar heeft verteld?'

'Eerlijk gezegd zijn we daar niet zeker van. De communicatie was niet intact. Het moest allemaal aan elkaar geplakt en elektronisch versterkt worden. Sommige woorden waren vervormd, andere sloegen nergens op. Maar het was duidelijk dat ze samen aan iets werkten wat buiten de normale CIA-kanalen om ging.' Ze zuchtte. 'Het is niet uitgesloten dat hij haar hielp met veiligheidsproblemen van NextGen Energy Solutions. Je weet dat de CIA de laatste tijd te lijden heeft gehad van inbreuken op de geheimhouding. Hart moet duidelijk maken dat we dit serieus nemen. Er is een mogelijkheid dat Moira clandestien voor een andere organisatie werkte waar Martin niets van wist.'

'Je bedoelt dat ze hem informatie aftroggelde. Dat kan ik bijna niet geloven.'

'Precies. Nu weet je waarom ik jou er niet over wilde vertellen.'

'Ik zou die communicatie graag zelf willen zien.'

'Daarvoor zou je met de CIA-directeur moeten praten, en eerlijk gezegd zou ik je dat niet aanraden. Er zijn in de CIA nog steeds hoge functionarissen die jou de schuld geven van de dood van de Oude Man.'

'Dat is absurd,' zei Bourne. 'Ik had niets met zijn dood te maken.'

Soraya streek met haar hand door haar dichte haar. 'Jij was degene die Karim al-Jamil naar de CIA toe bracht, in de veronderstelling dat hij Martin Lindros was.'

'Hij zag er precies zo uit als Martin. Praatte precies als hij.'

'Je stond voor hem in.'

'Net als een heel regiment CIA-psychologen.'

'In CIA-kringen ben jij een gemakkelijk doelwit. Er zijn mensen die jou een schizofrene, onbetrouwbare agent vinden. Rob Batt, die kortgeleden adjunct-directeur is geworden, is de leider van die groep mensen. Het is maar dat je het weet.'

Bourne deed zijn ogen even dicht. Die beschuldigingen aan zijn adres staken steeds weer de kop op. 'Er is nog een reden waarom ik een gemakkelijk doelwit ben. Ik ben een overblijfsel uit het Alex Conklintijdperk. Hij had het vertrouwen van de Oude Man maar van bijna niemand anders, vooral omdat niemand wist wat hij deed, zeker niet met het programma waar ik uit voortgekomen ben.'

'Des te meer reden voor jou om op de achtergrond te blijven.'

Bourne keek uit het raam. 'Ik heb een vroege ontbijtafspraak.'

Toen hij aanstalten maakte om uit te stappen, legde Soraya haar hand op zijn arm. 'Blijf hierbuiten, Jason. Dat raad ik je aan.'

'En ik stel je goede zorgen op prijs.' Hij boog zich naar haar toe en kuste haar vluchtig op de wang. Toen stak hij de straat over. Even later was hij in de schaduw verdwenen.

Zodra hij uit haar zicht was, klapte Bourne de mobiele telefoon open die hij haar had ontfutseld toen hij zich naar haar toe boog om haar een kus te geven. Hij ging vlug naar het nummer van Veronica Hart en drukte op de toets. Hij vroeg zich af of hij haar uit haar slaap haalde, maar toen ze opnam, klonk ze klaarwakker.

'Hoe verloopt de surveillance?' Ze had een diepe, warme stem.

'Daar wilde ik met u over praten.'

Na een uiterst korte stilte antwoordde ze: 'Met wie spreek ik?'

'Jason Bourne.'

'Waar is Soraya Moore?'

'Met Soraya is niets aan de hand, directeur. Ik had de surveillance doorbroken en moest contact met u opnemen, en Soraya zou me vast niet vrijwillig uw nummer geven.'

'En dus stal je haar telefoon.'

'Ik wil u spreken,' zei Bourne. Hij had niet veel tijd. Soraya kon elk moment haar telefoon willen pakken, en dan zou ze weten dat hij hem had gestolen en achter hem aan komen. 'Ik wil het bewijsmateriaal zien dat aanleiding voor u was om Moira Trevor te laten schaduwen.'

'Ik laat me niet graag commanderen, zeker niet door een onbetrouwbare agent.'

'Maar u wilt me vast wel ontmoeten, directeur, want ik ben de enige die toegang heeft tot Moira. Als u erachter wilt komen of ze echt fout is of dat u op schimmen jaagt, ben ik de kortste weg.'

'Ik denk dat ik me aan de geijkte procedures houd.' Veronica Hart, die met Rob Batt in haar nieuwe kantoor zat, vormde met haar mond de woorden 'Jason Bourne' tegen haar adjunct.

'Maar dat kunt u niet doen,' zei Bourne in haar oor. 'Nu ik de surveillance heb doorbroken, kan ik ervoor zorgen dat Moira van uw radarscherm verdwijnt.'

Hart stond op. 'Ik houd ook niet van dreigementen.'

'Ik hoef u niet te bedreigen, directeur. Ik vertel u alleen maar de feiten.'

Batt keek aandachtig naar haar gezicht. Hij probeerde het gesprek te volgen. Sinds ze van haar gesprek met de president was teruggekomen, hadden ze non-stop gewerkt. Hij was doodmoe en stond op het punt naar huis te gaan, maar dit telefoongesprek interesseerde hem buitengewoon.

'Hoort u eens,' zei Bourne. 'Martin was mijn vriend. Hij was een held. Ik wil niet dat er een smet op zijn reputatie komt.'

'Goed,' zei Hart. 'Kom later vanmorgen naar mijn kantoor. Laten we zeggen, om een uur of elf.'

'Ik zet geen voet in het CIA-hoofdkantoor,' zei Bourne. 'We spreken elkaar vanmiddag om vijf uur bij de ingang van de Freer Gallery.'

'En als ik nu eens…?'

Maar Bourne had de verbinding al verbroken.

Toen Bourne terugkwam, was Moira op. Ze droeg haar kleurrijke ochtendjas en was in de keuken koffie aan het zetten. Ze keek hem zonder commentaar aan, want ze liet het wel uit haar hoofd om naar zijn komen en gaan te informeren.

Bourne trok zijn jas uit. 'Ik heb gekeken of iemand het huis in de gaten hield.'

Ze zweeg even. 'En heb je iemand gevonden?'

'Het is zo stil als het graf.' Hij geloofde niet dat Moira CIA-informatie van Martin had afgetroggeld, maar het gevoel dat de veiligheid – de geheimhouding – altijd op de eerste plaats moest komen was er nu eenmaal ooit door Conklin bij hem ingehamerd en daarom vertelde hij haar nu niet de waarheid.

Ze ontspande zichtbaar. 'Dat is een opluchting.' Ze zette de koffiepot op het vuur en zei: 'Hebben we tijd om samen een kopje te drinken?'

Een grijs licht viel door de zonwering en werd met de minuut helderder. Een motor kuchte en in de straat kwam het verkeer op gang. Er waren even stemmen te horen; ergens blafte een hond. De ochtend was begonnen.

Ze stonden naast elkaar in de keuken. Aan de muur tussen hen in hing een Kit-Cat Klock. De staart en de guitige kattenogen gingen heen en weer met het verstrijken van de tijd.

'Jason, zeg dat we het alleen maar deden omdat we eenzaam en bedroefd waren.'

Toen hij haar in zijn armen nam, voelde hij dat er een lichte huivering door haar heen ging. 'Ik doe niet aan onenightstands, Moira.'

Ze legde haar hoofd tegen zijn borst.

Hij streek haar haar van haar wang weg. 'Ik heb op dit moment geen trek in koffie.'

Ze bewoog zich tegen hem aan. 'Ik ook niet.'

Toen David Webb het restaurant Wonderlake aan 36th Street, NW, binnenkwam, roerde professor Dominic Specter suiker door de sterke Turkse thee die hij altijd bij zich had. De lambrisering van het restaurant bestond uit verschillende planken, de tafels waren houten platen van de sloop en de stoelen waren links en rechts bij elkaar gevonden. Aan de muren hingen foto's van houthakkers en de noordwestkust van de Verenigde Staten, met daartussen echt houthakkersgereedschap: kanthaken, schilschoppen en houttangen. Studenten kwamen hier graag vanwege de openingsuren, het goedkope eten en de onontkoombare associaties met 'The Lumberjack Song' van Monty Python.

Bourne bestelde koffie zodra hij op zijn stoel zat.

'Goedemorgen, David.' Specter hield zijn hoofd schuin als een vogel die op een draad zit. 'Je ziet eruit alsof je niet hebt geslapen.'

De koffie was precies zoals Bourne hem wilde: sterk, zwart, zonder suiker. 'Ik had veel om over na te denken.'

Specter keek hem onderzoekend aan. 'David, wat is er? Kan ik je ergens mee helpen? Mijn deur staat altijd open.'

'Dat stel ik op prijs. Dat heb ik altijd op prijs gesteld.'

'Ik zie dat je iets dwarszit. Wat het ook is, we kunnen het samen oplossen.'

De ober, die een roodgeruit flanellen overhemd, een spijkerbroek en Timberland-schoenen droeg, legde de menu's voor hen neer en ging weg.

'Het gaat over mijn baan.'

'Bevalt die je niet?' De hoogleraar spreidde zijn handen. 'Je mist het lesgeven, denk ik. Goed, dan zetten we je weer voor de studenten.'

'Jammer genoeg gaat het probleem wat verder.'

Toen hij niet verderging, schraapte professor Specter zijn keel. 'De laatste paar weken vind ik je wat rusteloos. Heeft dit daar iets mee te maken?'

Bourne knikte. 'Ik heb geprobeerd iets terug te vinden wat niet gevonden wil worden.'

'Ben je bang dat ik teleurgesteld in je ben, jongen?' Specter wreef over zijn kin. 'Weet je, toen je me jaren geleden over de Bourne-identiteit vertelde, raadde ik je aan professionele hulp te zoeken. Iemand die innerlijk zo gespleten is komt onder steeds meer druk te staan.'

'Ik heb vroeger hulp gehad. Ik weet dus hoe ik met die druk moet omgaan.'

'Dat trek ik niet in twijfel, David.' Specter zweeg even. 'Of moet ik je Jason noemen?'

Bourne nam weer een slokje van zijn koffie en zei niets.

'Ik zou graag willen dat je bleef, Jason, maar alleen als het goed voor je is.'

Specters mobieltje zoemde, maar hij negeerde het. 'Weet je, ik wil alleen maar het beste voor jou. Maar je leven is overhoop gehaald. Eerst de dood van Marie, toen de dood van je beste vrienden.' Zijn telefoon zoemde weer. 'Ik dacht dat je een toevluchtsoord nodig had, en dat heb je hier altijd. Maar als je weg wilt gaan...' Hij keek naar het nummer in het schermpje van zijn telefoon. 'Excuseer me even.'

Hij drukte op een toets en luisterde.

'Anders kan het niet doorgaan?'

Hij knikte, hield de telefoon bij zijn oor vandaan en zei tegen Bourne: 'Ik moet iets uit mijn auto halen. Bestel maar voor mij. Roerei en donkere toast.'

Hij stond op en liep het restaurant uit. Zijn Honda stond aan de overkant van 36th Street geparkeerd. Hij was midden op straat toen twee mannen uit het niets opdoken. Een van hen greep hem vast terwijl de ander hem verscheidene keren op zijn hoofd sloeg. Toen een zwarte Cadillac met gierende banden naast de drie mannen tot stilstand kwam, was Bourne al opgestaan en rende hij bij de tafel vandaan. De man sloeg Specter opnieuw en trok het achterportier van de auto open.

Bourne rukte een kanthaak van de muur en rende het restaurant uit. De man duwde Specter op de achterbank van de Cadillac en sprong er naast hem in, terwijl de eerste man op de passagiersplaats voorin ging zitten. De Cadillac reed weg op het moment dat Bourne daar aankwam. Hij had nog net tijd om de kanthaak in de auto te slaan voordat hij ondersteboven werd getrokken. Hij had op het dak gemikt, maar door de plotselinge acceleratie van de Cadillac raakte hij in plaats daarvan de achterruit. De punt bleef in de bovenkant van de achterbank steken. Bourne trok zijn over de grond slepende benen op de kofferbak.

De achterste ruit van veiligheidsglas was volkomen verbrijzeld, maar de dunne laag plastic tussen de glazen lagen was min of meer intact gebleven. De chauffeur probeerde Bourne af te schudden door wild heen en weer te slingeren. Er vlogen stukjes veiligheidsglas weg en Bourne kreeg steeds minder vat op de Cadillac.

De auto ging nog harder rijden in het steeds drukkere verkeer. Toen ging hij, zo abrupt dat de lucht uit Bournes longen werd gepompt, bliksemsnel een hoek om. Bourne gleed van de kofferbak af en bonkte nu met zijn lichaam tegen het spatbord aan de bestuurderskant. Zijn schoenen sloegen met zoveel kracht tegen het asfalt dat een ervan werd afgerukt. De sok en de huid werden van zijn hiel geschuurd voordat hij enigszins zijn evenwicht kon herstellen.

Door de gebogen houten handgreep van de kanthaak als draaipunt te gebruiken hees hij zijn benen weer op de kofferbak, maar toen liet de bestuurder de Cadillac zo heftig opzij slingeren dat Bourne bijna helemaal van de auto af werd gegooid. Zijn voeten sloegen tegen een vuilnisbak, die over het trottoir denderde. Geschrokken voetgangers stoven alle kanten op. De pijn schoot door Bourne heen en hij zou het misschien moeten hebben opgeven, maar op dat moment moest de bestuurder een eind maken aan de wilde bewegingen van de Cadillac. Het verkeer dwong hem recht te gaan rijden. Bourne maakte daar gebruik van door zich weer op de kofferbak te hijsen. Zijn rechtervuist stootte door de verbrijzelde achterruit, op zoek naar iets waaraan hij zich kon vastgrijpen. De auto ging weer harder rijden. Ze lieten het drukke verkeer achter zich en kwamen op de toerit van de Whitehurst Freeway. Bourne trok zijn benen onder zich en steunde op zijn knieën.

Toen ze in de schaduw onder de Francis Scott Key Bridge kwamen, stak de man die Specter op de achterbank had geduwd een Taurus PT140 door de opening in de gebroken ruit. De loop van het pistool was op Bourne gericht en de man stond op het punt te schieten. Bourne liet met zijn rechterhand los, greep de pols van de man vast en gaf daar een harde ruk aan, zodat de hele onderarm uit de auto kwam. Door die beweging werden de mouw van het jasje en het overhemd van de man omhooggeschoven. Bourne zag een merkwaardige tatoeage op de binnenkant van de onderarm: drie paardenkoppen met een schedel in het midden. Hij stootte met zijn rechterknie tegen de binnenkant van de elleboog van de man en drukte de arm tegelijk tegen het frame van de ruit. De arm brak met een bevredigend kraakgeluid. De hand ging open en het pistool viel weg. Bourne graaide ernaar maar kreeg het niet te pakken.

De Cadillac slingerde de linkerrijstrook op, en de kanthaak scheurde door de stof van de achterbank en vloog uit Bournes hand. Hij greep de gebroken arm van de schutter nu met beide handen vast en gebruikte hem om zich met de voeten voorop door de verbrijzelde achterruit te hijsen.

Hij belandde tussen de man met de gebroken arm en Specter, die tegen het linkerportier gedrukt zat. De man op de passagiersplaats voorin zat op de zitting geknield, naar hem toe gericht. Hij had ook een Taurus en richtte het wapen op Bourne. Bourne greep de man naast hem vast en trok hem in een zodanige positie dat de kogel zich in de borst van de man boorde en hem op slag doodde. Op hetzelfde moment duwde Bourne het lijk naar de schutter op de voorbank. De schutter sloeg tegen de schouder van het lijk om het weg te krijgen, maar dat bracht het lijk alleen maar in contact met de bestuurder, die hard op het gas had getrapt en zich al zigzaggend op het verkeer moest concentreren.

Bourne stompte de schutter tegen zijn neus. Het bloed spatte in het rond en de schutter werd van zijn knieën geworpen en sloeg tegen het dashboard aan. Toen Bourne daar gebruik van wilde maken door naar voren te komen, richtte de schutter het pistool op Specter.

'Terug,' schreeuwde hij, 'of ik schiet hem dood.'

Bourne maakte een inschatting. Als de mannen Specter hadden willen doden, zouden ze hem op straat hebben neergeschoten. Aangezien ze hem hadden ontvoerd, wilden ze hem levend in handen krijgen.

'Goed.' Zonder dat de schutter het zag, veegde hij met zijn rechterhand over de zitting van de achterbank. Toen hij zijn handen omhoogbracht, gooide hij een partij glasstukjes in het gezicht van de schutter. De man bracht instinctief zijn hand omhoog en Bourne hakte twee keer met de zijkant van zijn hand op hem in. De schutter trok een vuistdolk waarvan het gemene lemmet tussen zijn tweede en derde knokkel door naar voren stak. Hij stak ermee naar Bournes gezicht. Bourne dook weg; het lemmet volgde hem en kwam dichterbij, tot Bourne met zijn vuist tegen de zijkant van het hoofd van de schutter beukte. Het hoofd klapte tegen het frame van het achterportier en Bourne hoorde dat de nek brak. De ogen van de schutter rolden omhoog en hij zakte tegen het portier.

Bourne sloeg zijn arm om de hals van de bestuurder en trok hem hard naar achteren. De bestuurder kreeg geen lucht meer. Hij maakte wilde bewegingen met zijn hoofd om los te komen. De auto slingerde gevaarlijk heen en weer terwijl hij het bewustzijn verloor. Bourne klom naar voren en duwde de bestuurder in de ruimte voor de passagiersplaats om zelf achter het stuur te kunnen glijden. Nu was er het probleem dat Bourne wel kon sturen maar niet bij de pedalen kon komen omdat het lichaam van de bestuurder hem in de weg zat.

De Cadillac vloog nu onbeheerst over de weg. Hij raakte een auto op de linkerbaan en stuiterde naar rechts. In plaats van het slippen dat daar het gevolg van was, tegen te gaan stuurde Bourne mee. Tegelijk zette hij de auto in zijn vrij. De transmissie was meteen losgekoppeld en de motor kreeg geen benzine meer. Nu ging het om de vaart die de auto nog had. Bourne deed verwoede pogingen het voertuig in bedwang te krijgen en merkte dat zijn voet niet bij de rem kon komen omdat er een deel van een been tussen zat. Hij stuurde naar rechts en hotste over een trottoirband heen om op een enorm parkeerterrein tussen de autoweg en de Potomac te komen.

De Cadillac schampte een geparkeerde SUV en slingerde verder naar rechts, naar het water toe. Bourne schopte met zijn blote linkervoet tegen het slappe lichaam van de bewusteloze bestuurder en vond nu eindelijk het rempedaal. De auto ging eindelijk langzamer rijden, maar het was niet genoeg: ze gingen nog steeds op de Potomac af. Om de auto weg te krijgen van het lage hekje dat het parkeerterrein van het water scheidde gooide Bourne het stuur naar rechts. De banden gierden ervan. Op het moment dat de voorkant van de Cadillac over het hekje ging, trapte Bourne het rempedaal helemaal in. De auto schoot met de voorkant over de rand en bleef gedeeltelijk boven het water hangen. Specter, nog steeds ineengedoken achter Bourne op de achterbank, kreunde een beetje. De rechtermouw van zijn Harris Tweedjasje was bespat met bloed uit de gebroken neus van zijn ontvoerder.

Bourne, die zijn best deed om de Cadillac uit de Potomac te houden, voelde dat de voorwielen nog op het hekje stonden. Hij zette de auto in zijn achteruit. De Cadillac schoot achteruit en ramde een andere geparkeerde auto voordat Bourne de kans kreeg hem in zijn vrij te zetten.

Van ver weg kwam het loeien van sirenes.

'Professor, bent u ongedeerd?'

Specter kreunde, maar zijn stem was tenminste verstaanbaar. 'We moeten hier weg.'

Bourne haalde de benen van de gewurgde man van de pedalen af. 'Die tatoeage op de arm van die ene man...'

'Geen politie,' kon Specter uitbrengen. 'Ik weet een plek waar we heen kunnen. Ik wijs het je.'

Bourne stapte uit de Cadillac en hielp Specter er ook uit. Ze strompelden naar een andere auto en Bourne sloeg met zijn elleboog de ruit in. De politiesirenes kwamen dichterbij. Bourne stapte in, verbond wat draadjes met elkaar en de motor van de auto kwam kuchend tot leven. Hij haalde de portieren van het slot. Zodra de professor op de passagiersbank zat, reed Bourne weg. Hij nam de autoweg in oostelijke richting en ging zo gauw mogelijk naar de linkerbaan. Toen ging hij abrupt naar links. De auto sprong over de middenberm en hij reed nu met grote snelheid naar het westen, in de richting vanwaar de sirenes kwamen.

6

Arkadin at die avond bij Tractir aan de Bolsjaja Morsekaj, halverwege de steile helling op, een ongezellig etablissement met ruw ge-
lakte houten tafels en stoelen. Een van de muren werd bijna helemaal in beslag genomen door een schildering van driemasters in de
haven van Sebastopol uit circa 1900. Het eten was niet bijzonder,
maar dat was ook niet de reden waarom Arkadin hier was. Tractir
was het restaurant waarvan hij de naam in Oleg Ivanovitsj Sjoemenko's portefeuille had gevonden. Omdat niemand hier iemand
kende die Devra heette, at hij zijn borsjtsj en blini en ging weer verder.

Aan de kust lag de wijk Omega, met cafés en restaurants. Deze
wijk was het hart van het nachtleven van Sebastopol en had alle
clubs die iemand zich maar kon wensen. Club Calla bevond zich
op loopafstand van het grote parkeerterrein. Het was een heldere,
frisse avond. Niet alleen de hemel was bespikkeld met spelden-
knopjes van sterren, maar ook de Zwarte Zee, en het uitzicht was
duizelingwekkend. Zee en hemel waren bijna niet van elkaar te onderscheiden.

Om in Calla te komen moest je een trapje af. De club was vervuld van een zoetige marihuanalucht en een verschrikkelijke herrie.
Een ongeveer vierkante ruimte was verdeeld in een stampvolle dansvloer en een verhoogd gedeelte met minuscule ronde tafeltjes en metalen caféstoelen. Een raster van gekleurde lichten pulseerde in het
ritme van de housemuziek die door de broodmagere vrouwelijke dj
werd gedraaid. Ze stond achter een kleine tafel waarop een iPod
lag die met digitale mixapparaten was verbonden.

De dansvloer stond vol mannen en vrouwen. Het hoorde bij deze scene dat je met heupen en ellebogen tegen elkaar aan stootte.
Arkadin begaf zich door de menigte naar de bar, die voor de rechtermuur langs liep. Twee keer werd hij tegengehouden door jonge,

rondborstige blondjes die zijn aandacht en, nam hij aan, ook zijn geld wilden. Hij liep hun voorbij en ging op de gejaagde barkeeper af. Drie rijen glazen schappen vol drankflessen waren aan een spiegel op de muur achter de bar bevestigd, zodat de klanten naar de dansers konden kijken of zichzelf konden bewonderen terwijl ze zich volgoten.

Arkadin moest door de slaglinie van het uitgaanspubliek waden voordat hij een wodka met ijs kon bestellen. Toen de barkeeper een tijdje later met zijn wodka terugkwam, vroeg Arkadin hem of hij een Devra kende.

'Ja. Daar,' zei de barkeeper, en hij knikte in de richting van de broodmagere dj.

Om één uur nam Devra pauze. Er stonden nog meer mensen te wachten tot ze klaar was – fans, vermoedde Arkadin. Hij was van plan als eerste bij haar te zijn en gebruikte daarvoor zijn krachtige persoonlijkheid in plaats van valse papieren. Niet dat het janhagel hier zou zien dat die papieren vals waren, maar na het incident in de wijnmakerij wilde hij geen spoor voor de echte SBU achterlaten. Hij had zich daar als agent van de staatspolitie voorgedaan, en daar kon hij door in de problemen komen.

Devra was blond en bijna even lang als hij. Hij kon niet geloven hoe dun haar armen waren. Ze hadden helemaal geen vorm. Haar heupen waren niet breder dan die van een jonge jongen, en als ze bewoog, zag hij het bot van haar schouderbladen. Ze had grote ogen en een lijkwitte huid, alsof ze bijna nooit in het daglicht kwam. Haar zwarte jumpsuit met witte schedel en gekruiste botten op de buik was drijfnat van het zweet. Misschien kwam het door haar werk als dj dat haar handen geen moment rust kenden, ook als de rest van haar nauwelijks bewoog.

Toen hij zich voorstelde, bekeek ze hem van top tot teen. 'Je ziet er niet uit als een vriend van Oleg,' zei ze.

Maar toen hij haar de schuldbekentenis voorhield, verdween haar scepsis. *Zo gaat het altijd*, dacht Arkadin terwijl ze met hem naar een achterkamer ging. *Het materialisme van het menselijk ras is bijna niet te overschatten.*

De artiestenfoyer waar ze tussen haar optredens uitrustte kon beter worden overgelaten aan de havenratten die ongetwijfeld achter de wanden zaten, maar daar was op dit moment niets aan te doen. Hij probeerde niet aan de ratten te denken; hij zou hier toch niet lang blijven. Er waren geen ramen; de wanden en het plafond waren zwart geverfd, ongetwijfeld om een heleboel zonden te verhullen.

Devra deed een lamp met een zuinig peertje van veertig watt aan en ging op een houten stoel zitten, die gehavend was door messen waarmee was gekerfd en sigaretten die erop waren uitgedrukt. Het verschil tussen de artiestenfoyer en een verhoorkamer was verwaarloosbaar. Er waren geen andere stoelen of meubelen, behalve een smalle houten tafel die tegen een muur stond en bedekt was met een chaos van make-up, cd's, sigaretten, lucifers, handschoenen en andere dingen die Arkadin niet interesseerden.

Devra leunde achterover en stak, zonder hem er een aan te bieden, een sigaret op die ze behendig van de tafel had gegrist. 'Dus je bent hier om Olegs schuld te betalen.'

'In zekere zin.'

Ze kneep haar ogen enigszins samen, waardoor ze leek op een hermelijn die Arkadin eens buiten St. Petersburg had geschoten.

'Wat bedoel je precies?'

Arkadin haalde de bankbiljetten tevoorschijn. 'Hier heb ik het geld dat hij je schuldig is.' Toen ze haar hand naar het geld uitstak, trok hij het terug. 'In ruil daarvoor wil ik graag wat informatie.'

Devra lachte. 'Zie ik eruit als de telefoniste?'

Arkadin sloeg haar hard met de rug van zijn hand, zodat ze tegen de tafel viel. Buisjes lipstick en mascara rolden alle kanten op. Devra stak haar hand uit om zich in evenwicht te brengen en graaide met haar vingers door de spullen op de tafel.

Toen ze een klein pistool tevoorschijn haalde, was Arkadin daar klaar voor. Zijn vuist beukte op haar dunne pols neer en hij plukte het wapen uit haar verdoofde vingers.

'Nou,' zei hij, en hij zette haar op de stoel terug. 'Zullen we nu verdergaan?'

Devra keek hem dof aan. 'Ik wist wel dat dit te mooi was om waar te zijn.' Ze spuwde. 'Verdomme! Een goede daad blijft nooit onbestraft.'

Arkadin had enkele ogenblikken nodig om te verwerken wat ze bedoelde. Toen zei hij: 'Waar had Sjoemenko die tienduizend hryvnia voor nodig?'

'Dus ik had het goed. Je bent geen vriend van hem.'

'Doet dat er iets toe?' Zonder zijn blik van haar weg te nemen liet Arkadin de patronen uit het pistool vallen en haalde hij het wapen uit elkaar. De onderdelen gooide hij op de tafel. 'Dit is nu iets tussen jou en mij.'

'Ik denk het niet,' zei een diepe mannenstem achter hem.

'Filja,' zei Devra ademloos. 'Waar bleef je zo lang?'

Arkadin draaide zich niet meteen om. Hij had het klikken van de stiletto gehoord en wist waar hij mee te maken had. Hij keek naar de rommel op de tafel, en toen hij de dubbele halvemaanvormige handgreep van een schaar onder een kleine piramide van cd-hoezen vandaan zag steken, prentte hij de positie daarvan in zijn hoofd. Toen draaide hij zich om.

Alsof hij schrok van de grote man met de pokdalige wangen en de haartransplantaties, ging hij abrupt tegen de rand van de tafel staan.

'Wie ben jij? Dit is een privégesprek.' Arkadin zei dat vooral om Filja af te leiden van zijn linkerhand, die zich achter hem over het tafelblad bewoog.

'Devra is van mij.' Filja dreigde met het lange, gemene lemmet van de met de hand gemaakte stiletto. 'Niemand praat zonder mijn toestemming met haar.'

Arkadin glimlachte vaag. 'Eigenlijk praatte ik niet met haar. Ik bedreigde haar.'

Het was de bedoeling dat Filja zich nu kwaad zou maken en iets overijlds en dus doms zou doen, en Arkadin slaagde daar bijzonder goed in. Met een grommend geluid vloog Filja op hem af, het mes enigszins omhoog naar voren wijzend.

Arkadin kon maar één poging tot een verrassingsaanval doen en moest daar het beste van maken. De vingers van zijn linkerhand hadden de schaar te pakken. Die was klein, en dat was maar goed ook; hij was niet van plan iemand dood te maken die hem misschien nuttige informatie kon geven. Hij pakte hem op en schatte het gewicht. Toen haalde hij de schaar langs de zijkant van zijn lichaam en maakte hij een snelle polsbeweging, een bedrieglijk klein gebaar dat toch een en al kracht was. De schaar vloog uit zijn hand door de lucht en bleef steken in de zachte plek net onder Filja's borstbeen.

Filja's ogen gingen wijd open. Vlak voor Arkadin haperde zijn stormaanval, maar toen ging hij verder, zwaaiend met het mes. Arkadin dook ervoor weg. Hij wilde een worsteling met Filja aangaan, wilde hem uitputten, wilde dat de wond in zijn borst hem van zijn kracht beroofde, maar Filja ging er niet op in. Het mes in zijn borst had hem alleen maar kwader gemaakt. Met bovenmenselijke kracht verbrak hij Arkadins greep op de pols van de hand met de stiletto en zwaaide daarmee omhoog, dwars door Arkadins verdedigingslinie heen. De punt van het mes vloog op Arkadins gezicht af. Omdat hij geen tijd meer had om de aanval te stoppen, reageerde Arkadin instinctief. Op het laatste moment lukte het hem het mes van richting te laten veranderen, zodat de punt in Filja's eigen keel werd gedreven.

Het bloed spoot met een boog uit de keel en Devra gilde. Toen ze achteruitstrompelde, greep Arkadin haar vast. Hij drukte zijn hand over haar mond en schudde zijn hoofd. Haar asgrauwe wangen en voorhoofd waren bespat met bloed. Arkadin hield Filja met één arm overeind. De man was stervende. Dat was nooit Arkadins bedoeling geweest. Eerst Sjoemenko, nu Filja. Als hij in zulke dingen had geloofd, zou hij hebben gezegd dat er een vloek op deze missie rustte.

'Filja!' Hij sloeg de man, wiens ogen glazig waren geworden. Het bloed lekte uit de hoek van Filja's slappe mond. 'Het pakje. Waar is het?'

Enkele momenten keken Filja's ogen hem aan. Toen Arkadin zijn vraag herhaalde, voerde een merkwaardig glimlachje Filja naar zijn dood. Arkadin hield hem nog even vast en zette hem toen tegen een muur.

Toen hij zijn aandacht weer op Devra richtte, zag hij een rat in een hoek van de kamer, en meteen dreigde zijn maag in opstand te komen. Het kostte hem al zijn wilskracht om het meisje vast te houden en niet op de rat af te duiken en hem de poten uit het lijf te trekken.

'Nu is het tussen jou en mij,' zei hij.

Nadat hij zich ervan had vergewist dat hij niet werd gevolgd, stopte Rob Batt op het parkeerterrein naast de baptistenkerk Tysons Corner. Hij bleef in zijn auto zitten wachten. Van tijd tot tijd keek hij op zijn horloge.

Onder de vorige CIA-directeur, die niet meer leefde, was hij hoofd operaties geweest, de invloedrijkste van de zeven hoofden van directoraten binnen de CIA. Hij was een CIA-man van de oude school, met connecties die regelrecht terug te voeren waren tot Yales legendarische Skull & Bones Club, waarvan hij bestuurslid was geweest in zijn studententijd. Bijna niemand wist hoeveel Skull & Bones-mannen door Amerika's clandestiene diensten waren gerekruteerd. Degenen die dat wisten, zouden desnoods een moord plegen om het geheim te houden. In elk geval waren het er veel, en Batt was een van hen. Het zat hem bijzonder dwars dat hij de tweede viool moest spelen onder een buitenstaander – en nog een vrouw ook. De Oude Man zou zoiets schandaligs nooit hebben toegestaan, maar de Oude Man was dood. Ze zeiden dat hij in zijn eigen huis was vermoord door zijn verraderlijke assistente Anne Held, al had Batt – samen met vele anderen in de dienst – daar zijn twijfels over.

Wat een verschil met drie maanden geleden! Als de Oude Man nog had geleefd, zou hij er geen moment over hebben gepeinsd naar deze ontmoeting te gaan. Batt was loyaal, maar hij besefte dat hij vooral loyaal was ten opzichte van de man die al in zijn studententijd contact met hem had gezocht en hem voor de CIA had gerekruteerd. Maar dat was verleden tijd. Nu was alles nieuw, en het was niet eerlijk. Batt had geen deel uitgemaakt van het probleem dat door Martin Lindros en Jason Bourne was veroorzaakt, maar van de oplossing. Hij had zelfs achterdocht gekoesterd tegen de man die later een bedrieger bleek te zijn. Hij zou hem aan de kaak hebben gesteld als Bourne zich er niet mee had bemoeid. Die coup, wist Batt, zou hem tot de kroonprins van de Oude Man hebben gemaakt.

Na de dood van de Oude Man had hij geprobeerd directeur te worden, maar dat was niet gelukt. In plaats daarvan had de president voor Veronica Hart gekozen. God mocht weten waarom. Het was een kolossale fout; ze zou de CIA alleen maar aan de grond laten lopen. Een vrouw zou nooit het soort beslissingen kunnen nemen dat nodig was om het schip van de CIA in het juiste vaarwater te houden. Vrouwen stelden andere prioriteiten en pakten problemen op een andere manier aan. De aasgieren van de NSA cirkelden al om de CIA heen, en hij kon het niet aanzien dat die vrouw hen allemaal, de hele organisatie, tot een gewillige prooi maakte. Als het echt niet anders kon, zou Batt zich aansluiten bij de mensen die de dienst uiteindelijk zouden overnemen wanneer Hart het verknoeide. Evengoed deed het hem pijn dat hij hier was en zich op deze onbekende zee moest wagen.

Om halfelf zwaaiden de deuren van de kerk open. De parochianen kwamen de trap af, bleven in de fletse zon staan en hieven hun hoofd als zonnebloemen bij het aanbreken van de dag. De predikant verscheen. Hij liep zij aan zij met Luther LaValle. LaValle werd vergezeld door zijn vrouw en tienerzoon. De twee mannen stonden nog even te praten. LaValles vrouw en zoon bleven erbij staan. De vrouw was blijkbaar wel in het gesprek geïnteresseerd, maar de zoon keek aandachtig naar een meisje van min of meer zijn leeftijd dat al paraderend de trap af kwam. Ze was een schoonheid, moest Batt toegeven. Toen besefte hij opeens dat het een van de drie dochters van generaal Kendall was, want daar was Kendall, met zijn dikke vrouw aan zijn arm. Het was een raadsel hoe die twee lelijke mensen drie zulke mooie dochters hadden kunnen voortbrengen. Zelfs Darwin zou de verklaring niet hebben kunnen vinden, dacht Batt.

De twee gezinnen – de LaValles en de Kendalls – gingen dicht bij elkaar staan als een footballteam. Toen gingen de jongeren ieder hun weg, sommigen met hun auto, anderen op de fiets, want de kerk stond niet ver bij hun huis vandaan. De twee vrouwen gaven hun mannen een zedige kus, stapten samen in een Cadillac Escalade en reden weg.

Zo bleven alleen de twee mannen over. Ze bleven nog even voor de kerk staan en liepen toen naar het parkeerterrein. Er was geen woord tussen hen gewisseld. Batt hoorde een zware motor ronkend tot leven komen.

Een lange, zwarte, gepantserde limousine kwam als een gladde haai door het middenpad gereden. Hij stopte even om LaValle en Kendall te laten instappen. De stationair draaiende motor stootte wolkjes uitlaatgas de koele, frisse lucht in. Batt telde tot dertig en stapte toen uit zijn auto, zoals hem was opgedragen. Op het moment dat hij dat deed, ging het achterportier van de limousine open. Hij boog zijn hoofd en stapte het schemerige, weelderige interieur in. Het portier ging achter hem dicht.

'Heren,' zei hij. Hij vouwde zich op het bankje tegenover hen. De twee mannen zaten naast elkaar op de achterbank van de limousine: Luther LaValle, de inlichtingenchef van het Pentagon, en generaal Richard P. Kendall, zijn adjunct.

'Heel vriendelijk van u dat u met ons wilt praten,' zei LaValle.

Het had niets met vriendelijkheid te maken, dacht Batt. Ze waren hier omdat ze doelstellingen met elkaar gemeen hadden.

'Het genoegen is geheel aan mijn kant, heren. Ik voel me gevleid, en als ik eerlijk mag zijn: ik ben ook dankbaar omdat u contact met mij hebt opgenomen.'

'We zijn hier om in alle openheid te spreken,' zei generaal Kendall.

'We hebben ons van het begin af verzet tegen de benoeming van Veronica Hart,' zei LaValle. 'De minister van Defensie heeft de president heel goed duidelijk gemaakt hoe hij erover dacht. Jammer genoeg hebben anderen, onder wie de nationale veiligheidsadviseur en de minister van Buitenlandse Zaken – die zoals u weet een persoonlijke vriend van de president is – voor een buitenstaander uit de particuliere beveiligingssector gelobbyd.'

'Dat is al erg genoeg,' zei Batt. 'En het is nog een vrouw ook.'

'Precies.' Generaal Kendall knikte. 'Het is krankzinnig.'

LaValle verschoof op zijn plaats. 'Het is tot nu toe het duidelijkste teken van de achteruitgang van ons defensiesysteem. Minister Halliday waarschuwt daar nu al jaren voor.'

'Als we naar het Congres en de mensen in het land gaan luisteren, kunnen we alle hoop laten varen,' zei Kendall. 'Het Congres is een ratjetoe van amateurs die allemaal hun eigen belangen hebben. Ze hebben er geen flauw benul van hoe je een land moet verdedigen of hoe inlichtingendiensten moeten werken.'

LaValle glimlachte ijzig. 'Daarom heeft de minister van Defensie zo zijn best gedaan om de werking van die diensten clandestien te houden.'

'Hoe meer ze weten, hoe minder ze begrijpen,' zei generaal Kendall, 'en des te meer zijn ze geneigd zich met de zaken te bemoeien door die hoorzittingen van hen te houden en met budgetverlagingen te dreigen.'

'Al dat toezicht is een ellende,' beaamde LaValle. 'Daarom werken sommige onderdelen van het Pentagon die onder mijn leiding staan zonder dat toezicht.' Hij zweeg even en keek Batt aandachtig aan. 'Hoe klinkt dat u in de oren, adjunct-directeur?'

'Als manna uit de hemel.'

'Oleg had het totaal verknoeid,' zei Devra.

'Hij had zich woekeraars op de hals gehaald?' opperde Arkadin.

Ze schudde haar hoofd. 'Dat was vorig jaar. Het had met Pjotr Zilber te maken.'

Arkadin spitste zijn oren. 'Wat is er met hem?'

'Ik weet het niet.' Haar ogen gingen wijd open toen ze Arkadin zijn vuist zag ballen. 'Ik zweer het.'

'Maar je behoort tot Zilbers netwerk.'

Ze wendde haar hoofd van hem af, alsof ze zichzelf niet kon verdragen. 'Ik ben een klein radertje. Ik breng dingen over.'

'In de afgelopen week gaf Sjoemenko je een document.'

'Hij gaf me een pakje. Ik weet niet wat erin zat,' zei Devra. 'Het was dichtgeplakt.'

'Compartimentalisatie.'

'Wat?' Ze keek naar hem op. De bloedpareltjes op haar hoofd leken net sproeten. Haar mascara was uitgelopen door de tranen, zodat ze donkere halvemanen onder haar ogen had.

'Het eerste principe als je een kader opbouwt.' Arkadin knikte. 'Ga verder.'

Ze haalde haar schouders op. 'Meer weet ik niet.'

'En het pakje?'

'Dat heb ik doorgegeven, zoals me was opgedragen.'

Arkadin boog zich over haar heen. 'Aan wie heb je het gegeven?'

Ze keek naar het in elkaar gezakte lichaam op de vloer. 'Aan Filja.'

LaValle had even nagedacht. 'Op Yale kenden we elkaar niet.'

'U zat twee jaar boven me,' zei Batt. 'Maar bij Skull & Bones was u berucht.'

LaValle lachte. 'Nu vleit u me.'

'Niet echt.' Batt maakte de knopen van zijn jas los. 'De verhalen die ik heb gehoord...'

LaValle fronste zijn wenkbrauwen. '... mogen nooit meer worden verteld.'

Generaal Kendall liet een bulderlach horen die de hele limousine vulde. 'Moet ik jullie twee meiden alleen laten? Beter van niet; straks raakt een van jullie zwanger.'

Die opmerking was natuurlijk als grap bedoeld, maar er zat een hatelijke ondertoon in. Zat het de militair dwars dat hij niet bij de eliteclub hoorde of dat de twee anderen door middel van Skull & Bones met elkaar verbonden waren? Misschien een beetje van allebei. In elk geval ontging zijn toon Batt niet. Hij zou later over de mogelijke implicaties nadenken.

'Wat had u in gedachten, meneer LaValle?'

'Ik zoek naar een manier om de president ervan te overtuigen dat het een vergissing van zijn onverstandige adviseurs was Veronica Hart aan te bevelen voor de post van CIA-directeur.' LaValle perste zijn lippen even op elkaar. 'Ideeën?'

'Zo uit mijn hoofd al een heleboel,' zei Batt. 'Wat zit er voor mij in?'

LaValle glimlachte weer, alsof hij hierop had gewacht. 'Als we Hart weg kunnen krijgen, hebben we een nieuwe CIA-directeur nodig. Wie zou uw eerste keuze zijn?'

'De huidige adjunct-directeur zou de logische opvolger zijn,' zei Batt. 'Ikzelf dus.'

LaValle knikte. 'Daar zijn we het helemaal mee eens.'

Batt tikte met zijn vingertoppen op zijn knie. 'Als u tweeën het serieus meent.'

'We menen het. Dat verzeker ik u.'

Batt dacht verwoed na. 'Het lijkt me in dit vroege stadium onverstandig om Hart direct aan te vallen.'

'U hoeft ons niet te vertellen wat we moeten doen,' zei Kendall.

LaValle stak zijn hand op. 'Laten we horen wat de man te zeggen heeft, Richard.' Tegen Batt voegde hij eraan toe: 'Laat één ding volkomen duidelijk zijn: we willen Hart zo gauw mogelijk weg hebben.'

'Dat willen we allemaal, maar u wilt niet dat de verdenking op u komt te rusten. Of op de minister van Defensie.'

LaValle en generaal Kendall wisselden een blik van verstandhouding. Ze waren net een tweeling. Ze konden met elkaar communiceren zonder een woord te zeggen. 'Dat zeker niet,' zei La-Valle.

'Ze heeft me verteld hoe u haar onder vuur hebt genomen op die bijeenkomst met de president. Ze heeft me ook verteld dat u haar buiten het Witte Huis hebt bedreigd.'

'Vrouwen laten zich gemakkelijker intimideren dan mannen,' merkte Kendall op. 'Dat is algemeen bekend.'

Batt negeerde de militair. 'U hebt haar daarmee gewaarschuwd. Ze vat uw dreigementen erg persoonlijk op. Bij Black River had ze de reputatie een killer te zijn. Ik ben dat via mijn bronnen nagegaan.'

LaValle keek peinzend. 'Hoe zou u haar hebben aangepakt?'

'Ik zou aardig voor haar zijn geweest. Ik zou haar in de inlichtingenwereld hebben verwelkomd en tegen haar hebben gezegd dat u voor haar klaarstaat wanneer ze uw hulp nodig heeft.'

'Daar zou ze nooit zijn in getrapt,' zei LaValle. 'Ze weet wat ik van plan ben.'

'Dat doet er niet toe. U kunt haar beter niet tegen u in het harnas jagen. Het is niet de bedoeling dat ze haar mes al heeft getrokken als u op haar afkomt.'

LaValle knikte. Blijkbaar zag hij de wijsheid van die benadering in. 'Hoe stelt u voor dat we verder te werk gaan?'

'Geeft u me wat tijd,' zei Batt. 'Hart is nog maar net begonnen bij de CIA, en als haar plaatsvervanger ben ik op de hoogte van alles wat ze doet, van elke beslissing die ze neemt. Maar als ze buiten het kantoor is, schaduwt u haar dan en kijkt u waar ze heen gaat, wie ze ontmoet. U kunt parabolische microfoons gebruiken om met haar gesprekken mee te luisteren. Samen houden we haar dan vierentwintig uur per dag, zeven dagen per week, in het oog.'

'Dat lijkt me een nogal simpele aanpak,' zei Kendall sceptisch.

'Hou het simpel, zeker als er zoveel op het spel staat. Dat is mijn advies,' zei Batt.

'En als ze doorkrijgt dat ze wordt geschaduwd?' zei Kendall.

Batt glimlachte. 'Des te beter. Dat versterkt alleen maar het idee dat ze bij de CIA hebben: dat de NSA geleid wordt door een stelletje onbekwame types.'

LaValle lachte. 'Batt, je manier van denken staat me wel aan.'

Batt reageerde met een hoofdknikje op het compliment. 'Hart komt uit de particuliere sector. Ze is geen overheidsprocedures gewend. Ze heeft niet zoveel speelruimte als bij Black River. Ik kan nu al zien dat regels en voorschriften er in haar ogen voor zijn om ze naar je hand te zetten, te omzeilen en soms zelfs te overtreden. Let op mijn woorden: vroeg of laat verschaft directeur Hart ons de munitie die we nodig hebben om haar de CIA uit te schoppen.'

7

'Hoe gaat het met je voet, Jason?'

Bourne keek op naar professor Specter, wiens gezicht gezwollen en verkleurd was. Zijn linkeroog was half dicht en zo donker als een onweerswolk.

'Ja,' zei Specter. 'Na wat er zojuist is gebeurd, voel ik me gedwongen je aan te spreken met wat blijkbaar je echte naam is.'

'Met mijn hiel is niets aan de hand,' zei Bourne. 'Ik zou juist aan u moeten vragen hoe het gaat.'

Specter drukte voorzichtig met zijn vingertoppen tegen zijn wang. 'Ik heb in mijn leven wel erger te verduren gehad.'

De twee mannen zaten in een bibliotheek met een hoog plafond, een groot, schitterend vloerkleed en meubelen die bekleed waren met leer dat de kleur van ossenbloed had. Drie wanden werden van vloer tot plafond in beslag genomen door boeken die netjes op mahoniehouten planken gerangschikt stonden. In de vierde wand zat een glas-in-loodraam dat uitkeek op een helling met statige sparren. Aan de voet van de helling lag een vijver, bewaakt door een treurwilg die trilde in de wind.

Specters huisarts was al gebeld, maar de professor had erop gestaan dat de arts zich eerst om Bournes gevilde hiel bekommerde.

'We vinden vast wel ergens een paar schoenen,' zei Specter, en hij stuurde een van de zes aanwezige personeelsleden met Bournes overgebleven schoen naar een winkel.

Dit tamelijk grote huis van natuursteen en leisteen, diep in het landschap van Virginia, waar Specter met Bourne naartoe was gegaan, was heel iets anders dan het bescheiden appartement dat de professor in de buurt van de universiteit aanhield. Bourne was in de loop van de jaren verscheidene keren in het appartement geweest, maar nooit hier. En dan was er ook nog de kwestie van het personeel. Bourne keek er geïnteresseerd maar ook verrast naar.

'Je zult je wel over dit alles verbazen,' zei Specter, alsof hij Bournes gedachten kon lezen. 'Alles op zijn tijd, mijn vriend.' Hij glimlachte. 'Eerst moet ik je ervoor bedanken dat je me hebt gered.'

'Wie waren die mannen?' zei Bourne. 'Waarom wilden ze u kidnappen?'

De dokter smeerde een antibiotische zalf op de wond, deed een gaasverband om de hiel en zette het vast met tape. Vervolgens wikkelde hij leukoplast om de hiel.

'Het is een lang verhaal,' zei Specter. De arts, die klaar was met Bourne, stond op om de professor te onderzoeken. 'Ik stel voor dat ik het je vertel onder het ontbijt, dat eerder vanochtend zo wreed onderbroken is.' Hij kromp ineen toen de dokter op delen van zijn lichaam klopte.

'Kneuzingen, bloeduitstortingen,' merkte de dokter op, 'maar geen botbreuken of fracturen.'

Hij was een kleine donkere man met een snor en naar achteren gekamd haar. Bourne dacht dat hij Turks was. Al het personeel leek trouwens van Turkse origine.

Hij gaf Specter een pakje. 'Misschien hebt u deze pijnstillers nodig, maar alleen in de komende achtenveertig uur.' Hij had al een tube van de antibiotische crème voor Bourne achtergelaten, met de nodige instructies.

Terwijl Specter werd onderzocht, gebruikte Bourne zijn mobiele telefoon om Deron te bellen, de kunstvervalser die hij voor al zijn reisdocumenten gebruikte. Bourne noemde hem het kenteken van de zwarte Cadillac die hij van de ontvoerders in spe had overgenomen.

'Ik wil zo gauw mogelijk weten op wiens naam die auto staat.'

'Ben je ongedeerd, Jason?' vroeg Deron met zijn sonore Londense stem. Deron had Bourne al bij heel wat ijzingwekkende missies geholpen. Hij stelde altijd dezelfde vraag.

'Ik mankeer niets,' zei Bourne, 'maar dat kan niet van de oorspronkelijke inzittenden van de auto worden gezegd.'

'Schitterend.'

Bourne stelde zich hem voor in zijn lab in het noordwesten van Washington, een lange, energieke zwarte man met de geest van een tovenaar.

Toen de dokter vertrok, bleven Bourne en Specter alleen achter.

'Ik weet al wie er achter me aan zaten,' zei Specter.

'Ik hou niet van losse eindjes,' antwoordde Bourne. 'Het kenteken van de Cadillac zal ons iets opleveren, misschien iets wat zelfs u nog niet weet.'

De professor knikte. Hij was zichtbaar onder de indruk.

Bourne ging op de leren bank zitten, met zijn been op de salontafel. Specter liet zich in een stoel tegenover hem zakken. Wolken joegen achter elkaar aan door de verwaaide hemel en vormden telkens andere patronen op het Perzische vloerkleed. Bourne zag een ander soort schaduw over Specters gezicht glijden.

'Professor, wat is er?'

Specter schudde zijn hoofd. 'Ik moet me oprecht en nederig bij je verontschuldigen, Jason. Ik ben bang dat ik een persoonlijk motief had toen ik je vroeg naar de universiteit terug te keren.' Zijn ogen zaten vol spijt. 'Zeker, ik dacht dat het goed voor je was. Dat is echt waar. Maar ik wilde je ook bij me in de buurt hebben omdat...' Hij wuifde met zijn hand alsof hij het bedrog uit de lucht wilde verdrijven. 'Omdat ik bang was dat zou gebeuren wat vanmorgen is gebeurd. En nu heb ik met mijn egoïsme jouw leven in gevaar gebracht.'

Er werd Turkse thee, sterk en intens aromatisch, geserveerd met eieren, gerookte vis, grof brood en diepgele, geurige boter.

Bourne en Specter zaten aan een lange tafel. Het tafellaken was van wit, met de hand bestikt linnen. Het porselein en tafelzilver waren van de hoogste kwaliteit. Ook dat was vreemd in het huishouden van een universitair docent. Ze zwegen terwijl een jongeman, slank en gesoigneerd, een perfect klaargemaakt, elegant gepresenteerd ontbijt opdiende.

Toen Bourne een vraag wilde stellen, onderbrak Specter hem meteen. 'Eerst moeten we onze maag vullen, weer op krachten komen, ervoor zorgen dat onze geest op volle capaciteit werkt.'

De twee mannen zeiden niets meer tot ze klaar waren, de borden en het bestek waren afgeruimd en er een verse pot thee op tafel stond. Er stond een kommetje gigantische Medjool-dadels en gehalveerde verse granaatappels tussen hen in.

Toen ze weer alleen in de eetkamer waren, zei Specter zonder inleiding: 'Eergisteravond kreeg ik bericht dat een vroegere student van me, wiens vader een goede vriend van me was, dood was. Vermoord op een weerzinwekkende manier. Deze jongeman, Pjotr Zilber, was bijzonder. Hij was niet alleen een vroegere student, maar stond ook aan het hoofd van een informatienetwerk dat zich over verscheidene landen uitstrekte. Na een aantal moeilijke en gevaarlijke maanden van trucs en onderhandelingen was het hem gelukt een uiterst belangrijk document voor me te bemachtigen. Hij werd betrapt, met de onvermijdelijke gevolgen. Dit is het incident waar ik bang voor was. Het klinkt misschien melodramatisch, maar ik verzeker je dat het de waarheid is: de oorlog die ik al bijna twintig jaar voer is in zijn laatste stadium gekomen.'

'Wat voor oorlog, professor?' zei Bourne. 'Tegen wie?'

'Daar kom ik zo op.' Specter boog zich naar voren. 'Ik kan me voorstellen dat je nieuwsgierig bent, zelfs geschokt. Je vindt het vreemd dat een hoogleraar aan een universiteit zich bezighoudt met dingen die meer tot het domein van Jason Bourne behoren.' Hij bracht zijn beide armen even omhoog om naar het huis te wijzen. 'Maar zoals je ongetwijfeld hebt gezien, zit er meer achter mij dan je op het eerste gezicht zou denken.' Hij glimlachte nogal bedroefd. 'Dat hebben we met elkaar gemeen, hè?'

Omdat ik zelf ook een dubbelleven leid, begrijp ik jou beter dan de meeste anderen. Ik meet me een bepaalde persoonlijkheid aan als ik op de campus kom, maar hier ben ik heel iemand anders.' Hij tikte met zijn dikke wijsvinger tegen de zijkant van zijn neus. 'Ik let op. Ik zag iets vertrouwds in jou toen ik je voor het eerst zag. Je ogen namen elk detail in zich op van de mensen en dingen om je heen.'

Bournes mobieltje zoemde. Hij klapte het open, luisterde naar wat Deron te zeggen had en stopte het mobieltje weer weg.

'Er is aangifte van de diefstal van die Cadillac gedaan. Ongeveer een uur voordat hij bij het restaurant verscheen.'

'Dat verbaast me helemaal niet.'

'Wie heeft geprobeerd u te ontvoeren, professor?'

'Ik weet dat je graag de feiten wilt horen, Jason. Dat zou ik in jouw geval ook willen. Maar ik verzeker je dat die feiten pas betekenis krijgen als ik je eerst iets over de achtergrond vertel. Toen ik zei dat er meer achter mij zit dan je op het eerste gezicht zou denken, bedoelde ik dat ik op terroristen jaag. In vele jaren heb ik, gecamoufleerd door mijn veilige positie op de universiteit, een netwerk opgebouwd van mensen die informatie verzamelen, zoals jouw eigen CIA dat ook doet. Maar de informatie die mij interesseert is van uiterst specifieke aard. Er zijn mensen die mijn vrouw van me hebben afgenomen. In het holst van de nacht, toen ik weg was, ontvoerden ze haar uit ons huis. Ze hebben haar gemarteld, vermoord en bij mij op de stoep gedumpt. Bij wijze van waarschuwing.'

Bourne had een prikkend gevoel in zijn nek. Hij wist wat het was om door wraak te worden gedreven. Toen Martin was doodgegaan, had Bourne aan niets anders kunnen denken dan de vernietiging van de mannen die hem hadden gefolterd. Hij voelde nu een nieuwe, nauwere band met Specter, en tegelijk kwam de Bourne-identiteit in hem opzetten, opgestuwd door een golf van pure adrenaline. Plotseling vond hij het een belachelijk idee dat hij op een universiteit werkte. Moira had gelijk: hij voelde zich opgesloten. Hoe zou hij zich anders kunnen voelen na maanden van academisch leven, zonder avontuur, zonder de kick van de adrenaline waarvoor Bourne leefde?

'Mijn vader is ontvoerd omdat hij van plan was het hoofd van een organisatie ten val te brengen. Ze noemen zich de Broederschap van het Oosten.'

'Streven die niet naar een vreedzame integratie van moslims in de westerse samenleving?'

'Ja, dat is hun officiële houding en dat komt ook uit hun publicaties naar voren.' Specter zette zijn kopje neer. 'In werkelijkheid zou niets verder bezijden de waarheid kunnen zijn. Ik ken ze als het Zwarte Legioen.'

'Dus het Zwarte Legioen heeft het nu eindelijk op uzelf voorzien.'

'Was het maar zo eenvoudig.' Hij zweeg, want er werd discreet op de deur geklopt. 'Binnen.'

De jongeman die hij om een boodschap had gestuurd kwam met een schoenendoos de kamer in. Hij zette de doos voor Bourne neer.

Specter maakte een gebaar. 'Alsjeblieft.'

Bourne nam zijn voet van de tafel en maakte de doos open. Er zat een paar fraaie Italiaanse loafers in, en ook een paar sokken.

'De linker is een halve maat groter met het oog op het verband om uw hiel,' zei de jongeman in het Duits.

Bourne trok de sokken en de loafers aan. Ze zaten als gegoten. Toen Specter dat zag, knikte hij naar de jongeman, die zich omdraaide en de kamer verliet zonder nog een woord te zeggen.

'Spreekt hij Engels?' vroeg Bourne.

'Jazeker. Wanneer het nodig is.' Er kwam een ondeugende glimlach op Specters gezicht. 'En nu, mijn beste Jason, vraag je je af waarom hij Duits spreekt als hij een Turk is?'

'Waarschijnlijk omdat uw netwerk zich over veel landen uitstrekt, inclusief Duitsland, dat net als Engeland een kweekbodem van moslimterreur is.'

Specters glimlach werd dieper. 'Je bent een kei. Ik kan altijd op je rekenen.' Hij stak zijn wijsvinger op. 'Maar er is nog een andere reden. Die heeft met het Zwarte Legioen te maken. Kom. Ik wil je iets laten zien.'

Filja Petrovitsj, de koerier van Pjotr in Sebastopol, woonde in een onopvallend, wat vervallen huizenblok, een overblijfsel uit de tijd waarin de Sovjets de stad hadden herschapen in een immense kazerne voor hun grootste marinecontingent. Het appartement, waar sinds de jaren zeventig niets meer aan was gedaan, bezat de charme van een koelcel voor vlees.

Arkadin maakte de deur open met de sleutel die hij bij Filja had gevonden. Hij duwde Devra over de drempel, ging naar binnen, deed het licht aan en maakte de deur achter hem dicht. Ze had niet willen meekomen, maar ze had niets in te brengen gehad, zoals ze hem ook had moeten helpen Filja's lijk via de achterdeur van de nachtclub naar buiten te slepen. Ze hadden hem aan het eind van het smerige steegje gezet, steunend tegen een muur die vochtig was van onduidelijke vloeistoffen. Arkadin had de inhoud van een halflege fles goedkope wodka over hem uitgegoten en de vingers van de man om de hals van de fles geklemd. Zo werd Filja een dronkaard in een stad vol dronkaards. Zijn dood zou door een inefficiënt en overwerkt bureaucratisch getij worden weggespoeld.

'Wat zoek je?' Devra stond midden in de kamer en zag Arkadin systematisch zoeken. 'Wat denk je dat je hier vindt? Het document?' Ze lachte schel. 'Dat is weg.'

Arkadin keek op van de verwoesting die zijn mes in de kussens van de bank had aangericht. 'Waar is het?'

'Ver buiten jouw bereik. Neem dat maar van me aan.'

Arkadin sloot zijn mes en overbrugde de afstand tussen hen tweeën met één grote stap. 'Denk je dat dit een grapje is of dat we een spelletje aan het spelen zijn?'

Devra trok haar bovenlip op. 'Ga je me nu pijn doen? Geloof me, niets wat jij kunt doen kan erger zijn dan wat me al is aangedaan.'

Arkadin, die het bonken van zijn hart kon horen, hield zich in en dacht over haar woorden na. Waarschijnlijk sprak ze de waarheid. Onder de Sovjetlaars had God veel Oekraïeners in de steek gelaten, vooral aantrekkelijke jonge vrouwen. Hij moest het over een andere boeg gooien.

'Ik ga je geen pijn doen, al zit je bij de verkeerde mensen.' Hij draaide zich abrupt om, ging op een houten stoel zitten, leunde achterover en streek met zijn vingers door zijn haar. 'Ik heb veel rottigheid meegemaakt. Ik heb twee keer in de gevangenis gezeten. Ik kan me de systematische wreedheid voorstellen die je hebt doorgemaakt.'

'Mijn moeder en ik. God hebbe haar ziel.'

De koplampen van passerende auto's schenen steeds even door de ramen en verdwenen dan weer. In een steegje blafte een hond, een melancholiek geluid dat wegstierf. Een stel dat voor het huis langs liep maakte hevig ruzie. In het armzalige appartement zag Devra er in het vlekkerige licht van de lampen, waarvan de kappen gescheurd waren of scheef hingen, vreselijk kwetsbaar uit, als een sprietig kind. Arkadin stond op, rekte zich uit, liep naar het raam en keek naar de straat. Hij lette op elk stukje schaduw, elke flikkering van licht, hoe kortstondig of minuscuul ook. Vroeg of laat zouden Pjotrs mensen achter hem aan komen. Dat was onvermijdelijk. Ikoepov en hij hadden erover gesproken voordat hij de villa verliet. Ikoepov had aangeboden een paar zware jongens naar Sebastopol te sturen voor het geval ze nodig waren, maar Arkadin had dat geweigerd. Hij had gezegd dat hij liever in zijn eentje werkte.

Nadat hij zich ervan had vergewist dat er op dat moment niemand naar het huis keek, wendde hij zich van het raam af en keek hij de kamer weer in. 'Mijn moeder is op een ellendige manier aan haar eind gekomen,' zei hij. 'Ze is vermoord. Afschuwelijk in elkaar geslagen en daarna achtergelaten in een kast met ratten. Tenminste, dat zei de lijkschouwer.'

'Waar was je vader?'

Arkadin haalde zijn schouders op. 'Wie weet? De schoft zat misschien in Shanghai, of misschien was hij dood. Mijn moeder zei dat hij zeeman was, maar dat betwijfel ik sterk. Ze schaamde zich ervoor dat ze zwanger was geraakt van een volslagen vreemde.'

Devra, die al die tijd op de opengesneden armleuning van de bank had gezeten, zei: 'Het is beroerd om niet te weten waar je vandaan komt, hè? Alsof je op zee op drift bent geraakt. Al zou je op de plaats komen waar je thuishoort, dan zou je dat niet weten.'

'Thuis,' zei Arkadin met een zucht. 'Daar denk ik nooit aan.'

Devra bespeurde iets in zijn toon. 'Maar dat zou je wel willen, hè?'

Hij keek nors. Met zijn gebruikelijke grondigheid tuurde hij nog eens naar de straat. 'Wat zou dat voor zin hebben?'

'Als we weten waar we vandaan komen, kunnen we ook weten wie we zijn.' Ze sloeg met haar vuist op haar borst. 'Ons verleden is een deel van ons.'

Arkadin had een gevoel alsof ze hem met een naald had geprikt. Het gif spoot door zijn aderen. 'Mijn verleden is een eiland waar ik al lang geleden vandaan ben gevaren.'

'Toch is het nog bij je, al besef je het niet,' zei ze met de kracht van iemand die heel vaak over zulke dingen had nagedacht. 'We kunnen ons verleden niet ontvluchten, hoe we ons best ook doen.'

In tegenstelling tot hem wilde zij blijkbaar wel graag over haar verleden praten. Hij vond dat merkwaardig. Dacht ze dat ze in dat opzicht iets met elkaar gemeen hadden? In dat geval moest hij erop ingaan, want dan kon hij het contact in stand houden.

'En jouw vader?'

'Ik ben in deze stad geboren en opgegroeid.' Ze keek naar haar handen. 'Mijn vader was monteur bij de marine. Hij werd ontslagen toen de Russen het overnamen. Op een avond kwamen ze hem halen. Ze zeiden dat hij ze bespioneerde en technische informatie over hun schepen aan de Amerikanen gaf. Ik heb hem nooit teruggezien. Maar de Russische veiligheidsofficier die de zaak behandelde viel op mijn moeder. Toen hij haar had opgebruikt, begon hij met mij.'

Arkadin kon het zich maar al te goed voorstellen. 'Hoe is het afgelopen?'

'Hij is door een Amerikaan vermoord.' Ze keek naar hem op. 'Dat was verrekte ironisch, want die Amerikaan was een spion die hierheen was gestuurd om foto's van de Russische vloot te maken. Toen de Amerikaan klaar was met zijn taak, had hij naar huis moeten gaan. In plaats daarvan bleef hij hier. Hij zorgde voor mij tot ik weer gezond was.'

'Natuurlijk werd je verliefd op hem.'

Ze lachte. 'Ja, als ik een personage in een roman was geweest. Maar hij was zo aardig voor me; ik was net een dochter voor hem. Ik huilde toen hij wegging.'

Arkadin merkte dat haar verhaal hem in verlegenheid bracht. Om zich af te leiden doorzocht hij het verwoeste appartement nog een keer.

Devra keek behoedzaam naar hem. 'Hé, ik verga van de honger.'

Arkadin lachte. 'Geldt dat niet voor ons allemaal?'

Met zijn haviksoog nam hij de straat nog eens in zich op. Ditmaal kwamen zijn nekhaartjes overeind zodra hij naast het raam ging staan. Een auto die hij niet had horen aankomen was voor het gebouw gestopt. Devra, die merkte dat hij plotseling gespannen was, liep naar het raam achter hem. De auto had zijn aandacht getrokken doordat de motor nog draaide terwijl alle lichten gedoofd waren. Er kwamen drie mannen uit. Ze liepen naar de buitendeur. Het was hoog tijd om weg te gaan.

Hij wendde zich van het raam af. 'We gaan. Nu.'

'Pjotrs mensen. Ze moesten ons wel vinden.'

Tot Arkadins grote verbazing protesteerde ze niet toen hij haar het appartement uit duwde. Het stampen van zware schoenen over beton galmde al door de gang.

Bourne merkte dat lopen onaangenaam maar nog net uit te houden was. Hij had in zijn leven wel ergere dingen meegemaakt dan een gevilde hiel. Toen hij achter de professor aan over een metalen trap naar de kelder afdaalde, bedacht hij dat hier weer eens uit bleek dat er geen absolute zekerheden waren als het op mensen aankwam. Hij had verondersteld dat Specter een keurig, stil en saai leven leidde en nauwelijks buiten de campus van de universiteit kwam. Niets kon verder bezijden de waarheid zijn.

Op de helft ging de trap in stenen treden over, uitgesleten door tientallen jaren van gebruik. Er kwam nu veel licht van beneden. Ze kwamen in een ingericht souterrain van verplaatsbare wanden die de afscheiding vormden van een soort kantoorhokjes, met laptops die aan snelle modems waren gekoppeld. In elk hokje zat iemand.

Specter bleef bij het laatste hokje staan, waar een jongeman blijkbaar een tekst die over zijn computerscherm rolde aan het decoderen was. De jongeman zag dat Specter daar stond, trok een vel papier uit de printer en gaf het aan hem. Zodra de professor het las, veranderde zijn houding. Zijn gezicht bleef neutraal, maar er kwam een zekere spanning in zijn lichaam.

'Goed werk.' Hij knikte de jongeman toe en leidde Bourne naar een kamer die blijkbaar als een kleine bibliotheek fungeerde. Specter liep naar een stel planken en drukte op de rug van een haikuverzameling van de grote dichter Matsuo Bashô. Een vierkante sectie boeken ging open en er bleek zich een ladekast achter te bevinden. Uit een van de laden haalde Specter een soort fotoalbum. Alle pagina's waren oud en in plastic verpakt. Hij liet er een aan Bourne zien.

Bovenaan stond de bekende adelaar uit de oorlog met een hakenkruis in zijn snavel, het symbool van het Derde Rijk. De tekst was in het Duits. Onder het symbool stond het woord OSTLEGIONEN, vergezeld van een kleurenfoto waarop een uniforminsigne te zien was: een swastika in een gevlochten ovaal van laurierbladeren. Om het symbool in het midden heen stonden de woorden TREU, TAPFER en GEHORSAM. Bourne vertaalde ze: 'trouw, moedig, gehoorzaam'. Daaronder stond een kleurenfoto van een omkranste wolfskop, met daaronder de naam: OSTMANISCHE SS-DIVISION.

Bourne keek naar de datum onder aan de bladzijde: 14 december 1941.

'Ik heb nooit van die oostelijke legioenen gehoord,' zei Bourne. 'Wat waren het?'

Specter sloeg de bladzijde om. Aan de achterkant bleek een stukje olijfbruin weefsel te zijn vastgespeld, waarop een blauw schildje met een zwarte rand was genaaid. Aan de bovenkant stond het woord BERGKAUKASIEN – het Kaukasusgebergte. Recht daaronder stond in geel het embleem van de drie met elkaar verbonden paardenkoppen. Bourne wist nu dat het midden van die drie koppen een doodskop vormde, het symbool van de Schutzstaffel van de nazi's, gewoonlijk de ss genoemd. Het was precies hetzelfde als de tatoeage op de arm van de schutter.

'Niet waren, maar zíjn.' Specters ogen schitterden. 'Dit zijn de mensen die mij probeerden te ontvoeren, Jason. Ze willen me ondervragen en vermoorden. Nu ze van jou weten, zullen ze met jou hetzelfde willen doen.'

8

'Het dak of de kelder?' vroeg Arkadin.

'Het dak,' zei ze meteen. 'De kelder heeft maar één in- en uitgang.'

Ze renden zo hard als ze konden naar de trap en vlogen toen met twee treden tegelijk omhoog. Arkadins hart bonkte, zijn bloed gonsde in zijn oren en de adrenaline werd bij elke stap omhoog in zijn aderen gepompt. Hij hoorde zijn belagers zwoegend achter hem aan komen. De strop trok zich om hem samen. Hij rende naar het eind van de smalle gang, stak zijn rechterhand omhoog en trok de metalen ladder omlaag die naar het dak leidde. Sovjetgebouwen uit die tijd waren berucht om hun dunne deuren. Hij wist dat het hem geen moeite zou kosten de deur open te breken en op het dak te komen. Vandaar was het een klein stukje springen naar het volgende gebouw en het daaropvolgende, en als hij dan naar beneden ging, zou hij op straat aan de vijand kunnen ontkomen.

Nadat hij Devra door het vierkante gat in het plafond had gehesen, klauterde hij omhoog. Achter hem hoorde hij de geschreeuwde kreten van de drie mannen: Filja's appartement was doorzocht. Ze kwamen nu alle drie achter hem aan. Op de kleine overloop aangekomen, stond hij tegenover de deur naar het dak, maar toen hij tegen de horizontale stang drukte, gebeurde er niets. Hij duwde harder, met hetzelfde resultaat. Nadat hij een ring met dunne *lockpicks* uit zijn zak had gehaald, stak hij ze een voor een in het slot. Hij bewoog ze op en neer en bereikte daar niets mee. Toen hij nog eens goed keek, zag hij waarom: de binnenkant van het goedkope slot was vastgeroest. Het wilde niet open.

Hij draaide zich om en keek de ladder af. Daar kwamen zijn achtervolgers. Hij kon geen kant op.

'Op 22 juni 1941 begonnen de Duitsers aan hun invasie van Sovjet-Rusland,' zei professor Specter. 'Toen ze dat deden, stuitten ze op duizenden en duizenden vijandelijke soldaten die zich zonder verzet overgaven of gewoon deserteerden. In augustus van dat jaar hield het invasieleger een halfmiljoen Sovjetkrijgsgevangenen in gevangenschap. Velen van hen waren moslims: Tataren uit de Kaukasus, Turken, Azerbeidzjanen, Oezbeken, Kazachen en stamleden uit de Oeral, Toerkestan en de Krim. Het enige wat al die moslims met elkaar gemeen hadden, was hun haat jegens de Sovjets, met name Stalin. Om een lang verhaal kort te maken: die moslims, die krijgsgevangen waren gemaakt, boden de nazi's aan om met hen mee te vechten aan het oostfront, waar ze de meeste schade konden aanrichten door in het Sovjetleger te infiltreren en radioberichten van de Sovjets te decoderen. Hitler was opgetogen. De Ostlegionen kwamen in de bijzondere belangstelling te staan van Reichsführer ss Heinrich Himmler, die de islam als een viriele, krijgshaftige religie zag die bepaalde essentiële eigenschappen gemeen had met zijn ss-filosofie, met name de blinde gehoorzaamheid, de bereidheid zichzelf op te offeren en een volslagen gebrek aan mededogen met de vijand.'

Bourne nam elk woord en elk detail van de foto's in zich op. 'Was zijn voorliefde voor de islam niet in strijd met de rassenideeën van de nazi's?'

'Jij hebt meer mensenkennis dan de meesten, Jason. Mensen kunnen altijd redeneringen bedenken om de realiteit aan hun persoonlijke ideeën te laten voldoen. Dat gold ook voor Himmler, die zichzelf ervan had overtuigd dat de Slaven en de Joden minderwaardig waren. Maar deze mensen stamden af van Attila, Dzjengis Khan en Timour Lenk. Daardoor voldeden ze aan zijn criteria voor superioriteit. Himmler was gek op de moslims uit dat deel van de wereld, de afstammelingen van de Mongolen.

Die mannen vormden de kern van de Ostlegionen van de nazi's, maar het neusje van de zalm reserveerde Himmler voor zichzelf. Hij liet ze in het geheim door zijn beste ss-leiders trainen. Ze werden niet alleen getraind als soldaten, maar ook als de elitekrijgers, spionnen en moordenaars die hij, zoals bekend, altijd al onder zijn bevel had willen hebben. Hij noemde deze eenheid het Zwarte Legioen. Weet je, ik heb uitgebreid onderzoek gedaan naar de nazi's en hun Ostlegionen.' Specter wees naar het schildje met de drie paardenkoppen rond een doodskop. 'Dit is hun embleem. Vanaf 1943 werd dit embleem meer gevreesd dan zelfs de twee bliksemschichten van de ss en het symbool van de Gestapo.'

'Zouden de nazi's in deze tijd echt nog een serieuze bedreiging kunnen vormen?' vroeg Bourne.

'Het Zwarte Legioen heeft al een hele tijd niets meer met de nazi's te maken. Het is tegenwoordig het machtigste en invloedrijkste islamitische terroristennetwerk waarvan niemand heeft gehoord. Ze zijn met opzet in de anonimiteit gebleven. Het Legioen wordt gefinancierd door een legitieme dekmantel, de Broederschap van het Oosten.'

Specter haalde nog een album tevoorschijn. Dat zat vol met krantenknipsels over terroristische aanvallen in alle delen van de wereld: Londen, Madrid, Karachi, Fallujah, Afghanistan, Rusland. Bourne bladerde door het album; de lijst werd steeds langer.

'Zoals je kunt zien, hebben andere, bekende terroristennetwerken de verantwoordelijkheid voor sommige van die aanvallen opgeëist. In het geval van andere aanslagen eiste niemand de verantwoordelijkheid op en werd er nooit een bepaalde terroristengroep mee in verband gebracht. Maar ik weet via mijn bronnen dat ze allemaal gepleegd zijn door het Zwarte Legioen,' zei Specter. 'En nu willen ze hun grootste, spectaculairste aanval plegen. Jason, we denken dat ze het op New York hebben voorzien. Ik heb je verteld dat Pjotr Zilber, de jongeman die door het Zwarte Legioen is vermoord, een bijzondere persoon was. Hij was een soort magiër. Op de een of andere manier was het hem gelukt de plannen voor de aanslag van het Legioen te stelen. Normaal gesproken zou de planning natuurlijk niet op schrift gesteld zijn, maar blijkbaar is het doel van deze aanval zo complex dat het Zwarte Legioen de bouwtekeningen nodig had. Daarom geloof ik dat het een groot gebouw in een grote stad is. Het is absoluut noodzakelijk dat we dat document vinden. Het is de enige manier om erachter te komen waar het Zwarte Legioen wil toeslaan.'

Arkadin zat op de vloer van de kleine overloop. Hij had zijn benen aan weerskanten van de opening in het plafond van de bovenste verdieping.

'Schreeuw naar ze,' fluisterde hij. Nu hij zich bij wijze van spreken op het hoge terrein bevond, wilde hij ze naar zich toe lokken. 'Toe dan. Laat ze weten waar je bent.'

Devra schreeuwde.

Nu hoorde Arkadin het holle galmende geluid van iemand die de metalen ladder beklom. Zodra er een hoofd opdook, samen met een hand die een pistool vasthield, liet Arkadin zijn enkels tegen de oren van de man dreunen. Diens ogen rolden omhoog, en Arkadin trok het pistool uit zijn hand, zette zich schrap en brak de nek van de man.

Zodra hij losliet, kletterde de man langs de ladder omlaag. Zoals te verwachten was, kwam er een regen van pistoolvuur door de vierkante opening. De kogels bleven in het plafond steken. Zodra daar een eind aan kwam, duwde Arkadin het meisje door de opening, waarna hij haar volgde. Hij gleed met de binnenkant van zijn schoenen langs de buitenkant van de ladder.

Zoals Arkadin had gehoopt, waren de twee overgebleven mannen hevig geschrokken van de val van hun landgenoot en hielden ze op met schieten. Arkadin schoot een van hen door zijn rechteroog. De ander vluchtte een hoek om toen Arkadin op hem schoot. Arkadin pakte het meisje vast, dat schrammen had opgelopen maar verder niets mankeerde, rende naar de eerste deur en bonkte erop. Toen hij een man klaaglijk hoorde protesteren, bonkte hij op de deur aan de andere kant. Geen reactie. Hij schoot op het slot en trapte de deur in.

Het appartement stond leeg. Aan het stof en vuil te zien had er al een hele tijd niemand gewoond. Arkadin rende naar het raam. Terwijl hij dat deed, hoorde hij een vertrouwd gepiep. Hij stapte op een berg rommel en er sprong een rat tevoorschijn, en nog een en nog een. Ze waren overal. Arkadin schoot de eerste dood maar riep zichzelf toen tot de orde en schoof het raam zover open als het kon. Er sloeg een ijzige regen tegen hem aan. Het regenwater stroomde langs de muur van het gebouw omlaag.

Hij ging schrijlings in de opening zitten, met Devra voor zich. Op dat moment hoorde hij de derde man om versterking roepen en schoot hij drie keer door de verwoeste deur. Hij duwde Devra de smalle brandgang op en schuifelde met haar naar links, naar de loodrechte ladder die aan het beton was verankerd. Die ladder ging tot aan het dak.

Afgezien van een of twee beveiligingslichten was de avond in Sebastopol donkerder dan Hades zelf. De regen stortte schuin omlaag en sloeg tegen zijn gezicht en armen. Hij was al zo dicht bij de ladder dat hij hem kon vastpakken toen de smeedijzeren latten waarop ze liepen hun gewicht niet meer konden dragen.

Devra gaf een gil toen ze naar beneden vielen. Ze kwamen tegen de reling van de brandgang beneden hen terecht. Bijna meteen bezweek dat gammele ding onder hun gewicht en vielen ze over de rand. Arkadin stak zijn linkerhand uit en kreeg een sport van de ladder te pakken. Met zijn rechterhand hield hij Devra vast. Ze bungelden in de lucht, te ver boven de grond om de sprong naar beneden te kunnen wagen. Bovendien stond er geen volle vuilcontainer of zoiets om hun val te breken.

Hij had Devra's hand nog vast maar dreigde zijn greep te verliezen.

'Trek je omhoog,' zei hij. 'Sla je benen om me heen.'

'Wat?'

Hij bulderde haar het bevel toe, en ze kromp ineen en deed wat hij zei.

'Sla je benen om mijn middel en druk je enkels tegen elkaar.'

Ditmaal aarzelde ze niet.

'Goed,' zei Arkadin. 'Reik nu omhoog. Je kunt de onderste sport net te pakken krijgen... Nee. Hou hem met beide handen vast.'

Het metaal was glad van de regen, en bij de eerste poging verloor Devra haar greep.

'Opnieuw,' schreeuwde Arkadin. 'En laat deze keer niet los.'

Devra, die duidelijk doodsbang was, sloot haar vingers om de sport en hield hem zo strak vast dat haar knokkels er wit van werden. Arkadins linkerarm werd inmiddels langzaam uit de kom getrokken. Als hij niet gauw van houding veranderde, was hij verloren.

'Wat nu?' vroeg Devra.

'Als je de sport eenmaal stevig vast hebt, haal je je enkels van elkaar en trek je jezelf de ladder op tot je op een sport kunt staan.'

'Ik weet niet of ik daar de kracht voor heb.'

Hij hees zich op tot hij de sport in zijn rechteroksel had. Zijn linkerarm was verdoofd. Hij bewoog zijn vingers, en er schoten meteen steken van pijn door zijn pulserende schouder. 'Toe dan,' zei hij, en hij duwde haar omhoog. Hij mocht haar niet laten zien hoe moeilijk hij het had. Hij verging van de pijn in zijn linkerarm, maar hij bleef haar naar boven duwen.

Ten slotte stond ze boven hem op de ladder. Ze keek omlaag. 'Nu jij.'

Zijn hele linkerkant was verdoofd; de rest van hem stond in brand.

Devra stak haar hand naar hem omlaag. 'Kom op.'

'Ik heb niet veel om voor te leven. Ik ben lang geleden al doodgegaan.'

'Zeur niet.' Ze hurkte neer om zijn arm te kunnen vastpakken.

Toen ze dat deed, glipte haar voet van de sport. Ze gleed omlaag en kwam met zoveel kracht tegen hem aan dat het niet veel scheelde of ze vielen allebei omlaag.

'Jezus, ik ga vallen!' schreeuwde ze.

'Sla je benen weer om mijn middel,' riep hij. 'Ja, zo. Laat nu de ladder los, eerst de ene en dan de andere hand. Hou je in plaats daarvan aan mij vast.'

Toen ze had gedaan wat hij zei, hees hij zich de ladder op. Zodra hij hoog genoeg was om zijn schoenen op de sporten te krijgen, ging het gemakkelijker. Hij negeerde het vuur dat zijn linkerschouder verbrandde; hij had beide handen nodig om te kunnen klimmen.

Eindelijk kwamen ze op het dak. Ze rolden over de stenen borstwering en lagen ademloos op teerpapier dat blank stond van de regen. Toen besefte Arkadin dat er geen regen meer op zijn gezicht viel. Hij keek op en zag een man – de derde van het trio – over hem gebogen staan, met een pistool dat op zijn hoofd was gericht.

De man grijnsde. 'Tijd om dood te gaan, schoft.'

Professor Specter legde de albums weg, maar voordat hij de lade sloot, haalde hij twee foto's tevoorschijn. Bourne keek naar de gezichten van twee mannen. Die op de eerste foto was ongeveer zo oud als de professor. Zijn grote, waterige ogen werden op een bijna komische manier vergroot door zijn dikke brillenglazen, met daarboven een stel opvallend dichte wenkbrauwen. Verder was hij kaal.

'Semion Ikoepov,' zei Specter. 'Leider van het Zwarte Legioen.'

Hij leidde Bourne de bibliotheek in het souterrain uit en de trap op, en ze gingen aan de achterkant van het huis naar buiten. Er strekte zich een strakke Engelse tuin voor hen uit, met strakke buxushagen. De hemel was luchtig blauw, hoog en diep, vervuld van de belofte van een vroeg voorjaar. Een vogel fladderde tussen de kale takken van een wilg, alsof hij niet wist waar hij moest neerstrijken.

'Jason, we moeten het Zwarte Legioen tegenhouden. Dat kan alleen door Semion Ikoepov te doden. Ik heb al drie goede mannen verloren die dat hebben geprobeerd. Ik heb iemand nodig die beter is. Ik heb jou nodig.'

'Ik ben geen huurmoordenaar.'

'Jason, alsjeblieft, voel je niet beledigd. Ik heb je hulp nodig om die aanslag te voorkomen. Ikoepov weet waar de plannen zijn.'

'Goed. Ik zal hem en de plannen vinden.' Bourne schudde zijn hoofd. 'Maar hij hoeft niet te worden vermoord.'

De professor schudde triest met zijn hoofd. 'Dat zijn nobele gevoelens, maar jij kent Semion Ikoepov niet zo goed als ik. Als je hem niet vermoordt, zal hij vast en zeker jou vermoorden. Geloof me als ik zeg dat ik heb geprobeerd hem levend in handen te krijgen. Geen van mijn mannen is van die missie teruggekeerd.'

Hij keek over de vijver uit. 'Ik heb niemand anders meer tot wie ik me kan wenden. Niemand heeft de ervaring om Ikoepov te vinden en voorgoed een eind aan die waanzin te maken. De moord op Pjotr is het begin van het eindspel tussen mij en het Zwarte Legioen. We houden ze nu tegen of ze hebben succes met hun aanslag.'

'Als het waar is wat je zegt...'

'Dat is het, Jason. Ik zweer het je.'

'Waar is Ikoepov?'

'Dat weten we niet. De afgelopen achtenveertig uur proberen we hem op het spoor te komen, maar dat heeft niets opgeleverd. Hij is in zijn villa in Campione d'Italia in Zwitserland geweest. We denken dat Pjotr daar is gedood. Maar daar is hij nu niet meer.'

Bourne keek naar de twee foto's die hij in zijn hand had. 'Wie is die jongere man?'

'Leonid Danilovitsj Arkadin. Tot een paar dagen geleden dachten we dat hij een zelfstandig opererende moordenaar was die zich verhuurde aan de families van de Russische *grupperovka*.' Specter tikte met zijn wijsvinger tussen Arkadins ogen. 'Hij heeft Pjotr naar Ikoepov gebracht. Op de een of andere manier – we weten nog niet hoe – heeft Ikoepov ontdekt dat Pjotr zijn plannen had gestolen. In elk geval is Pjotr door Arkadin en Ikoepov ondervraagd en vermoord.'

'Zo te horen hebt u een verrader in uw organisatie, professor.'

Specter knikte. 'Ik ben met tegenzin tot dezelfde conclusie gekomen.'

Iets wat Bourne had dwarsgezeten kwam nu naar de oppervlakte. 'Professor, wie belde u toen we zaten te ontbijten?'

'Een van mijn mensen. Hij wilde informatie geverifieerd hebben. Die had ik in mijn auto liggen. Hoezo?'

'Door dat telefoontje kwam u de straat op, net op het moment dat die zwarte Cadillac kwam aanrijden. Dat was geen toeval.'

Er kwamen rimpels in Specters voorhoofd. 'Nee, dat kan het eigenlijk niet zijn geweest.'

'Geeft u me zijn naam en adres,' zei Bourne, 'dan krijgen we zekerheid.'

De man op het dak had een pikzwarte moedervlek op zijn kin. Arkadin concentreerde zich daarop toen de man Devra omhoogtrok, bij Arkadin vandaan.

'Heb je hem iets verteld?' zei hij zonder zijn blik van Arkadin weg te nemen.

'Allicht niet,' zei Devra fel. 'Waar zie je me voor aan?'

'Voor een zwakke schakel,' zei Moedervlek. 'Ik heb tegen Pjotr gezegd dat hij jou niet moest gebruiken. En door jou is Filja nu dood.'

'Filja was een idioot!'

Moedervlek nam zijn blik van Arkadin weg om Devra woedend aan te kijken. 'Hij was jouw verantwoordelijkheid, kreng.'

Arkadin schaarde zijn benen tussen die van Moedervlek en bracht hem uit zijn evenwicht. Vervolgens sprong hij zo snel als een kat op hem af en beukte op hem in. Moedervlek vocht zo goed terug als hij kon. Arkadin probeerde de pijn in zijn linkerschouder te camoufleren, maar die schouder was al uit de kom getrokken en zou niet goed meer werken. Toen Moedervlek dat zag, stompte hij er zo hard mogelijk tegenaan.

Arkadin kreeg bijna geen lucht meer. Hij ging achteroverzitten, verdoofd en bijna buiten westen van pijn. Moedervlek graaide naar zijn pistool, vond in plaats daarvan dat van Arkadin en bracht het snel omhoog. Hij stond op het punt de trekker over te halen toen Devra hem met zijn eigen pistool in zijn achterhoofd schoot.

Zonder een woord te zeggen viel hij op zijn gezicht. Ze stond wijdbeens in de klassieke schuttershouding. Met haar ene hand ondersteunde ze de hand die het pistool vasthield. Arkadin, op zijn knieën, tijdelijk verlamd van pijn, zag dat ze het pistool nu op hem richtte. Er zat iets in haar ogen wat hij niet kon thuisbrengen, laat staan begrijpen.

Toen liet ze plotseling de adem ontsnappen die ze had ingehouden. Haar armen ontspanden en het pistool ging omlaag.

'Waarom?' zei Arkadin. 'Waarom schoot je hem dood?'

'Hij was een idioot. Verdomme, wat heb ik de pest aan het hele stel!'

De regen sloeg op hen neer, trommelde op het dak. De volslagen donkere hemel smoorde de wereld om hen heen. Ze hadden net zo goed op een berg op het dak van de wereld kunnen staan. Arkadin zag dat ze naar hem toe kwam. Ze zette de ene voet voor de andere en liep met stijve benen. Ze leek net een wild dier – woedend, verbitterd, uit haar element in de beschaafde wereld. Net als hij. Hij was aan haar gebonden, maar hij begreep haar niet en kon haar niet vertrouwen.

Toen ze haar hand naar hem uitstak, pakte hij hem vast.

9

'Ik heb steeds dezelfde nachtmerrie,' zei Ervin Reynolds 'Bud' Halliday, de minister van Defensie. 'Ik zit hier in Aushak in Bethesda en opeens komt Jason Bourne binnen en schiet hij me in mijn keel en dan tussen mijn ogen, helemaal in de stijl van *The Godfather Part II.*'

Halliday zat aan een tafel achter in het restaurant, samen met Luther LaValle en Rob Batt. Aushak, min of meer halverwege tussen het National Naval Medical Center en de Chevy Chase Country Club, was een favoriete ontmoetingsplaats van hem. Omdat het in Bethesda was en vooral omdat het Afghaans was, kwam hier niemand die hij kende of voor wie hij geheimen had. De minister van Defensie voelde zich het meest op zijn gemak als hij buiten de gebaande paden trad. Hij had een hekel aan het Congres en een nog grotere hekel aan de commissies van toezicht daarvan, die zich altijd met zaken bemoeiden die hun niet aangingen en waar ze geen verstand van hadden, laat staan dat ze er deskundig in waren.

De drie mannen hadden het gerecht besteld waarnaar het restaurant was genoemd: lagen pasta, gevuld met sjalotjes, geweekt in een pikante tomatensaus met vlees, het geheel bekroond met machtige Midden-Oosterse yoghurt waarin kleine stukjes munt dreven. De aushak, vonden ze alle drie, was een typisch wintergerecht.

'Binnenkort maken we een eind aan die nachtmerrie, minister,' zei LaValle met het soort onderdanigheid waaraan Batt zich mateloos kon ergeren. 'Nietwaar, Rob?'

Batt knikte nadrukkelijk. 'Ja. Ik heb een plan dat nagenoeg waterdicht is.'

Misschien had hij dat niet moeten zeggen. Halliday fronste zijn wenkbrauwen. 'Geen enkel plan is waterdicht, meneer Batt, zeker niet als Jason Bourne erbij betrokken is.'

'Ik verzeker u dat niemand dat beter weet dan ik, minister.'

Batt, de hoogste van de zeven hoofden van directoraten, vond het niet erg om te worden tegengesproken. Hij was een stevig gebouwde man met veel ervaring in het terugdringen van kroonpretendenten. Evengoed wist hij dat hij zich op onbekend terrein bevond. Op dat terrein was een machtsstrijd aan de gang, en de uitslag was nog lang niet bekend.

Hij schoof zijn bord van zich af. Hij wist dat het een gok van hem was om met deze mensen in zee te gaan. Aan de andere kant voelde hij de uitstraling van minister Halliday. Batt was tot het echte machtscentrum van het land doorgedrongen, een plaats waar hij diep in zijn hart altijd al had willen zijn, en er ging een uitbundig gevoel door hem heen.

'Omdat het plan om CIA-directeur Hart draait,' zei Batt nu, 'hoop ik dat we twee vliegen in één klap kunnen slaan.'

Halliday stak zijn hand op. 'Geen woord meer tegen een van ons. Luther en ik moeten geloofwaardig kunnen ontkennen dat we er iets van wisten. Deze operatie mag nooit naar ons terugslaan. Is dat duidelijk, meneer Batt?'

'Volkomen duidelijk, minister. Dit is mijn operatie. Zo simpel ligt het.'

Halliday grijnsde. 'Die woorden klinken als muziek in deze grote ouwe Texaanse oren.' Hij trok aan zijn oorlel. 'Nou, ik neem aan dat Luther je over Typhon heeft verteld.'

Batt keek van de minister naar LaValle en weer terug. Er kwamen rimpels in zijn voorhoofd. 'Nee, minister, dat heeft hij niet.'

'Een verzuim,' zei LaValle soepel.

'Nou, dan nu maar.' De glimlach verdween geen moment van Hallidays gezicht.

'We denken dat Typhon een van de problemen van de CIA-directeur is,' zei LaValle. 'Het wordt voor de directeur te veel om de CIA te rehabiliteren en te leiden en ook nog Typhon in de gaten te houden. Daarom zal die last van je schouders worden genomen. Typhon zal rechtstreeks door mij worden geleid.'

Het was allemaal heel soepel afgehandeld, maar Batt wist dat ze hem aan de kant hadden gezet. Deze mensen hadden van het begin af de leiding van Typhon willen hebben. 'Typhon is door de CIA zelf opgebouwd,' zei hij. 'Het is het geesteskind van Martin Lindros.'

'Martin Lindros is dood,' merkte LaValle ten overvloede op. 'Er staat nu een vrouw aan het hoofd van Typhon. Daar moet iets aan worden gedaan, en er moeten nog meer beslissingen over de toekomst van Typhon worden genomen. Jij zult ook beslissingen van cruciaal belang over de hele CIA moeten nemen. Je wilt toch niet meer hooi op je vork nemen dan je aankunt?' Het was geen vraag.

Het was of Batt zich op een gladde helling bevond en er geen grip meer op had. 'Typhon maakt deel uit van de CIA,' zei hij ten slotte, een zwakke poging om het verloren terrein te herwinnen.

'Meneer Batt,' zei Halliday. 'We hebben ons besluit genomen. Doet u met ons mee of moeten we iemand anders rekruteren voor de post van CIA-directeur?'

De man die professor Specter onder het ontbijt had gebeld was Michail Tarkanian. Bourne stelde voor dat ze elkaar in de National Zoo zouden ontmoeten, en de professor had Tarkanian gebeld. Vervolgens had de professor zijn secretaresse op de universiteit gebeld om tegen haar te zeggen dat Webb en hij een dag vrij namen. Ze stapten in Specters auto, die door een van zijn mannen naar het landhuis was gereden, en gingen op weg naar de dierentuin.

'Weet je wat jouw probleem is, Jason? Het ontbreekt jou aan een ideologie,' zei Specter. 'Een ideologie verankert je en geeft je extra ruggengraat.'

Bourne, die achter het stuur zat, schudde zijn hoofd. 'Zolang als ik me kan herinneren ben ik gemanipuleerd door ideologen. Voor zover ik kan nagaan, levert een ideologie je alleen maar tunnelvisie op. Alles wat niet binnen de grenzen past die je jezelf hebt opgelegd, wordt genegeerd of vernietigd.'

'Nu weet ik dat ik echt met Jason Bourne spreek,' zei Specter, 'want ik heb mijn best gedaan om David Webb een doelbewustheid bij te brengen die hij ergens in het verleden was kwijtgeraakt. Toen je bij me kwam, was je niet alleen op drift geraakt maar ook ernstig verminkt. Ik probeerde je te helpen door je af te leiden van wat het ook maar was dat je zo diep getroffen had. Maar nu zie ik dat ik het mis had...'

'U had het niet mis, professor.'

'Nee, laat me uitspreken. Jij wilt me altijd verdedigen; je wilt geloven dat ik altijd gelijk heb. Dat stel ik heus wel op prijs en daar zou ik niets aan willen veranderen, maar nu en dan maak ik fouten, en dit was er een van. Ik weet niet hoe het creëren van de Bourne-identiteit in zijn werk is gegaan, en je moet me geloven als ik zeg dat ik het ook niet wil weten. Aan de andere kant is het me wel duidelijk dat je diep in je iets aangeborens hebt, iets wat met de Bourne-identiteit in verband staat, en dat maakt jou anders dan alle andere mensen. Al wil je dat zelf liever niet geloven.'

Bourne vond dat het gesprek een verkeerde wending nam. 'Bedoelt u dat ik door en door Jason Bourne ben – dat David Webb hem zou zijn geworden, wat er ook zou gebeuren?'

'Nee, helemaal niet. Maar op grond van wat je me hebt verteld, denk ik wel dat als er geen interventie was geweest, als er geen Bourne-identiteit was geweest, David Webb een heel ongelukkig mens zou zijn geweest.'

Dat idee was niet nieuw voor Bourne, maar hij had altijd verondersteld dat die gedachte bij hem was opgekomen omdat hij zo weinig wist over degene die hij was geweest. David Webb was voor hem een groter raadsel dan Jason Bourne. Dat besef was op zichzelf al angstaanjagend voor Bourne: alsof Webb een geest was, een schimmige armatuur waarin de Bourne-identiteit was opgehangen, tot leven gewekt door Alex Conklin.

Bourne reed door Connecticut Avenue, NW, en kruiste Cathedral Avenue. Verderop zag hij de ingang van de dierentuin. 'Weet u, ik geloof niet dat David Webb het eind van het academisch jaar zou hebben gehaald.'

'Dan ben ik blij dat ik heb besloten je bij mijn echte werk te betrekken.' Blijkbaar was er iets in Specter tot bedaren gekomen. 'Het gebeurt niet vaak dat je de kans krijgt fouten recht te zetten.'

Het was een milde dag en de gorillafamilie was naar buiten gelaten. Schoolkinderen verdrongen zich luidruchtig bij de plaats waar de patriarch zat, omringd door zijn kroost. De zilverrug deed zijn uiterste best om de drukte te negeren, maar toen al die kinderstemmen hem te veel werden, liep hij naar het andere eind van zijn domein, gevolgd door zijn familie. Daar bleef hij zitten, tot er aan die kant hetzelfde lawaai heerste. Toen sjokte hij terug naar de plaats waar Bourne hem voor het eerst had gezien.

Michail Tarkanian wachtte naast het terrein van de zilverruggorilla's op hem. Hij bekeek Specter van top tot teen en klakte met zijn tong toen hij zijn blauwe oog zag. Toen nam hij hem in zijn armen en kuste hem op beide wangen. 'Allah is goed, mijn vriend. Je bent levend en wel.'

'Dankzij Jason hier. Hij heeft me gered. Ik heb mijn leven aan hem te danken.' Specter stelde de twee mannen aan elkaar voor.

Tarkanian kuste Bourne op beide wangen en bedankte hem overdadig.

In de gorillafamilie kwam geschuifel op gang. Ze waren elkaar nu aan het vlooien.

'Een triest leven.' Tarkanian wees met zijn duim naar de zilver-rug.

Bourne constateerde dat hij Engels sprak met het zware accent van de keiharde Sokolniki-achterbuurt in het noordoosten van Moskou.

'Moet je die arme stumper toch eens zien,' zei Tarkanian.

Het gezicht van de gorilla stond somber – niet zozeer uitdagend als wel berustend.

Specter zei: 'Jason is hier om een onderzoek in te stellen.'

'O ja?' Tarkanian was vlezig zoals ex-sporters dat zijn: een nek als een stier, behoedzame ogen en een gele huid. Hij hield zijn schouders opgetrokken tot aan zijn oren, alsof hij een klap verwachtte en die wilde afweren. In Sokolniki had hij genoeg harde klappen gekregen voor een heel mensenleven.

'Ik wil dat je antwoord geeft op zijn vragen,' zei Specter.

'Natuurlijk. Alles wat ik maar kan doen.'

'Ik heb je hulp nodig,' zei Bourne. 'Vertel me over Pjotr Zilber.'

Tarkanian, blijkbaar enigszins geschrokken, keek Specter aan, die een stap achteruit was gegaan om de man zijn volledige aandacht op Bourne te laten richten. Toen haalde hij zijn schouders op. 'Goed. Wat wil je weten?'

'Hoe ben je erachter gekomen dat hij is gedood?'

'Op de gebruikelijke manier. Via een van onze contactpersonen.' Tarkanian schudde zijn hoofd. 'Ik was er kapot van. Pjotr was belangrijk voor ons. Hij was ook een vriend.'

'Hoe denk je dat hij is ontmaskerd?'

Een stel schoolmeisjes kwam voorbij. Toen ze buiten gehoorsafstand waren, zei Tarkanian: 'Wist ik het maar. Hij was niet gemakkelijk te pakken te krijgen, dat kan ik je wel vertellen.'

Op nonchalante toon zei Bourne: 'Had Pjotr vrienden?'

'Natuurlijk had hij vrienden. Maar geen van hen zou hem verraden, als je dat bedoelt.' Tarkanian stak zijn lippen naar voren. 'Aan de andere kant...' Zijn woorden stierven weg.

Bourne keek hem in zijn ogen.

'Pjotr ging met een vrouw. Gala Nematova. Hij was smoorverliefd op haar.'

'Ik neem aan dat ze grondig is doorgelicht,' zei Bourne.

'Natuurlijk. Maar, nou, Pjotr was een beetje, eh, koppig als het op vrouwen aankwam.'

'Was dat in brede kring bekend?'

'Dat betwijfel ik sterk,' zei Tarkanian.

Dat was een fout antwoord, dacht Bourne. De gewoonten en neigingen van de vijand waren altijd te koop, als je maar handig en vasthoudend genoeg was. Tarkanian had moeten zeggen: *Ik weet het niet; misschien wel.* Een zo neutraal mogelijk antwoord, en dichter bij de waarheid.

'Vrouwen kunnen een zwakke schakel zijn.' Bourne dacht even aan Moira en de wolk van onzekerheid die door het CIA-onderzoek over haar heen was komen te hangen. Het zat hem danig dwars dat Martin misschien verleid was om CIA-geheimen te vertellen. Hij hoopte dat hij dat uit zijn hoofd kon zetten als hij de communicatie tussen Martin en haar kon lezen die Soraya had ontdekt.

'We vinden Pjotrs dood allemaal verschrikkelijk,' merkte Tarkanian op. Weer een blik op Specter.

'Ongetwijfeld.' Bourne glimlachte vaag. 'Moord is een serieuze zaak, vooral in dit geval. Ik praat met iedereen. Dat is alles.'

'Natuurlijk. Dat begrijp ik.'

'Je hebt me erg geholpen.' Bourne glimlachte en schudde Tarkanians hand. Terwijl hij dat deed, zei hij op scherpe toon: 'O ja, hoeveel hebben Ikoepovs mensen je betaald om vanmorgen naar het mobieltje van de professor te bellen?'

In plaats van te verstijven leek Tarkanian te ontspannen. 'Wat is dat nou voor vraag? Ik ben loyaal. Dat ben ik altijd geweest.'

Even later probeerde hij zijn hand los te trekken, maar Bourne verstrakte zijn greep. Tarkanian keek Bourne strak aan.

Achter hen maakte de zilverrug een geluid; hij werd onrustig. Het was een diep geluid, als een plotselinge windvlaag over een tarweveld. De boodschap van de gorilla was zo subtiel dat hij alleen tot Bourne doordrong. Hij zag een beweging in de uiterste rand van zijn gezichtsveld en volgde die even. Toen boog hij zich achterover naar Specter en zei met een diepe, indringende stem: 'Gaat u nu weg. Ga dwars door het gebouw met kleine zoogdieren en dan naar links. Na honderd meter komt u bij een kleine eetkraam. Vraag daar de weg naar uw auto. Ga naar uw huis terug en blijf daar tot u van me hoort.'

Terwijl de professor snel wegliep, greep Bourne de Rus vast en duwde hem in de tegenovergestelde richting. Ze sloten zich aan bij een speurtocht van een stel luidruchtige kinderen en hun ouders. De twee mannen die Bourne had opgemerkt kwamen vlug in hun richting. Die twee mannen hadden met hun gejaagdheid de argwaan van de gorilla gewekt, en daardoor was Bourne gewaarschuwd.

'Waar gaan we heen?' zei Tarkanian. 'Waarom heb je de professor onbeschermd achtergelaten?'

Een goede vraag. Bourne had instinctief een snelle beslissing genomen. Het ging de mannen om Tarkanian, niet om de professor. Nu de groep over Olmsted Walk liep, trok Bourne de Rus het reptielenhuis in. Het licht was hier gedempt. Ze liepen vlug langs glazen kooien met sluimerende alligators, krokodillen met hun ogen half dicht, logge schildpadden, gemeen kijkende adders en geschubde hagedissen in allerlei formaten, gedaanten en humeuren. Verderop zag Bourne de slangenhokken. Bij een daarvan maakte een verzorger een deur open om een feestmaal van knaagdieren neer te leggen voor drie groene boompythons, die in hun honger uit hun lethargie waren ontwaakt en over de nagemaakte boomtakken in het hok gleden. Deze slangen gebruikten infrarode warmtesensoren om hun prooi te vinden.

Achter hen baanden de twee mannen zich een weg door de menigte kinderen. Ze waren donker maar zagen er verder niet opvallend uit. Ze hadden hun handen in de zakken van hun wollen overjassen, en ze hielden daarmee ongetwijfeld een of ander wapen vast. Ze hadden nu geen haast. Ze wilden niet dat de bezoekers schrokken.

Bourne kwam langs de scheltopusik, een soort hagedis, en trok Tarkanian mee naar de slangenafdeling. Op dat moment kwam Tarkanian in actie. Hij draaide zich weg en wilde naar de naderende mannen toe rennen. Bourne werd een stap door hem meegetrokken, maar gaf hem toen een duizelingwekkende klap tegen de zijkant van zijn hoofd.

Een werkman knielde met zijn gereedschapskist voor een leeg hok neer. Hij deed iets met het ventilatierooster aan de onderkant. Bourne pakte een eindje stijf draad uit de kist.

'De cavalerie komt je vandaag niet redden,' zei Bourne. Hij trok Tarkanian mee naar een deur tussen twee hokken in. Die deur leidde naar het werkgedeelte waar het publiek niet mocht komen. Terwijl een van de achtervolgers al tamelijk dichtbij was, forceerde Bourne het slot met het eind draad. Hij maakte de deur open en stapte door de opening. Toen gooide hij hem achter zich dicht en deed hem op slot.

De deur trilde in zijn scharnieren doordat de mannen erop bonkten. Bourne bevond zich in een smalle, met lange tl-buizen verlichte gang die achter de hokken langs liep. Aan de rechterkant zaten met regelmatige tussenafstanden deuren en, in het geval van giftige slangen, voederramen.

Bourne hoorde een zacht *fffutt!* en het slot sprong uit de deur.

De mannen hadden pistolen met geluiddempers. Hij duwde de strompelende Tarkanian voor zich uit en zag een van de mannen door de deuropening komen. Waar was de tweede? Bourne dacht dat hij het wel wist, en hij richtte zijn aandacht op het andere eind van de gang, waar hij nu elk moment de tweede man verwachtte te zien.

Tarkanian, die voelde dat Bourne even werd afgeleid, draaide zich snel om en beukte met de zijkant van zijn lichaam tegen Bourne aan. Bourne, uit zijn evenwicht gebracht, gleed door de deuropening het hok met de boompythons in. Met een schorre lach rende Tarkanian door.

Een herpetoloog die in het hok was om de pythons te onderzoeken, protesteerde tegen Bournes verschijning. Bourne negeerde hem, stak zijn hand omhoog en pakte een van de hongerige pythons van de dichtstbijzijnde tak. Terwijl de slang, die de warmte voelde, zich om zijn uitgestrekte arm wond, draaide Bourne zich om en rende de gang op, nog net op tijd om een vuist in het middenrif van de schutter te pompen. Toen de man vooroverklapte, trok Bourne zijn arm uit de lussen van de python en legde de slang om de borst van de schutter. De man zag de python en gaf een schreeuw. De slang verstrakte zijn lussen om de man heen.

Bourne greep het pistool met geluiddemper uit zijn hand en ging achter Tarkanian aan. Het pistool was een Glock, geen Taurus. Zoals Bourne al had vermoed, behoorden deze twee niet tot hetzelfde team als de mannen die de professor hadden ontvoerd. Wie waren ze dan? Leden van het Zwarte Legioen die opdracht hadden Tarkanian terug te halen? Maar als dat het geval was, hoe hadden ze dan geweten dat hij in nood verkeerde? Bourne had geen tijd om naar antwoorden te zoeken: de tweede man was aan het eind van de gang verschenen. Hij zat gehurkt en maakte een gebaar naar Tarkanian, die zich tegen de zijkant van de gang drukte.

Terwijl de schutter zijn pistool richtte, legde Bourne zijn gekruiste onderarmen over zijn gezicht en dook met zijn hoofd vooruit door een van de voederramen. Het glas sprong kapot. Bourne keek op en zag dat hij oog in oog lag met een Gabonadder, de soort met de langste giftanden en grootste gifproductie van alle slangen. Hij was zwart en okerbruin. Zijn lelijke, driehoekige kop kwam omhoog, zijn tong schoot naar buiten. Hij bespeurde iets en probeerde vast te stellen of het wezen dat languit voor hem lag een bedreiging vormde.

Bourne bleef roerloos liggen. De slang siste in een gestaag ritme, dat zijn kop plat maakte bij elke keer dat hij heftig uitblies. De hoorntjes naast zijn neusgaten trilden. Het was duidelijk dat Bourne hem had verstoord. Omdat Bourne veel in Afrika had gereisd, wist hij iets van de gewoonten van dit dier. Deze slang zou alleen bijten als hij zich bedreigd voelde. Eigenlijk kon Bourne het niet riskeren een beweging te maken.

Omdat hij zich ervan bewust werd dat hij niet alleen aan de voorkant maar ook aan de achterkant kwetsbaar was, bracht hij langzaam zijn linkerhand omhoog. In het gestage ritme van het sissen kwam geen verandering. Hij hield zijn blik op de kop van de slang gericht en bewoog zijn hand totdat die zich boven de slang bevond. Hij had over een techniek gelezen die tot doel had dit soort slang te kalmeren, maar hij wist niet of het zou werken. Hij raakte de slang met zijn vingertop op de bovenkant van zijn kop aan. Aan het sissen kwam een eind. Het werkte!

Hij greep de slang bij zijn nek vast, liet het pistool los en ondersteunde het lichaam van de slang met zijn andere hand. Het dier verzette zich niet. Bourne liep behoedzaam naar de andere kant van het hok en legde de slang voorzichtig in een hoek. Een groep kinderen stond met open mond aan de andere kant van het glas te kijken. Bourne liep achteruit bij de slang vandaan en nam zijn blik er geen moment van weg. Bij het verbrijzelde voederraam knielde hij neer en pakte de Glock op.

Een stem achter hem zei: 'Laat dat pistool liggen en draai je langzaam om.'

'Hij is uit de kom,' zei Arkadin.

Devra keek naar zijn verwrongen schouder.

'Je moet hem voor me terugzetten.'

Drijfnat zaten ze in een op dit uur nog geopende cafetaria aan de andere kant van Sebastopol, waar ze een beetje warm probeerden te worden. De gaskachel in de cafetaria siste en hikte schrikbarend, alsof hij longontsteking had opgelopen. Ze hadden halflege glazen dampende thee voor zich staan. Het was amper een uur geleden dat ze ternauwernood waren ontkomen, en ze waren allebei doodmoe.

'Je meent het,' zei ze.

'Absoluut. Dat moet je doen,' zei hij. 'Ik kan niet naar een gewone dokter.'

Arkadin bestelde iets te eten. Devra at als een dier. Ze duwde druipende brokken vlees met haar vingertoppen in haar mond. Het leek wel of ze in geen dagen had gegeten. Misschien was dat ook zo. Toen hij zag hoe ze het eten soldaat maakte, bestelde Arkadin nog meer. Zelf at hij langzaam en weloverwogen. Hij was zich bewust van alles wat hij in zijn mond stopte. Dat had hij altijd als hij iemand had gedood: al zijn zintuigen maakten overuren. Kleuren waren helderder, geuren krachtiger, alles had een intense, complexe smaak. Hij kon de venijnige politieke discussie horen die in de verste hoek gaande was tussen twee oude mannen. Als hij zijn eigen vingertoppen op zijn wang legde, voelden ze aan als schuurpapier. Hij was zich scherp bewust van zijn eigen hartslag, van het bloed dat achter zijn oren gonsde. Kortom, hij was een wandelende blootgelegde zenuw.

Hij hield ervan om in deze staat te verkeren en had er ook een hekel aan. Het gevoel was een soort extase. Hij herinnerde zich dat hij eens een beduimelde pocketeditie van *The Teachings of Don Juan* van Carlos Castaneda in handen had gekregen en daarmee Engels had geleerd; dat was een lange, moeizame weg geweest. Het idee van extase was nooit bij hem opgekomen voordat hij dat boek las. Later had hij, in navolging van Castaneda, erover gedacht peyote te proberen – als hij het kon vinden – maar het idee dat hij drugs zou gebruiken, welke dan ook, stuitte hem tegen de borst. Hij was toch al de weg kwijt en wilde niet naar een plaats toe vanwaar hij niet kon terugkeren.

Intussen was de extase waarin hij nu verkeerde zowel een last als een openbaring, maar hij wist dat hij het niet lang kon volhouden om die blootgelegde zenuw te zijn. Alles kwam hard bij hem aan, van een ploffende uitlaat tot het sjirpen van een krekel. Alles was zo pijnlijk als wanneer hij binnenstebuiten was gekeerd.

Hij bestudeerde Devra met een bijna obsessieve concentratie. Hij zag iets wat hij niet eerder had gezien. Dat was niet zo vreemd, want met al haar gebaren had ze hem afgeleid. Maar nu was ze niet op haar hoede. Misschien was ze gewoon moe, of misschien voelde ze zich nu bij hem op haar gemak. Ze had een trilling in haar handen, een zenuw die voor zichzelf was begonnen. Stiekem keek hij naar die trilling. Hij vond dat ze er nog kwetsbaarder door leek.

'Ik begrijp je niet,' zei hij nu tegen haar. 'Waarom heb je je tegen je eigen mensen gekeerd?'

'Denk je dat Pjotr Zilber, Oleg Sjoemenko en Filja mijn eigen mensen waren?'

'Je bent een radertje in Zilbers netwerk. Wat zou ik anders denken?'

'Je hebt die klootzak op het dak tegen me horen praten. Zo waren ze allemaal.' Ze veegde vet van haar lippen en kin. 'Ik heb Sjoemenko nooit gemogen. Eerst moest ik hem van gokschulden verlossen, en toen waren het drugs.'

Op nonchalante toon zei Arkadin: 'Je zei dat je niet wist waar die laatste lening voor was.'

'Ik loog.'

'Heb je het Pjotr verteld?'

'Kom nou. Pjotr was de ergste van het stel.'

'Maar wel getalenteerd.'

Devra knikte. 'Dat dacht ik ook als ik in zijn bed lag. Hij kon de ergste rottigheid uithalen omdat hij de baas was: drinken, uitgaan, en jezus, de meiden! Soms twee of drie op een avond. Ik was hem spuugzat en vroeg of ik naar huis kon worden overgeplaatst.'

Dus ze was korte tijd Pjotrs liefje geweest, dacht Arkadin. 'Dat uitgaan hoorde natuurlijk bij zijn werk. Hij moest contacten versterken, ervoor zorgen dat ze terugkwamen voor meer.'

'Ja. Er was wel het probleem dat hij er zelf te veel van genoot. En natuurlijk sloeg dat ook over op zijn naaste omgeving. Waar denk je dat Sjoemenko op die manier heeft leren leven? Van Pjotr.'

'En Filja?'

'Filja dacht dat hij me in eigendom had, als een slavin. Als we samen ergens heen gingen, deed hij alsof hij mijn pooier was. Ik had de pest aan hem.'

'Waarom zette je hem niet aan de kant?'

'Hij leverde coke aan Sjoemenko.'

Snel als een kat boog Arkadin zich over de tafel naar haar toe. 'Luister, *lapotsjka*, het kan me geen moer schelen wie je graag mag en wie niet. Maar je moet niet tegen me liegen.'

'Wat had je dan verwacht?' zei ze. 'Je kwam binnenstormen als een wervelwind.'

Arkadin lachte. Hij verbrak daarmee een spanning die tot het uiterste was opgerekt. Dit meisje had gevoel voor humor. Dat betekende dat ze niet alleen intelligent maar ook slim was. Daarmee had ze een verbinding tot stand gebracht tussen zichzelf en een vrouw die ooit belangrijk voor hem was geweest.

'Ik begrijp jou nog steeds niet.' Hij schudde zijn hoofd. 'We staan in dit conflict aan verschillende kanten.'

'Daar vergis je je nou in. Ik ben nooit partij geweest in dit conflict. Ik hield er niet van; ik deed alleen maar alsof. Eerst was het een doel dat ik mezelf had gesteld; of ik Pjotr kon misleiden, en toen de anderen. Toen ik er eenmaal mee bezig was, was het gemakkelijker om ermee door te gaan. Ik werd goed betaald, ik leerde sneller dan de meesten, ik kreeg extraatjes die ik als dj nooit zou hebben gekregen.'

'Je had elk moment weg kunnen gaan.'

'O ja?' Ze hield haar hoofd schuin. 'Ze zouden achter me aan zijn gekomen zoals ze nu achter jou aan komen.'

'Maar nu wil je bij ze weg.' Hij hield zijn hoofd ook schuin. 'Ga me niet vertellen dat het om mij is.'

'Waarom niet? Ik houd ervan om naast een wervelwind te zitten. Dat is geruststellend.'

Arkadin kreunde. Hij voelde zich weer in verlegenheid gebracht.

'Trouwens, de maat was vol toen ik ontdekte wat ze van plan waren.'

'Je dacht aan je Amerikaanse redder.'

'Misschien kun jij niet begrijpen dat één persoon verschil kan maken in je leven.'

'O, maar dat kan ik wel,' zei Arkadin, denkend aan Semion Ikoepov. 'Wat dat betreft, zijn jij en ik hetzelfde.'

Ze wees naar hem. 'Zo te zien voel je je niet op je gemak.'

'Kom,' zei hij, en hij stond op. Hij leidde haar naar achteren langs de keuken, stak zijn hoofd daar even naar binnen en ging toen met haar naar de herentoiletten.

'Ga weg,' beval hij een man bij een wastafel.

Hij keek in het hokje om er zeker van te zijn dat ze alleen waren. 'Ik ga je vertellen hoe je die verrekte schouder moet zetten.'

Toen hij haar de instructies gaf, zei ze: 'Gaat het pijn doen?'

Bij wijze van antwoord stak hij de steel van de houten lepel die hij uit de keuken had gepakt tussen zijn tanden.

Met grote tegenzin keerde Bourne de Gabonadder zijn rug toe. Er gingen allerlei dingen door zijn hoofd, vooral Michail Tarkanian. Dat was de verrader binnen de organisatie van de professor. Wie kon zeggen hoeveel hij van Specters netwerk wist? Bourne kon het zich niet veroorloven hem te laten ontkomen.

De man die nu tegenover hem stond, had een plat gezicht en een enigszins vettige huid. Hij had een baard van twee dagen en een slecht gebit. Zijn adem stonk naar sigaretten en rottend eten. Hij richtte zijn Glock met geluiddemper recht op Bournes borst.

'Kom daaruit,' zei hij zacht.

'Het maakt niet uit of ik dat doe of niet,' antwoordde Bourne.

'De herpetoloog hier op de gang heeft vast wel de bewaking gebeld. Straks worden we allemaal opgepakt.'

'Eruit. Nu.'

De man beging een fatale fout door met de Glock te wijzen. Bourne gebruikte zijn linkeronderarm om de verlengde loop opzij te slaan. Vervolgens gooide Bourne de schutter tegen de andere muur van de gang en pompte zijn knie in zijn kruis. De schutter kokhalsde, en Bourne sloeg het pistool uit zijn hand, greep hem bij zijn jas en gooide hem met het hoofd vooruit het hok van de Gabonadder in. Hij deed dat met zoveel kracht dat de man over de vloer gleed naar de hoek waar de slang opgerold lag.

Bourne imiteerde de slang door een ritmisch sissend geluid te maken, en de slang stak zijn kop op. Hij hoorde het sissen van een rivaliserende slang en voelde dat er iets in zijn territorium was terechtgekomen. Het dier haalde uit naar de doodsbange schutter.

Bourne rende al door de gang. De deur aan het eind stond wijd open. Hij stormde het daglicht in. Tarkanian wachtte op hem voor het geval hij aan de twee schutters ontkwam; hij had niet de moed gehad de achtervolging voort te zetten. Hij dreef zijn vuist in Bournes wang en liet daar een venijnige trap op volgen, maar Bourne ving zijn voet op en draaide hem keihard opzij, zodat hij zijn evenwicht verloor.

Bourne hoorde kreten en het smakken en piepen van goedkope schoenzolen op beton. De bewaking kwam eraan, al konden ze hem nog niet zien.

'Tarkanian,' zei hij, en hij sloeg hem bewusteloos.

Tarkanian zakte op de grond. Bourne knielde bij hem neer en gaf hem mond-op-mondbeademing toen drie bewakers de hoek om kwamen en op hem af renden.

'Mijn vriend viel flauw toen we die mannen met pistolen zagen.' Bourne gaf een accurate beschrijving van de twee schutters en wees naar de open deuren van het reptielenhuis. 'Kunt u hulp halen? Mijn vriend is allergisch voor mosterd. Ik denk dat er iets in de aardappelsalade zat waarmee we hebben geluncht.'

Een van de bewakers belde 911, terwijl de andere twee met getrokken pistool in het gebouw verdwenen. De bewaker bleef bij Bourne tot de ziekenbroeders er waren. Ze onderzochten Tarkanian en legden hem op de brancard. Bourne liep met Tarkanian mee toen ze door de nieuwsgierige menigte naar de ambulance liepen, die op Connecticut Avenue stond te wachten. Hij vertelde hun over Tarkanians allergie en zei ook dat Tarkanian in deze toestand overgevoelig was voor licht. Hij klom achter in de ambulance. Een van de broeders maakte de portieren achter hem dicht, terwijl de ander het *fenothiazine*-infuus klaarmaakte. De ambulance reed met gillende sirene weg.

De tranen liepen over Arkadins gezicht, al gaf hij geen krimp. De pijn was folterend, maar de arm zat tenminste weer in de kom. Hij kon de vingers van zijn linkerhand nog maar nauwelijks bewegen. Daar stond tegenover dat de verdoving plaatsmaakte voor een vreemd getintel, alsof zijn bloed in champagne was veranderd.

Devra hield de houten lepel in haar hand. 'Shit, je hebt hem bijna in tweeën gebeten. Het moet verschrikkelijk pijn hebben gedaan.'

Arkadin, duizelig en misselijk, trok een grimas van pijn. 'Ik zou nu geen hap kunnen eten.'

Devra gooide de lepel weg en ze verlieten de herentoiletten. Arkadin betaalde hun rekening en ze gingen naar buiten. Het was opgehouden met regenen en de straten hadden het glimmende, schoongespoelde wegdek dat hij zo goed kende van oude Amerikaanse films uit de jaren veertig en vijftig.

'We kunnen naar mijn huis gaan,' bood Devra aan. 'Het is niet ver.'

Arkadin schudde zijn hoofd. 'Beter van niet.'

Ze liepen ogenschijnlijk doelloos door de straten tot ze bij een klein hotel kwamen. Arkadin nam een kamer. De groezelige avondportier keek hen nauwelijks aan. Hij interesseerde zich alleen voor hun geld.

De kamer was schoon en spaarzaam ingericht: een bed, een stoel met harde rug, een ladekast met drie poten en een stapel boeken als vierde poot. In het midden van de kamer lag een versleten rond vloerkleed. Het was vlekkerig en vol gaten van sigaretten die erin waren uitgedrukt. Wat een kast leek was het toilet. De douche en wastafel waren op de gang.

Arkadin liep naar het raam. Hij had om een kamer aan de voorkant gevraagd. Daar hadden ze weliswaar meer last van lawaai maar had hij ook een goed zicht op de straat. De straat was verlaten; geen auto te zien. Sebastopol smeulde in een langzaam, koud ritme.

'Tijd,' zei hij, terwijl hij zich naar de kamer omdraaide, 'om orde op zaken te stellen.'

'Nu? Kan het niet wachten?' Devra lag schuin over het bed, haar voeten nog op de vloer. 'Ik ben doodmoe.'

Arkadin dacht even na. Het was midden in de nacht. Hij was uitgeput, maar nog niet aan slaap toe. Hij trapte zijn schoenen uit en ging op het bed liggen. Devra moest rechtop gaan zitten om plaats voor hem te maken, maar daarna ging ze niet naast hem liggen maar nam ze haar eerdere positie weer in, met haar hoofd op zijn buik. Ze deed haar ogen dicht.

'Ik wil met je meegaan,' zei ze zacht, bijna alsof ze al sliep.

Hij was meteen op zijn hoede. 'Waarom?' zei hij. 'Waarom wil je met me mee?'

Ze antwoordde daar niets op; ze sliep.

Lange tijd lag hij naar haar regelmatige ademhaling te luisteren. Hij wist niet wat hij met haar moest doen, maar ze was het enige wat hij aan dit eind van Pjotrs netwerk had. Hij liet de dingen die ze hem over Sjoemenko, Filja en Pjotr had verteld door zijn hoofd gaan en zocht naar tegenstrijdigheden. Het leek hem onwaarschijnlijk dat Pjotr zo ongedisciplineerd kon zijn, maar aan de andere kant was hij verraden door zijn tijdelijke vriendin, die voor Ikoepov werkte. Dat wees op een man die zichzelf niet in de hand had, en de slechte gewoonten van zo iemand konden op zijn ondergeschikten overslaan. Arkadin wist niet of Pjotr problemen met zijn vader had, maar als je bedacht wie dat was, zat dat er wel in.

Dit meisje was vreemd. Op het eerste gezicht leek ze sterk op andere jonge meisjes die hij had gekend: hard, cynisch, wanhopig. Toch was ze anders. Hij kon door haar pantser heen kijken en zag dan het kleine verdrietige meisje dat ze eens was geweest en misschien nog steeds was. Hij legde zijn hand op de zijkant van haar hals en voelde de langzame hartslag van haar leven. Natuurlijk zou hij zich kunnen vergissen. Misschien speelde ze een rol voor hem. Maar in dat geval zou hij echt niet weten waarom ze dat deed.

En dan was er nog iets anders. Dat had te maken met haar fragiliteit, haar kwetsbaarheid. Ze had duidelijk behoefte aan iets, dacht hij, zoals we uiteindelijk allemaal behoefte aan iets hebben, zelfs de mensen die zichzelf wijs maken dat dat niet zo is. Hij wist waaraan hij zelf behoefte had, maar wilde daar niet over nadenken. Zij verlangde naar een vader; dat was duidelijk. Toch had hij ook het vermoeden dat er iets aan haar was dat hem ontging, iets waarover ze hem niet had verteld maar waarvan ze wilde dat hij het ontdekte. Het antwoord zat al in hem en danste als een vuurvliegje in het rond, maar telkens wanneer hij het wilde vastpakken, danste het gewoon weer verder weg. Het was een gevoel om gek van te worden: alsof hij seks met een vrouw had gehad zonder tot een orgasme te komen.

Opeens bewoog ze en daarbij sprak ze zijn naam uit. Het was of de kamer door een bliksemschicht werd verlicht. Hij was weer op dat verregende dak, met Moedervlek die over hem gebogen stond, en luisterde naar het gesprek tussen Moedervlek en Devra.

'Hij was jouw verantwoordelijkheid,' zei Moedervlek. Hij had het over Filja.

Arkadins hart ging sneller slaan. *Jouw verantwoordelijkheid.* Waarom zou Moedervlek dat zeggen als Filja de koerier in Sebastopol was? Alsof ze het uit eigen beweging deden, streken zijn vingertoppen over de fluweelzachte huid van Devra's hals. Het sluwe kleine ding! Filja was een soldaat, een bewaker. Zíj was de koerier in Sebastopol. Ze had het document aan de volgende schakel doorgegeven. Zij wist waar hij nu heen moest gaan.

Arkadin hield haar dicht tegen zich aan en liet nu eindelijk de nacht, de kamer, het heden los. Op een getij van uitbundigheid gleed hij weg in de slaap, in de bloederige klauwen van zijn verleden.

Arkadin zou vast en zeker zelfmoord hebben gepleegd als Semion Ikoepov niet tussenbeide was gekomen. Arkadins beste en enige vriend, Misja Tarkanian, had zich zorgen over hem gemaakt en een beroep gedaan op de man voor wie hij werkte. Arkadin kon zich de dag waarop Ikoepov hem was komen opzoeken nog helder voor de geest halen. Ikoepov was komen binnenlopen en Arkadin, halfgek van doodsverlangen, had een Makarov PM tegen zijn hoofd gedrukt – hetzelfde wapen dat hij wilde gebruiken om zichzelf door het hoofd te schieten.

Ikoepov was zo verstandig geen enkele beweging te maken. Hij stond daar in de puinhoop van Arkadins appartement in Moskou en keek Arkadin helemaal niet aan. Arkadin, in de greep van zijn heftige verleden, begreep daar niets van. Veel later begreep hij het wel. Zoals je ook een beer niet in de ogen kijkt omdat hij je dan aanvalt, hield Ikoepov zijn blik op andere dingen gericht: de gebroken fotolijsten, het aan scherven gegooide kristal, de omgegooide stoelen, de as van het fetisjistische vuur dat Arkadin had gemaakt om zijn kleren te verbranden.

'Misja zegt dat je het moeilijk hebt.'

'Misja zou zijn mond moeten houden.'

Ikoepov spreidde zijn handen. 'Iemand moet je leven redden.'

'Wat weet jij daarvan?' zei Arkadin nors.

'Eigenlijk weet ik niets van wat er met jou is gebeurd,' zei Ikoepov.

Arkadin drukte de loop van de Makarov nog harder tegen Ikoepovs slaap aan en kwam een stap dichterbij. 'Hou dan je bek.'

'Ik maak me zorgen om het hier en nu.' Ikoepov knipperde niet met zijn ogen en vertrok ook geen spier. 'Allemachtig, jongen, kijk toch eens naar jezelf. Als je dan niet voor jezelf bij de afgrond vandaan wilt gaan, doe het dan voor Misja, die meer van je houdt dan van een broer.'

Arkadin liet zijn adem haperend ontsnappen, alsof hij een klodder gif uitstootte. Hij haalde de Makarov bij Ikoepovs hoofd vandaan.

Ikoepov stak zijn hand uit. Toen Arkadin aarzelde, zei hij op heel milde toon: 'We zijn hier niet in Nizjni Tagil. Er is hier niemand die het waard is dat je hem kwaad doet, Leonid Danilovitsj.'

Arkadin knikte en liet het wapen los. Ikoepov riep naar buiten en gaf het wapen aan een van twee erg grote mannen die aan het andere eind van de gang geluidloos hadden staan wachten. Arkadin was meteen gespannen. Hij was kwaad op zichzelf omdat hij hun aanwezigheid niet had opgemerkt. Blijkbaar waren het lijfwachten. In de conditie waarin hij op dit moment verkeerde hadden ze hem elk moment kunnen uitschakelen. Hij keek Ikoepov aan, die knikte, en op dat moment hadden ze een onuitgesproken contact met elkaar.

'Je kunt nu nog maar één weg inslaan,' zei Ikoepov.

Ikoepov maakte aanstalten om op de bank in Arkadins verwoeste appartement te gaan zitten, maar maakte toen een gebaar, en de lijfwacht die zich over de Makarov van Arkadin had ontfermd hield hem het wapen voor.

'Zo, nu heb je getuigen bij je laatste stuiptrekking van nihilisme. Als je dat wilt.'

Deze ene keer in zijn leven negeerde Arkadin het wapen. Hij keek Ikoepov onverzoenlijk aan.

'Nee?' Ikoepov haalde zijn schouders op. 'Weet je wat ik denk, Leonid Danilovitsj? Ik denk dat je het in zekere zin wel prettig vindt om te geloven dat je leven geen betekenis heeft. Een groot deel van de tijd geniet je van dat geloof; het stuwt je voort. Maar er zijn ook momenten, zoals nu, waarop het je bij de keel grijpt en heen en weer schudt tot je tanden in je schedel rammelen.' Hij droeg een donkere broek, een oestergrijs overhemd en een lange zwarte leren jas waardoor hij een beetje sinister overkwam, als een Duitse ss-Obersturmbannführer. 'Maar ik denk dat je juist op zoek bent naar de betekenis van je leven.' Zijn donkere huid glansde als gepolijst brons. Hij zag eruit als een man die wist wat hij deed en vooral ook als iemand die niet met zich liet spotten.

'Welke weg?' vroeg Arkadin met doffe stem. Hij ging op de bank zitten.

Ikoepov maakte een gebaar met beide handen naar de wervelwind die Arkadin door de kamers had laten gaan. 'Het verleden is dood voor jou, Leonid Danilovitsj. Ben je het daar niet mee eens?'

'God heeft me gestraft. God heeft me verlaten,' zei Arkadin. Daarmee herhaalde hij uit zijn hoofd een weeklacht van zijn moeder.

Ikoepov glimlachte volkomen onschuldig. Het was een glimlach die onmogelijk verkeerd geïnterpreteerd kon worden. Hij had het griezelige talent om één op één contact met anderen te maken. 'En welke God is dat?'

Arkadin had daar geen antwoord op, want de God over wie hij sprak was de God van zijn moeder, de God van zijn kinderjaren, de God die een raadsel voor hem was gebleven, een schim, een God van gal, van razernij, van gebroken botten en vergoten bloed.

'Nee,' zei hij. 'God is, net als hemel, een woord op papier. De hel is het hier en nu.'

Ikoepov schudde zijn hoofd. 'Jij hebt God nooit gekend, Leonid Danilovitsj. Je kunt je lot beter in mijn handen leggen. Bij mij zul je God vinden en ontdekken welke toekomst hij voor jou in petto heeft.'

'Ik kan niet tegen alleen zijn.' Arkadin besefte dat hij nooit eerder iets had gezegd wat zoveel waarheid bevatte.

'En dat zul je ook niet zijn.'

Ikoepov draaide zich om en nam een dienblad aan van een van de lijfwachten, die intussen thee had gezet. Ikoepov schonk twee glazen vol, deed er suiker bij en gaf er een aan Arkadin.

'Drink nu met me, Leonid Danilovitsj,' zei hij terwijl hij het dampende glas omhoogbracht. 'Op je herstel, op je gezondheid, op de toekomst, die je zo stralend kunt maken als je maar wilt.'

De twee mannen dronken thee, waarin de attente lijfwacht een fikse scheut wodka had gedaan.

'Op nooit meer alleen zijn,' zei Leonid Danilovitsj Arkadin.

Dat was lang geleden, op een halteplaats aan een rivier die in bloed was veranderd. Was hij nu veel anders dan de bijna krankzinnige man die de loop van dat wapen tegen het hoofd van Semion Ikoepov had gedrukt? Wie kon het zeggen? Maar op dagen met zware regen, onheilspellende donderslagen en schemering midden op de dag, als de wereld zo somber leek als Arkadin wist dat hij kon zijn, kwamen oude gedachten bovendrijven als lijken in een rivier, opgeworpen door zijn geheugen. En dan was hij weer alleen.

Tarkanian kwam bij, maar de fenothiazine die hem was toegediend deed zijn werk. Het middel verdoofde hem en zijn geest werkte niet goed meer. Toen Bourne zich over hem heen boog en in het Russisch 'Bourne is dood en wij halen je eruit' tegen hem zei, dacht Tarkanian in zijn versufte staat dat het een van de mannen uit het reptielenhuis was.

'Ikoepov heeft je gestuurd.' Tarkanian tilde zijn hand op en voelde het verband dat de ziekenbroeders hadden gebruikt om zijn ogen tegen het licht te beschermen. 'Waarom kan ik niet zien?'

'Blijf stil liggen,' zei Bourne zacht. 'Er zijn burgers bij. Ziekenbroeders. Zo halen we je eruit. Je komt een paar uur veilig in het ziekenhuis te liggen. In die tijd organiseren wij de rest van je reis.'

Tarkanian knikte.

'Ikoepov is onderweg,' fluisterde Bourne. 'Weet je waarheen?'

'Nee.'

'Hij wil dat je je het meest op je gemak voelt bij de debriefing. Waar moeten we je heen brengen?'

'Naar Moskou natuurlijk.' Tarkanian likte over zijn lippen. 'Ik ben in geen jaren thuis geweest. Ik heb een appartement op de Froenzenskajakade.' Het leek er meer en meer op dat hij tegen zichzelf praatte. 'Door het raam in mijn huiskamer kun je de voetgangersbrug naar Gorki Park zien. Zo'n vredige omgeving. Ik ben daar een hele tijd niet geweest.'

Ze kwamen bij het ziekenhuis aan voordat Bourne gelegenheid had de ondervraging voort te zetten. Toen ging het allemaal erg snel. De portieren vlogen open en de ziekenbroeder kwam snel in actie. Hij trok de brancard uit de ambulance en rende ermee langs de automatische glazen deuren en over een gang die naar de spoedgevallenafdeling leidde. Het zat daar stampvol patiënten. Een van de broeders praatte tegen een gejaagde, overwerkte coassistent, die hem naar een kleine kamer stuurde, een van de vele kamers aan de gang. Bourne zag dat de andere kamers bezet waren.

De twee broeders reden Tarkanian de kamer in, keken naar het infuus, onderzochten hem opnieuw en maakten hem toen van het infuus los.

'Hij komt straks bij,' zei een van hen. 'Er komt zo iemand bij hem.' Hij produceerde een geoefende glimlach die niet onsympathiek overkwam. 'Maakt u zich geen zorgen. Het komt goed met uw vriend.'

Toen ze weg waren, ging Bourne naar Tarkanian terug en zei:

'Michail, ik ken de Froenzenskajakade goed. Waar is je appartement precies?'

'Dat gaat hij je niet vertellen.'

Bourne draaide zich bliksemsnel om. De eerste schutter – waar hij de python omheen had geslagen – stortte zich op hem. Bourne wankelde achterover en knalde tegen de muur. Hij sloeg naar het gezicht van de man. De man blokkeerde de slag en stompte Bourne hard tegen zijn borstbeen. Bourne kreunde, en de man trof Bournes zij met een snelle hakbeweging.

Bourne zakte op een van zijn knieën en zag hem een mes trekken en het lemmet op hem richten. Bourne deinsde terug. De man ging met het mes voor zich uit in de aanval. Bourne stompte hem recht in zijn gezicht en hoorde het bevredigende gekraak van een brekend jukbeen. Woedend kwam de man nog dichterbij. Hij haalde uit met het mes en sneed door Bournes overhemd. Een boog van bloeddruppels spoot omhoog, als parels aan een snoer.

Bourne trof hem zo hard dat hij achteroverwankelde en tegen de brancard stootte waarop Tarkanian min of meer uit zijn staat van verdoving ontwaakte. De man haalde zijn pistool met geluiddemper tevoorschijn. Bourne kwam naar hem toe en greep hem stevig vast, zodat hij geen ruimte meer had om het wapen te richten.

Tarkanian rukte het verband af dat de broeders hadden gebruikt om zijn ogen tegen het licht te beschermen. Hij knipperde met zijn ogen en keek om zich heen. 'Wat is dit?' zei hij slaperig tegen de man met het pistool. 'Je zei dat Bourne dood was.'

De man had het te druk met zijn verweer tegen Bournes aanval om antwoord te kunnen geven. Omdat hij inzag dat hij niets aan het pistool zou hebben, liet hij het vallen en schopte het over de vloer. Hij probeerde het mes binnen Bournes verdedigingslinie te krijgen, maar Bourne liet zich niet door zijn schijnbewegingen misleiden en pareerde alle pogingen.

Tarkanian ging rechtop zitten en liet zich van de brancard glijden. Omdat hij niet goed kon lopen, liet hij zich op zijn knieën zakken en kroop over het koude linoleum naar het pistool toe.

De andere man, die met zijn ene hand Bournes hals had vastgegrepen, kreeg het mes vrij en stond op het punt het omlaag te stoten, Bournes maag in.

'Ga bij hem vandaan.' Tarkanian richtte het pistool op de twee mannen. 'Ik heb hem onder schot.'

De man hoorde hem en drukte de muis van zijn hand tegen

Bournes adamsappel, zodat Bourne geen lucht meer kreeg. Toen ging hij met zijn bovenlichaam opzij.

Op het moment dat Tarkanian de trekker wilde overhalen stompte Bourne de andere man in een van zijn nieren. De man kreunde en Bourne trok hem tussen zichzelf en Tarkanian. Aan een kuchend geluid was te horen dat de kogel zich in de borst van de man ploegde.

Tarkanian vloekte en ging opzij om Bourne weer in zijn vizier te krijgen. Terwijl hij dat deed, wrong Bourne het mes uit de slappe hand van de andere man en wierp het met dodelijke nauwkeurigheid naar Tarkanian. Zodra Tarkanian getroffen werd, wankelde hij achterover. Bourne duwde de andere man van zich af en liep door de kamer naar Tarkanian, die in een plas van zijn eigen bloed lag. Het mes zat tot aan het heft in zijn borst begraven. Aan de positie waar het zich bevond kon Bourne zien dat het een long had doorboord. Binnen enkele ogenblikken zou Tarkanian in zijn eigen bloed verdrinken.

Tarkanian keek op naar Bourne. Hij lachte zelfs toen hij zei: 'Nu ben je ten dode opgeschreven.'

10

Rob Batt regelde zijn zaken via generaal Kendall, LaValles plaats-vervanger. Via hem kon Batt toegang krijgen tot bepaalde clandestiene medewerkers van de NSA. Geen toezicht door het Congres, geen drukte, geen problemen. Wat de federale overheid betrof, be-stonden deze mensen niet, behalve als hulppersoneel dat aan het Pentagon was toegevoegd. Verondersteld werd dat ze in een raam-loze kamer ergens in de ingewanden van het gebouw achter een bu-reau zaten.

Kijk, zo moet je een clandestiene dienst runnen, zei Batt tegen zichzelf terwijl hij de operatie uiteenzette voor de acht jongeman-nen die in een halve kring zaten. Ze bevonden zich in een briefing-kamer van het Pentagon die Kendall voor hem had geregeld. Geen supervisie, geen bemoeizuchtige Congrescommissies waaraan ver-antwoording moest worden afgelegd.

Het plan was eenvoudig, zoals zijn plannen meestal waren. An-dere mensen hielden misschien van toeters en bellen, maar Batt niet. Simpel, had Kendall het genoemd. Maar hoe meer facetten een ope-ratie had, des te meer kon er misgaan; zo dacht Batt erover. Bo-vendien kon niemand een eenvoudig plan torpederen. Zo'n opera-tie kon desnoods binnen enkele uren opnieuw worden opgezet en uitgevoerd, zelfs met nieuwe mensen. Daar kwam nog bij dat hij erg op deze NSA-agenten was gesteld, misschien omdat ze militairen waren. Ze begrepen snel wat de bedoeling was, konden snel iets le-ren. Hij hoefde zichzelf nooit te herhalen. Stuk voor stuk konden ze alles in hun hoofd prenten op het moment dat het hun werd voor-gelegd.

Beter nog: vanwege hun militaire achtergrond volgden ze beve-len op zonder vragen te stellen, in tegenstelling tot agenten van de CIA – Soraya Moore was een goed voorbeeld – die altijd dachten dat ze een betere manier wisten om dingen gedaan te krijgen. Bovendien waren deze rotzakken niet bang uitgevallen en durfden ze de trekker over te halen. Als ze het juiste bevel kregen, doodden ze een doelwit zonder vragen te stellen en zonder spijt te krijgen.

Batt voelde zich opgetogen bij het besef dat er niemand over zijn schouder keek en dat hij aan niemand rekenschap hoefde af te leggen – zelfs niet aan de nieuwe CIA-directeur. Hij was in een heel andere wereld terechtgekomen, een wereld die helemaal van hem was en waar hij belangrijke beslissingen kon nemen, veldoperaties kon uitdenken en die operaties kon uitvoeren in het vertrouwen dat hij volledige steun genoot. Een operatie kon zich nooit met een boemerangeffect tegen hem keren, kon hem nooit voor een Congrescommissie doen belanden, kon hem nooit met schande overladen. Terwijl hij de briefing gaf die aan de missie voorafging, kreeg hij een kleur en ging zijn hart sneller slaan. Er bouwde zich een warmte in hem op die bijna met seksuele opwinding te vergelijken was.

Hij probeerde niet aan zijn gesprek met de minister van Defensie te denken, probeerde niet aan Luther LaValle te denken, die de leiding van Typhon zou overnemen terwijl hij hulpeloos aan de kant stond. Hij vond het verschrikkelijk om de zeggenschap over zo'n krachtig wapen tegen terrorisme op te geven, maar Halliday had hem geen keus gelaten.

Eén stap tegelijk. Als er een manier was om dat plan van Halliday en LaValle te verijdelen, zou hij die vinden. Voorlopig richtte hij zijn aandacht op wat hem nu te doen stond. Hij had een plan om Jason Bourne te pakken te krijgen en niemand zou dat dwarsbomen. Dat wist hij met absolute zekerheid. Binnen enkele uren zou Bourne in hechtenis zijn en zo diep weggestopt zitten dat zelfs een Houdini als hij er nooit meer uit zou komen.

Soraya Moore was op weg naar het kantoor van Veronica Hart toen er twee mannen opdoken: Dick Symes, het hoofd inlichtingen, en Rodney Feir, het hoofd veldondersteuning. Symes was een kleine, dikke man met een rood gezicht dat eruitzag alsof het rechtstreeks op zijn schouders was gezet. Feir, jonger dan Symes, had blond haar, een atletisch lichaam en een gezicht dat zo gesloten was als een kluis.

Beide mannen begroetten haar hartelijk, maar Symes' glimlach kwam ergerlijk neerbuigend over.

'Op weg naar de leeuwin in haar hol?' vroeg Feir.

'Is ze in een slecht humeur?' vroeg Soraya.

Feir haalde zijn schouders op. 'Het is te vroeg om dat te zeggen.'

'We wachten nog af of ze het gewicht van de wereld op die delicate schouders kan dragen,' zei Symes. 'Zoals we dat bij jou ook afwachten, *directeur.*'

Soraya klemde haar kaken op elkaar maar dwong zich te glimlachen. 'Wat aardig van jullie.'

Feir lachte. 'We staan altijd klaar om een dame van dienst te zijn, mevrouw.'

Soraya keek het tweetal na; twee handen op een buik, dacht ze. Toen stak ze haar hoofd in het heiligdom van de CIA-directeur. In tegenstelling tot haar voorganger had Veronica Hart een opendeurbeleid als het op haar hoogste medewerkers aankwam. Dat wekte een sfeer van vertrouwen en kameraadschap waaraan het – zoals ze tegen Soraya had gezegd – in het verleden bij de CIA jammerlijk had geschort. Op grond van de enorme hoeveelheid elektronische gegevens die ze in de afgelopen dagen had doorgenomen was haar trouwens steeds duidelijker geworden dat de bunkermentaliteit van de vorige CIA-directeur tot een atmosfeer van cynisme en vervreemding onder de hoofden van directoraten had geleid. De Oude Man was nog zo iemand geweest die de zeven hoofden met elkaar liet wedijveren, met alle misleiding, intriges en, vond ze, regelrecht schandalig gedrag van dien.

Hart was een product van een nieuw tijdperk, waarin samenwerking centraal stond. De gebeurtenissen van 2001 hadden bewezen dat onderlinge concurrentie in de inlichtingenwereld fatale gevolgen kon hebben. Tot nu toe was Soraya blij met de veranderingen.

'Hoe lang ben je hier al mee bezig?' vroeg Soraya.

Hart keek uit het raam. 'Is het al ochtend? Ik heb Rob uren geleden naar huis gestuurd.'

'Het is allang ochtend geweest.' Soraya glimlachte. 'Zullen we gaan lunchen? Je moet echt eens dit kantoor uit.'

Hart wees met een weids handgebaar naar de rij bestanden in haar computer. 'Te veel werk...'

'Dat komt niet af als jij bezwijkt aan honger of uitdroging.'

'Oké, de kantine...'

'Het is zo'n mooie dag. Ik dacht erover om naar een favoriet restaurant te wandelen.'

Hart hoorde een waarschuwende ondertoon in Soraya's verder zo luchtige stem en keek op. Ja, haar directeur van Typhon wilde beslist iets buiten het CIA-gebouw met haar bespreken.

Hart knikte. 'Goed. Ik haal mijn jas.'

Soraya haalde haar nieuwe mobieltje tevoorschijn, dat ze die ochtend op het CIA-kantoor had opgepikt. Ze had haar oude mobieltje in de goot teruggevonden bij de plaats waar ze Moira Trevors huis in de gaten had gehouden, en ze had het op kantoor weggegooid. Nu stuurde ze een sms'je.

Even later zoemde Harts mobiele telefoon. Het bericht van Soraya luidde: BUSJE X STRAAT. Een busje aan de overkant van de straat.

Hart stopte haar mobieltje weg en begon aan een lang verhaal. Aan het eind daarvan lachten beide vrouwen. Toen praatten ze over schoenen of laarzen, leer of suède, en welke Jimmy Choo's ze zouden kopen als ze ooit genoeg betaald kregen.

Beide vrouwen hielden het busje onopvallend in het oog. Soraya leidde Hart naar een zijstraat waar het busje niet in kon rijden omdat het daar te veel in de gaten zou lopen. Ze kwamen nu buiten het bereik van de elektronica in het busje.

'Je komt uit de privésector,' zei Soraya. 'Ik begrijp niet waarom je een topsalaris hebt opgegeven om CIA-directeur te worden. Het is zo'n ondankbare baan.'

'Waarom was jij bereid directeur van Typhon te worden?' vroeg Hart.

'Het was een grote stap vooruit, zowel in prestige als in salaris.'

'Maar dat is niet echt de reden waarom je die baan hebt aangenomen, hè?'

Soraya schudde haar hoofd. 'Nee. Ik vond dat ik het aan Martin Lindros verschuldigd was. Ik was er vanaf het begin bij. Omdat ik half Arabisch ben, wilde Martin dat ik meewerkte aan de totstandkoming van Typhon en aan de rekrutering van mensen. Hij wilde dat Typhon een heel andere inlichtingenorganisatie werd, bemand met mensen die de Arabische en islamitische mentaliteit kenden. Hij vond – en daar ben ik het helemaal mee eens – dat je alleen met succes tegen het brede scala van extremistische terroristencellen kon strijden als je hun motieven begreep. Als je eenmaal op hun motivatie was ingespeeld, kon je misschien voorspellen wat ze gingen doen.'

Hart knikte en dacht na. Haar lange gezicht nam een neutrale stand aan. 'Mijn eigen motieven leken wel wat op die van jou. Ik kreeg genoeg van de cynische houding in particuliere beveiligingsbedrijven. Al die bedrijven, niet alleen Black River waar ik voor werkte, interesseerden zich alleen maar voor het vele geld dat ze uit de puinhoop in het Midden-Oosten konden halen. In tijd van oorlog is de overheid een fantastische melkkoe. De politici smijten met geld, alsof dat genoeg is om de oorlog te winnen. Het komt erop neer dat iedereen naar hartenlust mag plunderen en stelen. Wat in Irak gebeurt, blijft in Irak. Niemand gaat ze vervolgen. Ze kunnen straffeloos profiteren van andermans ellende.'

Soraya ging met haar naar een kledingzaak, waar ze hun ernstige gesprek camoufleerden door te doen alsof ze hemdjes bekeken.

'Ik ben voor de CIA gaan werken omdat ik Black River niet kon veranderen en het gevoel had dat ik bij de CIA iets tot stand zou kunnen brengen. De president gaf me het mandaat om een organisatie te veranderen die in wanorde verkeerde en al een hele tijd de weg kwijt was.'

Ze gingen via de achterdeur naar buiten en staken de straat over. Ze liepen nu vlug tot de hoek, sloegen daar links af, sloegen na een straat rechts af en na twee straten weer links. Ze gingen een groot restaurant vol mensen in. Perfect. Al die omgevingsgeluiden, al die andere gesprekken die tegelijk werden gevoerd zouden het onmogelijk maken hun gesprek af te luisteren.

Op verzoek van Hart kregen ze een tafel aan de achterkant, vanwaar ze het hele restaurant en ook de voordeur konden zien. Iedereen die binnenkwam kon door hen worden bekeken.

'Goed werk,' zei Hart toen ze aan hun tafel zaten. 'Ik zie dat je dit eerder hebt gedaan.'

'Er zijn momenten geweest – vooral toen ik met Jason Bourne samenwerkte – waarop ik me gedwongen zag een paar CIA-volgers af te schudden.'

Hart keek in het grote menu. 'Denk je dat dit een busje van de CIA was?'

'Nee.'

Hart keek Soraya over het menu aan. 'Ik ook niet.'

Ze bestelden bronforel, met caesar salad als voorgerecht, en mineraalwater. Om beurten keken ze naar de mensen die het restaurant binnenkwamen.

Toen ze met de salade bezig waren, zei Soraya: 'We hebben de afgelopen paar dagen een aantal onconventionele gesprekken onderschept. Ik denk niet dat "alarmerend" een te sterk woord is.'

Hart legde haar vork neer. 'Hoezo?'

'Het lijkt erop dat er een nieuwe aanslag in de Verenigde Staten op stapel staat.'

Harts gezicht veranderde meteen. Ze was duidelijk geschokt. 'Wat doen we hier dan?' zei ze kwaad. 'Waarom zitten we niet op kantoor, waar ik de troepen kan mobiliseren?'

'Wacht tot je het hele verhaal hoort,' zei Soraya. 'Vergeet niet dat de lijnen en frequenties die Typhon afluistert zich bijna allemaal in het buitenland bevinden. In tegenstelling tot de gesprekken die andere inlichtingendiensten scannen zijn die van ons meer geconcentreerd, al heb ik tot nu toe de indruk dat onze gegevens veel accurater zijn. Zoals je weet, zit er in de meeste gesprekken die worden afgeluisterd een enorme hoeveelheid desinformatie. Dat is niet het geval bij de terroristen die wij afluisteren. Natuurlijk onderwerpen we deze inlichtingen aan grondige controles, maar zolang het tegendeel niet is aangetoond, gaan we ervan uit dat het allemaal echt is. Evengoed zitten we met twee problemen, en daarom is het op dit moment niet zo verstandig om de CIA te mobiliseren.'

Er kwamen drie vrouwen binnen die in een levendig gesprek verwikkeld waren. De manager begroette hen als oude vrienden en bracht hen naar een ronde tafel bij het raam.

'Ten eerste weten we dat we met een kort tijdsbestek te maken hebben. Binnen een week, hooguit tien dagen. Daarentegen weten we bijna niets over het doel. Uit de onderscheppingen kunnen we alleen afleiden dat het groot en complex is, en daarom denken we aan een gebouw. Vanwege onze islamitische expertise denken we dat het een gebouw van zowel economisch als symbolisch belang is.'

'Maar jullie weten geen specifieke locatie?'

'De oostkust, waarschijnlijk New York.'

'Er is niets op mijn bureau terechtgekomen. Dat betekent dat onze zusterdiensten geen flauw idee van dit alles hebben.'

'Dat zeg ik nu juist,' zei Soraya. 'Dit is alleen van ons. Van Typhon. Daarvoor zijn we in het leven geroepen.'

'Je hebt me nog niet verteld waarom ik Binnenlandse Veiligheid niet moet informeren en de CIA niet moet mobiliseren.'

'Omdat de bron van deze inlichtingen volkomen nieuw is. Denk je nou echt dat BV of de NSA onze inlichtingen voetstoots accepteert? Ze zouden bevestiging willen – en ten eerste zouden ze die niet van hun eigen bronnen krijgen en ten tweede zou hun geklungel alles wat we hebben bereikt tenietdoen.'

'Daar heb je gelijk in,' zei Hart. 'Ze zijn ongeveer zo subtiel als een olifant in Manhattan.'

Soraya boog zich naar voren. 'We kennen de groep niet die de aanslag wil plegen. Dat betekent dat we hun motivatie, hun mentaliteit, hun methoden niet kennen.'

Er kwamen twee mannen binnen, de een na de ander. Ze waren

gekleed als burgers, maar hun militaire houding verried hen. Ze gingen aan afzonderlijke tafels aan weerskanten van het restaurant zitten.

'NSA,' zei Hart.

Soraya fronste haar wenkbrauwen. 'Waarom zou de NSA ons schaduwen?'

'Dat zal ik je straks vertellen. Laten we eerst deze dringende zaak afhandelen. Je bedoelt dat we te maken hebben met een volslagen onbekende factor, een terroristengroep die los staat van andere groepen en die in staat is een grootschalige aanslag voor te bereiden? Dat klinkt vergezocht.'

'Stel je voor hoe het op je hoofden van directoraten overkomt. Bovendien hebben onze mensen vastgesteld dat we alleen aan meer info kunnen komen wanneer we de dingen die we al weten geheim houden. Zodra die groep er lucht van krijgt dat wij in actie komen stellen ze de operatie uit.'

'Laten we er even van uitgaan dat het tijdsbestek klopt. Kunnen ze de operatie in dit late stadium dan nog afzeggen of uitstellen?'

'Wíj zouden dat niet kunnen.' Soraya grijnsde. 'Maar terroristennetwerken worden niet vertraagd door een infrastructuur of door bureaucratie, dus wie weet? Ze zijn ook zo moeilijk te vinden en uit te schakelen doordat ze verschrikkelijk flexibel zijn. Die superieure methoden had Martin ook voor Typhon gewild. Dat is mijn mandaat.'

De ober haalde hun half opgegeten salades weg. Even later kwamen hun hoofdgerechten. Hart vroeg om nog een fles mineraalwater. Ze had nu een droge mond. Aan de ene kant zat ze nu met de NSA, en aan de andere kant met een onbekende terroristenorganisatie die op het punt stond een aanslag op een groot gebouw aan de oostkust te plegen. Scylla en Charybdis. Beide organisaties konden haar carrière bij de CIA al verwoesten voordat die goed en wel op gang was gekomen. Ze mocht dat niet laten gebeuren. Het zou niet gebeuren.

'Excuseer me even,' zei ze. Ze stond op.

Soraya liet haar blik door het hele restaurant gaan, maar hield steeds minstens een van de agenten aan de rand van haar gezichtsveld. Ze zag dat hij schrok toen de CIA-directeur naar de damestoiletten ging. Hij was al opgestaan en liep naar achteren toen Hart terugkwam. Hij veranderde van richting en ging weer zitten.

Toen de CIA-directeur weer in haar stoel zat, keek ze Soraya recht aan. 'Aangezien je me deze informatie hier wilt verstrekken en niet op kantoor, neem ik aan dat je ideeën hebt over wat we kunnen doen.'

'Luister,' zei Soraya. 'Dit is een dringende situatie, en we hebben niet genoeg informatie om troepen te mobiliseren, laat staan om ze in actie te laten komen. We hebben minder dan een week om alles te weten te komen over die terroristenorganisatie die overal zou kunnen zitten en wie weet hoeveel leden zou kunnen hebben.

Dit is niet de tijd en de plaats voor de gebruikelijke protocollen. Die leveren ons nu niets op.' Ze keek naar haar vis alsof die het laatste was wat ze in haar mond wilde stoppen. Toen ze weer op-keek, zei ze: 'We hebben Jason Bourne nodig. Hij moet die terro-ristengroep vinden, en dan zorgen wij voor de rest.'

Hart keek haar aan alsof ze gek geworden was. 'Geen sprake van.'

'Omdat de missie zo dringend is,' zei Soraya, 'is hij de enige die een kans maakt die terroristen te vinden en tegen te houden.'

'Ik zou binnen een dag ontslagen worden als bekend werd dat ik gebruikmaakte van Jason Bourne.'

'Aan de andere kant,' zei Soraya, 'lig je binnen de kortste keren uit de CIA als je niets met deze info doet en als die groep een aan-slag pleegt.'

Hart leunde achterover en liet een kort lachje horen. 'Jij bent me er een. Je wilt dat ik je toestemming geef om een onbetrouwbare agent in te schakelen – een man die op zijn best labiel is, iemand van wie veel machtige mensen in deze organisatie vinden dat hij ge-vaarlijk is voor met name de CIA – voor een missie die ernstige ge-volgen kan hebben voor dit land en voor het voortbestaan van de CIA zoals jij en ik die dienst kennen?'

Er ging een schok door Soraya heen. 'Wacht eens even. Daar moet je meer over vertellen. Wat bedoel je: het voortbestaan van de CIA zoals wij die dienst kennen?'

Hart keek van de ene NSA-agent naar de andere. Toen zuchtte ze diep en vertelde Soraya alles wat er gebeurd was vanaf het moment dat ze voor een gesprek met de president in het Oval Office was ontboden en daar opeens met Luther LaValle en generaal Kendall was geconfronteerd.

'Toen het me was gelukt de president mijn standpunt te laten in-zien, sprak LaValle me buiten aan,' zei Hart tot slot. 'Hij zei dat als ik hem zijn gang niet liet gaan hij achter me aan zou komen met alles wat hij had. Hij wil de CIA overnemen, Soraya. Hij wil dat de CIA deel gaat uitmaken van zijn steeds grotere inlichtingendomein. We vechten trouwens niet alleen tegen LaValle, maar ook tegen zijn baas, de minister van Defensie. Het is typisch een plan van Bud Halliday. Black River had met hem te maken toen ik daar zat, en dat ging nooit op een prettige manier. Als het hem lukt de CIA onder de vleugels van het Pentagon te krijgen, kun je erop rekenen dat de militairen zich met de dienst gaan bemoeien. En dan verpesten ze alles met hun oorlogsmentaliteit.'

'Des te meer reden om Jason erbij te halen,' zei Soraya met nog meer aandrang. 'Hij krijgt voor elkaar wat een heel regiment agenten niet lukt. Geloof me, ik heb twee keer in het veld met hem samengewerkt. De dingen die ze binnen de CIA over hem vertellen, kloppen niet. Natuurlijk hebben carrièreagenten als Rob Batt de pest aan hem. Hoe zou dat ook anders kunnen? Bourne heeft een vrijheid die zij ook wel hadden willen hebben. Daar komt nog bij dat hij capaciteiten bezit waarvan zij nooit zouden kunnen dromen.'

'Soraya, in verschillende beoordelingen wordt gesuggereerd dat jij ooit een verhouding met Bourne hebt gehad. Alsjeblieft, vertel me de waarheid. Ik moet weten of je je door iets anders laat leiden dan door wat volgens jou het best is voor het land en voor de CIA.'

Soraya had geweten dat dit zou komen en was erop voorbereid. 'Ik dacht dat Martin die kantoorpraatjes de kop had ingedrukt. Er zit geen enkele waarheid in. We zijn bevriend geraakt toen ik aan het hoofd stond van onze post in Odessa. Dat was lang geleden; hij kan het zich niet herinneren. Toen hij vorig jaar terugkwam om Martin te redden, wist hij niet wie ik was.'

'Vorig jaar was je weer met hem in het veld.'

'We kunnen goed samenwerken. Dat is alles,' zei Soraya op ferme toon.

Hart keek nog steeds heimelijk naar de NSA-agenten. 'Zelfs als ik vond dat jouw idee zou werken, zou hij nooit akkoord gaan. Als ik mag afgaan op alles wat ik heb gelezen en gehoord sinds ik bij de CIA ben gekomen, heeft hij een grote hekel aan de dienst.'

'Dat is waar,' zei Soraya, 'maar als hij inziet hoe groot de dreiging is, kan ik hem wel overhalen nog één keer mee te doen.'

Hart schudde haar hoofd. 'Ik weet het niet. Het is al een enorm risico om met hem te praten, en ik weet niet of ik dat risico wel wil nemen.'

'Directeur, als je deze kans niet aangrijpt, krijg je geen tweede kans meer. Dan is het te laat.'

Toch wist Hart niet welke weg ze moest inslaan; de beproefde rechte weg of de onorthodoxe weg. *Nee,* dacht ze, *niet onorthodox, maar krankzinnig.*

'Ik denk dat we hier lang genoeg hebben gezeten,' zei ze abrupt.

Ze wenkte de ober. 'Soraya, ik denk dat jij even naar het toilet moet. En als je daar bent, bel dan de politie. Gebruik de munttelefoon. Die werkt; dat ben ik nagegaan. Zeg tegen de politie dat er twee gewapende mannen in dit restaurant zijn. Kom dan naar de tafel terug en zorg dat je snel in beweging kunt komen.'

Soraya keek haar met een blik van verstandhouding aan en stond toen op en liep tussen de tafels door naar de damestoiletten. De ober kwam met gefronste wenkbrauwen naar de tafel toe.

'Is er iets mis met de forel, mevrouw?'

'Die is prima,' zei Hart.

Toen de ober de borden oppakte, haalde Hart vijf biljetten van vijfentwintig dollar tevoorschijn en stopte ze in zijn zak. 'Ziet u die man daar, die met het brede gezicht en de schouders van een footballspeler?'

'Ja, mevrouw.'

'Als u nu eens struikelde wanneer u bij zijn tafel bent.'

'Als ik dat doe,' zei de ober, 'is de kans groot dat ik deze forellen in zijn schoot laat vallen.'

'Precies,' zei Hart met een innemende glimlach.

'Maar dat kan me mijn baan kosten.'

'Maakt u zich geen zorgen.' Hart haalde haar identiteitsbewijs tevoorschijn en liet het aan hem zien. 'Ik regel het wel met uw baas.'

De ober knikte en draaide zich om. Soraya kwam terug en liep naar de tafel. Hart gooide wat bankbiljetten op hun tafel maar stond niet op voordat de ober tegen een hulpkelner botste. Hij wankelde en de borden kantelden. Toen de NSA-agent overeind sprong, stond Hart op. Soraya en zij liepen samen de deur uit. De NSA-agent voer uit tegen de ober, die met servetten over zijn kleren streek; iedereen keek en maakte gebaren. Enkele mensen die het dichtst bij het ongelukje hadden gezeten riepen hun versie van wat er was gebeurd. Te midden van de oplopende chaos was de tweede NSA-agent opgestaan om zijn collega te hulp te schieten, maar toen hij zijn doelwit op hem af zag komen, veranderde hij van gedachten.

Hart en Soraya waren bij de deur aangekomen en liepen de straat op. De tweede NSA-agent volgde hen, maar twee potige politieagenten die het restaurant binnenstormden, hielden hem tegen. 'Hé! En die daar dan?' riep hij, wijzend naar de twee vrouwen.

Nog twee politiewagens kwamen met gierende banden tot stilstand. De agenten uit deze wagens kwamen aanrennen. Hart en Soraya hadden hun identiteitsbewijzen al paraat. De agenten keken ernaar.

'We zijn te laat voor een bespreking,' zei Hart energiek en autoritair. 'Nationale veiligheid.'

Die woorden hadden de betekenis van 'sesam open u'. De agenten lieten hen doorlopen.

'Leuk,' zei Soraya, onder de indruk.

Hart knikte instemmend, maar ze keek grimmig. Het winnen van zo'n kleine schermutseling gaf haar een beetje voldoening maar had geen betekenis voor de oorlog die ze moest voeren.

Toen ze enkele blokken bij het restaurant vandaan waren en hadden vastgesteld dat ze LaValles mannen kwijt waren, zei Soraya: 'Laat me dan tenminste een ontmoeting met Bourne regelen. Dan kunnen we hem om ideeën vragen.'

'Ik betwijfel sterk of dat werkt.'

'Jason vertrouwt mij. Hij zal doen wat goed is,' zei Soraya met absolute overtuiging. 'Dat doet hij altijd.'

Hart dacht nog even na. In haar gedachten doemden Scylla en Charybdis nog steeds op. Wat werd het, de dood door het water of door het vuur? Toch had ze er zelfs nu geen spijt van dat ze de baan van CIA-directeur had aangenomen. Als er in dit stadium van haar leven iets was waar ze van hield, dan was het een uitdaging. En een grotere uitdaging dan deze kon ze zich niet voorstellen.

'Zoals je vast wel al weet,' zei ze, 'wil Bourne het dossier met de gesprekken tussen Lindros en Moira Trevor inzien.' Ze zweeg even om te kijken hoe Soraya reageerde op de naam van de vrouw met wie Bourne nu een band had. 'Ik ben akkoord gegaan.' Er was geen enkele trilling op Soraya's gezicht te zien. 'Ik ontmoet hem vanavond om vijf uur,' zei ze langzaam, alsof ze nog bezig was dat idee te verwerken. Toen knikte ze abrupt. 'Kom met me mee. Dan zullen we horen hoe hij over jullie info denkt.'

11

'Voortreffelijk gedaan,' zei Specter tegen Bourne. 'Ik ben diep onder de indruk van wat je in de dierentuin en het ziekenhuis hebt gedaan.'

'Michail Tarkanian is dood,' zei Bourne. 'Dat was niet mijn bedoeling.'

'Toch is het gebeurd.' Specters blauwe oog was niet meer zo erg gezwollen maar nam nu wel lelijke kleuren aan. 'Opnieuw ben ik je heel veel dank verschuldigd, mijn beste Jason. Het is duidelijk dat Tarkanian de verrader was. Als jij er niet was geweest, zou ik door zijn toedoen zijn gemarteld en uiteindelijk vermoord. Je zult er wel begrip voor hebben dat ik niet om hem rouw.'

De professor klopte Specter op de rug. De twee mannen liepen naar de treurwilg op Specters terrein. Vanuit zijn ooghoek zag Specter dat ze werden geflankeerd door jonge mannen met geweren. Na de gebeurtenissen van die dag misgunde Bourne de professor zijn gewapende bewakers niet. Ze maakten het gemakkelijker voor hem bij Specter vandaan te gaan.

Onder de wolk van delicate gele takken keken de twee mannen naar de vijver, waarvan het oppervlak zo vlak was als een plaat staal.

Een stel troepialen steeg verwoed krassend op van de takken. Toen ze overhelden in het licht van de ondergaande zon, glansden hun veren een oogwenk in alle kleuren van de regenboog.

'Hoe goed ken je Moskou?' vroeg Specter. Bourne had hem verteld wat Tarkanian had gezegd, en ze waren het erover eens geweest dat Bourne in die stad met het zoeken naar Pjotrs moordenaar moest beginnen.

'Goed genoeg. Ik ben er verscheidene keren geweest.'

'Evengoed zal ik je door een vriend, Lev Baronov, van het vliegveld Sjeremetjevo laten afhalen. Hij geeft je alles wat je nodig hebt. Ook wapens.'

'Ik werk alleen,' zei Bourne. 'Ik wil geen helpers en heb ze ook niet nodig.'

Specter knikte begrijpend. 'Lev is er alleen als ondersteuning. Ik verzeker je dat hij je niet voor de voeten zal lopen.'

De professor zweeg even. 'Je relatie met mevrouw Trevor zit me een beetje dwars, Jason.' Hij wendde zich van het huis af en sprak zachter. 'Ik ben niet van plan me met je privéleven te bemoeien, maar als je naar het buitenland gaat...'

'We gaan allebei. Zij gaat vanavond naar München,' zei Bourne. 'Ik stel uw bezorgdheid op prijs, maar ze is een van de taaiste dames die ik ooit heb ontmoet. Ze kan op zichzelf passen.'

Specter knikte. Hij was duidelijk opgelucht. 'Goed dan. Dan is er nog de kwestie van de informatie over Ikoepov.' Hij haalde een pakje tevoorschijn. 'Hier heb je je vliegtickets voor Moskou en de documentatie die je nodig zult hebben. Er ligt daar geld op je te wachten. Lev weet bij welke bank en hij geeft je het rekeningnummer dat bij het safeloket hoort, en ook valse papieren. De rekening is natuurlijk op die naam geopend, niet op de jouwe.'

'Hier is enige planning aan voorafgegaan.'

'Ik heb het gisteravond gedaan in de hoop dat je zou willen gaan,' zei Specter. 'Nu hebben we alleen nog een foto van jou voor het paspoort nodig.'

'En als ik nee had gezegd?'

'Iemand anders had zich al aangeboden,' zei Specter. 'Maar ik had er vertrouwen in, Jason. En mijn vertrouwen werd beloond.'

Ze draaiden zich om en waren al op weg naar het huis toen de professor bleef staan.

'Nog één ding,' zei hij. 'In Moskou is onze verhouding met de *grupperovka* – de misdaadfamilies – weer eens op een kookpunt gekomen. De Kazanskaja en de Azeri wedijveren om de hegemonie over de drugshandel. Er staat buitengewoon veel op het spel. Het gaat om miljarden dollars. Je moet ze dus niet dwarszitten. Als je met ze in contact komt, ga dan de confrontatie niet aan. Keer ze in plaats daarvan de andere wang toe. Dat is de enige manier om daar in leven te blijven.'

'Dat zal ik onthouden,' zei Bourne.

Op dat moment kwam een van Specters mannen van de achterkant van het huis aanrennen. 'Er is een vrouw, Moira Trevor, voor meneer Bourne,' zei hij in Turks met een Duits accent.

Specter keek Bourne aan. Hij trok zijn wenkbrauwen op van verbazing of bezorgdheid, of van allebei.

'Ik had geen andere keus,' zei Bourne. 'Ik moet haar zien voordat ze weggaat, en na wat er vandaag is gebeurd wilde ik pas op het laatste moment bij u vandaan gaan.'

Specters gezicht klaarde op. 'Dat stel ik op prijs, Jason. Echt waar.' Hij bewoog zijn hand omhoog en van hem weg. 'Ga met je vriendin praten. Dan treffen we daarna onze laatste voorbereidingen.'

'Ik ben op weg naar het vliegveld,' zei Moira toen Bourne haar in de hal ontmoette. 'Het vliegtuig stijgt over twee uur op.' Ze gaf hem alle relevante informatie.

'Ik neem ook een vliegtuig,' zei hij. 'Ik heb wat werk te doen voor de professor.'

Er trok een zweem van teleurstelling over haar gezicht, maar toen glimlachte ze weer. 'Je moet doen wat je denkt dat het best voor je is.'

Bourne hoorde een beetje afstand in haar stem, alsof er een glazen scheidingswand tussen hen was neergedaald. 'Ik ben bij de universiteit weg. Daar had je gelijk in.'

'Ook een beetje goed nieuws.'

'Moira, ik wil niet dat er door mijn beslissing problemen tussen ons ontstaan.'

'Dat kan nooit gebeuren, Jason. Dat verzeker ik je.' Ze kuste hem op zijn wang. 'Ik heb wat gesprekken op het programma staan als ik in München ben: beveiligingsmensen met wie ik via een omweg in contact ben gekomen, twee Duitsers, een Israëliër en een Duitse moslim. Die laatste zou wel eens de meeste waarde voor ons kunnen hebben.'

Toen twee van Specters jongemannen binnenkwamen, ging Bourne met Moira naar een van de twee zitkamers. Een koperen scheepsklok op de marmeren schoorsteenmantel sloeg om het wisselen van de wacht aan te geven.

'Wat een paleis voor het hoofd van een universiteit.'

'De professor komt uit een rijke familie,' loog Bourne, 'maar hij wil dat voor zich houden.'

'Ik zeg geen woord,' zei Moira. 'Waar stuurt hij je trouwens heen?'

'Moskou. Vrienden van hem zijn in moeilijkheden gekomen.'

'De Russische maffia?'

'Zoiets.'

Hij kon maar het best een eenvoudige uitleg geven, dacht Bourne.

Hij zag hoe het licht van de lamp over haar gezicht speelde. In zijn leven had hij al vaak met misleiding te maken gehad, maar zijn hart trok zich samen bij de gedachte dat Moira hem misschien bespeelde zoals ze volgens de verdenking Martin zou hebben bespeeld. In de loop van de dag had hij verschillende keren overwogen niet naar de afspraak met de nieuwe CIA-directeur te gaan, maar hij moest toegeven dat het belangrijk voor hem was geworden om kennis te nemen van de controversiële communicatie tussen haar en Martin. Als hij de gegevens eenmaal onder ogen had gehad, zou hij weten hoe hij met Moira verder moest gaan. Hij was het aan Martin verschuldigd om de waarheid over zijn relatie met haar te ontdekken. Trouwens, waarom zou hij zichzelf in de maling nemen? Hij had nu een persoonlijk belang bij dit alles. Zijn nieuwe gevoelens voor haar maakten de zaak gecompliceerder voor iedereen, niet in de laatste plaats voor hemzelf. Waarom moest je een prijs betalen voor alles wat je plezier deed? vroeg hij zich verbitterd af. Maar nu had hij zich vastgelegd. Hij kon niet terug. Hij moest naar Moskou en hij moest ontdekken wie Moira werkelijk was.

Moira kwam dichter naar hem toe en legde haar hand op zijn arm. 'Jason, wat is er? Je kijkt zo zorgelijk.'

Bourne probeerde niet geschrokken te kijken. Net als Marie was ze griezelig goed in staat om zijn gevoelens te doorgronden, al lukte het hem bij andere mensen altijd goed zijn gezicht neutraal te houden. Het was nu zaak dat hij niet tegen haar loog; dat zou ze meteen doorhebben.

'Het is een uiterst delicate missie. Professor Specter heeft me al gewaarschuwd dat ik midden in een bloedvete tussen twee Moskouse *grupperovka*-families terechtkom.'

Ze versterkte haar greep op hem even. 'Ik heb grote bewondering voor je loyaliteit ten opzichte van de professor. En per slot van rekening vond Martin je loyaliteit ook je meest bewonderenswaardige eigenschap.' Ze keek op haar horloge. 'Ik moet gaan.'

Ze hief haar gezicht naar hem op. Haar lippen waren zo zacht als smeltende boter en het leek wel of ze elkaar een eeuwigheid kusten.

Ze lachte zachtjes. 'Lieve Jason, maak je geen zorgen. Ik zal niet vragen wanneer ik je terugzie.'

Toen draaide ze zich om. Ze liep door de hal en ging naar buiten. Even later hoorde Bourne het kuchen van een startende auto en het knerpen van de banden toen de auto een kwart cirkel beschreef om over het grindpad op de weg te komen.

Arkadin werd vuil en stijf wakker. Zijn overhemd was nog bezweet van zijn nachtmerrie. Het grauwe licht viel door de scheefgetrokken zonwering naar binnen. Hij rekte zijn nekspieren uit door zijn hoofd in een cirkel te bewegen en dacht dat hij nu vooral graag een hele tijd in bad zou liggen, maar het hotel had alleen een douche in de badkamer aan de gang.

Hij rolde zich om en merkte dat hij alleen in de kamer was; Devra was weggegaan. Hij ging overeind zitten, stapte het vochtige, verkreukelde bed uit en wreef met de muizen van zijn handen over zijn ruwe gezicht. Zijn pijnlijke schouder was gezwollen en voelde verhit aan.

Hij stak zijn hand naar de deurknop uit, maar op dat moment ging de deur open. Devra stond met een papieren zak in haar hand op de drempel.

'Heb je me gemist?' zei ze met een spottend lachje. 'Ik zie het aan je gezicht. Je dacht dat ik ervandoor was.'

Ze kwam binnen en trapte de deur achter zich dicht. Haar ogen, die niet knipperden, keken in de zijne. Ze bracht haar andere hand omhoog en kneep in zijn linkerschouder, zacht maar hard genoeg om hem pijn te doen.

'Ik heb koffie en verse broodjes gehaald,' zei ze kalm. 'Ga me nou niet mishandelen.'

Arkadin keek haar nors aan. De pijn betekende niets voor hem, maar haar uitdagende houding wel. Hij had het goed gezien. Er zat veel meer in haar dan ze aan de oppervlakte liet blijken.

Hij liet los, en zij ook.

'Ik weet wie je bent,' zei hij. 'Filja was niet Pjotrs koerier. Dat was jij.'

Dat spottende lachje kwam terug. 'Ik vroeg me af hoe lang het zou duren voor je daarachter was.' Ze liep naar de ladekast, zette de kartonnen bekers koffie naast elkaar en legde de broodjes op de platgedrukte zak. Ze haalde een zakje ijs tevoorschijn en gooide het naar hem toe.

'Ze zijn nog warm.' Ze beet in een broodje en kauwde peinzend.

Arkadin legde het ijs op zijn linkerschouder en zuchtte inwendig van opluchting. Hij verslond het broodje in drie happen. Toen goot hij de gloeiend hete koffie door zijn keelgat.

'Nu ga je zeker ook nog je hand boven een open vuur houden.' Devra schudde haar hoofd. 'Mannen.'

'Waarom ben je er nog?' vroeg Arkadin. 'Je had kunnen weglopen.'

'Waarheen dan? Ik heb een van Pjotrs eigen mannen doodge-schoten.'

'Je hebt vast wel vrienden.'

'Niemand die ik kan vertrouwen.'

Dat betekende dat ze hem vertrouwde. Hij had het instinctieve gevoel dat ze nu niet loog. Ze had de dikke laag mascara afgewassen die de vorige avond was uitgelopen en vlekken had gemaakt. Vreemd genoeg leken haar ogen nu juist nog groter. En blijkbaar had er witte theaterschmink op haar wangen gezeten, want nu ze ze had schoongeboend, hadden ze een blos.

'Ik kan je naar Turkije brengen,' zei ze. 'Een stadje dat Eskişehir heet. Daar heb ik het document heen gestuurd.'

In combinatie met al het andere dat hij nu wist was Turkije – de oude poort tussen oost en west – een voor de hand liggende keuze.

De zak ijs viel naar beneden toen Arkadin de voorkant van haar shirt vastgreep, naar het raam liep en het wijd open gooide. Die bewegingen lieten de pijn in zijn schouder weer oplaaien, maar dat kon hem niet schelen. De ochtendgeluiden van de straat stegen als de geur van versgebakken brood naar hem op. Hij boog haar achterover, zodat haar hoofd en bovenlijf buiten het raam staken. 'Wat heb ik je gezegd over liegen tegen mij?'

'Je kunt me net zo goed meteen vermoorden,' zei ze met haar kleinemeisjesstem. 'Ik pik het niet meer dat je me mishandelt.'

Arkadin trok haar de kamer weer in en liet haar los. 'Wat ga je doen,' zei hij grijnzend, 'uit het raam springen?'

Die woorden waren nog maar net over zijn lippen gekomen of ze liep al rustig naar het raam en ging op de vensterbank zitten. Haar blik bleef al die tijd op hem gericht. Toen liet ze zich achterover-vallen door het open raam. Arkadin pakte haar benen vast en trok haar naar binnen.

Ze stonden elkaar woedend aan te kijken, diep ademhalend, hun harten bonkend van overtollige adrenaline.

'Toen we gisteren op de ladder waren, zei je dat je niet veel had om voor te leven,' zei Devra. 'Dat geldt ook min of meer voor mij. Dus hier zijn we dan, lotgenoten met niets anders dan elkaar.'

'Hoe weet ik dat Turkije de volgende schakel in het netwerk is?'

Ze streek haar haar van haar gezicht weg. 'Ik heb er genoeg van om tegen je te liegen,' zei ze. 'Het is net of ik tegen mezelf lieg. Wat heeft het voor zin?'

'Praten is makkelijk,' zei hij.

'Dan zal ik het je bewijzen. Als we in Turkije zijn, breng ik je naar het document.'

Arkadin, die zijn best deed om niet te veel na te denken over wat ze zei, gaf met een hoofdknikje te kennen dat hij met hun wankele wapenstilstand akkoord ging. 'Ik zal je niet meer aanraken.'

Behalve om je te doden, dacht hij.

12

De Freer Gallery of Art bevond zich aan de zuidkant van de Mall, in het westen begrensd door het Washington Monument en aan de oostkant door de Reflecting Pool, de toegang tot het immense Capitoolgebouw. Het gebouw stond op de hoek van Jefferson Drive en 12th Street, sw, bij de westelijke rand van de Mall.

Het museum, een Florentijns renaissancepalazzo met een voorgevel van Stony Creekgraniet uit Connecticut, was in opdracht van Charles Freer gebouwd voor zijn enorme verzameling kunst uit het Nabije Oosten en Oost-Azië. De hoofdingang aan de noordkant van het gebouw, waar de ontmoeting zou plaatsvinden, bestond uit drie boogpoorten met Dorische zuilen rond een loggia. Omdat de architectuur naar binnen gericht was, vonden veel critici het een nogal afschrikwekkende voorgevel, zeker in vergelijking met de uitbundigheid van de National Gallery of Art, die vlakbij stond.

Niettemin was de Freer het belangrijkste museum van zijn soort in het land, en Soraya hield niet alleen van de grote kunstverzameling maar ook van de elegante lijnen van het palazzo zelf. Ze hield vooral van de omsloten open ruimte bij de ingang, en van het feit dat de Freer een oase van rust was, zelfs nu er op de Mall een grote drukte heerste van horden toeristen die zich van en naar het metrostation Smithsonian aan 12th Street begaven. Als het op kantoor een heksenketel was, ging ze naar de Freer om tot bedaren te komen. Tien minuten bij de jadebeeldjes en het lakwerk uit de tijd van de Sung-dynastie waren balsem voor haar ziel.

Ze naderde de noordkant van de Mall en keek voorbij de menigte bij de ingang naar de Freer en dacht dat ze – tussen de stoere mannen met hun harde, afgebeten accent uit het Midden-Westen, de rennende kinderen en hun lachende moeders, de dof voor zich uit kijkende tieners met iPods – Veronica Harts lange, elegante gestalte langs de ingang zag lopen, om vervolgens terug te keren.

Ze ging van het trottoir af, maar een loeiende claxon van een naderende auto joeg haar terug. Op dat moment ging haar mobieltje.

'Wat denk je precies dat je aan het doen bent?' zei Bourne in haar oor.

'Jason?'

'Waarom ben jij naar deze ontmoeting gekomen?'

Dom genoeg keek ze om zich heen. Ze zou hem nooit kunnen zien; dat wist ze.

'Hart heeft me uitgenodigd. Ik moet met je praten. De cia-directeur en ik allebei.'

'Waarover?'

Soraya haalde diep adem. 'De luisterposten van Typhon hebben verontrustende communicatie opgevangen. Het ziet ernaar uit dat er een terroristische aanslag op een stad aan de oostkust op komst is. Jammer genoeg is dat alles wat we hebben. Erger nog: het is communicatie tussen twee kaders van een groep waarvan we helemaal niets weten. Ik wilde je vragen hen te vinden en de aanslag tegen te houden.'

'Dat zijn weinig aanknopingspunten,' zei Bourne. 'Maar het doet er niet toe. De groep noemt zich het Zwarte Legioen.'

'In mijn studietijd heb ik me verdiept in het verband tussen een tak van moslimextremisme en het Derde Rijk. Maar dit kan niet hetzelfde Zwarte Legioen zijn. Die soldaten zijn bij de val van nazi-Duitsland gedood of afgedankt.'

'Het kan en het is zo,' zei Bourne. 'De organisatie bestaat nog steeds. Vraag me niet hoe. Drie leden hebben vanmorgen geprobeerd professor Specter te ontvoeren. Ik zag hun symbool als tatoeage op de arm van een van hen.'

'De drie paardenkoppen met in het midden een doodskop?'

'Ja.' Bourne beschreef het incident tot in details. 'Ga maar naar het lijk in het mortuarium kijken.'

'Dat zal ik doen,' zei Soraya. 'Maar hoe kon het Zwarte Legioen al die tijd ondergronds blijven zonder te worden opgemerkt?'

'Ze hebben een krachtige internationale dekmantel,' zei Bourne. 'De Broederschap van het Oosten.'

'Dat klinkt vergezocht,' zei Soraya. 'De Broederschap van het Oosten streeft naar betere betrekkingen tussen de islam en het Westen.'

'Toch is mijn bron absoluut betrouwbaar.'

'Allemachtig, wat heb je gedaan in de tijd dat je bij de cia vandaan was?'

'Ik ben nooit bij de CIA geweest,' zei Bourne bruusk, 'en dit is een van de redenen daarvoor. Je zegt dat je met me wilt praten, maar volgens mij heb je daar geen zes agenten voor nodig.'

Soraya verstijfde. 'Agenten?' Ze was nu op de Mall zelf en moest zich inhouden niet weer om zich heen te kijken. 'Er zijn hier geen CIA-agenten.'

'Hoe weet je dat?'

'Hart zou het me hebben verteld...'

'Waarom zou ze jou iets vertellen? Wij kennen elkaar al heel lang, jij en ik.'

'Dat is waar.' Ze liep door. 'Maar er is eerder vandaag iets gebeurd waardoor ik denk dat de agenten die je ziet niet van de CIA maar van de NSA zijn.' Ze vertelde dat Hart en zij van het CIA-hoofdkantoor naar het restaurant waren gevolgd. Ze vertelde hem ook over minister Halliday en Luther LaValle, die erop gebrand waren de CIA in de clandestiene tak van het Pentagon op te nemen.

'Dat zou te begrijpen zijn,' zei Bourne, 'als het er maar twee waren. Maar zes? Nee, er speelt nog iets anders mee, iets waar jullie geen van tweeën van weten.'

'Zoals?'

'De agenten hebben zich ideaal geposteerd op plaatsen vanwaar ze de ingang van de Freer Gallery kunnen zien,' zei Bourne. 'Dat betekent dat ze van tevoren wisten dat de ontmoeting daar zou plaatsvinden. Het betekent ook dat die zes hier niet zijn om Veronica Hart te schaduwen. En als ze hier niet voor haar zijn, moeten ze hier voor mij zijn. Dit is Harts werk.'

Er ging een koude rilling door Soraya heen. Als de CIA-directeur nu eens tegen haar loog? Als Veronica nu eens al die tijd van plan was geweest Bourne in een val te lokken? Dan zou de vangst van Jason Bourne een van haar eerste officiële daden als CIA-directeur zijn. Dat zou haar een stevige positie bezorgen tegenover Rob Batt en de anderen die de pest aan Bourne hadden en bang voor hem waren, en die bovendien een hekel hadden aan haar. Daar kwam nog bij dat de vangst van Jason veel indruk op de president zou maken, en dan zou het minister Halliday niet meer zo gemakkelijk lukken om voort te bouwen op zijn toch al grote invloed. Evengoed: waarom zou Hart dan hebben gewild dat Soraya meeging? Soraya zou de hele operatie kunnen bederven. Nee, ze moest aannemen dat dit een initiatief van de NSA was.

'Dat geloof ik niet,' zei ze nadrukkelijk.

'Stel dat je gelijk hebt. Dan is de andere mogelijkheid even ernstig. Als Hart de valstrik niet heeft gelegd, moet iemand op een hoge positie binnen de CIA dat hebben gedaan. Ik heb mijn verzoek rechtstreeks aan Hart gericht.'

'Ja,' zei ze, 'met mijn telefoon. Hartelijk dank.'

'Heb je hem teruggevonden? Je hebt nu een nieuwe.'

'Hij lag in de goot, waar jij hem had neergegooid.'

'Klaag dan ook niet,' zei Bourne niet onvriendelijk. 'Ik kan me niet voorstellen dat Hart te veel mensen over deze ontmoeting heeft verteld, maar een van hen werkt tegen haar, en in dat geval is de kans groot dat hij door LaValle is gerekruteerd.'

Als Bourne gelijk had... Maar natuurlijk had hij gelijk. 'Jij bent de hoofdprijs, Jason. Als LaValle jou te pakken kan krijgen terwijl niemand in de CIA dat kan, is hij een held. Dan is het voor hem een fluitje van een cent de CIA over te nemen.' Soraya voelde het uitbrekende zweet bij haar haarlijn. 'Onder de omstandigheden,' ging ze verder, 'vind ik dat je je moet terugtrekken.'

'Ik moet de correspondentie tussen Martin en Moira zien. En als deze val het werk van Hart is, geeft ze me hierna nooit meer toegang tot het dossier. Ik moet het risico nemen, maar pas wanneer jij zeker weet dat Hart het materiaal heeft.'

Soraya, die bijna bij de ingang was, blies haar adem uit. 'Jason, ik heb die gesprekken getraceerd. Ik kan je vertellen wat er in die papieren staat.'

'Denk je dat je alles letterlijk kunt citeren?' zei hij. 'Trouwens, zo simpel ligt het niet. Karim al-Jamil heeft honderden dossiers vervalst voordat hij wegging. Ik weet hoe hij dat deed. Ik moet ze zelf zien.'

'Ik zie dat ik je hier niet van af kan brengen.'

'Nee,' zei Bourne. 'Als je zeker weet dat het materiaal echt is, laat je mijn telefoon één keer overgaan. En dan moet je met Hart naar de loggia gaan, dus bij de eigenlijke ingang vandaan.'

'Waarom?' zei ze. 'Dat maakt het voor jou des te moeilijker om... Jason?'

Maar Bourne had de verbinding al verbroken.

Op zijn uitkijkpunt op het dak van het Forrestal Building aan Independence Avenue richtte Bourne zijn krachtige kijker met nachtzicht niet meer op Soraya, die nu langs de jachtige toeristenmenigte naar de CIA-directeur liep. Hij tuurde naar de agenten die aan het westelijke eind van de Mall geposteerd waren. Twee van hen stonden bij de noordoostelijke hoek van het North Building van het ministerie van Landbouw te praten. Een ander, die zijn handen in de zakken van zijn regenjas had, stak van Madison Drive schuin over naar het Smithsonian Institute. Een vierde zat achter het stuur van een fout geparkeerde auto aan Constitution Avenue. Het kwam trouwens door hem dat Bourne hen had opgemerkt. Bourne had de auto al zien staan voordat er een politiewagen naast stopte. Raampjes gingen open en er volgde een gesprek. De bestuurder van de fout geparkeerde auto liet een identiteitsbewijs zien. De politiewagen reed door.

De vijfde en zesde agent bevonden zich ten oosten van de Freer Gallery, de een ongeveer halverwege tussen Madison Drive en Jefferson Drive, de ander voor het Arts Industries Building. Bourne wist dat er nog minstens één meer moest zijn.

Het was bijna vijf uur. De korte winterschemering was over de stad neergedaald, geholpen door de snoeren van twinkelende lichtjes die feestelijk om lantaarnpalen heen geslingerd lagen. Nu hij de positie van elke agent in zijn hoofd had geprent, keerde Bourne naar de grond terug. Hij gebruikte de vensterbanken als steunpunten voor zijn handen en voeten.

Zodra hij zichzelf op straat liet zien, zouden de agenten in beweging komen. Gezien de afstand tussen hen en de CIA-directeur en Soraya schatte hij in dat hij niet meer dan twee minuten de tijd had om met Hart te praten en het dossier in handen te krijgen.

Verborgen in de schaduw wachtte hij op Soraya's teken. Hij probeerde de overige agenten te vinden. Ze konden het zich niet veroorloven Independence Avenue onbewaakt te laten. Als Hart het dossier niet had, zou hij doen wat Soraya had voorgesteld en uit de omgeving verdwijnen zonder dat ze hem zagen.

Hij stelde zich haar bij de ingang van de Freer Gallery voor, pratend met de CIA-directeur. Na een nerveuze begroeting zou Soraya het gesprek op het dossier moeten brengen. Ze zou Hart moeten overhalen het aan haar te laten zien om te verifiëren dat het echt was.

Zijn telefoon piepte één keer en was toen stil. Het dossier was echt.

Hij legde contact met internet, riep de site van de metro van Washington op, keek naar de vertrektijden en ging de verschillende mogelijkheden na. Dat alles nam meer tijd in beslag dan hem lief was. Er was het reële gevaar dat een van de zes agenten in contact stond met zijn thuisbasis – bij de CIA of op het Pentagon – en dat ze daar met hun verfijnde elektronische telemetrie zijn telefoon konden vinden en, erger nog, konden zien wat hij op internet deed. Maar daar was niets aan te doen. Hij had niet van tevoren op internet kunnen kijken, maar moest dat nu doen, want het was altijd mogelijk dat metrotreinen vertraging hadden. Hij zette die zorgen uit zijn hoofd en concentreerde zich op wat hem te doen stond. De volgende vijf minuten waren van cruciaal belang.

Tijd om te gaan.

Kort nadat Soraya in het geheim contact met Bourne had opgenomen, zei ze tegen Veronica Hart: 'Ik ben bang dat we een probleem hebben.'

De CIA-directeur draaide zich abrupt om. Ze had al geprobeerd een teken van Bourne te zien. Het was nog drukker geworden bij de Freer Gallery. Veel mensen liepen naar het metrostation Smithsonian op de hoek om terug te keren naar hun hotels en te gaan eten.

'Wat voor probleem?'

'Ik geloof dat ik een van de NSA-volgers heb gezien. Een van die kerels van vanmiddag.'

'Verdomme. Ik wil niet dat LaValle weet dat ik een ontmoeting met Bourne heb. Dan krijgt hij een rolberoerte en gaat hij meteen naar de president.' Ze draaide zich om. 'Ik vind dat we weg moeten gaan voordat Bourne er is.'

'En mijn info?' zei Soraya. 'Welke kans maken we zonder hem? Ik stel voor dat we hier blijven en met hem praten. Als we hem het materiaal laten zien, winnen we misschien zijn vertrouwen.'

De CIA-directeur was duidelijk gespannen. 'Dit staat me helemaal niet aan.'

'De tijdsfactor is van cruciaal belang.' Soraya pakte haar bij haar elleboog vast. 'Laten we naar achteren gaan.' Ze wees naar de loggia. 'Dan zijn we uit het gezichtsveld van de volger.'

Hart liep met tegenzin de open ruimte in. In de loggia was het erg druk. Het krioelde daar van de mensen, die over de kunst praatten die ze zojuist hadden gezien, en over hun plannen voor het diner en voor de volgende dag. Omdat het museum om halfzes dichtging, begon het gebouw leeg te lopen.

'Waar is hij eigenlijk?' vroeg Hart prikkelbaar.

'Hij komt wel,' verzekerde Soraya haar. 'Hij wil het materiaal.'

'Natuurlijk wil hij dat. Het gaat om iemand die hem dierbaar is.'

'Het is heel belangrijk voor hem dat hij Martins naam zuivert.'

'Ik had het over Moira Trevor,' zei de CIA-directeur.

Voordat Soraya een antwoord kon bedenken, kwam er een groep

mensen door de voordeur. Bourne bevond zich in die groep. Soraya zag hem, maar vanaf de straat zou hij niet te zien zijn.

'Daar heb je hem,' mompelde ze, terwijl Bourne snel en geluidloos achter hen kwam staan. Op de een of andere manier moest hij langs de ingang aan Independence Avenue aan de zuidkant van het gebouw zijn gekomen, die voor het publiek gesloten was, en was hij daarna door het museum naar de voorkant gegaan.

De CIA-directeur draaide zich om en keek Bourne indringend aan. 'Dus je bent toch gekomen.'

'Ik zei dat ik zou komen.'

Hij knipperde niet met zijn ogen, bewoog helemaal niet. Soraya had hem nog nooit zo angstaanjagend meegemaakt, met zoveel pure wilskracht.

'Je hebt iets voor me.'

'Ik zei dat je het mocht lezen.' De CIA-directeur hield hem een kleine bruine envelop voor.

Bourne pakte hem uit haar hand. 'Sorry, maar daar heb ik hier geen tijd voor.'

Hij draaide zich om, manoeuvreerde zich door de menigte en verdween in de Freer Gallery.

'Wacht!' riep Hart. 'Wacht!'

Maar het was te laat, en trouwens, op dat moment kwamen twee NSA-agenten vlug door de ingang gelopen. Ze werden vertraagd door de mensen die het museum verlieten, maar ze duwden iedereen opzij. Ze draafden langs de CIA-directeur en Soraya alsof die niet bestonden. Er verscheen nog een agent, die zich net binnen de loggia posteerde. Hij keek hen met een vaag glimlachje aan.

Bourne bewoog zich zo snel door het museum als hij verstandig achtte. Hij had de plattegrond uit de bezoekersfolder in zijn geheugen geprent en was al een keer door het gebouw gekomen, dus hij zette geen stap te veel. Eén ding zat hem dwars. Toen hij naar binnen ging, had hij geen agenten gezien. Dat betekende dat hij waarschijnlijk met ze te maken kreeg als hij buiten kwam.

Bij de achteringang ging een bewaker kort voor sluitingstijd de zalen door. Bourne moest een hoek om duiken, waar een brandmelder en een blusapparaat naar voren staken. Hij hoorde de zachte stem van de bewaker, die een gezin naar de uitgang aan de voorkant leidde. Bourne wilde net naar buiten glippen toen hij andere stemmen hoorde, luider en afgemeten. Hij trok zich in de schaduw terug en zag twee slanke, witharige Chinese geleerden in krijtstreeppakken en met glanzende brogues voorbijkomen. Ze praatten over de kwaliteit van een porseleinen vaas uit de Tang-tijd. Ze liepen in de richting van Jefferson Drive en hun stemmen stierven tegelijk met hun voetstappen weg.

Zonder ook maar een moment te verliezen keek Bourne naar het alarmsysteem, waaraan hij iets had veranderd. Tot nu toe zag alles er normaal uit. Hij duwde de deur open. Terwijl de avondwind in zijn gezicht sloeg, zag hij twee agenten met getrokken pistolen de granieten trap oprennen. Er was iets vreemds aan die wapens. Dat viel hem nog net op, maar toen dook hij weer naar binnen en liep regelrecht naar de brandblusser.

Ze kwamen door de deuropening. De voorste kreeg zijn gezicht vol schuim uit de brandblusser. Bourne dook weg voor een schot dat de tweede agent lukraak loste. Er was bijna geen geluid te horen, maar er ketste iets tegen de wand van wit Tennessee-marmer bij zijn schouder. Het kletterde op de vloer. Bourne gooide de brandblusser naar de schutter toe. Het ding trof de man op zijn slaap en hij zakte in elkaar. Bourne brak het glas van de brandmelder en trok hard aan de rode metalen hendel. Onmiddellijk ging het brandalarm af. Het schalde tot in alle hoeken van het museum.

Buitengekomen rende Bourne schuin de trap af, richting 12th Street, sw. Hij verwachtte meer agenten bij de zuidwestelijke hoek van het gebouw tegen te komen, maar toen hij van Independence Avenue naar 12th Street ging, zag hij een stroom van mensen die op het alarm in het gebouw afkwamen. Boven het rumoer van al die mensen uit waren in de verte al sirenes van brandweerwagens te horen.

Door de straat die naar de ingang van het museum leidde liep hij vlug naar het metrostation Smithsonian. Terwijl hij dat deed, legde hij via zijn mobieltje contact met internet. Het duurde langer dan hem lief was, maar ten slotte drukte hij op de FAVORIETEN-icoon en kwam hij weer op de site van de metro. Hij bleef in de richting van het Smithsonianstation lopen en klikte door naar de pagina met de eerstvolgende aankomsten, een pagina die elke dertig seconden werd ververst. Over drie minuten kwam de trein van Orange-lijn 6 naar Vienna/Fairfax. Hij tikte vlug het sms'je 'FB' in en stuurde het naar een nummer dat hij met professor Specter had afgesproken.

De metro-ingang, verstopt met mensen die op de trap waren blijven staan om te kijken wat er gebeurde, was niet meer dan vijftig meter bij hem vandaan. Bourne hoorde nu ook politiesirenes en zag burgerauto's door 12th Street naar Jefferson rijden. Ze sloegen op het kruispunt af naar het oosten – op één na, die naar het zuiden reed.

Bourne probeerde te rennen maar werd belemmerd door de mensenmenigte. Hij maakte zich daaruit los, kwam even uit de drukte en zag toen dat de ruit aan de passagierskant van een voorbijrijdende auto omlaag gleed. Een stevig gebouwde man met een grimmig gezicht en een bijna kaal hoofd richtte een van die vreemde pistolen op hem.

Bourne ging opzij om dekking te zoeken achter een van de zuilen bij de ingang van het station. Hij hoorde niets, geen enkel geluid – zoals hij ook in de Freer Gallery niets had gehoord – en er vrat iets in zijn linkerkuit. Hij keek omlaag en zag het metaal van een minipijltje op straat liggen. Het had langs hem geschampt, maar dat was dan ook alles. Met een beheerste draaibeweging ging Bourne om de zuil heen en de trap af en baande zich een weg door de menigte nieuwsgierigen. Eenmaal in het station had hij bijna twee minuten de tijd om de Orange 6 naar Vienna te halen. De volgende trein ging pas vier minuten later – te veel tijd op het perron, waar de NSA-agenten hem konden vinden. Hij moest die eerste trein halen.

Hij kocht zijn kaartje en ging verder. De menigte zwol aan en nam af als golven die naar de kust rolden. Hij zweette. Zijn linkervoet gleed uit. Hij bracht zich weer in evenwicht en vermoedde dat de inhoud van het minipijltje zijn werk deed, al had dat hem maar amper geraakt. Toen hij opkeek naar de elektronische borden, moest hij zich concentreren om het juiste perron te kunnen vinden. Hij liep stug door, durfde geen rust te nemen, al wilde een deel van hem niets liever dan dat. *Zitten gaan, je ogen dichtdoen, wegzakken in de slaap.* Hij zag een automaat, viste in zijn zakken naar kleingeld en kocht elke chocoladereep die hij kon krijgen. Toen ging hij in de rij staan voor de roltrap.

Op weg naar beneden struikelde hij, miste de trede en viel tegen het stel aan dat voor hem liep. Hij had een black-out gehad. Toen hij op het perron kwam, voelde hij zich beverig en traag. Het plafond van betonplaten welfde zich over alles heen en doofde de geluiden van de honderden mensen op het perron.

Nog minder dan een minuut. Hij voelde de trilling van de naderende trein, de wind die vooruit werd geduwd.

Hij had een chocoladereep naar binnen gewerkt en begon aan de tweede toen de trein het perron binnenreed. Hij stapte in en liet zich meevoeren door de mensenmassa. Op het moment dat de deuren dichtgingen sprintte een lange man met brede schouders en een zwarte regenjas op de trein af en sprong aan het andere eind van het treinstel naar binnen. De deuren gingen dicht en de trein zette zich snel in beweging.

13

Toen hij de man in de zwarte regenjas vanaf het andere eind van het treinstel naar hem toe zag komen, kreeg Bourne een claustrofobisch gevoel. Tot aan het volgende station zat hij gevangen in deze besloten ruimte. Bovendien voelde hij, ondanks de chocolade die hem een beetje energie had gegeven, dat de vermoeidheid zich vanuit zijn linkerbeen naar boven verspreidde. Het serum was in zijn bloedsomloop gekomen. Hij trok de verpakking van nog een chocoladereep af en verslond hem. Hoe sneller hij de suiker en de cafeïne in zijn bloedsomloop kon krijgen, des te beter kon zijn lichaam zich verweren tegen het middel dat hem was toegediend. Toch zou dat verweer maar tijdelijk zijn. Straks zou zijn bloedsuikerspiegel weer sterk dalen en zou de adrenaline uit hem wegtrekken.

De trein bereikte het station Federal Triangle en de deuren gleden open. Een massa mensen stapte uit; een andere massa stapte in. Zwarte Regenjas maakte daar gebruik van door een eind op te schuiven in de richting van Bourne, die zijn handen om de chromen stang geklemd hield. De deuren gingen dicht en de trein reed door. Zwarte Regenjas werd belemmerd door een kolossale man met tatoeages op de ruggen van zijn handen. Hij probeerde de man opzij te duwen, maar die keek hem alleen maar nors aan en vertikte het om in beweging te komen. Zwarte Regenjas had zijn federale identiteitsbewijs kunnen gebruiken om mensen opzij te laten gaan, maar dat deed hij niet, want hij wilde natuurlijk geen paniek veroorzaken. Overigens was het nog steeds de vraag of hij van de NSA of van de CIA was. Bourne, die moeite had om helder te denken, keek in het gezicht van zijn nieuwste tegenstander en zocht daarop naar aanwijzingen. Het gezicht van Zwarte Regenjas was vierkant en nietszeggend maar bezat de typische droge wreedheid die het ministerie van Defensie van zijn clandestiene agenten verwachtte. Hij moet van de NSA zijn, dacht Bourne. In de nevel van zijn hersenen besefte hij dat hij met Zwarte Regenjas moest afrekenen voordat hij op de ontmoetingsplaats bij het station Foggy Bottom kwam.

Toen de trein door een bocht vloog, botsten twee kinderen tegen Bourne op. Hij hield ze overeind en zette ze op hun plaats terug naast hun moeder, die dankbaar naar hem glimlachte en haar arm beschermend om hun smalle schouders legde. De trein reed het station Metro Center binnen. Bourne ving een glimp op van tijdelijke schijnwerpers op een plaats waar een werkploeg een roltrap aan het repareren was. Aan zijn andere kant drukte een jong blondje met oordopjes die aan een mp3-speler verbonden waren haar schouder tegen hem aan. Ze haalde een goedkoop plastic make-updoosje tevoorschijn en controleerde haar gezicht. Ze perste haar lippen op elkaar, deed het doosje weer in haar tas en haalde lipgloss met een smaakje tevoorschijn. Terwijl ze de gloss aanbracht, pakte Bourne ongemerkt het make-updoosje uit haar tas en verborg het in zijn handpalm. Hij verving het door een biljet van twintig dollar.

De deuren gingen open en Bourne stapte uit in een kleine wervelwind van mensen. Zwarte Regenjas stond niet in de buurt van een deur. Hij haastte zich door het treinstel en sprong nog net op tijd het perron op. Hij baande zich een weg door de jachtige menigte en volgde Bourne naar de roltrap. De meeste mensen waren op weg naar die trap.

Bourne keek nog eens waar die tijdelijke schijnwerpers waren. Hij ging erop af, maar niet te snel, want hij wilde dat Zwarte Regenjas enigszins op hem inliep. Hij moest ervan uitgaan dat Zwarte Regenjas ook met een pijltjespistool was uitgerust. Als Bourne ergens door een pijltje werd getroffen, al was het in een vingertop, zou dat het einde betekenen. Cafeïne of geen cafeïne, hij zou het bewustzijn verliezen en in handen van de NSA vallen.

Er was een muur van oude en invalide mensen, sommigen in een rolstoel, die op de lift stonden te wachten. De deur ging open. Bourne rende door alsof hij naar de lift ging, maar zodra hij in het schijnsel van de felle lampen kwam, draaide hij zich om en hield het spiegeltje van het make-updoosje in een zodanige stand dat het felle licht in het gezicht van Zwarte Regenjas scheen.

Zwarte Regenjas, tijdelijk verblind, bleef staan en stak zijn hand omhoog met de palm naar buiten. In een ommezien was Bourne bij hem. Hij pompte zijn hand in de zenuwbundel onder het rechteroor van Zwarte Regenjas, wrong het pijltjespistool uit zijn hand en schoot ermee in diens zij.

Toen de man opzij wankelde, ving Bourne hem op en sleepte hem naar een muur. Sommige mensen keken even naar hen, maar niemand bleef staan. De menigte die voorbijdraafde, hield maar heel even de pas in en nam toen weer het normale jachtige tempo aan.

Bourne liet Zwarte Regenjas daar liggen en glipte door de bijna massieve barrière van mensen heen naar de Orange-lijn. Vier minuten later had hij nog eens twee chocoladerepen op. Er reed weer een Orange 6-trein naar Vienna het station binnen, en na een laatste blik over zijn schouder te hebben geworpen stapte Bourne in. Zijn hoofd voelde niet versufter aan dan tevoren, maar hij wist dat hij nu vooral water nodig had, zoveel water als hij door zijn keel kon krijgen, om de chemische stof zo snel mogelijk uit zijn lichaam te verdrijven.

Twee stations later stapte hij op Foggy Bottom uit. Hij bleef aan het eind van het perron staan wachten tot er geen passagiers meer uitstapten. Toen volgde hij de menigte naar boven. Om meer helderheid in zijn hoofd te krijgen nam hij de trap met twee treden tegelijk.

De eerste teug koele avondlucht die hij binnenkreeg was diep en stimulerend. Afgezien van een lichte misselijkheid, die misschien het gevolg was van de duizeligheid die hem nog steeds beving, voelde hij zich beter. Toen hij uit het metrostation kwam, kwam er dichtbij een motor tot leven; de koplampen van een donkerblauwe Audi gingen aan. Hij liep vlug naar de auto toe, maakte het portier aan de passagierskant open en stapte in.

'Hoe ging het?' Professor Specter reed de Audi het drukke verkeer in.

'Ik heb meer gekregen dan ik dacht,' zei Bourne, en hij leunde tegen de hoofdsteun. 'En ik ben van plan veranderd. Ze zullen op het vliegveld naar me uitkijken. Ik ga met Moira mee, in elk geval tot aan München.'

De professor keek zorgelijk. 'Is dat wel verstandig?'

Bourne draaide zijn hoofd opzij en keek door de ruit naar de voorbijtrekkende stad. 'Dat doet er niet toe.' Hij dacht aan Martin, en aan Moira. 'Ik heb de fase van "verstandig" al een tijd geleden achter me gelaten.'

DEEL TWEE

14

'Het is verbazingwekkend,' zei Moira.

Bourne keek op van de map die hij uit de handen van Veronica Hart had gegrist. 'Wat is verbazingwekkend?'

'Dat jij tegenover me zit in dit luxe zakenvliegtuig.' Moira droeg een strak zwart pakje van bobbelige wol en schoenen met lage hakken. Aan haar hals hing een dunne gouden ketting. 'Zou jij vanavond niet naar Moskou gaan?'

Bourne dronk water uit de fles op het tafeltje naast zijn stoel en sloot het dossier. Hij had meer tijd nodig om vast te stellen of Karim al-Jamil aan deze gesprekken had geknoeid, al had hij zijn vermoedens. Hij wist dat Martin veel te slim was om haar iets te vertellen wat geheim was – en dat was zo ongeveer alles wat er in de CIA gebeurde.

'Ik kon niet bij je vandaan blijven.' Hij zag een vaag glimlachje ontstaan om Moira's brede lippen. Toen liet hij de bom barsten. 'Bovendien heb ik de NSA achter me aan.'

Het was of er een licht uitging in haar gezicht. 'Hè?'

'De NSA. Luther LaValle heeft het op me voorzien.' Hij maakte een handgebaar om haar vragen voor te zijn. 'Het is iets politieks. Als hij mij te pakken krijgt terwijl dat de CIA niet lukt, heeft hij daarmee aan de hogere machten bewezen dat hij gelijk heeft met zijn stelling dat de CIA onder voogdij moet worden gesteld, zeker nu de CIA in verwarring verkeert door de dood van Martin.'

Moira perste haar lippen even op elkaar. 'Dus Martin had gelijk. Hij was de enige die nog in jou geloofde.'

Bourne voegde er bijna Soraya's naam aan toe maar zag daarvan af. 'Het doet er nu niet toe.'

'Voor mij wel,' zei ze heftig.

'Omdat je van hem hield.'

'We hielden allebei van hem.' Ze hield haar hoofd schuin. 'Wacht eens even. Bedoel je dat daar iets verkeerds aan is?'

'We leven in de marge van de samenleving, in een wereld van geheimen.' Hij zei met opzet 'we'. 'Mensen als wij moeten er altijd een prijs voor betalen als we van iemand houden.'

'Welke prijs bijvoorbeeld?'

'Daar hebben we het over gehad,' zei Bourne. 'Liefde is een zwakheid waar je vijanden gebruik van kunnen maken.'

'En toen noemde ik dat een afschuwelijke manier om je leven te leiden.'

Bourne keek door het perspex raam naar de duisternis die voorbijvloog. 'Het is de enige manier die ik ken.'

'Dat geloof ik niet.' Moira boog zich naar voren tot hun knieën tegen elkaar kwamen. 'Je moet toch wel inzien dat er meer is, Jason. Je hield van je vrouw; je houdt van je kinderen.'

'Wat voor vader kan ik voor hen zijn? Ik ben alleen maar een herinnering. En ik vorm ook nog een gevaar voor ze. Binnenkort ben ik een geest.'

'Daar kun je iets aan doen. En wat voor vriend was je voor Martin? De beste soort vriend. De enige soort die er iets toe doet.' Ze wilde dat hij haar weer aankeek. 'Soms denk ik dat je op zoek bent naar antwoorden op vragen waarop geen antwoord mogelijk is.'

'Wat bedoel je?'

'Dat wat je in het verleden ook hebt gedaan, en wat je in de toekomst ook zult doen, je je menselijkheid nooit zult verliezen.' Ze zag dat hij haar langzaam en raadselachtig aankeek. 'En daar ben je bang voor, hè?'

'Wat is er toch met jou?' vroeg Devra.

Arkadin, die achter het stuur zat van een auto die ze in Istanbul hadden gehuurd, bromde geprikkeld: 'Waar heb je het over?'

'Hoe lang duurt het nog voor je met me gaat neuken?'

Omdat er geen vluchten van Sebastopol naar Turkije waren, hadden ze een lange nacht in een kleine hut op de *Helden van Sebastopol* gezeten om in zuidwestelijke richting over de Zwarte Zee van Oekraïne naar Turkije te gaan.

'Waarom zou ik dat willen?'

'Iedere man die ik tegenkom wil met me neuken. Waarom zou jij anders zijn?' Devra streek met haar handen door haar haar. Doordat ze haar armen omhoogbracht, kwamen haar kleine borsten uitnodigend naar voren. 'Zoals ik al zei: wat is er toch met jou?' Er speelde een grijns om haar mondhoeken. 'Misschien ben je geen echte man. Is dat het?'

Arkadin lachte. 'Jij bent zo doorzichtig.' Hij keek haar even aan. 'Wat zit hierachter? Waarom wil je me provoceren?'

'Ik mag mijn mannen graag tot reacties brengen. Hoe kan ik ze anders leren kennen?'

'Ik ben je man niet,' bromde hij.

Nu lachte Devra. Ze legde haar slanke vingers om zijn arm en wreef heen en weer. 'Als je last hebt van je schouder, wil ik wel rijden.'

Hij zag het bekende symbool op de binnenkant van haar pols. Het kwam des te angstaanjagender over omdat het op haar porseleinwitte huid was getatoeëerd. 'Sinds wanneer heb je dat?'

'Doet dat er iets toe?'

'Eigenlijk niet. Het doet er wel toe waaróm je het hebt.' Nu hij op de autoweg was, gaf hij meer gas. 'Hoe kan ik je anders leren kennen?'

Ze krabde over de tatoeage alsof die onder haar huid had bewogen. 'Pjotr dwong me ertoe. Hij zei dat het bij de inwijding hoorde. Hij zei dat hij niet met me naar bed wilde zolang ik die tatoeage niet had.'

'En jij wilde met hem naar bed.'

'Niet zo graag als met jou.'

Ze wendde zich af en keek uit het zijraam, alsof ze zich plotseling schaamde voor haar bekentenis. Misschien schaamde ze zich echt, dacht Arkadin terwijl hij richting aangaf en over twee rijbanen naar rechts ging omdat hij een bord van een parkeerplaats had gezien. Hij verliet de weg en zette de auto helemaal aan het eind van de parkeerplaats, bij de twee auto's vandaan die daar al stonden. Hij stapte uit, liep naar de rand en ging met zijn rug naar haar toe lang en bevredigend pissen.

Het was een heldere dag en het was warmer dan het in Sebastopol was geweest. De bries die van het water kwam was vervuld van vocht, en dat lag als zweet op zijn huid. Op de terugweg naar de auto stroopte hij zijn mouwen op. Zijn jas lag met die van haar op de achterbank van de auto.

'Laten we van de warmte genieten zolang het nog kan,' zei Devra. 'Straks op de Anatolische hoogvlakte houden de bergen dit milde weer tegen. Daar is het ijskoud.'

Het was of ze die intieme dingen nooit had gezegd. Maar ze had wel degelijk zijn aandacht getrokken. Hij dacht dat hij nu iets belangrijks van haar begreep – of beter gezegd, van zichzelf. Het gold ook voor Gala, nu hij erover nadacht. Blijkbaar had hij een zekere macht over vrouwen. Hij wist dat Gala met heel haar hart van hem hield, en ze was niet de eerste. En nu was deze slanke, jongensachtige *djevotsjka*, die taai was en ronduit gemeen als het moest, voor hem bezweken. Dat betekende dat hij nu eindelijk vat op haar kon krijgen.

'Hoe vaak ben je in Eskişehir geweest?' vroeg hij.

'Vaak genoeg om te weten wat we kunnen verwachten.'

Hij leunde achterover. 'Waar heb je geleerd antwoorden te geven zonder iets te vertellen?'

'Als ik slecht ben, heb ik dat aan de borst van mijn moeder geleerd.'

Arkadin wendde zijn ogen af. Zo te zien had hij moeite met ademhalen. Zonder een woord te zeggen maakte hij het portier open. Hij ging vlug de auto uit en liep in kleine kringetjes rond, als een leeuw in de dierentuin.

'Ik kan niet tegen alleen zijn,' had Arkadin tegen Semion Ikoepov gezegd, en Ikoepov had hem op zijn woord geloofd. In Ikoepovs villa, waar Arkadin was ondergebracht, liet zijn gastheer een jongeman voor hem komen. Maar toen Arkadin zijn metgezel een week later bijna in coma had geslagen, veranderde Ikoepov van tactiek. Hij bracht uren met Arkadin door om na te gaan waar die uitbarstingen van razernij vandaan kwamen. Dat mislukte jammerlijk, want Arkadin kon zich die angstaanjagende episoden niet herinneren, laat staan dat hij er een verklaring voor kon geven.

'Ik weet niet wat ik met je moet doen,' zei Ikoepov. 'Ik wil je niet gevangenzetten, maar ik moet mezelf beschermen.'

'Ik zou jou nooit kwaad doen,' zei Arkadin.

'Misschien niet bewust,' zei de oudere man peinzend.

De week daarna bracht een kromgebogen man met een formeel sikje en kleurloze lippen elke middag met Arkadin door. De man zat in een weelderig beklede stoel, zijn ene been over het andere geslagen, en maakte met een keurig maar kriebelig handschrift noties in een boekje dat hij beschermde alsof het zijn kind was. Arkadin lag op de favoriete chaise longue van zijn gastheer, met een rolkussen achter zijn hoofd. Hij gaf antwoord op vragen. Hij sprak langdurig over veel dingen, maar de dingen die als een schaduw over zijn geest hingen stopte hij weg in een donker hoekje in de diepste diepten van zijn geest. Daar praatte hij nooit over. Die deur was voor altijd gesloten.

Aan het eind van drie weken diende de psychiater zijn rapport bij Ikoepov in en verdween even snel als hij verschenen was. Het had niets opgeleverd. Arkadins nachtmerries bleven hem teisteren in het holst van de nacht, als hij met een schok wakker werd en ervan overtuigd was dat hij ratten hoorde ritselen, met rode oogjes die in de duisternis brandden. Op die momenten kon het hem niet troosten dat Ikoepovs villa volkomen vrij van ongedierte was. De ratten leefden in hem. Ze ritselden, piepten, vraten.

De volgende die door Ikoepov in de arm werd genomen om zich in Arkadins verleden te verdiepen en zo te proberen hem van zijn woedeaanvallen te genezen, was een vrouw met zoveel sensualiteit en zo'n weelderig figuur dat ze volgens hem niets van Arkadins uitbarstingen te duchten had. Marlene was er handig in om mannen van allerlei slag en met allerlei afwijkingen naar haar hand te zetten. Ze bezat een griezelig talent om precies aan te voelen wat een man van haar verlangde en om hem dat dan te geven.

In het begin vertrouwde Arkadin haar niet. Waarom zou hij ook? De psychiater had hij ook niet kunnen vertrouwen. Was ze niet gewoon de volgende therapeute die op hem af was gestuurd om de geheimen van zijn verleden uit hem los te krijgen? Marlene merkte natuurlijk dat hij afkerig van haar was en ging aan het werk om die afkeer weg te nemen. Zoals zij het zag, leefde Arkadin onder een betovering die hij misschien zelf had opgewekt. Het was aan haar om een tegengif te vinden.

'Dit gaat veel tijd kosten,' zei ze aan het eind van haar eerste week met Arkadin tegen Ikoepov, en hij geloofde haar.

Arkadin keek naar Marlene zoals ze op haar kleine kattenvoeten door de kamer liep. Hij vermoedde dat ze slim genoeg was om te weten dat zelfs de kleinste misstap van haar hem als een schok van seismische proporties kon treffen, waarna alle vooruitgang die ze had geboekt met haar pogingen zijn vertrouwen te winnen zou verdampen als alcohol boven een vlam. Hij merkte dat ze erg op haar hoede was. Blijkbaar was ze zich er scherp van bewust dat hij zich elk moment tegen haar kon keren. Ze gedroeg zich alsof ze bij een beer in een kooi was. Zo'n dier kon je dag na dag africhten, maar dan kon het evengoed nog elk moment je gezicht van je hoofd scheuren.

Arkadin moest erom lachen hoe zorgvuldig ze hem behandelde,

maar geleidelijk drong er iets anders tot hem door. Hij vermoedde dat ze nu iets echts voor hem voelde.

Devra keek door de voorruit naar Arkadin. Toen trapte ze haar portier open en ging achter hem aan. Ze schermde haar ogen af tegen een witte zon die op een hoge, vale hemel zat geplakt.

'Wat is er?' zei ze toen ze bij hem was gekomen. 'Wat heb ik gezegd?'

Arkadin keek haar moorddadig aan. Blijkbaar verkeerde hij in staat van razernij en kon hij zich amper inhouden. Devra vroeg zich af wat er zou gebeuren als hij zich liet gaan, maar ze wilde er niet bij zijn als dat gebeurde.

Ze voelde een sterke aandrang om hem aan te raken, hem sussend toe te spreken tot hij kalmer werd, maar ze voelde aan dat ze hem dan alleen maar woedender zou maken. En dus ging ze naar de auto terug en wachtte geduldig tot hij terugkwam.

Uiteindelijk deed hij dat. Hij ging zijdelings op de stoel zitten, met zijn schoenen op de grond alsof hij het elk moment weer op een lopen kon zetten.

'Ik ga niet met je neuken,' zei hij, 'maar dat wil niet zeggen dat ik dat niet wil.'

Ze had het gevoel dat hij nog iets anders wilde zeggen maar het niet kon. Wat het ook was, het zat verstrikt in iets wat hem lang geleden was overkomen.

'Het was een grapje,' zei ze zacht. 'Ik maakte een stom grapje.'

'Er is een tijd geweest waarin ik het niets bijzonders zou hebben gevonden,' zei hij, alsof hij in zichzelf praatte. 'Seks is onbelangrijk.'

Ze had het gevoel dat hij over iets anders sprak, iets wat alleen hij wist, en ze besefte weer eens hoe eenzaam hij was. Ze vermoedde dat hij zich in een menigte, zelfs bij vrienden – als hij die had – eenzaam zou voelen. Blijkbaar had hij zich afgekeerd van seksuele samensmelting omdat die alleen maar zou onderstrepen dat hij los stond van de rest van de mensen. Hij leek haar een maanloze planeet zonder zon om omheen te draaien. Niets dan leegte, overal waar hij kon zien. Op dat moment besefte ze dat ze van hem hield.

'Hoe lang is hij daar al?' vroeg Luther LaValle.

'Zes dagen,' antwoordde generaal Kendall. Hij zat in zijn overhemd, waarvan de mouwen waren opgestroopt. Die voorzorgsmaatregel had ze niet tegen bloedspatten kunnen beschermen. 'Maar ik garandeer je dat het voor hem als zes maanden aanvoelt. Hij is zo gedesoriënteerd als een mens maar kan zijn.'

LaValle bromde iets. Hij keek door de doorkijkspiegel naar de bebaarde Arabier. De man zag eruit als een rauw stuk vlees. La-Valle wist niet of de man een soenniet of een sjiiet was en dat kon hem ook niet schelen. Voor hem was het één pot nat: terroristen die zijn manier van leven wilden vernietigen. Hij vatte die dingen erg persoonlijk op.

'Wat heeft hij verteld?'

'Zoveel dat we weten dat de kopieën van de Typhon-onderscheppingen die Batt ons heeft gegeven desinformatie waren.'

'Evengoed komt dat materiaal rechtstreeks van Typhon,' zei La-Valle.

'De man is erg hooggeplaatst. Over zijn identiteit bestaat geen enkele twijfel. Toch weet hij niets van plannen om een groot gebouw in New York te treffen, plannen die al in een laatste stadium zouden verkeren.'

'Dat kan op zichzelf ook desinformatie zijn,' zei LaValle. 'Die schoften zijn verrekte goed in dat soort dingen.'

'Precies.' Kendall veegde zijn handen af aan een handdoek die hij over zijn schouder had hangen alsof hij een kok was die voor een fornuis stond. 'Ze vinden het prachtig om ons in kringetjes rond te laten rennen, en dat doen we als we nu alarm slaan.'

LaValle knikte, alsof hij met zichzelf overlegde. 'Zet onze beste mensen hierop. Ze moeten de Typhon-onderscheppingen bevestigen.'

'We zullen ons best doen, maar ik moet zeggen dat de gevangene me in mijn gezicht uitlachte toen ik hem naar die terroristengroep vroeg.'

LaValle knipte een paar keer met zijn vingers. 'Hoe heten ze ook weer?'

'Het Zwarte Legioen of zoiets.'

'We hebben niets over die groep in onze database?'

'Nee, en onze zusterdiensten ook niet.' Kendall gooide de vuile handdoek in een mand waarvan de inhoud elke twaalf uur werd verbrand. 'Die groep bestaat niet.'

'Dat denk ik ook,' zei LaValle, 'maar ik wil graag zekerheid hebben.'

Hij wendde zich van het raam af en de twee mannen verlieten de observatiekamer. Ze liepen door een ruw betonnen gang die in een saaie, groene kleur was geverfd, met zoemende tl-buizen die purperen schaduwen op de linoleumvloer wierpen als ze voorbijkwamen. Hij wachtte geduldig buiten de kleedkamer tot Kendall andere kleren had aangetrokken, en daarna liepen ze samen verder door de gang. Aan het eind daarvan gingen ze een trap op naar een zware metalen deur.

LaValle drukte met zijn wijsvinger op een vingerafdrukkenlezer. Hij werd beloond met het geklik van sloten die opensprongen, ongeveer zoals een bankkluis openging.

Ze kwamen op een andere gang, die totaal anders was dan de vorige. Deze gang was bekleed met glanzend mahoniehout. Muurlampen wierpen een zacht, botergeel schijnsel tussen schilderijen met historische zeeslagen, Romeinse falanxen, Pruisische huzaren en Engelse lichte cavalerie.

Via de eerste deur links kwamen ze in een kamer die in een deftige herenclub niet zou misstaan, met jachtgroene muren, roomwitte plafondlijsten, leren meubilair, antieke kasten en een houten tapkast uit een oude Engelse pub. De groepjes banken en stoelen stonden ver uit elkaar om de personen die er zaten de gelegenheid te geven over privézaken te praten. Vlammen knetterden en vonkten behaaglijk in een grote haard.

Een butler in livrei was bij hen voordat ze drie stappen op het dikke, geluiddempende tapijt hadden gezet. Hij leidde hen naar hun gebruikelijke plaats in een discrete hoek, waar twee leren stoelen met hoge rug aan weerskanten van een mahoniehouten kaarttafel waren gezet. Ze zaten bij een hoog raam met verticale stijlen, dat geflankeerd werd door dikke gordijnen en uitkeek over het landschap van Virginia. Deze clubachtige kamer, die de Bibliotheek werd genoemd, bevond zich in een enorm natuurstenen huis dat de NSA tientallen jaren geleden had overgenomen. Het werd als retraite gebruikt, en er werden ook formele diners voor de generaals en directeuren van de organisatie gegeven. Maar de diepten van het souterrain werden voor andere doeleinden gebruikt.

Toen ze hun drankjes en borrelhapjes hadden besteld en weer alleen waren, zei LaValle: 'Weten we al iets over Bourne?'

'Ja en nee.' Kendall sloeg zijn benen over elkaar en trok de vouw in zijn broek recht. 'Na onze vorige bespreking verscheen hij gisteravond om zes uur zevenendertig op de radar. Hij passeerde toen de immigratiedienst op Dulles. Hij had een plaats in een Lufthansa-vlucht naar Moskou geboekt. Als hij was komen opdagen, hadden we McNally in het vliegtuig kunnen zetten.'

'Daar is Bourne veel te slim voor,' bromde LaValle. 'Hij weet nu dat we achter hem aan zitten. Het verrassingselement is weg, verdomme.'

'We zijn erachter gekomen dat hij in een bedrijfsvliegtuig van NextGen Energy Solutions is gestapt.'

Als bij een waakse jachthond kwam LaValles hoofd omhoog. 'O ja? Leg eens uit.'

'In dat vliegtuig zat een directielid dat Moira Trevor heet.'

'Wat heeft zij met Bourne?'

'Die vraag proberen we te beantwoorden,' zei Kendall ongelukkig. Hij vond het verschrikkelijk om zijn baas teleur te stellen. 'Intussen hebben we het vluchtplan bemachtigd. De bestemming was München. Zal ik daar iemand inschakelen?'

'Verspil je tijd niet.' LaValle maakte een loom handgebaar. 'Ik wed op Moskou. Daar wilde hij heen, en daar gaat hij heen.'

'Ik ga er meteen aan werken.' Kendall klapte zijn mobieltje open. 'Ik wil Anthony Prowess.'

'Die zit in Afghanistan.'

'Haal hem daar dan weg,' zei LaValle kortaf. 'Zet hem in een militaire helikopter. Ik wil dat hij in Moskou is wanneer Bourne daar aankomt.'

Kendall knikte, toetste een speciaal gecodeerd nummer in, en toetste daarna een sms'je voor Prowess.

LaValle glimlachte naar de ober, die naar hun tafel kwam. 'Dank je, Willard,' zei hij toen de man een gesteven wit tafellaken tevoorschijn haalde, de glazen whisky, schoteltjes met hapjes en het bestek op de tafel zette, alvorens even geluidloos te vertrekken als hij gekomen was.

LaValle keek naar het eten. 'Blijkbaar hebben we op het verkeerde paard gewed.'

Generaal Kendall wist dat hij Rob Batt bedoelde. 'Soraya Moore was getuige van het debacle. Ze had algauw door hoe het zat. Batt heeft ons verteld dat hij van Harts ontmoeting met Bourne wist omdat hij in haar kantoor was toen Bournes telefoontje binnenkwam. Aan wie kan ze het hebben verteld, behalve die vrouw Moore? Niemand. Dat leidt Hart regelrecht naar de adjunct-directeur.'

'Zet hem op non-actief.'

Kendall pakte zijn glas op en zei: 'Tijd voor plan b.'

LaValle keek in de kastanjebruine vloeistof. 'Ik dank God altijd voor plan b, Richard. Altijd.'

Ze lieten hun glazen klinken en dronken in stilte. LaValle dacht diep na. Toen ze een halfuur later hun whisky's op hadden en nieuwe in hun hand hadden, zei LaValle: 'Wat Soraya Moore betreft, geloof ik dat het tijd wordt om haar op te halen voor een praatje.'

'Privé?'

'Jazeker.' LaValle deed een scheutje water in zijn whisky, zodat de complexe geur vrijkwam. 'Breng haar hierheen.'

15

'Vertel me over Jason Bourne.'

Harun Iliev, die een Amerikaans Nike-joggingpak droeg dat identiek was aan dat van zijn commandant, Semion Ikoepov, ging om de bocht van de natuurijsbaan in het hart van het dorp Grindelwald. Harun was al meer dan tien jaar Ikoepovs nummer twee. Als jongen was hij geadopteerd door Ikoepovs vader Farid, nadat zijn ouders verdronken toen ze de veerboot van Istanbul naar Odessa namen en de boot kapseisde. Harun, die toen vier was, logeerde daar bij zijn oma. Toen ze hoorde dat haar dochter en schoonzoon dood waren, kreeg ze een hartaanval. Ze stierf bijna meteen – wat alle betrokkenen een zegen vonden, want het ontbrak haar aan de kracht en het doorzettingsvermogen om voor een kind van vier te zorgen. Farid Ikoepov verscheen ten tonele, omdat Haruns vader voor hem had gewerkt; de twee mannen hadden een hechte band gehad.

'Er is geen gemakkelijk antwoord,' zei Harun nu, 'vooral omdat er niet één antwoord is. Sommigen zweren dat hij CIA-agent is, anderen beweren dat hij een internationale huurmoordenaar is. Natuurlijk kan hij niet beiden zijn. In elk geval heeft hij drie jaar geleden het complot verijdeld om de deelnemers aan het internationale antiterroristencongres in Reykjavik te vergassen. En vorig jaar heeft hij de heel reële nucleaire bedreiging van Washington verijdeld. Die bedreiging kwam toen van de kant van Dujja, de terroristengroep die geleid werd door de twee gebroeders Wahhib, Fadi en Karim al-Jamil. Volgens de geruchten heeft Bourne beiden gedood.'

'Indrukwekkend, als het waar is. Maar alleen al het feit dat niemand iets over hem weet is van het grootste belang.' Ikoepovs armen bewogen zich op en neer in het perfecte ritme van zijn schaatsbewegingen. Zijn wangen waren appelrood en hij glimlachte hartelijk naar de kinderen die aan weerskanten van hem schaatsten. Hij lachte als zij lachten en riep een bemoedigend woord toen een van hen viel. 'En hoe is zo'n man in contact gekomen met Onze Vriend?'

'Via de universiteit in Georgetown,' zei Harun. Hij was een slanke man met het uiterlijk van een boekhouder. Zijn huid was vaalgeel en zijn olijfzwarte ogen zaten diep in hun kassen verzonken. Schaatsen ging hem niet zo gemakkelijk af als Ikoepov. 'Bourne schijnt niet alleen erg goed te zijn in het doden van mensen maar ook een genie als het op talen aankomt.'

'O ja?'

Hoewel ze al meer dan veertig minuten aan het schaatsen waren, haalde Ikoepov niet diep adem. Harun wist dat hij alleen nog maar aan het warmdraaien was. Ze bevonden zich in een spectaculair land. De wintersportplaats Grindelwald lag honderdvijftig kilometer ten zuidoosten van Bern. Boven hen torenden drie van de beroemdste bergen van Zwitserland, de Jungfrau, de Mönch en de Eiger, wit glinsterend van sneeuw en ijs.

'Het schijnt dat Bourne veel behoefte heeft aan een mentor. De eerste was een zekere Alexander Conklin, die...'

'Ik heb Alex gekend,' zei Ikoepov kortaf. 'Dat was voor jouw tijd. Een ander leven, lijkt het vaak.' Hij knikte. 'Ga verder.'

'Het schijnt dat Onze Vriend het erop toegelegd heeft zijn nieuwe mentor te worden.'

'Nu moet ik je onderbreken. Dat is onwaarschijnlijk.'

'Waarom heeft Bourne dan Michail Tarkanian vermoord?'

'Misja.' Ikoepovs ritme haperde even. 'Allah behoede ons! Weet Leonid Danilovitsj het?'

'We hebben momenteel geen contact met Arkadin.'

'Wat heeft hij bereikt?'

'Hij is in Sebastopol geweest en weer vertrokken.'

'Dat is tenminste iets.' Ikoepov schudde zijn hoofd. 'We hebben niet veel tijd meer.'

'Dat weet Arkadin.'

'Ik wil de dood van Tarkanian voor hem verborgen houden, Harun. Misja was zijn beste vriend; ze hadden een nauwere band dan broers. Hij mag onder geen beding van zijn missie worden afgeleid.'

Een mooie jonge vrouw stak haar hand uit toen ze langs haar schaatsten. Ikoepov pakte die hand vast en werd meegevoerd in een ijsdans waardoor hij het gevoel kreeg dat hij weer twintig was. Toen hij terugkwam, schaatste hij opnieuw om de baan heen. De gemakkelijke, glijdende beweging van het schaatsen, had hij Harun eens verteld, hielp hem na te denken.

'Op grond van wat jij me hebt verteld,' zei Ikoepov ten slotte, 'denk ik dat die Jason Bourne een onvoorziene complicatie zou kunnen vormen.'

'Je kunt er zeker van zijn dat Onze Vriend hem heeft gerekruteerd door tegen hem te zeggen dat jij de dood hebt veroorzaakt van...'

Ikoepov keek hem waarschuwend aan. 'Dat denk ik ook. Maar we moeten nu de vraag beantwoorden hoeveel van de waarheid hij aan Bourne heeft durven vertellen.'

'Onze Vriend kennende,' zei Harun, 'zou ik zeggen: erg weinig of helemaal niets.'

'Ja.' Ikoepov, die handschoenen droeg, tikte met zijn wijsvinger tegen zijn lippen. 'En als dit echt zo is, kunnen we de waarheid tegen hem gebruiken, nietwaar?'

'Als we tot Bourne kunnen doordringen,' zei Harun. 'En als hij ons wil geloven.'

'O, hij zal ons geloven. Daar zorg ik wel voor.' Ikoepov maakte een volmaakte draai. 'Dat is je nieuwe missie, Harun: ervoor zorgen dat wij bij hem kunnen komen voordat hij meer schade kan aanrichten. We willen ons oog in het kamp van Onze Vriend absoluut niet kwijtraken. Nieuwe sterfgevallen zijn onaanvaardbaar.'

München was vervuld van kille regen. Het was altijd al een grauwe stad, maar nu, in wind en stortregen, was het of de hele stad ineengedoken zat. Als een schildpad had hij zijn kop in zijn betonnen schaal teruggetrokken en alle bezoekers zijn rug toegekeerd.

Bourne en Moira zaten in de gigantische 747 van NextGen. Bourne was aan het telefoneren. Hij reserveerde een plaats op de eerstvolgende vlucht naar Moskou.

'Ik wou dat ik gemachtigd was om je dit vliegtuig mee te geven,' zei Moira toen hij zijn mobieltje had weggestopt.

'Nee,' zei Bourne. 'Jij zou liever willen dat ik hier bij je bleef.'

'Ik heb je al verteld waarom ik dat een slecht idee vind.' Ze keek naar het natte asfalt, waarop zich regenboogstrepen van brandstof en olie hadden gevormd. De regendruppels liepen over de perspex ruiten, als raceauto's op een baan. 'En ik merk dat ik hier helemaal niet wil zijn.'

Bourne maakte het dossier open dat hij van Veronica Hart had afgenomen, keerde het om en hield het haar voor. 'Ik zou graag willen dat je hier naar keek.'

Moira keek weer voor zich uit, legde het dossier op haar schoot en bladerde het door. Plotseling keek ze op. 'Ben ik door de CIA gevolgd?' Toen Bourne knikte, zei ze: 'Nou, dat is een opluchting.'

'Waarom is het een opluchting?'

Ze hield het dossier omhoog. 'Dit is allemaal desinformatie. Doorgestoken kaart. Twee jaar geleden, toen de strijd om de LNG-terminal van Long Beach op zijn hevigst was, vermoedden mijn bazen dat AllEn, onze voornaamste rivaal, onze communicatie volgde om de hand te leggen op de gepatenteerde systemen die onze terminal uniek maken. Om mij een dienst te bewijzen vroeg Martin de Oude Man of hij een truc mocht uithalen. De Oude Man ging akkoord, maar niemand anders mocht ervan weten en hij vertelde het dan ook aan niemand anders bij de CIA. Door onze mobiele gesprekken na te trekken ontdekten we dat AllEn de gesprekken inderdaad afluisterde.'

'Ik kan me de schikking herinneren,' zei Bourne.

'Vanwege het bewijsmateriaal dat Martin en ik indienden had AllEn geen zin het op een proces te laten aankomen.'

'NextGen kreeg een schadevergoeding van tientallen miljoenen dollars, nietwaar?'

Moira knikte. 'En het mocht de LNG-terminal in Long Beach bouwen. Zo kreeg ik mijn promotie tot plaatsvervangend presidentdirecteur.'

Bourne nam het dossier terug. Hij was ook opgelucht. Voor hem was vertrouwen zoiets als een slecht gebouwde boot die steeds lekken kreeg en elk moment kon zinken. Hij had een deel van zichzelf aan Moira uitgeleverd. Dat betekende dat hij de situatie niet meer helemaal in eigen hand had, en dat gevoel stak als een mes in zijn hart.

Moira keek hem bedroefd aan. 'Verdacht je mij ervan dat ik een Mata Hari was?'

'Het was belangrijk dat ik zekerheid kreeg,' zei hij.

Haar gezicht sloot zich af. 'Ja. Ik begrijp het.' Ze stopte papieren in een smal leren koffertje en deed dat ruwer dan nodig was. 'Je dacht dat ik Martin had verraden en jou ook ging verraden.'

'Ik ben blij dat het niet zo is.'

'Ik ben heel blij dat te horen.' Ze wierp hem een vlijmscherpe blik toe.

'Moira...'

'Wat?' Ze trok haar van haar gezicht weg. 'Wat wil je tegen me zeggen Jason?'

'Ik... Dit is moeilijk voor me.'

Ze boog zich naar voren en keek hem indringend aan. 'Zeg het maar.'

'Ik vertrouwde Marie,' zei Bourne. 'Ik steunde op haar en ze hielp me met mijn geheugenverlies. Ze was er altijd. En toen was ze er plotseling niet meer.'

Moira's stem werd milder. 'Dat weet ik.'

Hij keek haar eindelijk aan. 'Er is niets goed aan alleen zijn. Maar voor mij is het allemaal een kwestie van vertrouwen.'

'Ik weet dat je denkt dat ik je niet de waarheid heb verteld over Martin en mij.' Ze pakte zijn handen vast. 'Martin en ik zijn nooit minnaars geweest, Jason. We waren meer als broer en zus. We steunden elkaar. Vertrouwen ging ons geen van beiden gemakkelijk af. Ik denk dat het belangrijk voor ons beiden is dat ik je dat nu vertel.'

Bourne begreep dat ze het ook over hen beiden had, niet alleen over Martin en haar. Hij had in zijn leven zo weinig mensen vertrouwd: Marie, Alex Conklin, Mo Panov, Martin, Soraya. Hij zag alle dingen die hem hadden verhinderd verder te gaan met zijn leven. Met zo weinig verleden was het moeilijk om de mensen los te laten die hij had gekend en om wie hij had gegeven.

Er ging een steek van verdriet door hem heen. 'Marie is dood. Ze is nu in het verleden. En mijn kinderen zijn veel beter af bij hun opa en oma. Ze leiden een stabiel en gelukkig leven. Dat is het beste voor hen.'

Hij stond op. Hij moest in beweging komen.

Moira merkte dat hij zich niet op zijn gemak voelde en veranderde van onderwerp. 'Weet je hoe lang je in Moskou blijft?'

'Ongeveer even lang als jij in München, denk ik.'

Nu glimlachte ze. Ze stond op en boog zich naar hem toe. 'Het ga je goed, Jason. Wees voorzichtig.' Ze gaf hem een lange, liefhebbende kus. 'Denk aan mij.'

16

Soraya Moore werd hartelijk naar het stemmige heiligdom van de Bibliotheek gebracht, waar Luther LaValle en generaal Kendall nog geen vierentwintig uur eerder bij de haard hadden zitten praten. Kendall zelf had haar opgepikt en naar het geheime NSA-huis diep in Virginia gebracht. Soraya was daar natuurlijk nooit eerder geweest.

LaValle droeg een donkerblauw krijtstreeppak, een blauw overhemd met witte boord en witte manchetten en een gestreepte das in de Yale-kleuren. Daarmee zag hij eruit als een bankier. Hij stond op toen Kendall haar naar het zitje bij het raam bracht. Daar stonden drie stoelen om de antieke kaarttafel heen.

'Directeur Moore, ik heb zoveel over u gehoord. Het is me een groot genoegen u te ontmoeten.' Met een brede glimlach wees LaValle een stoel aan. 'Alstublieft.'

Soraya vond dat ze de uitnodiging maar moest aannemen. Ze was geschrokken en tegelijk ook nieuwsgierig geworden toen ze zo plotseling werd ontboden en keek nu nieuwsgierig om zich heen. 'Waar is minister Halliday? Generaal Kendall zei dat de uitnodiging van hem was gekomen.'

'Dat is zo,' zei LaValle. 'Helaas werd de minister van Defensie naar een bespreking met de president geroepen. Hij belde me om zich bij u te verontschuldigen en erop aan te dringen dat we zonder hem zouden doorgaan.'

Dat alles betekende, wist Soraya, dat Halliday nooit van plan was geweest bij dit onderonsje aanwezig te zijn. Ze betwijfelde of hij er zelfs iets van wist.

'Hoe dan ook,' zei LaValle toen Kendall in de derde stoel was gaan zitten, 'nu u hier bent, moet u zich maar zo goed mogelijk vermaken.' Hij stak zijn hand op en Willard verscheen alsof het goochelarij was. 'Iets drinken, directeur? Ik weet dat u als moslim geen alcohol mag drinken, maar we hebben een compleet assortiment dranken waaruit u kunt kiezen.'

'Thee graag,' zei ze rechtstreeks tegen Willard. 'Ceylon, als u dat hebt.'

'Natuurlijk, mevrouw. Melk? Suiker?'

'Geen van beide. Dank u.' Ze had die Britse gewoonte nooit overgenomen.

Willard maakte een lichte buiging en verdween geluidloos.

Soraya richtte haar aandacht weer op de twee mannen. 'Wel, heren, waarmee kan ik u helpen?'

'Ik denk eerder dat het andersom is,' zei generaal Kendall.

Soraya hield haar hoofd schuin. 'Hoe bedoelt u dat?'

'Eerlijk gezegd denken wij, vanwege al het tumult in de CIA,' zei LaValle, 'dat Typhon moet opereren met een op de rug gebonden hand.'

Willard kwam terug met thee voor Soraya en whisky voor de mannen. Hij zette het verlakte dienblad met het kopje, de glazen en het theepotje neer en ging weg.

LaValle wachtte tot Soraya haar thee had ingeschonken en ging toen verder. 'Ik denk dat het Typhon enorm ten goede zou komen om gebruik te kunnen maken van alle middelen die de NSA ter beschikking staan. We zouden u zelfs kunnen helpen uw operaties buiten het bereik van de CIA uit te breiden.'

Soraya bracht het kopje naar haar lippen en vond de geurige ceylonthee bijzonder verfijnd. 'Blijkbaar weet u meer over Typhon dan wij bij de CIA.'

LaValle liet een zacht lachje horen. 'Oké, laten we er niet meer omheen draaien. We hebben een informant binnen de CIA gehad. U weet nu wie dat was. Hij beging een fatale fout toen hij achter Jason Bourne aan ging en het op een mislukking uitliep.'

Veronica Hart had Rob Batt die ochtend ontslagen. Dat zou vast wel al onder LaValles aandacht zijn gekomen, vooral omdat Batts opvolger, Peter Marks, van het begin af een van Harts meest uitgesproken pleitbezorgers was geweest. Soraya kende Peter goed en had tegen Hart gezegd dat hij die promotie verdiende.

'Werkt Batt nu voor de NSA?'

'De heer Batt heeft zijn nut gehad,' zei Kendall nogal stijfjes.

Soraya keek de militair aan. 'Een glimp van uw eigen lot, generaal?'

Kendalls gezicht sloot zich als een vuist, maar na een bijna onmerkbaar hoofdschudden van LaValle slikte hij een vinnige repliek in.

'Uiteraard kan het leven in de inlichtingendiensten hard, ja zelfs wreed zijn,' onderbrak LaValle hen, 'maar bepaalde personen in die wereld zijn – laten we zeggen – ingeënt tegen zulke onfortuinlijke gebeurtenissen.'

Soraya bleef Kendall aankijken. 'Ik neem aan dat ik een van die personen zou kunnen zijn.'

'Ja, absoluut.' LaValle legde zijn ene hand op zijn andere hand, die op zijn knie lag. 'U kent de moslimgebruiken. U weet hoe moslims denken. U was de rechterhand van Martin Lindros toen hij Typhon opzette. Dat alles maakt u van onschatbare waarde.'

'U weet hoe het is, generaal,' zei Soraya. 'Op een dag zal iemand als ik, iemand van onschatbare waarde, uw baan overnemen.'

LaValle schraapte zijn keel. 'Wil dat zeggen dat u aan boord komt?'

Met een poeslief glimlachje zette Soraya haar theekopje neer. 'Dit moet ik u nageven, meneer LaValle: u weet heel goed hoe u limonade van citroenen moet maken.'

LaValle beantwoordde haar glimlach alsof ze aan het tennissen waren en zij geserveerd had. 'Mijn beste directeur, ik geloof echt dat u een van mijn specialiteiten hebt ontdekt.'

'Waarom denkt u dat ik de CIA zou verlaten?'

LaValle legde zijn wijsvinger naast zijn neus. 'Zoals ik u inschat, bent u pragmatisch ingesteld. U weet nog beter dan wij wat een puinhoop het bij de CIA is. Hoe lang denkt u dat de nieuwe CIA-directeur erover doet om het schip weer recht te trekken? Waarom denkt u zelfs dat ze dat kan?' Hij stak zijn vinger op. 'Ik ben buitengewoon geïnteresseerd in uw mening, maar bedenkt u eerst eens hoe weinig tijd we misschien hebben voordat die onbekende terroristengroep toeslaat.'

Soraya had een gevoel alsof hij haar een nekslag had toegediend. Hoe ter wereld had de NSA lucht gekregen van de communicatie die Typhon had onderschept? Maar op dit moment deed dat er niet toe. Het was nu allereerst zaak iets aan deze inbreuk op de geheimhouding te doen.

Voordat ze iets terug kon zeggen, zei LaValle: 'Ik ben wel nieuwsgierig naar één ding. Waarom vond directeur Hart het nodig deze info voor zich te houden en niet aan Binnenlandse Veiligheid, de FBI en de NSA door te geven?'

'Dat is mijn werk.' *Ik heb a gezegd*, dacht Soraya, *laat ik nu ook maar b zeggen.* 'Tot aan het incident bij de Freer Gallery was de info zo vaag dat ik het niet nodig vond er andere inlichtingendiensten bij te betrekken. Dat zou het water alleen maar troebeler maken.'

'U bedoelt,' zei Kendall, blij met de kans om een steek onder water te geven, 'dat u niet wilt dat wij in uw moestuin gaan wroeten.'

'Dit is een ernstige situatie, directeur,' zei LaValle. 'Als het om de nationale veiligheid gaat...'

'Als deze islamitische terroristengroep – die zich, zoals we nu weten, het Zwarte Legioen noemt – er lucht van krijgt dat we hun communicatie hebben onderschept, hebben we al verloren voordat we zelfs maar kunnen proberen hun aanslag te verhinderen.'

'Ik kan ervoor zorgen dat u wordt ontslagen.'

'En mijn waardevolle expertise verliezen?' Soraya schudde haar hoofd. 'Dat denk ik niet.'

'Nou, hoe staat het ervoor?' snauwde Kendall.

'Het is een patstelling.' LaValle streek over zijn voorhoofd. 'Zou ik de onderscheppingen van Typhon mogen inzien?' Zijn toon was helemaal veranderd. Hij sprak nu verzoenend. 'Of u het nu wilt geloven of niet, wij zijn niet het Rijk van het Kwaad. Misschien kunnen we zelfs helpen.'

Soraya dacht na. 'Dat kan wel geregeld worden.'

'Uitstekend.'

'Maar dan alleen inzien, en alleen u.'

LaValle ging meteen akkoord.

'En in een beheerste, streng beveiligde omgeving,' voegde Soraya eraan toe. Ze was in het voordeel en daar maakte ze gebruik van. 'Het Typhon-kantoor bij de CIA zou ideaal zijn.'

LaValle spreidde zijn handen. 'Waarom niet hier?'

Soraya glimlachte. 'Beter van niet.'

'Ik denk dat u zich, gezien het huidige klimaat, wel kunt voorstellen waarom ik er weinig voor voel u daar te ontmoeten.'

'Ik begrijp wat u bedoelt.' Soraya dacht even na. 'Als ik de onderscheppingen hierheen bracht, zou ik iemand bij me moeten hebben.'

LaValle knikte energiek. 'Natuurlijk. Zoals u wilt.' Hij maakte een veel tevredener indruk dan Kendall, die naar haar keek alsof hij haar vanuit een loopgraaf op het slagveld in het vizier had gekregen.

'Eerlijk gezegd,' zei Soraya, 'voel ik me hier helemaal niet op mijn gemak.' Ze keek weer in de kamer om zich heen.

'Er wordt hier drie keer per dag naar elektronische afluisterapparatuur gezocht,' merkte LaValle op. 'Daar komt nog bij dat we hier de meest verfijnde surveillancesystemen hebben, in feite een ge-computeriseerd monitorsysteem met tweeduizend bewakingscame-ra's in het gebouw en op het terrein eromheen. Het systeem verge-lijkt de beelden van seconde tot seconde en zoekt naar alle mogelijke afwijkingen. De DARPA-software haalt eventuele afwijkingen door een database van meer dan een miljoen beelden en neemt realtime-beslissingen in nanoseconden. Een vliegende vogel wordt bijvoor-beeld genegeerd, maar een rennende persoon niet. Gelooft u me: u hoeft zich nergens zorgen over te maken.'

'Op dit moment maak ik me zorgen over maar één ding,' zei Soraya, 'en dat bent u, meneer LaValle.'

'Dat begrijp ik volkomen.' LaValle dronk het whiskyglas leeg. 'Daar gaat het nu juist om, directeur. We moeten onderling ver-trouwen opbouwen. Hoe zouden we anders met elkaar kunnen sa-menwerken?'

Generaal Kendall stuurde Soraya met een van zijn chauffeurs naar Washington terug. Ze liet zich afzetten op de plaats waar ze zich door Kendall had laten oppikken, buiten het gebouw aan E Street, SW, dat ooit het National Historical Wax Museum was geweest. Ze wachtte tot de zwarte Ford door het verkeer was opgeslokt, draai-de zich toen om en liep in een normaal tempo het hele blok om. Toen ze terug was op het beginpunt, was ze er zeker van dat ze niet werd gevolgd, niet door de NSA en niet door iemand anders. Op dat moment verstuurde ze een sms'je van drie letters. Twee minuten la-ter verscheen er een jongeman op een motor. Hij droeg een spij-kerbroek, een zwart leren jasje en een glimmende zwarte helm waar-van hij het rookglazen vizier had laten zakken. Hij ging langzamer rijden en stopte juist lang genoeg om haar de gelegenheid te geven bij hem achterop te stappen. Nadat hij haar een helm had gegeven, wachtte hij tot ze die had opgezet, en daarna reed hij met grote snel-heid het verkeer in.

'Ik ken wel een paar mensen bij DARPA,' zei Deron. DARPA was een afkorting van Defense Advanced Research Projects Agency, een on-derdeel van het ministerie van Defensie. 'Ik weet wel iets van de software van het surveillancesysteem van de NSA.' Hij haalde zijn schouders op. 'Het hoort bij mijn werk dat ik zulke dingen bijhoud.'

'We moeten een manier vinden om het systeem te omzeilen,' zei Tyrone.

Hij had zijn zwarte leren jasje nog aan. Zijn zwarte helm lag op een tafel naast de helm die hij Soraya had gegeven voor de snelle rit naar Derons huislaboratorium. Soraya had Deron en Tyrone ontmoet toen Bourne haar een keer naar dit onopvallende olijfbruine huis in een zijstraat van 7th Street, NE, had meegebracht.

'Je maakt een grapje, hè?' Deron, een lange, slanke, knappe man met een lichte cacaobruine huid, keek van de een naar de ander. 'Zeg dat jullie een grapje maken.'

'Als we grappen maakten, zouden we hier niet zijn.' Soraya wreef met de muis van haar hand over haar slaap. Ze deed haar best om de felle hoofdpijn te negeren die na haar angstaanjagende gesprek met LaValle en Kendall was komen opzetten.

'Het is gewoon niet mogelijk.' Deron zette zijn handen in zijn zij. 'Die software is het nieuwste van het nieuwste. En tweeduizend bewakingscamera's! Allemachtig.'

Ze zaten op stoelen van canvas in zijn lab, een dubbelhoge kamer met allerlei monitoren, toetsenborden en elektronische systemen waarvan alleen Deron wist wat ze konden doen. Aan de muur hingen schilderijen – allemaal meesterwerken van Titiaan, Seurat, Rembrandt en Van Gogh. *Waterlelies, groene weerspiegeling, linkerhelft* was Soraya's favoriet. De eerste keer dat ze hier kwam was ze stomverbaasd geweest toen ze hoorde dat Deron al die werken zelf in het atelier naast het lab had geschilderd. Nu was ze alleen nog verwonderd. Het ging haar begrip te boven hoe hij Monets nuance van kobaltblauw exact had gereproduceerd. Het was te begrijpen dat Bourne al zijn papieren door Deron liet vervalsen, iets wat in deze tijd steeds moeilijker werd. Veel vervalsers waren ermee opgehouden omdat de overheden hun werk onmogelijk zouden hebben gemaakt, maar Deron was doorgegaan. Het was zijn vak. Geen wonder dat Bourne en hij zo'n nauwe band met elkaar hadden. Van hetzelfde laken een pak, dacht Soraya.

'En spiegels?' vroeg Tyrone.

'Dat zou het eenvoudigste zijn,' zei Deron. 'Maar dat is nou juist de reden waarom ze zoveel camera's hebben geïnstalleerd. Op die manier krijgt het systeem veel verschillende beelden van dezelfde plaats. Alleen al daarom zijn spiegels niet te gebruiken.'

'Jammer dat Bourne die klootzak van een Karim al-Jamil heeft gedood. Die had waarschijnlijk wel een worm kunnen schrijven om de DARPA-software te manipuleren, zoals hij ook met de CIA-database heeft gedaan.'

Soraya keek Deron aan. 'Is het te doen?' zei ze. 'Kun jij het doen?'

'Hacken is niet mijn vak. Dat laat ik aan mijn vriendin over.'

Soraya had niet geweten dat Deron een vriendin had. 'Hoe goed is ze?'

'Alsjeblieft!' Deron snoof.

'Kunnen we met haar praten?'

Deron keek aarzelend. 'We hebben het hier over de NSA. Die kerels zijn niet kinderachtig. Eerlijk gezegd vind ik dat je ze niet in de wielen moet rijden.'

'Jammer genoeg heb ik geen keus,' zei Soraya.

'Ze verneuken ons,' zei Tyrone, 'en als we er niet hard tegenaan gaan, lopen ze over ons heen en kunnen we nooit meer iets tegen ze beginnen.'

Deron schudde zijn hoofd. 'Je hebt deze man hier een paar interessante ideeën aangepraat, Soraya. Voordat jij kwam, was hij de beste bescherming op straat die ik ooit heb gehad. En moet je hem nu eens zien. Rotzooien met de grote jongens in de slechte wereld buiten het getto.' Hij verborg niet dat hij trots op Tyrone was, maar er zat ook een waarschuwende ondertoon in zijn stem. 'Ik hoop dat je weet waar je je mee inlaat, Tyrone. Als dit fout gaat, zit je in de federale bak tot aan de wederopstanding van de Heer.'

Tyrone sloeg zijn armen over elkaar en hield voet bij stuk.

Deron zuchtte. 'Goed dan. We zijn allemaal meerderjarig.' Hij pakte zijn mobieltje. 'Kiki is boven in haar kamer. Ze houdt er niet van om gestoord te worden, maar ik denk dat ze dit wel interessant zal vinden.' Hij sprak even in het mobieltje en stopte het weer weg. Even later verscheen er een slanke vrouw met een mooi Afrikaans gezicht en een donkere chocoladebruine huid. Ze was even lang als Deron en had de trotse houding van iemand uit een oud vorstenhuis.

Toen ze Tyrone zag, kwam er een woeste grijns op haar gezicht. 'Hé,' zeiden ze tegen elkaar. Meer woorden hadden ze blijkbaar niet nodig.

'Kiki, dit is Soraya,' zei Deron.

Kiki's glimlach was breed en oogverblindend. 'Eigenlijk heet ik Esiankiki. Ik ben een Masai. Maar in Amerika doe ik niet zo formeel. Iedereen noemt me Kiki.'

De twee vrouwen gaven elkaar een hand. Die van Kiki was koel en droog. Ze keek met haar grote koffiekleurige ogen naar Soraya. Ze had de gladste huid die Soraya ooit had gezien, en Soraya was er meteen jaloers op. Haar haar was erg kort en zorgvuldig geknipt: een kapje dat precies om haar lange schedel paste. Ze droeg een tot haar enkels reikende jurk die haar slanke heupen en kleine borsten uitdagend nauw omsloot.

Deron zette het probleem in het kort uiteen en ging intussen achter een van zijn terminals staan om de DARPA-software op te roepen. Terwijl Kiki daarnaar keek, vertelde hij haar waar het om ging. 'We hebben iets nodig wat de firewall kan omzeilen en wat niet traceerbaar is.'

'Het eerste is niet zo moeilijk.' Kiki's lange, delicate vingers vlogen over het toetsenbord. Ze experimenteerde met de computercode. 'Van het tweede ben ik niet zo zeker.'

'Jammer genoeg is dat nog niet alles.' Deron keek over haar schouder naar de terminal. 'Deze software stuurt tweeduizend bewakingscamera's aan. Onze vrienden hier moeten het complex in en uit zonder dat ze worden opgemerkt.'

Kiki stond op en draaide zich naar hen om. 'Met andere woorden: er moet iets aan alle tweeduizend camera's worden gedaan.'

'Dat klopt,' zei Soraya.

'Jij hebt geen hacker nodig, meid. Jij hebt de onzichtbare man nodig.'

'Maar jij kunt ze onzichtbaar maken, Kiki.' Deron legde zijn arm om haar slanke taille. 'Nietwaar?'

'Hmm.' Kiki keek weer naar de code op de terminal. 'Weet je, zo te zien zit er een terugkerende variantie in waar ik misschien gebruik van kan maken.' Ze ging op een kruk zitten. 'Ik ga dit naar boven overzetten.'

Deron knipoogde naar Soraya: *zei ik het niet?*

Kiki stuurde een aantal bestanden naar haar computer, die los stond van die van Deron. Ze draaide zich snel om, sloeg op haar dijen en stond op. 'Oké dan. Ik zie jullie later wel.'

'Hoeveel later?' zei Soraya, maar Kiki nam de trap al met drie treden tegelijk.

Toen Bourne op het vliegveld Sjeremetjevo uit het Aeroflot-toestel stapte, was Moskou gehuld in sneeuw. Zijn vlucht had een vertraging van veertig minuten opgelopen doordat ze hadden moeten rondcirkelen terwijl de landingsbaan ijsvrij werd gemaakt. Hij passeerde de douane en de immigratiedienst en werd opgewacht door een kleine, katachtige man in een witte donsjas. Lev Baronov, de contactpersoon van professor Specter.

'Geen bagage, zie ik,' zei Baronov. Hij sprak Engels met een zwaar accent en was zo pezig en hyperactief als een jack russell. Met zijn

ellebogen en blaffende stem baande hij zich een weg door het le-
gertje haveloze taxichauffeurs dat om een vrachtje wedijverde. Het
was een zielig stel, afkomstig uit de minderheden op de Kaukasus:
Aziaten en mensen die alleen al vanwege hun etnische achtergrond
nooit een fatsoenlijke baan met een fatsoenlijk loon in Moskou zouden kunnen krijgen. 'Daar zorgen we op weg naar de stad wel voor.
Je hebt goede kleren nodig voor de winter in Moskou. Vandaag is
het een milde dag. Niet meer dan twee graden onder nul.'

'Dat zou me erg helpen,' zei Bourne in perfect Russisch.

Baronov trok verrast zijn borstelige wenkbrauwen op. 'Je spreekt
de taal als een Rus, *gospadin* Bourne.'

'Ik heb heel goede leraren gehad,' zei Bourne laconiek.

In de drukte van de terminal keek hij aandachtig naar de stroom
passagiers. Hij lette op degenen die bij een kiosk of de taxfreeshop
bleven staan, degenen die niet doorliepen. Al vanaf het moment dat
hij in de terminal was aangekomen had hij het hardnekkige gevoel
dat hij werd gadegeslagen. Natuurlijk waren er overal bewakingscamera's, maar hij had dat typische prikkende gevoel in zijn hoofdhuid, een gevoel dat hij had ontwikkeld in de jaren dat hij in het
veld opereerde en dat hem nooit in de steek liet. Iemand schaduwde hem. Dat was tegelijk alarmerend en geruststellend. Het feit dat
hij nu al werd geschaduwd, betekende dat iemand had geweten dat
hij naar Moskou zou gaan. De NSA kon in New York in de passa-
gierslijsten van vertrekkende vliegtuigen hebben gekeken en zijn
naam hebben gevonden bij Lufthansa; hij had geen tijd gehad om
zichzelf van die lijst te laten verwijderen. Hij deed of hij alleen vluchtige toeristische blikken om zich heen wierp, want hij wilde degene
die hem schaduwde niet laten weten dat hij hem had opgemerkt.

'Ik word gevolgd,' zei Bourne toen hij in Baronovs piepende Zil
zat. Ze reden over de M10.

'Geen probleem,' zei Baronov, alsof hij het gewend was om gevolgd te worden. Hij vroeg niet eens wie Bourne volgde. Bourne
dacht aan de belofte van de professor dat Baronov hem niet voor
de voeten zou lopen.

Bourne keek in het pakje dat Baronov hem had gegeven. Hij zag
een nieuw identiteitsbewijs, een sleutel en een nummer om geld uit
een safeloket bij de Moskva Bank te kunnen halen.

'Ik heb een plattegrond van de bank nodig,' zei Bourne.

'Geen probleem.' Baronov verliet de M10. Bourne was nu Fjodor
Ilianovitsj Popov, een niet al te hoge functionaris van GazProm, het
gigantische energieconcern dat eigendom was van de staat.

'Hoe goed is dit identiteitsbewijs?' vroeg Bourne.

'Maak je geen zorgen.' Baronov grijnsde. 'De professor heeft vrienden bij GazProm die weten hoe ze je moeten beschermen, Fjodor Ilianovitsj Popov.'

Anthony Prowess had een lange reis gemaakt om de oude Zil te kunnen volgen en hij was niet van plan hem uit het oog te verliezen, al deed de bestuurder nog zo zijn best om hem af te schudden. Hij had op het vliegveld Sjeremetjevo gewacht tot Bourne was aangekomen. Generaal Kendall had een recente surveillancefoto van Bourne naar zijn mobiele telefoon gestuurd. De foto was korrelig en tweedimensionaal, want hij was met een lange telelens gemaakt, maar het was een close-up en Prowess had Bourne meteen herkend.

Voor Prowess waren de volgende minuten van cruciaal belang. Hij had niet de illusie dat hij langere tijd voor Bourne verborgen kon blijven. Daarom moest hij, in de weinige tijd waarin Bourne nog niets in de gaten had, al diens tics en gewoonten in zich opnemen, hoe minuscuul en schijnbaar irrelevant ze ook waren. Hij wist uit bittere ervaring dat al die weetjes van onschatbare waarde zouden zijn als hij Bourne langer moest schaduwen, en helemaal wanneer het tijd werd om de confrontatie met Bourne aan te gaan en hem te elimineren.

Prowess was geen vreemde in Moskou. Hij was hier geboren als zoon van een Britse diplomaat en diens vrouw, die cultureel attaché was. Pas toen Prowess vijftien was, begreep hij dat de baan van zijn moeder een dekmantel was. In werkelijkheid was ze een spionne en behoorde ze tot MI6, de Britse geheime dienst. Vier jaar later werd Prowess' moeder ontmaskerd en smokkelde MI6 hen het land uit. Omdat zijn moeder nu voortvluchtig was, werden de leden van de familie Prowess naar Amerika gestuurd, waar ze een nieuw leven met een nieuwe achternaam begonnen. Het gevaar was er zo diep bij Prowess ingehamerd dat hij zelfs vergeten was hoe ze vroeger heetten. Tegenwoordig was hij gewoon Anthony Prowess.

Zodra hij voldoende academische graden had behaald, had hij bij de NSA gesolliciteerd. Dat had hij al willen doen vanaf het moment dat hij had ontdekt dat zijn moeder een spionne was. De smeekbeden van zijn ouders om het niet te doen mochten niet baten. Omdat hij zo goed in vreemde talen was en zoveel kennis van andere culturen had, stuurde de NSA hem naar het buitenland, eerst naar de Hoorn van Afrika om ervaring op te doen, en toen naar Afghanistan, waar hij contact legde met de stammen die in de ruige ber-

gen tegen de Taliban vochten. Hij was een harde man die ontbe-
ringen had gekend en ook de dood onder ogen had gezien. Hij kende meer manieren om iemand te doden dan dat er dagen in het jaar
waren. Vergeleken met wat hij in de afgelopen negentien maanden
had doorgemaakt was deze missie een fluitje van een cent.

17

Bourne en Baronov reden met grote snelheid over de Volokamsko-
je-autoweg. Crocus City was een enorm winkelcentrum in het hoogste marktsegment. Het was gebouwd in 2002 en bevatte een enorm
aantal luxueuze winkels, restaurants, autoshowrooms en marmeren
fonteinen. Het was ook een uitstekende plaats om een volger af te
schudden.

Terwijl Bourne geschikte kleren kocht, was Baronov druk aan het
telefoneren. Het had geen zin om de volger in het labyrint van het
winkelcentrum kwijt te raken om hem weer achter je aan te krijgen
als je naar de Zil terugkeerde. Baronov belde een collega en vroeg
hem naar Crocus City te komen. Ze zouden zijn auto nemen en hij
zou met de Zil naar Moskou rijden.

Bourne betaalde voor zijn aankopen en trok ze aan. Baronov ging
met hem naar het Franck Muller Café in het winkelcentrum, waar
ze koffie en broodjes bestelden.

'Vertel me over Pjotrs laatste vriendin,' zei Bourne.

'Gala Nematova?' Baronov haalde zijn schouders op. 'Eigenlijk
valt er niet veel te vertellen. Ze is een van de vele mooie meisjes die
je in de nieuwste Moskouse nachtclubs ziet. Het zijn vrouwen van
dertien in een dozijn.'

'Waar kan ik haar vinden?'

Baronov haalde zijn schouders op. 'Ze gaat naar plaatsen waar
oligarchen komen. Dat kan overal zijn.' Hij lachte goedgehumeurd.
'Ik ben te oud voor zulke gelegenheden, maar ik wil je vanavond
best rondleiden.'

'Ik wil alleen dat je me een auto leent.'

'Zoals je wilt, *mija droog.*'

Even later ging Baronov naar de herentoiletten, waar hij de auto-
sleutels met zijn vriend zou uitwisselen. Toen hij terugkwam, gaf hij
Bourne een opgevouwen papier met de plattegrond van het gebouw
van de Moskva Bank.

Ze verlieten het winkelcentrum aan de andere kant en kwamen op een ander parkeerterrein. Ze stapten in een oude zwarte Volga vierdeurs sedan die tot Bournes opluchting meteen startte.

'Zie je wel? Geen probleem.' Baronov lachte joviaal. 'Wat zou je zonder mij moeten beginnen, *gospadin* Bourne?'

De Froenzenskajakade bevond zich ten zuidwesten van Moskous binnenste Tuinring. Michail Tarkanian had gezegd dat hij door het raam van zijn huiskamer de voetgangersbrug naar Gorki Park kon zien, en hij had niet gelogen. Zijn appartement bevond zich in een gebouw niet ver van Khlastekov, een restaurant waar je volgens Baronov uitstekend Russisch eten kon krijgen. Met zijn twee verdiepingen hoge zuilengang en decoratieve betonnen balkons was het gebouw zelf een prima voorbeeld van de stalinistische empirestijl, die een meer pastoraal en romantisch architecturaal verleden met grof geweld naar de achtergrond had gedrongen.

Bourne gaf Baronov opdracht in de Volga te blijven zitten tot hij terugkwam. Hij liep de stenen trap in de zuilengang op en passeerde de glazen deur. Nu stond hij in een kleine hal met aan het andere eind een binnendeur, die op slot zat. Op de rechterwand zat een koperen paneel met rijen bellen van appartementen. Bourne streek met zijn vinger over de rijen tot hij de knop met Tarkanians naam vond. Hij onthield het nummer van het appartement, liep naar de binnendeur en gebruikte een klein flexibel lemmet om het slot wijs te maken dat hij een sleutel had. De deur ging met een klik open, en hij stapte naar binnen.

Tegen de linkerwand bevond zich een kleine, krakende lift. Rechts leidde een nogal imposante trap naar de eerste verdieping. De eerste drie treden waren van marmer, maar ze maakten plaats voor eenvoudige betonnen treden die door het slijten van hun poreuze bovenlaag een soort talkpoeder lieten opstijgen.

Tarkanians appartement bevond zich op de derde verdieping. Het lag aan een donkere gang waar een muffe geur van gekookte kool en gestoofd vlees hing. De vloer bestond uit kleine zeshoekige tegeltjes, die net zo afgebrokkeld en versleten waren als de treden van de trap.

Het kostte Bourne geen moeite de deur te vinden. Hij legde zijn oor ertegenaan en luisterde of hij geluiden in het appartement hoorde. Toen hij niets hoorde, forceerde hij het slot. Hij draaide de glazen knop langzaam om en duwde de deur een klein eindje open. Een zwak licht viel naar binnen langs half dichtgetrokken gordijnen voor de ramen aan de rechterkant. De lucht rook naar leegstand, maar daaronder zat een mannelijke geur: eau de toilette of haarcrème. Tarkanian had gezegd dat hij hier in geen jaren was geweest; wie gebruikte het appartement dan wel?

Bourne sloop geluidloos, behoedzaam door de kamers. Waar hij stof verwachtte, lag geen stof. Waar hij verwachtte dat er lakens over de meubelen hingen, waren die er niet. Er lag eten in de koelkast, al was het brood op het aanrecht enigszins beschimmeld. Toch had hier nog geen week geleden iemand gewoond. De knoppen van alle deuren waren van glas, net als die van de voordeur, en sommige zaten niet goed meer aan hun koperen steel vast. Er hingen foto's aan de muren; stijlvolle zwart-witopnamen van Gorki Park in verschillende tijden van het jaar.

Tarkanians bed was niet opgemaakt. Het dekbed lag er slordig bij, alsof iemand uit zijn slaap was opgeschrikt of er snel vandoor was gegaan. Aan de andere kant van het bed stond de deur naar de badkamer halfopen.

Toen Bourne om het voeteneind van het bed heen stapte, zag hij een ingelijste foto van een jonge vrouw, blond en met het vernislaagje van schoonheid dat door modellen over de hele wereld wordt gecultiveerd. Hij vroeg zich af of dat Gala Nematova was, maar op dat moment zag hij vanuit zijn ooghoek een snelle beweging.

Een man die zich achter de badkamerdeur had verscholen vloog op Bourne af. Hij had een vissersmes met een breed lemmet waarmee hij naar Bourne stak. Bourne dook weg en de man kwam achter hem aan. Hij was blond en groot en had blauwe ogen. Er zaten tatoeages op zijn handpalmen en op de zijkanten van zijn hals. Souvenirs uit een Russische gevangenis.

Je kunt een mes het best onschadelijk maken door dicht naar je tegenstander toe te gaan. Toen de man op hem af vloog, draaide Bourne zich om. Hij greep de man bij zijn overhemd en beukte met zijn voorhoofd tegen de rug van diens neus. Het bloed spoot eruit en de man kreunde en vloekte in schor Russisch: '*Bljad!*'

Bourne blokkeerde de zenuw aan de onderkant van de duim van de man. Die stootte zijn vuist in Bournes zij en probeerde de hand met het mes vrij te trekken. Hij stompte Bourne midden in zijn borst en kreeg hem daarmee van het bed weg en tegen de halfopen badkamerdeur aan. De glazen knop boorde zich in Bournes wervelkolom, zodat hij zijn rug welfde. De deur zwaaide helemaal open en Bourne viel languit op de koude tegels. De Rus, die zijn hand weer kon gebruiken, trok een Stechkin aps 9mm. Bourne schopte hem tegen zijn scheen, zodat hij op één knie zakte, en sloeg hem toen tegen de zijkant van zijn gezicht. De Stechkin vloog over de tegels. De Rus deelde een snelle serie stompen en karateslagen uit, waardoor Bourne weer tegen de deur werd gedreven, waarna de man de Stechkin opnieuw te pakken kreeg. Bourne reikte omhoog en voelde de koele achthoek van de glazen deurknop. Grijnzend richtte de Rus het pistool op Bournes hart. Bourne rukte de knop los en gooide hem tegen het midden van het voorhoofd van de Rus. Het was een voltreffer. De ogen van de man rolden omhoog en hij zakte op de vloer.

Bourne pakte de Stechkin op en nam even de tijd om op adem te komen. Toen kroop hij naar de Rus toe. Natuurlijk had de man geen officieel identiteitsbewijs bij zich, maar daarom kon Bourne misschien nog wel ontdekken waar hij vandaan kwam.

Bourne trok het jasje en overhemd van de grote man uit en keek een hele tijd naar de tatoeages. Op zijn borst zat een tijger, een teken dat hij een gangster was. Op zijn linkerschouder zat een dolk met druipend bloed, een teken dat hij een moordenaar was. Maar het derde symbool, een geest die uit een oosterse lamp kwam, interesseerde Bourne het meest. Het wees erop dat de Rus in de gevangenis had gezeten vanwege een drugsdelict.

De professor had Bourne verteld dat twee van de Russische maffiafamilies, de Kazanskaja en de Azeri, met elkaar wedijverden om de hegemonie over de drugsmarkt. *Je moet ze niet dwarszitten*, had Specter gewaarschuwd. *Als je met ze in contact komt, ga dan de confrontatie niet aan. Keer ze in plaats daarvan de andere wang toe. Dat is de enige manier om daar in leven te blijven.*

Bourne wilde net opstaan toen hij iets op de binnenkant van de linkerelleboog zag: een kleine tatoeage van een figuur met het lichaam van een man en de kop van een jakhals. Anubis, de Egyptische god van de onderwereld. Dit symbool had tot doel de drager tegen de dood te beschermen, maar de laatste tijd had de Kazanskaja het zich toegeëigend. Wat deed een lid van zo'n machtige Russische *grupperovka*-familie in het appartement van Tarkanian? Hij had opdracht gekregen Tarkanian te vinden en te doden. Waarom? Dat moest Bourne uitzoeken.

Hij stond nog in de badkamer en keek naar de wastafel met zijn druppende kraan, de potten oogcrème en -poeder, de make-uppotloden, de vlekkerige spiegel. Hij trok het douchegordijn opzij en plukte blonde haren uit het putje. Het waren lange haren van een vrouw. Van Gala Nematova?

Hij ging naar de keuken, trok laden open en zocht erin tot hij een blauwe balpen had gevonden. In de badkamer terug, nam hij een van de eyelinerpotloden. Hij hurkte naast de Rus neer en tekende een kopie van de Anubis-tatoeage op zijn linkerelleboog; als hij een lijn verkeerd had, veegde hij hem weg. Toen hij tevreden was, gebruikte hij de blauwe balpen om de 'tatoeage' af te maken. Hij wist dat die niet tegen een grondig onderzoek bestand was, maar als hij hem vlug liet zien, kwam de tekening geloofwaardig genoeg over. Bij de wastafel spoelde hij de strepen van het make-uppotlood weg en spoot vervolgens haarspray over de inktcontouren om ze steviger aan zijn huid te laten hechten.

Hij keek achter en in het toiletreservoir, favoriete bergplaatsen voor geld, papieren of belangrijke materialen, maar vond niets. Hij wilde net weggaan toen zijn blik weer op de spiegel viel. Hij keek nog eens goed en zag een spoor van rood hier en daar. Lippenstift die zorgvuldig was weggeveegd, alsof iemand – misschien de Kazanskaja-Rus – iets had willen uitwissen. Waarom zou hij dat doen?

Bourne had de indruk dat de vegen een patroon vormden. Hij pakte een pot met gezichtspoeder en blies over de bovenkant. Het poeder op basis van olie zocht zijn gelijke en hechtte zich vast aan de schimmige vegen van de lippenstift, die ook olie bevatte.

Toen hij klaar was, zette hij de pot neer en ging een stap achteruit. Hij zag nu een boodschap die op de spiegel was geschreven:

Naar de Kitaiski Ljotsjik. Waar R U? Gala.

Dus Gala Nematova, Pjotrs laatste vriendin, woonde hier inderdaad. Had Pjotr dit appartement gebruikt toen Tarkanian er niet was?

Op weg naar buiten voelde hij de pols van de Rus. Die was traag maar regelmatig. Hij vroeg zich nu vooral af waarom de Kazanskaja deze keiharde moordenaar naar een appartement had gestuurd waar Gala Nematova eens met Pjotr had gewoond. Was er verband tussen Semion Ikoepov en de *grupperovka*-familie?

Nadat hij nog een lange blik op de foto van Gala Nematova had geworpen, glipte Bourne het appartement zo geruisloos uit als hij was binnengekomen. Op de gang luisterde hij of hij menselijke geluiden hoorde, maar afgezien van het gedempte huilen van een baby in een appartement op de tweede verdieping was alles stil. Hij ging de trap af en liep door de hal, waar een klein meisje de hand van haar moeder had vastgepakt en haar naar boven probeerde te trekken. Bourne en de moeder wisselden de glimlach zonder betekenis van vreemden die elkaar tegenkomen. Toen was Bourne buiten, en kwam hij onder de zuilengang vandaan. Afgezien van een oude vrouw die voorzichtig door de verraderlijke sneeuw liep was er niemand te zien. Hij ging vlug op de passagiersplaats van de Volga zitten en trok het portier achter zich dicht.

Op dat moment zag hij het bloed uit Baronovs keel komen. Op hetzelfde moment werd er een draad om zijn eigen hals geslagen. Die groef zich in zijn luchtpijp.

Vier keer per week ging Rodney Feir, hoofd veldondersteuning van de CIA, na zijn werk naar een sportschool niet ver van zijn huis in Fairfax, Virginia. Hij trainde een uur op de tredmolen, was een uur met gewichten bezig, nam dan een koude douche en ging naar de sauna.

Deze avond wachtte generaal Kendall op hem. Kendall zag vaag de glazen deur opengaan, en er kwam een vlaag koude lucht binnen terwijl slierten damp naar de herenkleedkamer ontsnapten. Toen dook Feirs slanke, atletische lichaam uit de nevel op.

'Goed je te zien, Rodney,' zei generaal Kendall.

Feir knikte zwijgend en ging naast Kendall zitten.

Rodney Feir was plan b, het reserveplan dat de generaal achter de hand had gehad voor het geval het plan met Rob Batt op niets uitliep. Eigenlijk had Feir zich nog gemakkelijker laten overhalen dan Batt. Feir was iemand die niet uit vaderlandsliefde in het inlichtingenwerk was terechtgekomen, en ook niet omdat hij van het clandestiene leven hield. Hij was gewoon lui. Niet dat hij zijn werk niet deed, niet dat hij het niet bijzonder goed deed, maar het ambtenarenbestaan paste bij hem tot en met zijn zwarte *wingtip*-schoenen. Wat Feir ook deed, hij deed het omdat hij er zelf voordeel van had; dat was de kern van zijn persoonlijkheid. Hij was een typische opportunist. Meer dan wie ook bij de CIA kon hij het teken aan de wand zien, en daarom was het ook zo gemakkelijk geweest hem tot de zaak van de NSA te bekeren. Nu de Oude Man dood was, was het einde der tijden nabij. Hij werd absoluut niet gehinderd door loyaliteit, zoals bij Batt wel het geval was geweest.

Toch moest je er nooit zonder meer van uitgaan dat je iemand voor je gewonnen had, en daarom ging Kendall nu en dan met hem praten. Ze namen een sauna, douchten daarna, trokken hun burgerkleding weer aan en gingen dineren in een van de derderangs barbecuerestaurants die Kendall in het zuidoosten van Washington kende.

Die restaurants waren weinig meer dan schuren. Ze werden beheerst door de barbecue achterin. Daar was de barbecueman urenlang bezig zijn stukken vlees – ribstukken, borststukken, zoete en hete worst, soms een heel varken – te roken. De oude, gehavende houten picknicktafels, met daarop vier of vijf sauzen, verschillend in smaak en pittigheid, stonden erbij alsof iemand er pas op het laatste moment aan had gedacht. De meeste mensen lieten hun vlees inpakken om het mee te nemen. Kendall en Feir niet. Ze gingen aan een tafel zitten en aten en dronken bier, terwijl de botjes een steeds hogere berg vormden naast de samengepropte servetten en de plakken wit brood die zo zacht waren dat ze uiteenvielen als er een paar druppels saus op kwamen.

Nu en dan hield Feir even op met eten om Kendall op de hoogte te stellen van een feit of gerucht dat de ronde deed door de CIA-burelen. Kendall nam die gegevens met zijn gedisciplineerde militaire geest in zich op en stelde soms vragen om Feir te helpen iets te verduidelijken, vooral wanneer het Veronica Hart en Soraya Moore betrof.

Na het eten reden ze voor het hoofdnummer naar een oude leegstaande bibliotheek. Het gebouw in renaissancestijl was voor een dumpprijs opgekocht door Drew Davis, een zakenman die bekendheid genoot in SE maar niet in de rest van Washington – precies zoals hij wilde. Hij was een van die mensen die slim genoeg waren om buiten de aandacht van de politie te blijven. Dat was niet zo eenvoudig in SE, want net als bijna iedereen die daar woonde was hij zwart. In tegenstelling tot de meeste mensen uit zijn omgeving had hij hooggeplaatste vrienden. Dat kwam vooral door zijn etablissement, The Glass Slipper.

In praktisch alle opzichten was het een legitieme muziekclub, en nog een uiterst succesvolle ook, waar veel bekende rhythm-and-bluesartiesten optraden. Maar achterin was de echte onderneming gevestigd: een duur bordeel dat zich specialiseerde in gekleurde vrouwen. Aan de ingewijden kon The Glass Slipper elke kleurnuance, in dit geval dus vrouwen van elk ras, leveren. De tarieven waren hoog, maar dat scheen niemand erg te vinden, vooral omdat Drew Davis zijn meisjes goed betaalde.

Kendall was al vanaf het laatste jaar van zijn studie een geregelde bezoeker van dit bordeel. Op een avond was hij er bij wijze van grap met een stel goede vrienden heen gegaan. Hij wilde niet, maar ze daagden hem uit, en hij wist hoe belachelijk ze hem zouden maken als hij de uitdaging niet zou aannemen. Ironisch genoeg bleef hij komen, want in de loop van de jaren ontwikkelde hij een voorliefde voor een tikkeltje wild, zoals hij het zelf noemde. Eerst zei hij tegen zichzelf dat de aantrekkingskracht zuiver fysiek was. Toen besefte hij dat hij daar graag kwam; niemand viel hem lastig, niemand dreef de spot met hem. Later was zijn belangstelling een reactie op zijn rol als buitenstaander ten opzichte van machtsfiguren als Luther LaValle. Jezus, zelfs de in ongenade geraakte Rob Batt was lid van Skull & Bones op Yale geweest. *Nou, The Glass Slipper is mijn Skull & Bones,* dacht Kendall terwijl hij naar de achterkamer werd geleid. Dit was even clandestien, even buitenissig als de dingen die in Washington gebeurden. Het was Kendalls eigen toevluchtsoord, een leven van hem alleen. Zelfs Luther wist niets van The Glass Slipper. Het was goed om iets geheim te houden voor LaValle.

Kendall en Feir zaten in purperen fluwelen stoelen – de kleur van koningen, zoals Kendall opmerkte – en werden getrakteerd op een parade van vrouwen van alle formaten en huidskleuren. Kendall koos Imani, een van zijn favorietes, Feir een donkere Eurazatische vrouw, die voor een deel Indiaas was.

Ze trokken zich terug in ruime kamers die waren ingericht als slaapkamers in Europese villa's, kamers met hemelbedden en onnoemelijk veel sits, fluweel, guirlandes en gordijnen. Daar keek Kendall toe terwijl Imani met verbijsterende heupwiegbewegingen haar chocoladebruine zijden jurk met spaghettibandjes van zich af liet glijden. Ze droeg er niets onder. Het lamplicht glansde op haar donkere huid.

Toen spreidde ze haar armen, en generaal Richard P. Kendall liet zich wegsmelten in de golvende rivier van haar volmaakte lichaam.

Zodra Bourne voelde dat zijn luchttoevoer werd afgesneden, kwam hij omhoog van de voorbank en welfde hij zijn rug om eerst zijn ene en toen zijn andere voet op het dashboard te kunnen zetten. Door zich met zijn benen af te zetten lanceerde hij zichzelf schuin naar de achterbank, zodat hij recht achter de onzalige Baronov terechtkwam. De vreemdeling zag zich gedwongen zich naar rechts te draaien om de draad om Bournes keel te houden. Dat was een onhandige positie voor hem. Het ontbrak hem nu aan de hefboomkracht die hij kon gebruiken toen hij Bourne recht voor zich had.

Bourne plantte de hak van zijn schoen in het kruis van de man en drukte zo hard als hij kon, maar zijn kracht was afgenomen door het gebrek aan zuurstof.

'Sterf, klootzak,' zei de man met een scherp accent uit het Midden-Westen van de Verenigde Staten.

In Bournes gezichtsveld dansten witte lichten, en overal om hem heen sijpelde een zwartheid omhoog. Het was of hij vanaf het verkeerde eind van een telescoop door een tunnel keek. Niets leek echt; zijn gevoel voor perspectief was uit het lood geraakt. Hij kon de man zien, zijn donkere haar, zijn wrede gezicht, de onmiskenbare blik op oneindig van de Amerikaanse soldaat in een gevechtssituatie. In zijn achterhoofd wist hij dat de NSA hem had gevonden.

Doordat Bourne zich even niet concentreerde, kon de man zich bevrijden en een ruk aan de einden van de draad geven, zodat die zich nog dieper in Bournes keel groef. Bournes luchtpijp zat nu helemaal dicht. Het bloed liep in zijn kraag doordat de draad door zijn huid heen ging. Vreemde dierlijke geluiden borrelden van diep in hem naar boven. Hij knipperde tranen en zweet weg en gebruikte zijn laatste beetje kracht om zijn duim in het oog van de agent te steken. De man sloeg hem nu op zijn borst, maar door de druk op het oog te handhaven verkreeg Bourne een tijdelijke verlichting: de draad werd slapper. Hij haalde schurend adem en stak zijn duim nog dieper in het oog.

De draad werd nog slapper. Hij hoorde het autoportier opengaan. Het gezicht van de wurger draaide van hem weg en het autoportier klapte dicht. Hij hoorde rennende voetstappen, die wegstierven. Tegen de tijd dat hij zich van de draad had verlost, en hoestend lucht in zijn brandende longen zoog, was de straat leeg. De NSA-agent was weg.

Bourne zat alleen met het lijk van Lev Baronov in de Volga, duizelig, zwak en hondsberoerd.

18

'Ik kan niet zomaar contact opnemen met Haydar,' zei Devra. 'Na wat er in Sebastopol is gebeurd zullen ze weten dat je achter hem aan gaat.'

'In dat geval,' zei Arkadin, 'is het document allang weg.'

'Dat hoeft niet.' Devra roerde in haar Turkse koffie, die zo dik als teer was. 'Ze kozen voor deze afgelegen plaats omdat die zo moeilijk toegankelijk is. Maar dat geldt voor beide partijen. De kans is groot dat Haydar het document nog niet heeft kunnen doorgeven.'

Ze zaten in een kleine stoffige cafetaria in Eskişehir. Zelfs voor Turkije was het een achterlijke plaats, met overal schapen, de geuren van naaldbomen, mest en urine, en niet veel anders. Een kille wind blies door de bergpas. Er lag sneeuw op de noordkanten van de gebouwen waaruit het dorp bestond, en als je mocht afgaan op de steeds lager hangende wolken, was er nog meer op komst.

'*Godvergeten* is nog een te mooi woord voor dit gat,' zei Arkadin. 'Allemachtig, er is hier niet eens een netwerk voor mobiele telefonie.'

'Het is grappig dat jij dat zegt.' Devra dronk haar koffie op. 'Jij bent toch ook in zo'n gat geboren?'

Arkadin voelde een bijna onbeheersbare aandrang om haar naar de achterkant van het gammele gebouw te sleuren en in elkaar te slaan, maar hij hield zich in bedwang en spaarde zijn woede op voor een andere dag, als hij op haar neer kon kijken alsof het over een afstand van honderd kilometer was, en in haar oor kon fluisteren: *Ik voel niets voor jou. Voor mij is jouw leven van geen enkele betekenis. Als je wilt hopen zelfs nog maar eventjes in leven te blijven, zul je nooit meer vragen waar ik geboren ben, wie mijn ouders waren, niets van ook maar enigszins persoonlijke aard.*

Het bleek dat Marlene naast haar andere talenten ook een volleerd hypnotiseur was. Ze zei tegen hem dat ze hem wilde hypnotiseren om door te dringen tot de wortel van zijn razernij.

'Ik heb gehoord dat er mensen zijn die niet gehypnotiseerd kunnen worden,' zei Arkadin. 'Klopt dat?'

'Ja,' zei Marlene.

Hij bleek een van die mensen te zijn.

'Je bent gewoon niet vatbaar voor suggestie,' zei ze. 'Je geest heeft een ondoordringbare muur opgetrokken.'

Ze zaten in de tuin achter de villa van Semion Ikoepov. Omdat het terrein zo steil was, was die tuin ongeveer zo groot als een postzegel. Ze zaten op een stenen bank in de schaduw van een vijgenboom, waarvan het donkere, binnenkort weelderige fruit de takken juist omlaag begon te trekken naar de rotsige grond.

'Nou,' zei Arkadin, 'wat gaan we doen?'

'De vraag is: wat ga jíj doen, Leonid?' Ze veegde een stukje blad van haar dij. Ze droeg een Amerikaanse designerspijkerbroek, een shirt met open hals en sandalen. 'We verdiepen ons in je verleden om je te helpen jezelf weer in de hand te krijgen.'

'Je bedoelt mijn moorddadige neigingen,' zei hij.

'Waarom wil je het op zo'n manier zeggen, Leonid?'

Hij keek diep in haar ogen. 'Omdat het de waarheid is.'

Marlenes ogen werden donker. 'Waarom wil je dan niet met me praten over de dingen waarvan ik denk dat ze je zullen helpen?'

'Je wilt alleen maar in mijn hoofd binnendringen. Je denkt dat je me kunt beheersen als je alles over me weet.'

'Daar vergis je je in. Het gaat er niet om dat ik je beheers, Leonid.'

Arkadin lachte. 'Waar gaat het dan wel om?'

'Waar het altijd al om ging: dat ik je help jezelf te beheersen.'

Een lichte wind plukte aan haar haar en ze streek het weer glad. Hij merkte zulke dingen op en kende er een psychologische betekenis aan toe. Marlene wilde alles precies goed hebben.

'Ik was een verdrietig klein jongetje. Toen was ik een woedend klein jongetje. Toen rende ik van huis weg. Zo, ben je nu tevreden?'

Marlene hield haar hoofd schuin om een beetje zonlicht op te vangen dat door het verwaaid gebladerte van de vijgenboom viel. 'Hoe ging je van verdrietig in woedend over?'

'Ik werd volwassen,' zei Arkadin.

'Je was nog een kind.'

'Alleen bij wijze van spreken.'

Hij keek haar even aan. Haar handen lagen gekruist op haar schoot. Ze bracht er een omhoog, streek met haar vingertoppen over zijn wang en volgde de lijn van zijn kaak tot ze bij zijn kin was aangekomen. Ze draaide zijn gezicht een beetje meer naar haar toe. Toen boog ze zich naar voren. Haar lippen raakten de zijne aan. Ze waren zacht en openden zich als een bloem. De aanraking van haar tong was als een explosie in zijn mond.

Arkadin bedwong de duistere draaikolk van zijn emotie en glimlachte innemend. 'Het doet er niet toe. Ik ga nooit terug.'

'Dat kan ik begrijpen.' Devra knikte en stond op. 'Laten we eens kijken of we een fatsoenlijk onderdak kunnen vinden. Ik weet niet hoe het met jou is, maar ik moet dringend douchen. En dan kijken we hoe we contact met Haydar kunnen opnemen zonder dat iemand het weet.'

Toen ze zich omdraaide, pakte hij haar elleboog vast.

'Wacht even.'

Ze keek hem vragend aan en wachtte tot hij verderging.

'Als je niet mijn vijand bent, als je niet tegen me hebt gelogen, als je bij me wilt blijven, moet je je trouw bewijzen.'

'Ik zei al dat ik alles zou doen wat je van me vroeg.'

'Dat zou kunnen betekenen dat je de mensen moet vermoorden die Haydar bewaken.'

Ze knipperde niet eens met haar ogen. 'Geef me het pistool maar.'

Veronica Hart woonde in een appartementencomplex in Langley, Virginia. Zoals veel andere complexen in dit deel van de wereld fungeerde het als tijdelijk onderkomen voor de duizenden federale ambtenaren, onder wie allerlei soorten spionnen, die vaak voor een missie naar het buitenland of naar andere delen van het land werden gestuurd.

Hart woonde nu iets meer dan twee jaar in dit appartement. Niet dat het iets voor haar betekende; sinds ze zeven jaar geleden naar Washington was gekomen, had ze alleen maar tijdelijke woonruimte gehad. Inmiddels twijfelde ze eraan of ze ooit nog echt ergens kon aarden. Tenminste, dat dacht ze toen ze op de knop drukte om Soraya Moore in de benedenhal toe te laten. Even later werd er discreet op de deur geklopt en liet ze de andere vrouw binnen.

'Ik word niet gevolgd,' zei Soraya terwijl ze haar jas uitdeed. 'Daar heb ik me van vergewist.'

Hart hing haar jas in de halkast en leidde haar naar de keuken.

'Voor het ontbijt heb ik koude pap of...' Ze maakte de koelkast open. '... of koud Chinees eten. De restjes van gisteravond.'

'Ik houd toch niet van een conventioneel ontbijt,' zei Soraya.

'Goed. Ik ook niet.'

Hart pakte een stel kartonnen bakjes en zei tegen Soraya waar ze borden, opscheplepels en eetstokjes kon vinden. Ze gingen naar de huiskamer en zetten alles op een glazen salontafel tussen tegenover elkaar staande banken.

Hart maakte de doosjes open. 'Geen varkensvlees, hè?'

Soraya glimlachte, blij dat haar baas zich herinnerde dat ze moslim was. 'Dank je.'

Hart ging naar de keuken terug en zette water op voor thee. 'Ik heb earl grey en *oolong*.'

'Voor mij graag oolong.'

Toen Hart klaar was met theezetten, kwam ze met de pot en twee kopjes zonder oor naar de huiskamer terug. De twee vrouwen gingen in kleermakerszit aan weerskanten van de tafel op het kleed met abstract patroon zitten. Soraya keek om zich heen. Er hingen weinig verrassende platen aan de muur, het soort platen dat je in een hotelketen uit de middenklasse zou verwachten. Het meubilair zag er gehuurd uit, even onopvallend als al het andere. Ze zag geen foto's, niets wat haar iets over Harts achtergrond of familie kon vertellen. Het enige ongewone dat ze zag was een piano.

'Mijn enige echte bezit,' zei Hart, die Soraya zag kijken. 'Het is een Steinway K-52, beter bekend als een Chippendale Hamburg. Hij heeft een groter klankbord dan veel vleugels; dus er zit een enorm geluid in.'

'Speel je?'

Hart liep naar de piano, liet zich op de kruk zakken en begon aan de 'Nocturne' in bes klein, om vervolgens vloeiend over te gaan in het sensuele 'Malagueña' van Isaac Albéniz en ten slotte in een wilde transpositie van 'Purple Haze' van Jimi Hendrix.

Soraya lachte en applaudisseerde toen Hart opstond en weer tegenover haar kwam zitten.

'Absoluut mijn enige talent naast inlichtingenwerk.' Hart maakte een van de dozen open en schepte een kipgerecht op. 'Voorzichtig,' zei ze toen ze het aan Soraya gaf. 'Ik heb gevraagd het extra heet te maken.'

'Daar zit ik niet mee,' zei Soraya, en ze groef diep in de doos. 'Ik heb altijd piano willen spelen.'

'Nou, eigenlijk wilde ik elektrische gitaar spelen.' Hart likte oestersaus van haar vinger en gaf een ander bakje door. 'Mijn vader wilde daar niets van horen. Volgens hem was de elektrische gitaar geen instrument voor een "dame".'

'Streng, hè?' zei Soraya met medegevoel.

'Reken maar. Hij was kolonel bij de luchtmacht. In zijn glorietijd was hij gevechtsvlieger geweest. Het zat hem dwars dat hij te oud was om te vliegen. Hij miste de naar olie stinkende cockpit. Bij wie in de luchtmacht kon hij zich beklagen? En dus reageerde hij zijn frustraties af op mijn moeder en mij.'

Soraya knikte. 'Mijn vader is een moslim van de oude stempel. Erg streng, erg rigide. Zoals veel mensen van zijn generatie begrijpt hij de moderne wereld niet meer, en dat maakt hem kwaad. Ik had thuis het gevoel dat ik gevangenzat. Toen ik wegging, zei hij dat hij me nooit zou vergeven.'

'En heeft hij dat nooit gedaan?'

Er kwam een wazige blik in haar ogen. 'Ik zie mijn moeder eens per maand. Dan gaan we samen winkelen. Nu en dan spreek ik mijn vader. Hij heeft me nooit thuis uitgenodigd; ik ben nooit meer gegaan.'

Hart legde haar stokjes neer. 'Wat erg.'

'Valt wel mee. Het is zoals het is. Zie jij je vader nog wel eens?'

'Ja, maar hij weet niet meer wie ik ben. Mijn moeder is inmiddels overleden, en dat is een zegen. Ik denk niet dat ze ertegen had gekund hem zo te zien.'

'Het moet moeilijk voor je zijn,' zei Soraya. 'De onverzettelijke gevechtsvlieger, teruggebracht tot zoiets.'

'Er is een moment in je leven waarop je je ouders moet loslaten.' Hart ging verder met eten, zij het langzamer. 'Degene die in dat bed ligt, is niet mijn vader. Die is lang geleden gestorven.'

Soraya keek even naar haar eten. Toen zei ze: 'Vertel me hoe je van dat geheime huis van de NSA wist.'

'O, dat.' Harts gezicht klaarde op. Ze was duidelijk blij dat ze over het werk kon praten. 'Toen ik bij Black River werkte, werden we vaak ingehuurd door de NSA. Dat was voordat ze hun eigen clandestiene eenheden trainden en inzetten. Wij waren geschikt voor ze, want ze hoefden nooit iemand te vertellen waarvoor ze ons hadden ingehuurd. Het was allemaal "veldwerk": het slagveld voorbereiden voor onze troepen. Niemand op Capitol Hill vond het nodig om verder te kijken.'

Ze veegde haar mond af en leunde achterover. 'Hoe dan ook, na een bepaalde missie trok ik het korte strootje. Ik moest namens mijn eenheid verslag uitbrengen aan de NSA. Omdat het een clandestiene missie was, vond de debriefing plaats in het geheime huis in Virginia. Niet in de mooie bibliotheek waar ze jou hebben ontvangen, maar in een van de hokjes in het souterrain: raamloos, leeg, niets dan gruizig gewapend beton. Het is daar beneden net een bunker in oorlogstijd.'

'En wat zag je daar?'

'Het gaat niet om wat ik zag,' zei Hart, 'maar om wat ik hoorde. De kamertjes zijn geluiddicht, maar de deuren niet, waarschijnlijk omdat de bewakers op de gangen dan konden horen wat er gebeurde. Wat ik hoorde, was afschuwelijk. De geluiden waren amper menselijk.'

'Heb je het je bazen bij Black River verteld?'

'Wat had dat voor zin? Het liet ze koud, en zelfs als het ze iets kon schelen, wat zouden ze dan doen? Het Congres een onderzoek laten instellen op grond van geluiden die ik had gehoord? De NSA zou meteen korte metten met ze hebben gemaakt, en het zou afgelopen zijn met Black River.' Ze schudde haar hoofd. 'Nee, die jongens zijn zakenlieden. Zo simpel ligt het. Hun ideologie houdt in dat je de overheid zo veel mogelijk geld moet aftroggelen.'

'Dus nu hebben we de kans om te doen wat je toen niet kon doen en wat Black River niet wilde doen.'

'Zo is het,' zei Hart. 'Ik wil foto's, video's, het absolute bewijs van wat de NSA daar beneden doet. Dat bewijsmateriaal wil ik zelf aan de president voorleggen. En daar heb ik Tyrone en jou voor nodig.' Ze schoof haar bord opzij. 'Ik wil LaValles hoofd op een presenteerblaadje, en god nog aan toe, ik zal het krijgen.'

19

Vanwege het lijk en al het bloed op de zittingen moest Bourne de Volga achterlaten, maar voordat hij dat deed, pakte hij Baronovs mobiele telefoon en ook zijn geld. Het was ijskoud. In de onnatuurlijke winterse middagduisternis kwam de sneeuw in steeds dichtere sluiers omlaag wervelen. Bourne wist dat hij zo snel mogelijk uit deze omgeving weg moest. Hij haalde de simkaart uit zijn telefoon, stopte hem in die van Baronov en gooide zijn eigen telefoon in een putje. Als Fjodor Ilianovitsj Popov kon hij het zich niet permitteren een Amerikaanse telefoon bij zich te hebben.

Hij liep tegen de wind en sneeuw in. Na zes blokken dook hij een portiek in en hij gebruikte Baronovs telefoon om zijn vriend Boris Karpov te bellen. De stem aan de andere kant van de lijn werd ijzig.

'Kolonel Karpov werkt niet meer voor de fsb.'

Er ging een koude rilling door Bourne heen. Rusland was nog niet zo sterk veranderd dat bliksemsnelle ontslagen of verzonnen beschuldigingen tot het verleden behoorden.

'Ik moet contact met hem opnemen,' zei Bourne.

'Hij werkt nu bij de Federale Antinarcoticadienst.' De persoon gaf hem een lokaal nummer en hing toen abrupt op.

Dat verklaarde de negatieve houding, dacht Bourne. De Federale Antinarcoticadienst stond onder leiding van Viktor Tsjerkesov, maar veel mensen dachten dat hij veel meer was: een *silovik* die aan het hoofd stond van een organisatie zo machtig dat sommigen van fsb-2 spraken. Kortgeleden was er binnen de Russische overheid een interne oorlog opgelaaid tussen Tsjerkesov en Nikolai Patroesjev, het hoofd van de fsb, de moderne opvolger van de beruchte kgb. De *silovik* die deze oorlog won werd waarschijnlijk de volgende president van Rusland. Als Karpov van de fsb naar de fsb-2 was gegaan, had Tsjerkesov blijkbaar de overhand gekregen.

Bourne belde naar het kantoor van de Federale Antinarcoticadienst, maar kreeg te horen dat Karpov weg was en niet bereikt kon worden.

Een ogenblik dacht hij erover de man te bellen die de Zil van Baronov op het parkeerterrein van Crocus City had opgepikt, maar daar zag hij bijna meteen van af. Vanwege hem was Baronov al om het leven gekomen; hij wilde niet nog meer sterfgevallen op zijn geweten hebben.

Hij liep door tot hij bij een tramhalte kwam. Hij nam de eerste tram die opdook uit de schemering. Met een sjaal die hij in Crocus City had gekocht had hij het spoor gecamoufleerd dat de draad op zijn keel had achtergelaten. Het beetje bloed dat eruit was gesijpeld was opgedroogd zodra hij in de ijskoude lucht kwam.

De tram schokte en ratelde over de rails. Bourne stond ingeklemd in een stinkende, luidruchtige mensenmassa en voelde zich ontredderd. Hij had niet alleen een Kazanskaja-moordenaar in het appartement van Tarkanian aangetroffen, maar bovendien was zijn contactpersoon vermoord door een NSA-moordenaar die achter hem aan gestuurd was. Het gevoel dat hij los stond van iedereen was nog nooit zo sterk geweest als nu. Baby's huilden, mannen ritselden met kranten, vrouwen praatten, en een oude man, die zijn handen met grote knokkels over de kop van een wandelstok gekromd hield, loerde stiekem naar een jong meisje dat in een mangastrip verdiept was. Dit was het leven. Het stroomde overal om hem heen, als een bruisende rivier die zich splitste als hij bij Bourne aankwam, om zich vervolgens weer te sluiten en door te stromen terwijl Bourne achterbleef, onbewogen en alleen.

Zoals altijd op zulke ogenblikken dacht hij aan Marie. Maar Marie was dood, en de herinneringen aan haar konden hem niet troosten. Hij miste zijn kinderen en vroeg zich af of de David Webbpersoonlijkheid nu naar boven kwam. Er ging een oude, bekende wanhoop door hem heen, zoals niet meer was gebeurd sinds Alex Conklin hem uit de goot had opgeraapt en de Bourne-identiteit voor hem had gecreëerd, die hij als een pantser kon aantrekken. Hij voelde dat het verpletterend gewicht van het leven op hem drukte, een leven dat hij in zijn eentje leidde, een triest en eenzaam leven dat op maar één manier kon eindigen.

En toen dacht hij weer aan Moira. Die laatste ontmoeting met haar was verschrikkelijk moeilijk geweest. Als ze een spionne was geweest, als ze Martin had verraden en van plan was hetzelfde met hem te doen, wat zou hij dan hebben gedaan? Zou hij haar aan Soraya of Veronica Hart hebben uitgeleverd?

Maar ze was geen spionne. Dat probleem zou hij nooit onder ogen hoeven te zien.

Als het op Moira aankwam, waren zijn persoonlijke gevoelens nu onlosmakelijk verbonden met zijn professionele plicht. Hij wist dat ze van hem hield en in zijn wanhoop begreep hij nu dat hij ook van haar hield. Als hij bij haar was, voelde hij zich compleet, en wel op een heel nieuwe manier. Ze was niet Marie en hij wilde niet dat ze Marie was. Ze was Moira, en Moira wilde hij.

Toen hij bij Moskou Centraal uit de tram stapte, was de sneeuw afgezwakt tot sluiers van dwarrelende vlokken die door grillige windvlagen over de grote open pleinen werden gejaagd. Omdat de lange winteravond was begonnen, brandden de lichten van de stad, maar de opklarende hemel maakte het bitter koud. In de straten wemelde het van de zigeunerachtige taxichauffeurs met hun goedkope auto's uit de Breznjev-tijd. Ze reden langzaam in lange rijen achter elkaar aan om vooral geen vrachtje te missen. In Moskou stonden ze bekend als *bombili* – zij die bombarderen – vanwege de halsbrekende snelheid waarmee ze door de straten van de stad denderden zodra ze een passagier hadden.

Hij ging een internetcafé binnen, betaalde voor vijftien minuten achter een computerterminal en typte 'Kitaiski Ljotsjik' in. Kitaiski Ljotsjik Zhao-Da, de volledige naam – vertaald 'De Chinese Piloot' – bleek een drukbezochte *elitny*-club op Proyezd Loebjanski 25 te zijn. Bourne kwam aan het eind van het blok uit metrostation Kitai-Gorod. Aan de ene kant lag het bevroren kanaal, aan de andere kant een rij huizen die voor verschillende doeleinden werden gebruikt. De Chinese Piloot was gemakkelijk genoeg te vinden dankzij de BMW's, Mercedessen en Porsche-SUV's die voor de deur stonden, alsmede de alomtegenwoordige verzameling *bombili*-Lada's in de straat. De menigte werd achter een fluwelen koord in toom gehouden door woest kijkende portiers, zodat de dronken wachtenden van het trottoir vielen. Bourne liep naar een rode Cayenne toe en tikte op het raam. Toen de chauffeur het raampje omlaag liet komen, hield Bourne hem driehonderd dollar voor.

'Als ik die deur uit kom, is dit mijn auto, goed?'

De chauffeur keek gretig naar het geld. 'Jazeker, meneer.'

Vooral in Moskou spraken Amerikaanse dollars duidelijkere taal dan woorden.

'En als je klant intussen naar buiten komt?'

'Die komt niet,' verzekerde de chauffeur Bourne. 'Hij blijft tot minstens vier uur in de champagnekamer.'

Met nog eens honderd dollar kwam Bourne langs de schreeuwende, wanordelijke menigte. Binnen at hij lusteloos een maaltijd van oosterse salade en kippenborst met amandelen. Vanaf zijn zitplaats aan de lichtgevende bar keek hij naar de Russische *siloviki* die kwamen en gingen met hun in minirok geklede, in bont gehulde en met diamanten bezette *djevotsjki*. Strikt genomen waren dat jonge vrouwen die nog geen kind hadden gekregen. Dit was de nieuwe orde in Rusland. Alleen wist Bourne dat veel van dezelfde mensen nog aan de macht waren – hetzij ex-KGB-*siloviki* hetzij hun kinderen, die het moesten opnemen tegen de jongens uit Sokolniki, die met niets waren begonnen en plotseling rijk waren geworden. De *siloviki*, afgeleid van het Russische woord voor 'macht', waren mannen uit de zogeheten machtsministeries, zoals de veiligheidsdiensten en het leger, mannen die waren opgekomen in het Poetin-tijdperk. Ze vormden de nieuwe garde, die de oligarchen uit het Jeltsin-tijdperk van de troon had gestoten. Het deed er niet toe. *Siloviki* of gangster, het waren misdadigers, ze hadden gemoord, afgeperst, verminkt, gechanteerd; ze hadden allemaal bloed aan hun handen en ze kenden geen van allen wroeging.

Bourne keek naar de tafels, op zoek naar Gala Nematova. Het verbaasde hem dat minstens vijf *djevs* haar zouden kunnen zijn, vooral bij dit zwakke licht. Het was verbijsterend om met eigen ogen dit tarweveld van lange, slanke jonge vrouwen te zien, de een nog opvallender dan de ander. Er was een theorie, een soort scheefgetrokken darwinisme – overleving van de mooisten – die verklaarde waarom er zoveel verrassend mooie *djevotsjki* in Rusland en Oekraïne waren. Als je in die landen in 1947 een man van in de twintig was, wilde dat zeggen dat je een van de grootste bloedbaden onder mannen uit de menselijke geschiedenis had overleefd. Die mannen, die een kleine minderheid vormden, konden kiezen uit talloze vrouwen. Wie hadden ze gekozen om mee te trouwen en om zwanger te maken? Het antwoord lag voor de hand, en vandaar de massa's *djevs* die hier en in alle andere nachtclubs in Rusland te vinden waren.

Op de dansvloer maakte de samengepakte menigte van bewegende lichamen elke herkenning van individuen onmogelijk. Toen hij een roodharige *djev* in haar eentje zag, liep Bourne naar haar toe en vroeg haar met een gebaar of ze wilde dansen. De oorverdovende housemuziek die uit tien gigantische speakers gepompt kwam, maakte elk gesprek onmogelijk. Ze knikte, pakte zijn hand vast, en ze baanden zich met hun handen en ellebogen een weg naar een plekje op de dansvloer. De volgende twintig minuten hadden een vervanging kunnen zijn van een zware training. Er kwam geen eind aan het dansen, en ook niet aan het flikkeren van gekleurde lichten en het stampen van de heftige muziek die werd uitgespuwd door een plaatselijke band, die zich Tequilajazz noemde.

Over het hoofd van het roodharige meisje heen ving Bourne een glimp op van de zoveelste blonde *djev*. Alleen was deze anders. Bourne pakte de hand van het roodharige meisjes vast en slingerde zich dieper de ronddraaiende massa dansers in. Parfum, reukwater en zuur zweet vermengden zich met de rauwe geur van heet metaal en dreunende megaversterkers.

Nog steeds dansend, manoeuvreerde Bourne zich door de menigte tot hij zekerheid had. De blonde *djev* die met de breedgeschouderde gangster danste was inderdaad Gala Nematova.

'Het wordt nooit meer hetzelfde,' zei dokter Mitten.

'Wat betekent dat nou weer?' blafte Anthony Prowess, die in een oncomfortabele stoel in het geheime huis van de NSA even buiten Moskou zat, tegen de oogarts die over hem heen gebogen stond.

'Meneer Prowess, ik geloof niet dat u in de conditie verkeert om een volledige diagnose te horen. U kunt beter wachten tot de shock...'

'A, ik heb geen shock,' loog Prowess, 'en b, ik heb geen tijd om te wachten.' Dat was waar: nu hij het spoor van Bourne was kwijtgeraakt, moest hij zo snel mogelijk weer achter hem aan.

Dokter Mitten zuchtte. Hij had die reactie van Prowess verwacht; het zou hem zelfs hebben verbaasd als die reactie was uitgebleven. Evengoed had hij een professionele verantwoordelijkheid ten opzichte van de patiënt, al werd hij betaald door de NSA.

'Dit betekent,' zei hij, 'dat u nooit meer met dat oog zult zien. In elk geval niet op een zodanige manier dat u er iets aan hebt.'

Prowess zat met zijn hoofd achterover, zijn beschadigde oog met druppels verdoofd, opdat die verrekte oogarts eraan kon prutsen. 'Details graag.'

Dokter Mitten was een lange, magere man met smalle schouders, een paar dunne slierten haar die over zijn kale kruin waren gekamd en een hals met een naar voren stekende adamsappel die grappig op en neer ging als hij sprak of slikte. 'Ik denk dat u nog wel beweging zult kunnen zien, en het verschil tussen licht en donker.'

'Dat is alles?'

'Aan de andere kant,' zei dokter Mitten, 'is het ook mogelijk dat u volledig blind bent in dat oog, als de zwelling weg is.'

'Mooi, nu weet ik het ergste. Lap me nu dan op, dan kan ik hier weg.'

'Ik raad u niet aan...'

'Het kan me geen moer schelen wat je aanraadt,' snauwde Prowess. 'Doe wat ik zeg of ik wurg je magere kippennek.'

Dokter Mitten blies verontwaardigd zijn wangen op, maar hij liet het wel uit zijn hoofd om met een NSA-agent in discussie te gaan. Het leek wel of ze geboren waren met de neiging lichtgeraakt op alles te regeren, en hun training had dat nog aangescherpt.

Terwijl de oogarts aan zijn oog werkte, ziedde Prowess inwendig van woede. Bourne was hem niet alleen ontkomen maar had hem ook nog voor het leven verminkt. Hij was woedend op zichzelf omdat hij er hard vandoor was gegaan, al wist hij dat je het veld zo snel mogelijk moest verlaten als een slachtoffer de overhand kreeg.

Toch zou Prowess het zichzelf nooit vergeven. Niet dat hij de pijn in zijn oog niet had kunnen verdragen – hij had een extreem hoge pijndrempel. Het was zelfs niet het ergste dat Bourne de rollen had omgedraaid – dat zou hij gauw genoeg rechtzetten. Het was zijn oog. Al van kinds af had hij een hevige angst dat hij blind zou worden. Zijn vader was blind geworden toen hij uit een bus viel en de schok zijn beide netvliezen had losgemaakt. Dat was in de tijd voordat oogartsen netvliezen weer konden vastzetten. Toen hij zes jaar oud was, had hij moeten aanzien hoe zijn vader van een optimistische, robuuste man in een verbitterde, teruggetrokken sukkel veranderde, en dat had hem nooit meer losgelaten. Dat gruwelijke idee was bij hem opgekomen zodra Jason Bourne zijn duim diep in zijn oog had begraven.

Toen hij daar in die stoel zat en die sombere gedachten door zijn hoofd gingen, omringd door de chemische geuren van dokter Mittens behandelkamer, nam Prowess een besluit. Hij beloofde zichzelf dat hij Jason Bourne zou vinden, en als hij hem vond, zou Bourne boeten voor de schade die hij had toegebracht. Hij zou zwaar boeten voordat Prowess hem doodde.

Professor Specter zat een vergadering van faculteitshoofden op de universiteit voor toen zijn privémobieltje trilde. Hij kondigde meteen een pauze van vijftien minuten aan, verliet de kamer, liep door de gang en ging de campus op.

Toen hij bij het gebouw vandaan was, klapte hij zijn mobieltje open, en de stem van Nemetsov bromde in zijn oor. Nemetsov was de man die Baronov had gebeld om van auto met hem te ruilen in Crocus City.

'Is Baronov dood?' vroeg Specter. 'Hoe?'

Hij luisterde naar Nemetsovs beschrijving van de aanval in de auto bij Tarkanians appartementengebouw. 'Een moordenaar van de NSA,' zei Nemetsov tot slot. 'Hij wachtte op Bourne en wilde hem ook met die draad wurgen, net als hij met Baronov had gedaan.'

'En Jason?'

'Die heeft het overleefd. Maar de moordenaar is ontkomen.'

Er ging een golf van opluchting door Specter heen. 'Vind die NSA-man voordat hij Jason vindt, en dood hem. Is dat duidelijk?'

'Volkomen. Maar moeten we niet eerst proberen contact met Bourne op te nemen?'

Specter dacht even na. 'Nee. Hij is op zijn best als hij in zijn eentje werkt. Hij kent Moskou, spreekt vloeiend Russisch, en hij heeft onze valse papieren. Hij zal doen wat gedaan moet worden.'

'U stelt uw vertrouwen in die ene man?'

'Jij kent hem niet, Nemetsov, anders zou je niet zo'n domme opmerking maken. Ik wou alleen dat Jason altijd voor ons werkte.'

Toen Gala Nematova en haar vriendje bezweet en met elkaar verstrengeld de dansvloer verlieten, deed Bourne dat ook. Hij zag de twee naar een tafel gaan, waar ze door twee mannen werden begroet. Ze dronken champagne alsof het water was. Bourne wachtte tot ze hun glazen weer hadden bijgevuld en liep toen patserig naar hen toe, in de stijl van die nieuwe generatie gangsters.

Hij boog zich over Gala's metgezel heen en schreeuwde in haar oor: 'Ik heb een dringende boodschap voor je.'

'Hé,' schreeuwde haar metgezel agressief terug. 'Wie ben jij nou weer?'

'Verkeerde vraag.' Bourne keek hem fel aan en schoof de mouw van zijn jasje net ver genoeg omhoog om hem een glimp van zijn valse Anubis-tatoeage te laten opvangen.

De man beet op zijn lip en leunde achterover. Bourne stak zijn hand uit en trok Gala Nematova bij de tafel vandaan.

'We gaan naar buiten om te praten.'

'Ben je gek geworden?' Ze probeerde zich aan zijn greep te ontworstelen. 'Het is daar ijskoud.'

Bourne leidde haar aan haar elleboog met zich mee. 'We praten in mijn limousine.'

'Nou, dat is wat anders.' Gala Nematova ontblootte haar tanden. Ze was duidelijk niet blij. Haar tanden waren erg wit, alsof ze verwoed waren afgeboend. Haar ogen waren kastanjebruin, groot en met de hoeken enigszins omhoog, een teken dat ze Aziatische voorouders had.

Van het kanaal kwam een ijzige wind, die maar voor een deel werd tegengehouden door de opstopping van dure auto's en *bombili*. Bourne tikte op het portier van de Porsche en de chauffeur, die hem herkende, maakte de portieren open. Bourne én de *djev* stapten in.

Gala trok rillend haar veel te korte bontjas om zich heen. Bourne vroeg de chauffeur de verwarming hoger te zetten. De man gehoorzaamde en zakte weg in zijn lange jas met bontkraag.

'Het kan me niet schelen welke boodschap je voor me hebt,' zei Gala nors. 'In elk geval is het antwoord nee.'

'Weet je dat zeker?' Bourne vroeg zich af wat haar bedoeling was.

'Ja, dat weet ik zeker. Ik heb genoeg van jullie kerels die willen weten waar Leonid Danilovitsj is.'

Leonid Danilovitsj, dacht Bourne. *Die naam heeft de professor niet genoemd.*

'We blijven je lastigvallen omdat hij er zeker van is dat jij het weet.' Bourne had geen idee wat hij zei, maar als hij met haar mee praatte, zou ze hem misschien iets vertellen.

'Ik weet dat niet.' Nu klonk Gala als een klein meisje dat over haar toeren was. 'Maar ook als ik het wist, zou ik hem niet verlinken. Zeg dat maar tegen Maslov.' Het klonk alsof ze de naam van Dimitri Maslov, leider van de Kazanskaja, uitspuwde.

Nu komen we ergens, dacht Bourne. Maar waarom zat Maslov achter Leonid Danilovitsj aan, en wat had dit alles met de dood van Pjotr te maken? Hij ging daarop in.

'Waarom gebruikten Leonid Danilovitsj en jij het appartement van Tarkanian?'

Meteen wist hij dat hij een fout had gemaakt. Gala's gezicht veranderde dramatisch. Haar ogen gingen half dicht en ze maakte een geluid diep in haar keel. 'Wat stelt dit voor? Jullie weten al waarom we daar zaten.'

'Vertel het me nog een keer,' zei Bourne, wanhopig improviserend. 'Ik heb het alleen maar uit de tweede hand gehoord. Misschien is er iets weggelaten.'

'Wat kan er zijn weggelaten? Leonid Danilovitsj en Tarkanian zijn de beste vrienden.'

'Ging je daar ook met Pjotr naartoe voor jullie tête-à-têtes op de late avond?'

'O, dus daar gaat het over. De Kazanskaja wil alles over Pjotr Zilber weten, en ik weet ook wel waarom. Pjotr heeft opdracht gegeven tot de moord op Borja Maks, nog wel in de gevangenis ook – strafkolonie 13. Wie zou dat kunnen? Daar binnenkomen, Maks doden, die een Kazanskaja-moordenaar was, bijzonder sterk en bekwaam, en er dan ook weer uit komen zonder gezien te worden?'

'Dat is precies wat Maslov wil weten,' zei Bourne. Dat leek hem een veilige opmerking.

Gala plukte aan haar verlengde nagels, besefte wat ze deed en hield ermee op. 'Hij vermoedt dat Leonid Danilovitsj het heeft gedaan omdat Leonid om zulke dingen bekendstaat. Hij is ervan overtuigd dat niemand anders het zou kunnen.'

Tijd om haar onder druk te zetten, vond Bourne. 'Daar heeft hij helemaal gelijk in.'

Gala haalde haar schouders op.

'Waarom bescherm je Leonid?'

'Ik hou van hem.'

'Zoals je van Pjotr hield?'

'Doe niet zo belachelijk.' Gala lachte. 'Ik heb nooit van Pjotr gehouden. Hij was een opdracht waarvoor Semion Ikoepov me goed betaalde.'

'En Pjotr heeft met zijn leven voor jouw verraad betaald.'

Gala zag hem nu blijkbaar in een ander licht. 'Wie ben jij?'

Bourne ging niet op haar vraag in. 'Waar heb je Ikoepov in die tijd ontmoet?'

'Ik heb hem nooit ontmoet. Leonid fungeerde als tussenpersoon.'

Nu zette Bourne bliksemsnel de bouwblokken die Gala hem had geleverd in de juiste volgorde. 'Je weet toch dat Pjotr door Leonid is vermoord?' Dat wist hij natuurlijk niet, maar gezien de omstandigheden leek het hem maar al te aannemelijk.

'Nee.' Gala verbleekte. 'Dat kan niet.'

'Je kunt je wel voorstellen hoe het gebeurd moet zijn. Ikoepov heeft Pjotr niet zelf vermoord; dat moet je toch wel duidelijk zijn.' Hij zag de angst achter haar ogen opkomen. 'Aan wie anders zou Ikoepov dat hebben toevertrouwd? Leonid was de enige andere persoon die wist dat je Pjotr voor Ikoepov bespioneerde.'

De waarheid van wat hij zei stond op Gala's gezicht te lezen als een wegwijzer die uit de mist opdoemde. Terwijl ze nog niet van de schok bekomen was, zei Bourne: 'Vertel me Leonids volledige naam.'

'Wat?'

'Doe nou maar wat ik zeg,' zei Bourne. 'Dat is misschien wel de enige manier om te voorkomen dat hij door de Kazanskaja wordt gedood.'

'Maar jíj bent van de Kazanskaja.'

Bourne trok zijn mouw op en liet haar nog eens goed naar de valse tatoeage kijken. 'In het appartement van Tarkanian zat vanavond een Kazanskaja op Leonid te wachten.'

'Ik geloof je niet.' Haar ogen gingen wijd open. 'Wat deed je daar?'

'Tarkanian is dood,' zei Bourne. 'Nou, je zegt dat je van de man houdt. Wil je hem helpen?'

'Ik hou echt van Leonid! Het kan me niet schelen wat hij heeft gedaan.'

Op dat moment vloekte de chauffeur hartgrondig en draaide zich om. 'Mijn klant komt eraan.'

'Ga verder,' drong Bourne bij Gala aan. 'Schrijf zijn naam op.'

'Er moet iets in de club zijn gebeurd,' zei de chauffeur. 'Verdomme, wat kijkt hij kwaad. Jullie moeten eruit.'

Bourne pakte Gala vast en duwde het portier aan de straatkant open. Het kwam bijna tegen de bumper van een *bombili*. Hij hield hem met een handvol roebels aan en maakte met één stap de overgang van westerse luxe naar oosterse armoede. Gala Nematova wilde van hem weg rennen op het moment dat hij in de Lada stapte. Hij greep de achterkant van haar bontjas vast, maar ze schudde hem van zich af en rende door. De taxichauffeur trapte op het gas en de dieseldampen wolkten het interieur in. Het werd zo benauwd in de taxi dat Bourne een raam moest openzetten. Toen hij dat deed, zag hij twee mannen die bij haar aan de tafel hadden gezeten uit de club komen. Ze keken naar rechts en naar links. Een van hen zag Gala rennen. Hij maakte een gebaar naar de ander en ze gingen achter haar aan.

'Volg die mannen!' schreeuwde Bourne tegen de taxichauffeur.

De taxichauffeur had een plat gezicht met onmiskenbaar Aziatische trekken. Hij was dik en vettig en sprak Russisch met een abominabel accent. Het was duidelijk dat Russisch niet zijn eerste taal was. 'U maakt een grapje, ja?'

Bourne stak hem nog meer roebels toe. 'Ik maak een grapje, nee.'

De taxichauffeur haalde zijn schouders op, gooide de Lada in de eerste versnelling en drukte op het gaspedaal.

Op dat moment waren de twee mannen bij Gala aangekomen.

20

Op datzelfde moment vroegen Leonid Danilovitsj Arkadin en Devra zich af hoe ze bij Haydar konden komen zonder dat Devra's
mensen ervan wisten.

'We kunnen hem het best uit zijn omgeving halen,' zei Arkadin.
'Maar daarvoor moeten we zijn gewoonten kennen. Ik heb geen
tijd...'

'Ik weet een manier,' zei Devra.

Ze zaten naast elkaar op een bed op de begane grond van een
klein hotelletje. De kamer stelde niet veel voor – alleen een bed, een
stoel, een kapotte ladekast – maar had wel een eigen badkamer, een
douche met veel warm water, die ze de een na de ander gebruikten.
Het was warm in de kamer; dat was nog het belangrijkste.

'Haydar is een gokker,' ging ze verder. 'Bijna elke avond zit hij
in de achterkamer van een koffiehuis. Hij kent de eigenaar, die ze
daar laat spelen zonder er geld voor te vragen. Eén keer per week
speelt de eigenaar zelfs mee.' Ze keek op haar horloge. 'Daar zal
Haydar nu ook zijn.'

'Wat schieten we daarmee op? Jullie mensen zullen hem daar vast
beschermen.'

'Ja, en daarom gaan we ook niet naar dat koffiehuis toe.'

Een uur later zaten ze in hun huurauto langs de kant van een twee-
baansweg. Al hun lichten waren uit. Ze hadden het ijskoud. De
sneeuw die in de lucht had gehangen was langs hen heen getrokken.
Er stond een halvemaan, een lantaarn uit de Oude Wereld die zijn
schijnsel op wolkenflarden en blauwige, korstige sneeuwwallen wierp.

'Hier komt Haydar langs als hij naar het koffiehuis en weer naar
huis gaat.' Devra hield haar horloge schuin, zodat het maanlicht,
weerkaatst door de sneeuwwallen, op de wijzerplaat viel. 'Hij kan
hier nu elk moment zijn.'

Arkadin zat achter het stuur. 'Wijs me de auto aan en laat de rest aan mij over.' Zijn ene hand had hij op het sleuteltje, de andere op de versnellingspook. 'We moeten voorbereid zijn. Misschien heeft hij een escorte.'

'Als hij bewakers heeft, zitten die bij hem in de auto,' zei Devra. 'De wegen zijn zo slecht dat je iemand vanuit een volgende auto bijna niet in het oog kunt houden.'

'Eén auto,' zei Arkadin. 'Des te beter.'

Even later werd de avond tijdelijk verlicht door een bewegend schijnsel voorbij het hoogste punt van de weg.

'Koplampen.' Devra was meteen gespannen. 'Dat is de juiste richting.'

'Je kent zijn auto?'

'Ja, als ik hem zie,' zei ze. 'Er zijn hier niet veel auto's. Vooral oude vrachtwagens.'

Het schijnsel werd feller. Toen kwam de auto over het hoogste punt heen en zagen ze de koplampen zelf. Aan de positie van de koplampen kon Arkadin zien dat het geen vrachtwagen maar een personenauto was.

'Het is hem,' zei ze.

'Uitstappen,' beval Arkadin. 'Wegrennen! Nu meteen!'

'Doorrijden,' zei Bourne tegen de taxichauffeur. 'Alleen in zijn één, tot ik zeg dat je moet schakelen.'

'Ik denk niet...'

Maar Bourne had het portier aan de trottoirkant al opengegooid en rende op de twee mannen af. Een van hen hield Gala vast; de ander draaide zich om en stak zijn hand op, misschien een teken voor een van de wachtende auto's. Bourne hakte met zijn twee handen tegen de borst van de man, zodat diens hoofd omlaag kwam, waarna hij daar een kniestoot tegen gaf. De tanden van de man klapten tegen elkaar en hij viel om.

De tweede man draaide Gala opzij, zodat ze zich tussen Bourne en hem in bevond. Hij greep naar zijn pistool, maar Bourne was te snel. Bourne greep om Gala heen naar de man. De man maakte een afwerende beweging en Gala stampte met haar hak op zijn wreef. Dat was alle afleiding die Bourne nodig had. Met zijn hand om haar middel trok hij haar weg en met zijn andere hand gaf hij een venijnige uppercut tegen de keel van de man. In een reflex bracht de man beide handen omhoog, hoestend en kokhalzend. Bourne stompte hem twee keer snel tegen zijn buik en toen ging ook deze man tegen de vlakte.

'Kom!'

Bourne pakte Gala bij haar hand vast en liep naar de *bombila*, die langzaam met open portier door de straat reed. Bourne duwde haar naar binnen, kwam achter haar aan en trok het portier dicht.

'Rijden!' riep hij naar de taxichauffeur. 'Nu meteen!'

Rillend van de kou draaide Gala het raam dicht.

'Mijn naam is Jakov,' zei de chauffeur, die zijn hals rekte om hen in het spiegeltje te kunnen zien. 'Wat een opwinding vanavond. Komt er nog meer? Waar kan ik u heen brengen?'

'Rij maar wat rond,' zei Bourne.

Een paar straten verder zag hij dat Gala naar hem keek.

'Je hebt niet gelogen,' zei ze.

'Jij ook niet. Het is duidelijk dat de Kazanskaja denkt dat jij weet waar Leonid is.'

'Leonid Danilovitsj Arkadin.' Ze was nog steeds niet op adem gekomen. 'Zo heet hij. Dat wilde je toch weten?'

'Wat ik wil,' zei Bourne, 'is een ontmoeting met Dimitri Maslov.'

'Het hoofd van de Kazanskaja? Je bent gek.'

'Leonid heeft heel slechte mensen dwarsgezeten,' zei Bourne. 'Hij heeft jou ook in gevaar gebracht. Tenzij ik Maslov ervan kan overtuigen dat jij niet weet waar Arkadin is, ben je nooit veilig.'

Rillend dook Gala in haar bontjas weg. 'Waarom heb je me gered?' Ze trok het jasje strak om haar slanke lichaam. 'Waarom doe je dit?'

'Omdat ik niet kan toestaan dat Arkadin jou voor de wolven gooit.'

'Dat heeft hij niet gedaan,' protesteerde ze.

'Hoe zou jij het dan noemen?'

Ze deed haar mond open en weer dicht, en beet op haar lip alsof ze een antwoord kon vinden als ze pijn leed.

Ze waren bij de binnenste Tuinweg aangekomen. Het verkeer vloog met duizelingwekkende snelheden voorbij. De taxichauffeur stond op het punt zijn naam van *bombila* eer aan te doen.

'Waarheen?' vroeg hij over zijn schouder.

Het was even stil. Toen boog Gala zich naar voren en gaf hem een adres op.

'Waar is dat dan wel?' vroeg de taxichauffeur.

Dat was ook een eigenaardigheid van *bombili*. Omdat ze bijna geen van allen uit Moskou kwamen, hadden ze geen idee waar iets was. Onverstoord gaf Gala hem instructies, en toen braakte de Lada een ongelooflijke stoot uitlaatgas uit en slingerden ze het snelle chaotische verkeer in.

'Omdat we niet naar het appartement terug kunnen,' zei Gala, 'gaan we naar een vriendin van me. Dat heb ik al vaker gedaan. Ze doet niet moeilijk.'

'Weet de Kazanskaja van haar af?'

Gala fronste haar wenkbrauwen. 'Ik denk van niet, nee.'

'We kunnen het risico niet nemen.' Bourne gaf de chauffeur het adres van een van de nieuwe hotels onder Amerikaanse leiding bij het Rode Plein. 'Dat is de laatste plaats waar ze je zoeken,' zei hij, terwijl de chauffeur schakelde en ze door de met sterren bezaaide Moskouse avond vlogen.

Arkadin, alleen in de auto, gaf gas en reed de weg op. Hij drukte het gaspedaal diep in en accelereerde zo snel dat zijn hoofd naar achteren klapte. Kort voordat hij zich in de rechterhoek van Haydars auto boorde, deed hij zijn koplampen aan. Hij zag Haydars lijfwachten op de achterbank. Ze wilden zich net omdraaien toen Arkadins auto met een ongelooflijke dreun tegen hen op botste. Het achtereind van Haydars auto schoot naar links en de auto tolde rond. Arkadin trapte hard op de rem en ramde het rechterachterportier, dat naar binnen werd gedrukt. Haydars auto vloog van de weg, met de voorkant nu in de richting vanwaar hij gekomen was. De achterkant sloeg tegen een boom, de bumper brak in tweeën, de kofferbak bezweek, en toen stond hij daar als een lamgelegd dier. Arkadin reed van de weg af, zette de auto in zijn vrij, stapte uit en liep naar Haydar toe. Zijn koplampen schenen recht op de verwoeste auto. Hij kon Haydar achter het stuur zien zitten, bij bewustzijn maar duidelijk in een shock. Hij kon maar een van de mannen op de achterbank zien. Diens hoofd was schuin naar achteren geklapt. Er zat bloed op zijn gezicht. Het glinsterde zwart in het felle licht.

Haydar kromp angstig ineen toen Arkadin op de lijfwachten af ging. Beide achterportieren waren zozeer ontzet dat ze niet meer open konden. Met zijn elleboog sloeg Arkadin het raam aan zijn kant in. Hij tuurde naar binnen. Een van de mannen was getroffen toen Arkadin de auto van opzij ramde. Hij was door de hele auto heen gegooid en lag half op de schoot van de lijfwacht die nog overeind zat. Geen van beide mannen bewoog.

Toen Arkadin naar voren ging om Haydar achter het stuur vandaan te trekken, kwam Devra aangerend vanuit de duisternis. Haydars ogen gingen wijd open toen hij haar herkende. Ze tackelde Arkadin, en door haar vaart verloor hij zijn evenwicht.

Haydar keek verbijsterd toe terwijl ze door de sneeuw rolden, nu eens zichtbaar in het schijnsel van de koplampen, dan weer niet. Haydar zag dat ze hem sloeg en dat de veel grotere man terugvocht en met zijn superieure kracht en lichaamsmassa geleidelijk de overhand kreeg. Toen richtte Devra zich op. Haydar zag dat ze een mes in haar hand had. Ze stak ermee omlaag in het donker, stak keer op keer.

Toen ze weer opstond in het licht van de koplampen, zag hij dat ze diep ademhaalde. Haar hand was leeg. Haydar nam aan dat ze het mes in het lichaam van haar tegenstander had achtergelaten. Ze wankelde even, nog niet hersteld van de vechtpartij. Toen liep ze naar hem toe.

Ze trok het portier van de auto open en zei: 'Ben je ongedeerd?'

Hij knikte en deinsde van haar terug. 'Ik hoorde dat je naar de andere kant was overgelopen.'

Ze lachte. 'Dat wilde ik die schoft laten denken. Hij was tot Sjoemenko en Filja doorgedrongen. Daarna kon ik alleen in leven blijven door het spelletje met hem mee te spelen tot ik de kans kreeg hem uit te schakelen.'

Haydar knikte. 'Dit is het laatste gevecht. Het was een deprimerende gedachte dat jij een verrader was geworden. Ik weet dat sommigen van ons dachten dat je je positie op je rug, in Pjotrs bed, had veroverd. Maar ik niet.' Blijkbaar was hij nu over de ergste schok heen. Het oude, griezelige licht kwam terug in zijn ogen.

'Waar is het pakket?' zei ze. 'Is het veilig?'

'Ik heb het vanavond aan Heinrich gegeven. Onder het kaarten.'

'Is hij naar München vertrokken?'

'Waarom zou hij hier ook maar een minuut langer blijven dan nodig is? Hij vindt het hier maar niks. Ik denk dat hij naar Istanbul is gereden. Daar neemt hij altijd een vlucht in het begin van de avond.' Hij kneep zijn ogen enigszins dicht. 'Waarom wil je dat weten?'

Hij slaakte een zachte kreet toen Arkadin uit het donker opdook. Hij keek van Devra naar Arkadin en weer terug, en zei: 'Wat is dat? Ik zag dat je hem doodstak.'

'Je zag wat wij wilden dat je zag.' Arkadin gaf Devra zijn pistool en ze schoot Haydar tussen zijn ogen.

Ze keek hem weer aan en gaf hem het pistool met de kolf naar voren aan. Uitdagend zei ze: 'Heb ik mezelf nu bewezen?'

Bourne nam als Fjodor Ilianovitsj Popov een kamer in het Metropolya Hotel. De avondportier knipperde niet eens met zijn ogen toen hij Gala zag en vroeg haar ook niet om haar papieren. Voor het hotel was het genoeg dat Popov zich had gelegitimeerd. De hal, met zijn vergulde muurlampen en accenten en zijn glinsterende kristallen kroonluchters, leek op iets uit de tsarentijd, alsof de ontwerpers een lange neus hadden getrokken naar de architectuur van het Sovjetbrutalisme.

Ze namen een van de met zijde beklede liften naar de zeventiende verdieping. Bourne opende de deur van hun kamer met een elektronisch gecodeerde plastic kaart. Nadat hij aandachtig in de kamer om zich heen had gekeken, liet hij haar binnen. Ze trok haar bontjasje uit. Toen ze op het bed ging zitten, schoof haar minirok verder over haar dijen omhoog, maar blijkbaar vond ze dat niet erg.

Naar voren geleund, haar ellebogen op haar knieën, zei ze: 'Je hebt me gered en daar ben ik dankbaar voor, maar eerlijk gezegd weet ik niet wat ik nu moet doen.'

Bourne trok de stoel bij die achter het bureau stond en ging tegenover haar zitten. 'Het eerste wat je moet doen, is me vertellen of je weet waar Arkadin is.'

Gala keek naar de vloerbedekking tussen haar voeten. Ze wreef over haar armen alsof ze het nog koud had, al was het warm genoeg in de kamer.

'Goed,' zei Bourne. 'Laten we over iets anders praten. Weet je iets van het Zwarte Legioen?'

Ze keek meteen op, met diepe rimpels in haar voorhoofd. 'Gek dat je daarnaar vraagt.'

'Waarom?'

'Leonid wilde over hen praten.'

'Is Arkadin een van hen?'

Gala snoof. 'Dat meen je niet! Nee, hij heeft nooit met mij over ze gesproken. Ik bedoel dat hij ze nu en dan ter sprake bracht als hij met Ivan ging praten.'

'En wie is Ivan?'

'Ivan Volkin. Een oude vriend van Leonid. Hij was vroeger bij de *grupperovka*. Leonid zei tegen mij dat de leiders hem nu en dan om raad vragen, omdat hij iedereen kent. Hij is tegenwoordig een soort historicus van de onderwereld. Hoe dan ook, Leonid ging met hem praten.'

Dit interesseerde Bourne. 'Kun je me naar hem toe brengen?'

'Waarom niet? Hij is een nachtuil. Leonid ging altijd erg laat bij hem op bezoek.' Gala zocht in haar handtas naar haar mobieltje. Ze keek in de nummerlijst en belde naar Volkin.

Nadat ze enkele minuten met iemand had gepraat, verbrak ze de verbinding en knikte. 'Hij kan ons over een uur ontvangen.'

'Goed.'

Ze fronste haar wenkbrauwen en stopte haar mobieltje weg. 'Als je denkt dat Ivan weet waar Leonid is, heb je het mis. Leonid heeft niemand verteld waar hij heen ging, zelfs mij niet.'

'Je moet wel heel veel van die man houden.'

'Ja.'

'Houdt hij ook van jou?'

Toen ze hem weer aankeek, zaten haar ogen vol tranen. 'Ja, hij houdt van mij.'

'Heb je daarom geld aangepakt om Pjotr te bespioneren? Ging je daarom vanavond met die man naar De Chinese Piloot?'

'Jezus, dat doet er allemaal niet toe.'

Bourne boog zich naar voren. 'Dat begrijp ik niet. Waarom doet het er niet toe?'

Gala keek hem een hele tijd aan. 'Wat heb jij toch? Weet je dan niets van liefde?' Een traan maakte zich los uit haar oog en liep over haar wang. 'Met de dingen die ik voor geld doe houd ik me in leven. Wat ik met mijn lichaam doe heeft niets met liefde te maken. Liefde is strikt een aangelegenheid van het hart. Mijn hart behoort toe aan Leonid Danilovitsj. Dat is heilig en zuiver. Niemand kan dat aantasten of bezoedelen.'

'Misschien hebben we niet dezelfde definitie van liefde,' zei Bourne.

Ze schudde haar hoofd.

'Jij hebt niet het recht om over mij te oordelen.'

'Natuurlijk heb je gelijk,' zei Bourne. 'Maar het was niet als oordeel bedoeld. Ik heb er moeite mee om liefde te begrijpen. Dat is alles.'

Ze hield haar hoofd schuin. 'Waarom?'

Bourne aarzelde voordat hij verderging. 'Ik heb twee vrouwen, een dochter en veel vrienden verloren.'

'Heb je ook de liefde verloren?'

'Ik heb geen idee wat dat betekent.'

'Mijn broer is omgekomen toen hij mij beschermde.' Gala beefde nu. 'Hij was alles wat ik had. Niemand zou ooit van me houden zoals hij van me hield. Toen onze ouders waren gedood, waren we onafscheidelijk. Hij zwoer dat hij ervoor zou zorgen dat mij niets ergs overkwam. Hij ging naar zijn graf doordat hij die belofte nakwam.' Ze ging rechtop zitten en keek hem uitdagend aan. 'Begrijp je het nu?'

Bourne besefte dat hij deze *djev* ernstig had onderschat. Had hij Moira ook onderschat? Hoewel hij zichzelf had toegegeven wat hij voor Moira voelde, had hij onbewust gedacht dat geen andere vrouw zo sterk, zo onverstoorbaar kon zijn als Marie. Daar had hij zich blijkbaar in vergist. Dat inzicht had hij aan deze Russische *djevotsjka* te danken.

Gala keek hem nu aan. Haar plotselinge woede was blijkbaar opgebrand. 'Jij bent in veel opzichten net als Leonid Danilovitsj. Je loopt niet meer de afgrond in; je vertrouwt niet meer op liefde. Net als hij ben je verschrikkelijk beschadigd. Maar nu heb je je heden net zo somber gemaakt als je verleden. Je kunt alleen nog redding vinden als je iemand vindt van wie je kunt houden.'

'Ik heb iemand gevonden,' zei Bourne. 'Ze is nu dood.'

'Is er niemand anders?'

Bourne knikte. 'Misschien wel.'

'Dan moet je haar omhelzen, in plaats van weg te lopen.' Ze vouwde haar handen samen. 'Omhels de liefde. Dat zou ik tegen Leonid Danilovitsj zeggen als hij hier was, in plaats van jou.'

Drie straten bij hen vandaan maakte Jakov, de taxichauffeur die Gala en Bourne had afgezet, zijn mobieltje open en drukte op een sneltoets. Toen hij de bekende stem hoorde, zei hij: 'Ik heb ze nog geen tien minuten geleden bij het Metropolya afgezet.'

'Hou ze in de gaten,' zei de stem. 'Als ze het hotel uitgaan, geef het dan aan me door. En volg ze.'

Jakov antwoordde bevestigend, keerde de taxi en posteerde zich tegenover de ingang van het hotel. Toen draaide hij een ander nummer en gaf hij precies dezelfde informatie aan een andere cliënt van hem.

'We zijn het pakket net misgelopen,' zei Devra toen ze bij het wrak van de auto vandaan liepen. 'Laten we meteen op weg naar Istanbul gaan. De volgende contactpersoon, Heinrich, heeft een paar uur voorsprong.'

Ze reden in de duisternis door de vele bochten, hier en daar zelfs haarspeldbochten. De zwarte bergen met hun glanzende stola's van sneeuw waren hun zwijgende, onverzoenlijke metgezellen. De weg was zo vol gaten als een weg in een oorlogsgebied. Toen ze een keer op een stuk zwart ijs kwamen, slipten ze, maar Arkadin hield het hoofd koel. Hij draaide met de slippende beweging mee en trapte een paar keer voorzichtig op de rem terwijl hij de auto in zijn vrij zette, en daarna zette hij de motor af. Ze kwamen in een sneeuw-wal tot stilstand.

'Ik hoop dat Heinrich hetzelfde probleem heeft gehad,' zei Devra.

Arkadin startte de auto opnieuw maar kon niet genoeg tractie krijgen om in beweging te komen. Hij liep naar de achterkant terwijl Devra achter het stuur ging zitten. Omdat hij niets nuttigs in de kofferbak vond, liep hij het bos in en brak een handvol dikke takken af, die hij voor de rechterachterband zette. Hij sloeg twee keer tegen het spatbord en Devra trapte op het gas. De auto gierde en kreunde. De banden draaiden rond en joegen sluiers van korrelsneeuw omhoog. Toen vond het profiel van de band het hout. Het wiel reed erop en eroverheen. De auto was vrij.

Devra ging opzij en Arkadin ging weer achter het stuur zitten. Er waren wolken voor de maan geschoven die de weg in diepe schaduw hulden. Ze reden over de bergpas. Er was geen verkeer. Vele kilometers lang kwam het enige licht van hun eigen koplampen. Ten slotte verrees de maan uit zijn wolkenbed en baadde de omsloten wereld om hen heen in een spookachtig blauwig licht.

'Op zulke momenten mis ik mijn Amerikaan,' zei Devra, met haar hoofd tegen de leuning. 'Hij kwam uit Californië. Ik hield vooral van zijn verhalen over surfen. God, wat een vreemde sport. Dat heb je alleen in Amerika, hè? Maar vroeger dacht ik hoe geweldig het zou zijn om in een land van zonlicht te leven, in convertibles over eindeloze snelwegen te rijden en te zwemmen wanneer je maar wilt.'

'De Amerikaanse droom,' merkte Arkadin zuur op.

Ze zuchtte. 'Toen hij wegging, wilde ik zo graag dat hij me met zich meenam.'

'Mijn vriend Misja wilde dat ik hem met me meenam,' zei Arkadin, 'maar dat was lang geleden.'

Devra keek hem aan. 'Waar ging je heen?'

'Naar Amerika.' Hij liet een kort lachje horen. 'Maar niet naar Californië. Voor Misja maakte het niet uit; hij was gek op Amerika. Daarom nam ik hem niet mee. Je gaat naar een land om te werken, je wordt verliefd op dat land, en dan wil je niet meer werken.' Hij zweeg even, concentreerde zich op een haarspeldbocht waar hij doorheen moest. 'Dat heb ik natuurlijk niet tegen hem gezegd,' ging hij verder. 'Ik zou Misja nooit willen kwetsen. We komen allebei uit een achterbuurt, weet je. Een verdomd hard leven is dat. Ik ben zo vaak in elkaar geslagen dat ik de tel ben kwijtgeraakt. Toen kwam Misja. Hij was groter dan ik, maar dat was het niet. Hij leerde me met een mes te werken – niet alleen steken, maar ook gooien. Toen nam hij me mee naar een man die hij kende, een mager klein mannetje met helemaal geen vet op zijn lijf. In een oogwenk had het mannetje me op mijn rug liggen en had ik zoveel pijn dat mijn ogen ervan traanden. Jezus, ik kreeg niet eens lucht. Misja vroeg me of ik dat ook wilde en ik zei: 'Hé, waar kan ik me aanmelden?'

De koplampen van een vrachtwagen doemden op. Ze kwamen op hen af, een vreselijke schittering die hen beiden enkele ogenblikken verblindde. Arkadin ging langzamer rijden tot de vrachtwagen voorbijgedenderd was.

'Misja is mijn beste vriend, eigenlijk mijn enige vriend,' zei hij. 'Ik zou niet weten wat ik zonder hem moest beginnen.'

'Zal ik hem ontmoeten als je me meeneemt naar Moskou?'

'Hij is nu in Amerika,' zei Arkadin. 'Maar ik neem je mee naar zijn appartement, waar ik heb gelogeerd. Dat is aan de Froenzenskajakade. Zijn huiskamer kijkt uit over Gorki Park. Het is een schitterend uitzicht.' Hij dacht even aan Gala, die nog in dat appartement was. Hij wist hoe hij haar daaruit kon krijgen; dat zou helemaal geen probleem zijn.

'Ik weet zeker dat ik het prachtig zal vinden,' zei Devra. Het was een opluchting om hem over zichzelf te horen praten. Aangemoedigd door zijn spraakzame stemming ging ze verder: 'Wat voor werk deed je in Amerika?'

En op dat moment sloeg zijn stemming om. Hij trapte op de rem en stopte. 'Jij rijdt,' zei hij.

Devra was gewend geraakt aan zijn grillige stemmingswisselingen, maar ze keek aandachtig naar hem toen hij om de voorkant van de auto heen liep. Toen schoof ze opzij. Hij trok het portier aan de passagierskant dicht en ze zette de auto in de versnelling. Ze vroeg zich af welke gevoelige zenuw ze had geraakt.

Ze vervolgden hun weg, inmiddels bergaf.

'We komen gauw genoeg op de grote weg,' zei ze om de drukkende stilte te doorbreken. 'Ik kan bijna niet wachten tot ik in een warm bed lig.'

Het was onvermijdelijk dat Arkadin op een gegeven moment avances zou maken bij Marlene. Het gebeurde terwijl ze sliep. Hij sloop door de gang naar haar deur. Het was kinderspel voor hem om het slot te forceren met niets meer dan de ijzerdraad die om de kurk had gezeten van de champagnefles die Ikoepov bij het diner had geserveerd. Als moslim had Ikoepov natuurlijk geen alcohol gedronken, maar Arkadin en Marlene waren niet aan zulke beperkingen gebonden. Arkadin had aangeboden de champagnefles open te maken, en toen hij dat deed, had hij de draad ingepikt.

De kamer rook naar haar, naar citroenen en muskus, een combinatie die diep in zijn buik iets in beroering bracht. Een volle maan stond laag aan de horizon. Het was of God die maan tussen zijn handpalmen hield.

Arkadin bleef stil staan luisteren naar haar diepe, gelijkmatige ademhaling, met nu en dan een vaag snurkgeluidje. De lakens ritselden toen ze zich op haar rechterzij draaide, bij hem vandaan. Hij wachtte tot haar ademhaling weer gelijkmatig was en liep toen naar het bed. Hij liet zich op het bed zakken en knielde boven haar neer. Het maanlicht viel op haar gezicht en schouders, en haar hals was in schaduw gehuld, zodat het leek of hij haar al had onthoofd. Om de een of andere reden vond hij dat een verontrustend beeld. Hij probeerde diep en gemakkelijk adem te halen, maar het verontrustende beeld trok zijn borst samen en maakte hem zo duizelig dat hij bijna zijn evenwicht verloor.

En toen voelde hij iets hards en kouds. Eén keer inademen en hij was weer zichzelf. Marlene was wakker. Ze had haar hoofd opzij gedraaid en keek hem aan. In haar hand had ze een 10mm Glock 20.

'Ik heb een vol magazijn,' zei ze.

Dat betekende dat ze nog veertien patronen had als het eerste schot misging. Niet dat daar veel kans op was. De Glock was een van de krachtigste handvuurwapens die er te krijgen waren. Het was haar menens.

'Ga weg.'

Hij rolde van het bed af en ze ging rechtop zitten. Haar blote borsten glansden wit in het maanlicht. Blijkbaar had ze geen enkel probleem met haar halfnaaktheid.

'Je sliep niet.'

'Ik heb niet geslapen sinds ik hier kwam,' zei Marlene. 'Ik verwachtte dit. Ik wachtte tot je mijn kamer kwam binnensluipen.'

Ze legde de Glock weg. 'Kom in bed. Je bent veilig bij mij, Leonid Danilovitsj.'

Alsof hij gehypnotiseerd was, stapte hij weer het bed op en liet hij als een klein kind zijn hoofd tegen het warme kussen van haar borsten rusten, terwijl ze hem zacht wiegde. Ze lag om hem heen en liet haar warmte in zijn koude, marmeren huid trekken. Geleidelijk voelde ze dat zijn hartslag niet meer zo maniakaal snel was. Op het gestage geluid van haar hartslag viel hij in slaap.

Een tijdje later maakte ze hem wakker door in zijn oor te fluisteren. Het was niet moeilijk; hij wilde uit zijn nachtmerrie bevrijd worden. Hij schrok en keek haar even aan, zijn hele lichaam verstijfd. Zijn mond voelde rauw aan, zo hard had hij in zijn slaap geschreeuwd. Toen hij naar het heden terugkeerde, herkende hij haar. Hij voelde haar armen om zich heen, haar beschermende lichaam, en tot haar verbijstering en verrukking ontspande hij.

'Niets kan je hier kwaad doen, Leonid Danilovitsj,' fluisterde ze. 'Zelfs je nachtmerries niet.'

Hij keek haar vreemd aan, zonder met zijn ogen te knipperen. Ieder ander zou bang zijn geweest, maar Marlene niet.

'Waarom schreeuwde je?' vroeg ze.

'Er was overal bloed... op het bed.'

'Jouw bed? Ben je geslagen, Leonid?'

Nu knipperde hij met zijn ogen en was de ban verbroken. Hij draaide zich om, bij haar vandaan, en wachtte op het asgrauwe licht van de dageraad.

21

Op een fraaie heldere middag, met de zon al laag aan de hemel, reed Tyrone met Soraya Moore naar het geheime huis van de NSA in de glooiende heuvels van Virginia. Ergens in een onopvallend internetcafé in het noordoosten van Washington zat Kiki achter een computerterminal te wachten tot ze het softwarevirus kon uitzaaien dat ze had bedacht om de tweeduizend bewakingscamera's van het complex onschadelijk te maken.

'De videobeelden worden eindeloos herhaald,' had ze tegen hen gezegd. 'Dat was het gemakkelijkste. Omdat de code voor honderd procent onzichtbaar moet blijven, werkt de truc niet langer dan tien minuten. Daarna zal de code in feite zichzelf vernietigen en uiteenvallen in heel kleine pakketjes van onschuldige codes die niet als abnormaal door het systeem worden opgepikt.'

Het was nu allemaal een kwestie van timing. Omdat het onmogelijk was een elektronisch signaal vanuit het NSA-huis naar buiten te sturen zonder dat het werd opgepikt en als verdacht werd beschouwd, hadden ze een extern tijdschema uitgewerkt. Dat betekende dat als er iets mis ging – als Tyrone om de een of andere reden werd opgehouden – de tien minuten voorbij zouden gaan en het plan zou mislukken. Dat was de achilleshiel van het plan. Evengoed was het hun enige optie en besloten ze het te proberen.

Trouwens, Deron had allerlei leuke dingen voor hen bedacht, nadat hij op mysterieuze wijze aan de bouwplannen van het huis was gekomen en ze had bestudeerd. Ze had geprobeerd ze zelf in handen te krijgen, maar dat was niet gelukt; de NSA had er blijkbaar voor gezorgd dat de gegevens van al zijn gebouwen voor niemand toegankelijk waren.

Net voordat ze voor de poort stopten, zei Soraya: 'Weet je zeker dat je dit wilt doen?'

Tyrone knikte met een ijzig gezicht. 'Laten we opschieten.' Hij was kwaad omdat ze het zelfs maar nodig had gevonden die vraag te stellen. Toen hij op straat leefde, had een van zijn mannen het niet hoeven te wagen zijn moed of besluitvaardigheid in twijfel te trekken; met zo iemand maakte hij korte metten. Tyrone moest zichzelf er steeds aan herinneren dat dit niet de straat was. Hij wist maar al te goed dat ze een enorm risico had genomen toen ze hem van de straat haalde – hem civiliseerde, zoals hij het proces soms noemde als hij zich belemmerd voelde door de regels en voorschriften van blanke mannen die hij niet kende.

Hij keek vanuit zijn ooghoek naar haar en vroeg zich af of hij ooit in de wereld van de blanke man zou zijn gestapt als hij niet van haar had gehouden. Ze was een vrouw met een kleurtje – een moslim nog wel – en ze werkte voor de overheid – ja, zeg maar de overheid in het kwadraat. Als zij er geen moeite mee had om dat te doen, waarom zou hij het dan niet ook kunnen doen? Toch verschilde zijn achtergrond zo sterk van de hare als het maar kon. Uit wat ze hem had verteld begreep hij dat haar ouders haar alles hadden gegeven wat ze nodig had. Hijzelf had amper ouders gehad, en die wilden hem niets geven of waren niet in staat hem iets te geven. Zij had een voortreffelijke schoolopleiding genoten. Hij had Deron, die hem weliswaar veel had geleerd maar nooit kon opwegen tegen de opleidingen die blanken kregen.

Het was ironisch dat hij nog maar enkele maanden geleden de spot zou hebben gedreven met het soort opleiding dat zij had gehad. Maar nu hij haar had leren kennen, begreep hij hoe onwetend hij eigenlijk was. Zeker, hij was gewiekst als het op het straatleven aankwam – meer dan zij. Maar hij voelde zich geïntimideerd als hij bij mensen was die hadden gestudeerd. Hoe meer hij hen in hun eigen wereld zag – hoe ze praatten, onderhandelden, met elkaar communiceerden –, des te beter begreep hij hoe onvolkomen zijn eigen leven was geweest. Gewiekstheid op straat en verder niets: dat had je nodig om je in het bendeleven te handhaven, maar er was nog een hele wereld buiten het bendeleven. Toen hij eenmaal besefte dat hij net als Deron de wereld buiten de grenzen van zijn buurt wilde verkennen, wist hij dat hij zichzelf helemaal opnieuw moest opbouwen.

Dat alles ging door zijn hoofd toen hij het imposante gebouw van steen en lei met die hoge ijzeren omheining zag. Omdat hij de plattegrond had bestudeerd, wist hij dat het gebouw volkomen symmetrisch was, met vier hoge schoorstenen en acht kamers die elk van een gevelspits waren voorzien. Het enige bijzondere aan het gebouw was het kleine woud van antennes en satellietschijven.

'Je ziet er heel goed uit in dat pak,' zei Soraya.

'Het zit voor geen meter,' zei hij. 'Ik voel me stijf.'

'Net als iedere NSA-agent.'

Hij lachte zoals een Romeinse gladiator misschien had gedaan als hij het Colosseum binnen was gegaan.

'En dat is ook de bedoeling,' voegde ze eraan toe. 'Heb je het plaatje dat Deron je heeft gegeven?'

Hij klopte op een plek boven zijn hart. 'Veilig en wel.'

Soraya knikte. 'Oké, daar gaan we dan.'

Hij wist dat hij misschien nooit meer levend uit dat huis zou komen, maar dat kon hem niet schelen. Waarom zou hij zich daar druk om maken? Wat had zijn leven tot nu toe voorgesteld? Geen moer. Hij had zijn keuze gemaakt, net als Deron. Meer kon je in dit leven niet verlangen.

Soraya liet de papieren zien die LaValle haar die ochtend per koerier had gestuurd. Evengoed werden Tyrone en zij grondig onderzocht door twee stevig gebouwde kerels met vierkante kaken, kerels die blijkbaar opdracht hadden gekregen geen moment te glimlachen. Ten slotte was de inspectie voltooid en mochten ze doorrijden.

Terwijl Tyrone over het bochtige grindpad reed, vertelde Soraya hem over de vreselijke horde van surveillancesystemen die een indringer zou moeten passeren om op het terrein te komen. Dat gaf hem het geruststellende gevoel dat ze die horde al hadden genomen doordat ze LaValles gasten waren. Nu hadden ze alleen nog met het interieur van het huis te maken. Daarna zou het weer een heel andere zaak zijn om weg te komen.

Hij reed naar de ingang. Voordat hij de motor kon uitzetten, kwam er iemand om de auto van hem over te nemen, ook weer zo'n militair type met vierkante kaken, iemand die er nooit goed uit kon zien in een burgerpak.

Generaal Kendall, punctueel als altijd, stond hen al op te wachten bij de deur. Hij gaf Soraya plichtmatig een hand en keek aandachtig naar Tyrone, toen die door Soraya aan hem werd voorgesteld.

'Je lijfwacht, neem ik aan,' zei Kendall op een toon alsof hij haar een standje gaf. 'Maar hij ziet er niet uit als een typische CIA-man.'

'Dit is ook geen typische CIA-ontmoeting,' zei Soraya nuffig terug.

Kendall haalde zijn schouders op. Nog een plichtmatige handdruk en hij draaide zich abrupt om en leidde hen het kolossale gebouw binnen. Ze liepen door de openbare ruimten, die verfijnd en duur waren zoals een modern mens zich niet meer kon voorstellen, met overal verguldsel, door verstilde gangen met krijgshaftige schilderijen, langs ramen met verticale stijlen waardoor de januarizon zijn stralen over de weelderige blauwe vloerbedekking wierp. Zonder dat het opviel nam Tyrone alle details in zich op, alsof hij het huis aan het verkennen was voor een inbraak, zoals in feite ook het geval was. Ze kwamen langs de deur die naar de souterrains leidde. Die zag er precies zo uit als Soraya hem uit haar geheugen voor Deron en hem had getekend.

Ze liepen nog tien meter door en kwamen toen bij de walnotenhouten deuren van de Bibliotheek. In de haard bulderde een vuur en er was een zitje met vier stoelen gemaakt op precies dezelfde plek waar Soraya had gezegd dat ze er met Kendall en LaValle had gezeten toen ze hier voor het eerst kwam. Willard stond bij de deur op hen te wachten.

'Goedemiddag, directeur Moore,' zei hij met zijn gebruikelijke halve buiging. 'Wat prettig u zo gauw terug te zien. Wilt u een kopje ceylonthee?'

'Dat zou geweldig zijn. Dank u.'

Tyrone wilde al om cola vragen, maar zag daarvan af. In plaats daarvan bestelde hij ook ceylonthee, al had hij er geen flauw idee van hoe die smaakte.

'Uitstekend,' zei Willard, en hij ging weg.

'Deze kant op,' zei Kendall ten overvloede. Hij leidde hen naar het zitje, waar Luther LaValle al door de ramen naar het licht zat te kijken dat zich tot een ovaal boven de heuvels in het westen had geconcentreerd.

Blijkbaar had hij hen horen aankomen, want hij stond op en draaide zich om toen ze bijna bij hem waren aangekomen. Die manoeuvre was blijkbaar ingestudeerd en kwam dus even kunstmatig over als LaValles glimlach. Plichtsgetrouw stelde ze Tyrone voor, en toen gingen ze om de tafel zitten.

LaValle maakte een bruggetje van zijn vingers. 'Voordat we beginnen, directeur, voel ik me verplicht u erop te wijzen dat onze eigen archiefafdeling het een en ander over het Zwarte Legioen heeft opgediept. Dat was blijkbaar iets uit de tijd van het Derde Rijk. Het bestond uit islamitische krijgsgevangenen die naar Duitsland werden teruggebracht toen dat land zijn eerste invallen in de Sovjet-Unie had gedaan. Die moslims, voornamelijk van Turkse afkomst en woonachtig in de Kaukasus, hadden zo'n hekel aan Stalin dat ze alles wel wilden doen om zijn regime ten val te brengen. Daarvoor wilden ze zelfs nazi's worden.'

LaValle schudde zijn hoofd als een geschiedenisprofessor die verhalen over slechte tijden vertelde aan studenten die met grote ogen naar hem luisterden. 'Het is een bijzonder onaangename voetnoot in een decennium dat toch al weerzinwekkend is. Maar wat het Zwarte Legioen zelf betreft, blijkt uit niets dat het is blijven bestaan toen het regime waaruit het was voortgekomen ten val kwam. Bovendien was Himmler, de weldoener van het Legioen, een meester in propaganda, vooral wanneer hij zichzelf bij Hitler wilde promoten. Uit overgeleverde gegevens blijkt dat de rol van het Zwarte Legioen aan het oostfront minimaal was. Het had wel een geduchte reputatie, maar dat kwam in feite door Himmlers fantastische propagandamachine, niet door iets wat de leden zelf deden.'

Hij glimlachte als een zon die achter onweerswolken vandaan kwam. 'Laat me in het licht daarvan eens naar de Typhon-onderscheppingen kijken.'

Soraya tolereerde die nogal neerbuigende inleiding, die tot doel had de bron van de onderscheppingen al in diskrediet te brengen voordat ze de papieren zelfs maar aan LaValle had overhandigd. Ze liet de verontwaardiging en vernedering over zich heen gaan, want ze moest kalm blijven en zich op haar missie concentreren. Ze legde het smalle koffertje op haar schoot, maakte het codeslot open en haalde een rode map met een dikke zwarte streep over de rechterbovenhoek tevoorschijn waarop ALLEEN VOOR DIRECTEUR stond – materiaal uit de hoogste geheimhoudingscategorie.

Toen keek ze LaValle recht aan en gaf hem de map.

'Pardon, directeur.' Tyrone stak zijn hand uit. 'De elektronische tape.'

'O ja, dat was ik vergeten,' zei Soraya. 'Meneer LaValle, wilt u de map even aan meneer Elkins geven?'

LaValle keek nog eens goed naar de map en zag dat die was afgesloten met een lint van glanzend metaal. 'Laat maar. Ik krijg dit er zelf wel af.'

'Niet als u de onderscheppingen wilt lezen,' zei Tyrone. 'Tenzij de tape is opengemaakt met dit...' Hij hield een plastic apparaatje omhoog. '... verbrandt de map zichzelf binnen enkele seconden.'

LaValle knikte van waardering voor de veiligheidsmaatregelen die Soraya had genomen.

Toen hij de map aan Tyrone gaf, zei Soraya: 'Sinds ons vorige gesprek hebben mijn mensen nog meer communicatie van dezelfde eenheid onderschept. Het lijkt er steeds meer op dat die eenheid het commandocentrum is.'

LaValle fronste zijn wenkbrauwen. 'Een commandocentrum? Dat is heel ongewoon voor een terroristennetwerk. Dat bestaat per definitie uit onafhankelijke kaders.'

'Dat maakt de onderscheppingen zo fascinerend.'

'Het maakt ze volgens mij ook verdacht,' zei LaValle. 'Daarom wil ik ze graag zelf lezen.'

Inmiddels had Tyrone de metalen beveiligingstape doorgesneden en de map aan LaValle teruggegeven. LaValle maakte hem open en begon te lezen.

Op dat moment zei Tyrone: 'Ik moet even naar het toilet.'

LaValle wuifde met zijn hand. 'Ga uw gang,' zei hij zonder op te kijken.

Kendall keek naar Tyrone. Die ging naar Willard toe, die de dranken kwam brengen, en vroeg hem de weg. Soraya zag dat vanuit haar ooghoek. Wanneer alles goed verliep, zou Tyrone over twee minuten voor de deur naar het souterrain staan, precies op het moment dat Kiki het virus naar het beveiligingssysteem van de NSA stuurde.

Ivan Volkin was een harige beer van een man met peper-en-zout-kleurig haar dat rechtovereind stond als bij een krankzinnige, een volle baard zo wit als sneeuw, en kleine maar opgewekte ogen met de kleur van een harde regenbui. Hij had enigszins o-benen, alsof hij zijn hele leven op een paard had gezeten. Zijn doorgroefde, gelooide gezicht verleende hem een zekere waardigheid, alsof hij in zijn leven het respect van velen had verworven.

Hij begroette hen hartelijk en verwelkomde hen in een appartement dat klein leek doordat alle denkbare horizontale oppervlakken door stapels boeken en tijdschriften in beslag werden genomen, ook het aanrecht en zijn bed.

Hij leidde hen door een smal, bochtig middenpad van de hal naar de huiskamer en maakte ruimte voor hen op de bank door drie wankele stapels boeken weg te halen.

'Nou,' zei hij, terwijl hij voor hen ging staan. 'Wat kan ik voor jullie doen?'

'Ik wil alles weten wat je me over het Zwarte Legioen kunt vertellen.'

'En waarom ben je geïnteresseerd in zo'n kleine voetnoot in de geschiedenis? Volkin keek Bourne met een scheef oog aan. 'Je ziet er niet uit als een man van de wetenschap.'

'Jij ook niet,' zei Bourne.

Dat leverde hem een vochtige lach van de oudere man op. 'Nee, dat is zo.' Volkin veegde zijn ogen af. 'Soldaten onder elkaar, hè? Ja.' Hij greep achter zich, trok een stoel met lattenrug bij en ging daar schrijlings op zitten, met zijn armen over de rugleuning. 'Nou, wat wil je precies weten?'

'Hoe is het ze gelukt om zich tot in de eenentwintigste eeuw te handhaven?'

Volkins gezicht betrok meteen. 'Wie heeft je verteld dat het Zwarte Legioen nog bestaat?'

Bourne wilde de naam van professor Specter niet noemen. 'Een onbetwistbare bron.'

'O ja? Nou, dan heeft die bron het mis.'

'Waarom zou je het ontkennen?' zei Bourne.

Volkin stond op en ging naar de keuken. Bourne hoorde de koelkastdeur open- en dichtgaan, en het tinkelen van glaswerk. Toen Volkin terugkwam, had hij een gekoelde fles wodka in zijn ene en drie waterglazen in zijn andere hand.

Hij gaf hun de glazen, schroefde de dop van de fles en vulde hun glazen tot de helft. Toen hij voor zichzelf had ingeschonken, ging hij weer zitten en zette hij de fles tussen hen in op het versleten vloerkleed.

Volkin hief zijn glas. 'Op onze gezondheid.' Hij dronk het glas in twee grote teugen leeg, smakte met zijn lippen, pakte de fles van de vloer en schonk het glas weer vol. 'Luister nu goed naar mij. Als ik zou toegeven dat het Zwarte Legioen nog bestaat, zou ik geen gezondheid meer overhouden om op te toasten.'

'Hoe zou iemand het weten?' vroeg Bourne.

'Hoe? Ik zal je vertellen hoe. Als ik je vertel wat ik weet, ga je hier vandaan en doe je iets met die informatie. En waar denk je dat het gedonder dat daaruit voortkomt uiteindelijk terechtkomt, hè?' Hij tikte met zijn glas tegen zijn bolle buik en morste wodka op zijn toch al vlekkerige overhemd. 'Elke actie heeft een reactie, mijn vriend, en als het om het Zwarte Legioen gaat, is elke reactie dodelijk voor iemand.'

Omdat hij toch al min of meer had toegegeven dat het Zwarte Legioen de nederlaag van nazi-Duitsland inderdaad had overleefd, bracht Bourne het gesprek op datgene wat hem echt bezighield. 'Waarom is de Kazanskaja erbij betrokken?'

'Pardon?'

'Eigenlijk begrijp ik nog niet waarom de Kazanskaja zich voor

Michail Tarkanian interesseert. Ik stuitte in zijn appartement op een van hun huurmoordenaars.'

Volkin keek nors. 'Wat deed je in zijn appartement?'

'Tarkanian is dood,' zei Bourne.

'Wat?' riep Volkin uit. 'Ik geloof je niet.'

'Ik was erbij toen het gebeurde.'

'En ik zeg je dat het onmogelijk is.'

'Integendeel, het is een feit,' zei Bourne. 'Zijn dood was een direct gevolg van het feit dat hij lid van het Zwarte Legioen was.'

Volkin sloeg zijn armen over elkaar. Hij leek nu net die zilverrug in de National Zoo. 'Ik zie wat hier aan de hand is. Op hoeveel manieren ga je proberen mij over het Zwarte Legioen te laten praten?'

'Op alle manieren die ik kan bedenken,' zei Bourne. 'De Kazanskaja werken samen met het Zwarte Legioen, en dat vind ik een alarmerend vooruitzicht.'

'Misschien denk je dat ik alle antwoorden heb, maar dat is niet zo.' Volkin keek Bourne aan alsof hij hem tartte door hem een leugenaar te noemen.

Hoewel Bourne er zeker van was dan Volkin meer wist dat hij wilde toegeven, wist hij ook dat het fout zou zijn om hem daarop aan te spreken. Dit was duidelijk een man die zich niet liet intimideren en het had dan ook geen zin om een poging in die richting te doen. Professor Specter had hem gewaarschuwd dat hij zich niet in de *grupperovka*-oorlog moest mengen, maar de professor zat ver bij Moskou vandaan en wist ook niet meer dan wat zijn mannen hier in de stad hem vertelden. Bournes instinct zei hem dat er een grote lacune in die informatie zat. Voor zover hij kon zien leidde er maar één weg naar de waarheid.

'Vertel me hoe ik Maslov kan ontmoeten,' zei hij.

Volkin schudde zijn hoofd. 'Dat zou heel onverstandig zijn. Nu de Kazanskaja verwikkeld is in een machtsstrijd met de Azeri...'

'Popov is alleen maar mijn dekmantelnaam,' zei Bourne. 'In werkelijkheid ben ik adviseur van Viktor Tsjerkesov – het hoofd van de Federale Antinarcoticadienst, een van de twee of drie machtigste *siloviki* in Rusland.'

Volkin deinsde terug alsof hij door Bournes woorden gestoken was. Hij wierp Gala een verwijtende blik toe, alsof Bourne een schorpioen was die ze in zijn hol had binnengebracht. Toen keek hij Bourne weer aan en zei: 'Kun je dat bewijzen?'

'Doe niet zo belachelijk. Maar ik kan je wel de naam van mijn chef noemen: Boris Iljitsj Karpov.'

'O ja?' Volkin haalde een Makarov-pistool tevoorschijn en legde het op zijn rechterknie. 'Als je liegt...' Hij pakte een mobiele telefoon op die hij wonder boven wonder in de chaos kon vinden en toetste vlug een nummer in. 'We hebben hier geen amateurs.'

Even later zei hij in de telefoon: 'Boris Iljitsj, ik heb hier een man bij me die zegt dat hij voor jou werkt. Zal ik je even aan hem doorgeven?'

Met een onbewogen gezicht gaf Volkin de telefoon over.

'Boris,' zei Bourne, 'met Jason Bourne.'

'Jason, mijn goede vriend!' Karpovs stem daverde door de lijn. 'Ik heb je niet meer gezien sinds Reykjavik.'

'Het lijkt lang geleden.'

'Te lang!'

'Waar heb je gezeten?'

'In Timboektoe.'

'Wat deed je in Mali?' vroeg Bourne.

'Geen vragen stellen, niets vertellen.' Karpov lachte. 'Ik begrijp dat je nu voor mij werkt.'

'Dat klopt.'

'Jongen, wat heb ik naar deze dag uitgekeken!' Karpov liet weer een bulderlach horen. 'We moeten op dit moment toasten met wodka, maar niet vanavond, hè? Geef me die ouwe geit van een Volkin maar weer. Ik neem aan dat je iets van hem wilt.'

'Dat klopt.'

'Hij heeft geen woord geloofd van wat je hem hebt verteld. Maar daar breng ik verandering in. Alsjeblieft, onthoud mijn mobiele nummer en bel me als je alleen bent. Tot ziens, mijn goede vriend.'

'Hij wil je spreken,' zei Bourne.

'Dat is begrijpelijk.' Volkin nam de telefoon van Bourne over en bracht hem naar zijn oor. Bijna meteen veranderde zijn hele gezicht. Hij staarde Bourne met zijn mond halfopen aan. 'Ja, Boris Iljitsj. Ja, natuurlijk. Ik begrijp het.'

Volkin verbrak de verbinding en keek Bourne een hele tijd aan. Toen zei hij: 'Ik ga nu Dimitri Maslov bellen. Ik hoop echt dat je weet wat je doet. Anders is dit de laatste keer dat iemand je ziet, dood of levend.'

22

Tyrone verdween meteen in een van de hokjes in de herentoiletten. Hij haalde het plastic plaatje tevoorschijn dat Deron voor hem had gemaakt en klemde het aan de buitenkant van zijn jasje vast. Zijn pak leek op het soort pakken dat alle andere spionnen hier droegen. Volgens het plaatje was hij NSA-agent Damon Riggs van het kantoor in Los Angeles. Damon Riggs bestond echt. Het plaatje kwam regelrecht uit de personeelsdatabase van de NSA.

Tyrone trok door, kwam het hokje uit en glimlachte ijzig naar een NSA-agent die over een van de wastafels gebogen stond om zijn handen te wassen. De agent keek naar Tyrones plaatje en zei: 'Je bent ver van huis.'

'En nog midden in de winter ook.' Tyrones stem klonk krachtig en zelfverzekerd. 'Als ik nu in Santa Monica was, zou ik met de kap omlaag rijden.'

'Vast wel.' De agent droogde zijn handen. 'Veel succes,' zei hij toen hij wegging.

Tyrone keek even naar de gesloten deur, haalde toen diep adem en liet de lucht langzaam ontsnappen. Tot nu toe ging het goed. Hij verliet de toiletten en liep doelbewust en recht voor zich uit kijkend over de gang. Hij kwam langs vier of vijf agenten. Twee van hen wierpen een vluchtige blik op zijn plaatje en knikten. De anderen negeerden hem volkomen.

'De truc,' had Deron gezegd, 'is dat je eruitziet alsof je daar thuishoort. Aarzel niet, gedraag je doelbewust. Als je eruitziet alsof je weet waar je heen gaat, word je een deel van het geheel en let niemand op je.'

Tyrone kwam zonder problemen bij de deur. Hij liep verder toen twee agenten voorbijkwamen, die in een gesprek verwikkeld waren. Toen keek hij naar beide kanten en ging terug. Hij haalde vlug iets tevoorschijn wat op een gewoon stuk doorzichtige tape leek en legde het op de vingerafdrukkenlezer. Hij keek op zijn horloge en wachtte tot de secondenwijzer bij de twaalf was. Toen hield hij zijn adem in en drukte met zijn wijsvinger op de tape, zodat die tegen de lezer kwam. De deur ging open. Hij trok de tape weg en glipte naar binnen. De tape bevatte LaValles vingerafdruk, die Tyrone van de achterkant van de map had gehaald toen hij dat apparaatje gebruikte om de metalen strip door te knippen. Soraya had tegen La-Valle gepraat om hem af te leiden.

Beneden aangekomen bleef hij even staan. Er gingen geen alarmbellen af en hij hoorde geen bewakers naderen. Kiki's softwareprogramma had zijn werk gedaan. Nu was het aan hem.

Hij liep snel en geluidloos door de ruw betonnen gang. De enige decoratie bestond hier uit zoemende tl-buizen, die een ziekelijk schijnsel wierpen. Hij zag niemand, hoorde niets anders dan het gemurmel van machines.

Hij had rubberen handschoenen aangetrokken en probeerde nu elke deur die hij passeerde. De meeste zaten op slot. De eerste die niet op slot zat, kwam uit op een kamertje met een observatievenster in een van de muren. Tyrone was in genoeg politiebureaus geweest om te weten dat het een doorkijkspiegel was. Hij keek in een kamer die niet veel groter was dan het kamertje waarin hij zich bevond. Hij zag een metalen stoel die in het midden van de vloer verankerd was, met daaronder een grote afvoerput. Aan de rechtermuur was een bak van een meter diep bevestigd, zo lang als iemand breed was wiens gespreide armen geboeid waren, en daarboven zat een brandslang. In die kleine kamer leek de tuit daarvan enorm groot. Dit was een *waterboardingtank*, wist Tyrone van foto's die hij had gezien. Hij maakte zo veel mogelijk foto's, want dit had Soraya nodig om te bewijzen dat de NSA zich schuldig maakte aan illegale en onmenselijke martelingen.

Tyrone gebruikte de digitale minicamera van tien megapixels die Soraya hem had gegeven. Hij zette de deur op een kier en zag dat de gang nog leeg was. Hij liep vlug verder en probeerde weer alle deuren. Ten slotte kwam hij in een andere observatiekamer, maar ditmaal zag hij een man naast een tafel geknield zitten. Zijn armen waren naar achteren getrokken en zijn gebonden handen lagen op de tafel. Er was een zwarte kap over zijn hoofd getrokken. Zijn houding was die van een verslagen soldaat die gedwongen wordt de voeten van zijn overwinnaar te kussen. Er ging een golf van woede door Tyrone heen zoals hij nooit eerder had gevoeld. Onwillekeurig dacht hij aan de geschiedenis van zijn eigen volk: opgejaagd door rivaliserende stammen aan de oostkust van Afrika, verkocht aan de blanke man, als slaven naar Amerika gebracht. Die hele verschrikkelijke geschiedenis die Deron hem had laten bestuderen, opdat hij leerde waar hij vandaan kwam en begreep wat er achter de vooroordelen, de haat en alle andere krachtige neigingen in hem zat.

Met enige moeite beheerste hij zich. Hierop hadden ze gehoopt; het bewijs dat de NSA gevangenen aan illegale vormen van marteling onderwierp. Tyrone maakte een heleboel foto's en zelfs een korte videofilm voordat hij de observatiekamer verliet.

Opnieuw was hij de enige op de gang. Dat zat hem dwars. Hij had hier beneden toch wel NSA-personeel moeten zien of horen? Maar er was nergens iemand te bekennen.

Plotseling kriebelde er iets in zijn nek. Hij draaide zich om en liep op een drafje terug. Zijn hart bonkte; het bloed gonsde in zijn oren. Bij elke stap die hij zette werd het gevoel van onheil groter. Toen rende hij.

Luther LaValle keek op van zijn lectuur en zei dreigend: 'Wat voor spelletje speelt u, directeur?'

Soraya schrok, maar bedwong zich. 'Pardon?'

'Ik heb die onderschepte berichten die volgens u van het Zwarte Legioen komen nu twee keer doorgenomen. En nergens zie ik die naam staan, en trouwens ook geen andere naam.'

Willard kwam terug en gaf generaal Kendall een opgevouwen stukje papier. Kendall las het met een onbewogen gezicht. Toen excuseerde hij zich. Met een slecht voorgevoel zag Soraya hem de Bibliotheek verlaten.

Om haar aandacht weer te trekken zwaaide LaValle even met de papieren door de lucht, als een rode lap voor een stier. 'Vertel me de waarheid. Dit zouden net zo goed gesprekken kunnen zijn tussen twee groepen kinderen die terroristje spelen.'

Soraya voelde dat ze nijdig werd. 'Mijn mensen verzekeren me dat het echt is, meneer LaValle, en zij zijn de besten in het vak. Als u dat niet gelooft, kan ik me niet voorstellen waarom u zeggenschap over Typhon wilt hebben.'

LaValle gaf dat toe, maar hij was nog niet klaar met haar. 'Hoe weet u dan dat ze van het Zwarte Legioen zijn?'

'Aanvullende inlichtingen.'

LaValle leunde achterover. Zijn glas stond onaangeroerd op de tafel. 'Wat ter wereld betekent *aanvullende inlichtingen* nou weer?'

'Een andere bron die los staat van deze berichten. Die bron weet van een dreigende aanslag die onder auspiciën van het Zwarte Legioen op Amerikaanse bodem zal worden gepleegd.'

'Voor het bestaan van die organisatie hebben we geen tastbaar bewijs.'

Soraya voelde zich steeds minder op haar gemak. Het gesprek kwam gevaarlijk dicht bij een ondervraging. 'Ik heb deze onderscheppingen op uw verzoek meegebracht om vertrouwen tussen ons te wekken.'

'Dat kan wel zijn,' zei LaValle, 'maar eerlijk gezegd maken deze anonieme onderscheppingen niet veel indruk op mij, hoe alarmerend ze op het eerste gezicht ook lijken. U houdt iets achter, directeur. Ik wil de bron van uw zogeheten aanvullende inlichtingen weten.'

'Dat is onmogelijk. De bron is absoluut onschendbaar.' Soraya kon hem niet vertellen dat haar bron Jason Bourne was. 'Maar...' Ze reikte in haar smalle koffertje, haalde er foto's uit en gaf ze aan hem.

'Dat is een lijk,' zei LaValle. 'Ik zie de betekenis niet...'

'Kijkt u eens naar de tweede foto,' zei Soraya. 'Dat is een close-up van de binnenkant van de elleboog van het slachtoffer. Wat ziet u?'

'Een tatoeage van drie paardenkoppen met in het midden een... wat is dit? Het lijkt wel een ss-doodskop.'

'En dat is het ook.' Soraya gaf hem nog een foto. 'Dit is het insigne van het Zwarte Legioen onder leiding van Heinrich Himmler.'

LaValle perste zijn lippen op elkaar. Toen legde hij de papieren in de map terug en gaf hem aan Soraya. Hij hield de foto's omhoog. 'Als u deze insignes kon vinden, kan iemand anders dat ook. Dit kan een groep zijn die zich het teken van het Zwarte Legioen gewoon heeft toegeëigend, zoals de skinheads in Duitsland het hakenkruis gebruiken. Trouwens, dit bewijst niet dat de onderscheppingen afkomstig zijn van het Zwarte Legioen. En ook als dat wel zo was, had ik een probleem, directeur. U moet datzelfde probleem hebben. U hebt me verteld – ook volgens uw onschendbare bron – dat het Zwarte Legioen de Broederschap van het Oosten als dekmantel heeft. Als de NSA iets met die informatie doet, komen we in een ware pr-nachtmerrie terecht. Zoals u vast wel weet is de Broederschap van het Oosten een buitengewoon machtige organisatie. Ze hebben veel goodwill bij de buitenlandse pers. Als we hier iets mee doen en we hebben het mis, dan komt dat de president en ons land op een grote vernedering te staan, en dat kunnen we ons nu echt niet veroorloven. Is dat duidelijk?'

'Volkomen, meneer LaValle. Maar als we dit negeren en er wordt weer een succesvolle aanslag op Amerika gepleegd, hoe komen we dan over?'

LaValle wreef over zijn gezicht. 'Dus we zitten tussen twee vuren in.'

'Meneer LaValle, u weet net zo goed als ik dat actie beter is dan geen actie, zeker in een explosieve situatie als deze.'

LaValle stond op het punt te capituleren, dacht Soraya, maar op dat moment kwam Willard geluidloos als een geest naar hen toe. Hij bukte zich en fluisterde iets in LaValles oor.

'Dank je, Willard,' zei LaValle. 'Dat is alles.' Toen keek hij Soraya weer aan. 'Nou, directeur, het schijnt dat ik dringend ergens heen moet.' Hij stond op en keek glimlachend op haar neer, maar sprak met een ijzige stem. 'Alstublieft, komt u met mij mee.'

Er ging een schok door Soraya's haar. Deze uitnodiging was geen verzoek.

Jakov, de *bombila*-chauffeur die bevel had gekregen tegenover de hoofdingang van het Metropolya Hotel te parkeren, had veertig minuten eerder gezelschap gekregen van een man die eruitzag alsof hij een bokspartij met een vleesmolen achter de rug had. Ondanks pogingen het te camoufleren was zijn gezicht gezwollen en zo donker als platgeslagen vlees. Hij had een zilverkleurige lap over zijn ene oog. Hij was een norse kerel, constateerde Jakov al voordat de man hem een handvol geld gaf. Hij begroette Jakov met geen woord maar liet zich op de achterbank neerploffen en zakte omlaag, zodat zelfs de kruin van zijn hoofd onzichtbaar was voor iemand die toevallig naar binnen keek.

In de *bombila* werd het algauw zo benauwd dat Jakov de relatieve warmte voor de ijskoude Moskouse nacht moest inruilen. Hij kocht wat eten bij een voorbijkomende Turkse venter, was het volgende halfuur bezig het op te eten, en praatte met zijn vriend Max, die achter hem was gestopt omdat Max een luie donder was die elk excuus gebruikte om niet te hoeven werken.

Jakov en Max waren verwikkeld in verhitte speculaties over de dood, de week daarvoor, van een hoge functionaris van de RAB Bank, die vastgebonden, gemarteld en gestikt in de garage van zijn eigen *elitny*-datsja was aangetroffen. Ze vroegen zich af waarom het Openbaar Ministerie en de pas opgerichte onderzoekscommissie van de president ruziemaakten om de jurisdictie over dit sterfgeval.

'Het is politiek. Zuiver en simpel,' zei Jakov.

'Vúíle politiek,' zei Max. 'Dáár is niets zuivers en simpels aan.'

Op dat moment zag Jakov dat Jason Bourne en de sexy *djev* voor het hotel uit een *bombila* stapten. Toen Jakov drie keer met zijn vlakke hand tegen de zijkant van de taxi sloeg, voelde hij beweging op de achterbank.

'Hij is er,' zei hij toen het achterraam naar beneden kwam.

Bourne wilde Gala net bij het Metropolya Hotel afzetten toen hij uit het raam van de *bombila* keek en de taxi zag die hem eerder van De Chinese Piloot naar het hotel had gebracht. Jakov, de chauffeur, leunde tegen het spatbord van zijn aftandse vehikel en at iets vets terwijl hij met een collega praatte die recht achter hem geparkeerd stond.

Bourne zag Jakov kijken toen Gala en hij uit de *bombila* stapten. Toen ze de draaideur gepasseerd waren, zei Bourne tegen haar dat ze moest blijven waar ze was. Links van hem zag hij de dienstingang die door portiers werd gebruikt om de bagage van gasten het hotel in en uit te dragen. Bourne keek naar de overkant van de straat. Jakov stak zijn hoofd in het achterraam en overlegde met een man die op de achterbank verborgen had gezeten.

In de lift, op weg naar hun kamer, zei hij: 'Heb je honger? Ik wel.'

Harun Iliev, de man die door Semion Ikoepov was gestuurd om Jason Bourne te zoeken, had urenlang fel onderhandeld met frustrerend weinig resultaat en had uiteindelijk veel geld uitgegeven om op Bournes spoor te komen. Het was geen toeval dat hij uiteindelijk was terechtgekomen bij de *bombila*-chauffeur Jakov, want Jakov was een ambitieuze man die wist dat hij nooit rijk zou worden als hij met zijn taxi door Moskou bleef rijden, altijd maar in de clinch met andere *bombili*, altijd maar proberend vrachtjes voor hun neus weg te kapen. Wat kon lucratiever zijn dan mensen bespioneren? Vooral wanneer je belangrijkste cliënt een Amerikaan was. Jakov had veel cliënten, maar die smeten geen van allen zo met dollars als de Amerikanen. Die geloofden echt dat je met genoeg geld alles kon kopen. Meestal hadden ze gelijk. Maar als ze niet gelijk hadden, waren ze evengoed veel geld kwijt.

De meeste andere cliënten van Jakov lachten om het soort geld waar de Amerikanen mee smeten, al deden ze dat volgens hem vooral omdat ze jaloers waren. Lachen om iets wat je niet had en nooit zou krijgen was, veronderstelde hij, beter dan in de put zitten.

Ikoepovs mensen waren de enigen die even goed betaalden, maar ze maakten veel minder gebruik van hem dan de Amerikanen. Aan de andere kant gaven ze hem voorschotten. Jakov kende Harun Iliev goed, had al verscheidene keren zaken met hem gedaan, mocht hem graag en vertrouwde hem. Trouwens, ze waren allebei moslim. Jakov hield zijn godsdienst in Moskou geheim, in het bijzonder voor de Amerikanen, die hem dom genoeg meteen aan de kant zouden zetten.

Direct nadat de Amerikaanse attaché hem voor het karwei had benaderd, had Jakov naar Harun Iliev gebeld. Als gevolg daarvan had Harun zichzelf via een neef van hem, die in de keuken werkte, een baantje in het Metropolya Hotel bezorgd. De neef coördineerde voedselbestellingen voor de koks. Zodra hij de roomservicebestelling uit kamer 1728, Bournes kamer, zag komen, belde hij Harun.

'We hebben vanavond weinig personeel,' zei hij. 'Als je hier binnen vijf minuten bent, zorg ik ervoor dat jij de bestelling naar hem toe mag brengen.'

Harun Iliev ging vlug naar zijn neef, die hem een serveerwagentje liet zien met dichte schalen, borden, bestek en servetten, dat alles afgedekt met gesteven wit linnen. Hij bedankte zijn neef voor deze gelegenheid om bij Jason Bourne te komen en reed met het wagentje naar de dienstlift. Daar stond al iemand. Harun veronderstelde dat het een van de hotelmanagers was, tot ze in de lift stapten en de man zich omdraaide, zodat Harun een glimp opving van zijn gehavende gezicht en de zilverkleurige lap over zijn oog.

Harun stak zijn hand uit en drukte op de knop van de zeventiende verdieping. De man drukte op die van de achttiende. De lift stopte op de vierde verdieping, waar een kamermeisje met haar linnenwagen instapte. Ze stapte een verdieping hoger uit.

De lift was net voorbij de vijftiende verdieping gekomen toen de man zijn hand uitstak en op de grote rode knop van NOODSTOP drukte. Harun wilde de man vragen waarom hij dat deed, maar die vuurde één kogel af met een uitzonderlijk stille 9mm Welrod met demper. De kogel drong in Haruns voorhoofd binnen en scheurde door zijn hersenen. Hij was al dood voordat hij op de vloer van de lift zakte.

Anthony Prowess veegde het beetje bloed dat er lag met een servet uit het roomservicewagentje weg. Toen trok hij vlug het uniform van het Metropolya Hotel van zijn slachtoffer uit en trok hij het zelf aan. Hij drukte weer op de knop van NOODSTOP en de lift steeg door naar de zeventiende verdieping. Nadat hij had vastgesteld dat er niemand op de gang was, keek Prowess op een plattegrond van de verdieping en sleepte het lijk naar een bezemkast, waarna hij het wagentje de hoek om duwde naar kamer 1728.

'Waarom neem je geen douche? Een lange, warme douche,' zei Bourne.

Gala keek hem ondeugend aan. 'Als ik stink, dan tenminste niet zo erg als jij.' Ze trok haar minirok uit. 'Waarom gaan we niet samen?'

'Een andere keer. Ik heb zaken te doen.'

Ze stak op een grappige manier haar onderlip naar voren. 'God, wat zou er saaier kunnen zijn?'

Bourne lachte. Ze liep de badkamer in en deed de deur achter zich dicht. Even later drong het geluid van stromend water tot hem door, tegelijk met slierten damp. Hij zette de tv aan en keek naar een afschuwelijk programma in het Russisch, met het geluid hard aan.

Er werd op de deur geklopt. Bourne kwam van het bed af en deed open. Een geüniformeerde ober in een kort jasje en met een pet waarvan de klep laag over zijn gezicht was getrokken, duwde een wagentje met eten de kamer in. Bourne tekende de rekening en de ober maakte aanstalten om weg te gaan. Toen draaide hij zich bliksemsnel om, met een mes in zijn hand. In één waas van beweging haalde hij uit met zijn arm. Maar Bourne was er klaar voor. Toen de ober het mes wierp, trok Bourne het koepelvormige metalen deksel van een schaal omhoog en gebruikte het als schild om het mes af te laten ketsen. Met een snelle polsbeweging wierp hij het deksel naar de ober, die wegdook. De rand trof zijn pet, die van zijn hoofd vloog, zodat het opgezette gezicht te zien was van de man die Baronov had gewurgd en had geprobeerd Bourne ook te vermoorden.

De aanvaller trok een Welrod en loste twee schoten voordat Bourne het wagentje tegen hem aan duwde. Hij wankelde achteruit. Bourne dook over het wagentje heen, greep Prowess bij de voorkant van zijn uniform en drukte hem tegen de vloer.

Het lukte Bourne de Welrod weg te schoppen. De man ging hem met handen en voeten te lijf en duwde hem opzij om weer bij het pistool te kunnen komen. Bourne zag de lap over het oog van de NSA-agent en kon alleen maar vermoeden welke schade hij had aangericht.

De agent deed een schijnaanval en trof Bourne recht op zijn kin. Bourne wankelde en zijn belager vloog weer op hem af met een draad die hij om Bournes hals sloeg. Door daar hard aan te trekken kreeg hij Bourne weer overeind. Bourne wankelde tegen het wagentje aan. Toen dat van hem wegreed, greep hij de schaal en gooide de inhoud in het gezicht van de agent. De gloeiend hete soep trof de man als een fakkel, en hij gaf een schreeuw maar liet de draad niet los. Hij rukte er juist harder aan en trok Bourne tegen zijn borst.

Bourne zat op zijn knieën, zijn rug gewelfd. Zijn longen schreeuwden om zuurstof, zijn spieren verloren snel hun kracht, en het kostte hem steeds meer moeite zich te concentreren. Hij wist dat hij aanstonds het bewustzijn zou verliezen.

Met zijn overgebleven kracht gaf hij een elleboogstoot in het kruis van de agent. De draad verslapte enigszins en hij kon overeind komen. Hij ramde met zijn achterhoofd tegen het gezicht van de agent en hoorde een bevredigende dreun toen het hoofd van de man tegen de muur sloeg. De draad verslapte nog wat meer en Bourne kon hem nu van zijn keel wegtrekken. Hij zoog lucht in zijn longen en sloeg nu op zijn beurt de draad om de hals van Prowess. De man vocht en schopte als een idioot, maar Bourne hield vol. Hij trok de draad strakker en strakker, tot het lichaam van de agent slap werd. Zijn hoofd bungelde opzij. Bourne bleef de draad straktrekken tot hij merkte dat de man niet meer leefde. Toen liet hij hem op de vloer glijden.

Hij stond diep ademhalend voorovergebogen, met zijn handen op zijn dijen, toen Gala omkranst door naar lavendel geurende nevel uit de badkamer kwam.

'Jezus christus,' zei ze. Toen draaide ze zich om en braakte over haar blote roze voeten.

23

'Hoe u het ook wendt of keert,' zei LaValle, 'hij is dood.'

Soraya keek somber door de doorkijkspiegel naar Tyrone, die in een kamertje stond dat onheilspellend genoeg was voorzien van een ondiepe, doodkistachtige kuip met banden voor polsen en enkels en een brandslang erboven. In het midden van de kamer was een stalen tafel aan de kale betonnen vloer verankerd, met daaronder een afvoerput om water en bloed weg te spoelen.

LaValle hield de digitale camera omhoog. 'Generaal Kendall heeft dit bij uw collega gevonden.' Hij drukte op een knop en de foto's die Tyrone had gemaakt gleden over het schermpje van de camera. 'Dit is al genoeg bewijs om hem voor hoogverraad veroordeeld te krijgen.'

Soraya vroeg zich onwillekeurig af hoeveel foto's van de martelkamers Tyrone had kunnen maken voordat hij gepakt werd.

'Hij is er geweest,' zei Kendall, en hij ontblootte zijn tanden.

Soraya kon zich niet ontdoen van een misselijk gevoel in haar maag. Natuurlijk had Tyrone wel vaker in gevaarlijke situaties verkeerd, maar deze keer was het haar rechtstreekse verantwoordelijkheid. Ze wist dat ze het zichzelf nooit zou vergeven als hem iets overkwam. Hoe had ze het in haar hoofd kunnen halen hem voor zulk riskant werk in te zetten? Het was maar al te duidelijk dat ze een enorme misrekening had gemaakt. En het was nu te laat om er iets aan te doen.

'Alleen jammer,' ging LaValle verder, 'dat we u ook heel gemakkelijk veroordeeld kunnen krijgen.'

Soraya had alleen maar oog voor Tyrone, die ze een verschrikkelijk onrecht had aangedaan.

'Dit was mijn idee,' zei ze met doffe stem. 'Laat Tyrone gaan.'

'U bedoelt dat hij alleen maar bevelen opvolgde,' zei generaal Kendall. 'We zijn hier niet in Neurenberg. Eerlijk gezegd is er voor jullie twee geen enkel verweer. Zijn veroordeling en executie – en ook die van u – zijn een voldongen feit.'

Ze brachten haar terug naar de Bibliotheek, waar Willard een verse pot ceylonthee voor haar ging halen zodra hij haar asgrauwe gezicht zag. Ze zaten met zijn drieën bij het raam. De vierde stoel, opvallend leeg, was een beschuldiging aan het adres van Soraya. Ze had bij het uitvoeren van deze missie grote fouten gemaakt en bovendien LaValle ernstig onderschat. Omdat hij zo zelfvoldaan en overdreven agressief was, had ze gedacht dat hij het soort man was dat haar automatisch zou onderschatten. Daar had ze zich finaal in vergist.

Ze vocht tegen het samentrekken van haar borst, de paniek die omhoogkwam, het gevoel dat Tyrone en zij in een onmogelijke situatie verzeild waren geraakt. Ze gebruikte het theeritueel om zich te concentreren. Voor het eerst in haar leven deed ze melk en suiker in de thee, en daarna dronk ze ervan alsof de thee een medicatie was, of een boetedoening.

Ze probeerde over de schok heen te komen en haar gedachten weer normaal te laten werken. Ze wist dat ze Tyrone alleen kon helpen als ze uit dit gebouw kon komen. Als LaValle van plan was haar te laten terechtstaan, zoals hij had gedreigd met Tyrone te zullen doen, zou ze nu al in een cel zitten. In plaats daarvan had hij haar naar de Bibliotheek teruggebracht, en dat was een sprankje licht in de duisternis die om haar heen was neergedaald. Ze zou het spel van LaValle en Kendall voorlopig meespelen.

Zodra ze haar theekopje had neergezet, pakte LaValle de strijdbijl op. 'Zoals ik al eerder zei, directeur, is het heel jammer dat u hierbij betrokken bent. Ik zou het verschrikkelijk vinden u als bondgenoot te verliezen, al zie ik nu in dat u nooit mijn bondgenoot bent geweest.'

Dit toespraakje klonk ingestudeerd, alsof LaValle over elk woord had nagedacht.

'Eerlijk gezegd,' ging hij verder, 'zie ik achteraf wel in dat u vanaf het begin tegen me hebt gelogen. U bent nooit van plan geweest met de NSA in zee te gaan, hè?' Hij zuchtte, alsof hij een professor was die een intelligente maar chronisch eigenzinnige student de les las. 'Daarom kan ik niet geloven dat u dit plan in uw eentje hebt uitgedacht.'

'Als ik zou moeten gokken,' zei Kendall, 'zou ik zeggen dat uw bevelen van de top kwamen.'

'Veronica Hart is het echte probleem.' LaValle spreidde zijn handen. 'In het licht van wat hier vandaag is gebeurd kunt u zich misschien voorstellen hoe wij de dingen zien.'

Soraya had geen weerman nodig om te zien uit welke hoek de wind waaide. Met een opzettelijk neutrale stem zei ze: 'Hoe kan ik van dienst zijn?'

LaValle glimlachte vriendelijk, keek Kendall aan en zei: 'Zie je wel, Richard, ondanks jouw bezwaren kan de directeur ons toch nog van dienst zijn.' Toen keek hij vlug Soraya weer aan en verdween de glimlach van zijn gezicht. 'De generaal wil u beiden tot het uiterste vervolgen, en ik hoef u niet te zeggen dat zoiets heel ver kan gaan.'

Het spel van goede en slechte smeris leek een cliché, dacht Soraya bitter, als het in dit geval niet echt was. Ze wist dat Kendall de pest aan haar had; hij had geen enkele poging gedaan zijn minachting te verbergen. Per slot van rekening was hij een militair. Het idee dat hij ooit een vrouw boven zich zou krijgen, was ondenkbaar, ja zelfs absurd voor hem. Hij had ook geen hoge dunk van Tyrone gehad; dat maakte diens gevangenneming des te erger.

'Ik begrijp dat mijn positie onhoudbaar is,' zei ze. Ze vond het verschrikkelijk dat ze voor die verachtelijke kerel door het stof moest gaan.

'Uitstekend. Dan nemen we dat als uitgangspunt.'

LaValle keek naar het plafond, alsof hij zich afvroeg hoe hij verder moest gaan, maar ze vermoedde dat hij precies wist wat hij deed. Over elke stap had hij al nagedacht.

Hij keek haar aan. 'Volgens mij hebben we een tweeledig probleem. Ten eerste is er uw vriend in de cel. Ten tweede bent u hier.'

'Ik maak me meer zorgen om hem,' zei Soraya. 'Hoe krijg ik hem eruit?'

LaValle verschoof op zijn stoel. 'Laten we eerst naar uw eigen situatie kijken. We kunnen indirecte bewijzen tegen u aanvoeren, maar zonder een rechtstreekse getuigenverklaring van uw vriend...'

'Tyrone,' zei Soraya. 'Hij heet Tyrone Elkins.'

Om duidelijk te maken wiens gesprek dit was ging LaValle opzettelijk aan haar voorbij. 'Zonder rechtstreekse getuigenverklaring van uw vriend komen we niet ver.'

'Die verklaring krijgen we,' zei Kendall, 'zodra we hem waterboarden.'

'Nee,' zei Soraya. 'Dat kunt u niet doen.'

'Hoezo, omdat het illegaal is?' Kendall grinnikte.

Soraya keek LaValle aan. 'Er is een andere manier. Dat weet u net zo goed als ik.'

LaValle zei eerst niets, liet de spanning even voortduren. 'U had een bron die kon bevestigen dat de Typhon-onderscheppingen echt waren. Die bron was onschendbaar, zei u. Geldt dat nog steeds?'

'Als ik het u vertel, laat u Tyrone dan gaan?'

'Nee,' zei LaValle, 'maar dan bent u vrij om te gaan.'

'En Tyrone?'

LaValle sloeg zijn ene been over het andere. 'Zullen we één ding tegelijk doen?'

Soraya knikte. Ze wist dat ze geen manoeuvreerruimte had zolang ze daar zat. 'Mijn bron was Bourne.'

LaValle keek geschrokken. 'Jason Bourne? Neemt u me in de maling?'

'Nee, meneer LaValle. Hij weet dat het Zwarte Legioen bestaat en dat het gesteund wordt door de Broederschap van het Oosten.'

'Waar komt die wetenschap in godsnaam vandaan?'

'Hij had geen tijd om het me te vertellen, gesteld al dat hij dat wilde,' zei ze. 'Er waren te veel NSA-agenten in de buurt.'

'Het incident bij de Freer Gallery,' zei Kendall.

LaValle stak zijn hand op. 'U hebt hem helpen ontsnappen.'

Soraya schudde haar hoofd. 'Hij dacht juist dat ik me tegen hem had gekeerd.'

'Interessant.' LaValle tikte tegen zijn lip. 'Denkt hij dat nog steeds?'

Soraya vond dat het tijd werd voor een beetje uitdaging, een leugentje. 'Ik weet het niet. Jason is een beetje paranoïde, dus het zou best kunnen.'

LaValle keek peinzend. 'Misschien kunnen we dat in ons voordeel gebruiken.'

Generaal Kendall keek vol walging. 'Met andere woorden, dit hele verhaal over het Zwarte Legioen is misschien niets meer dan de fantasie van een gek.'

'Of opzettelijke desinformatie. Dat is waarschijnlijker,' zei LaValle.

Soraya schudde haar hoofd. 'Waarom zou hij dat doen?'

'Wie weet waarom hij iets doet?' LaValle nam een langzaam slokje van zijn whisky, die nu verdund was door de gesmolten ijsblokjes. 'Laten we niet vergeten dat Bourne woedend was toen hij u over het Zwarte Legioen vertelde. U geeft zelf toe dat hij dacht dat u hem had bedrogen.'

'Daar zit wat in.' Soraya liet het wel uit haar hoofd om Bourne te verdedigen bij deze mensen. Hoe meer je hen tegensprak, des te harder beten ze zich in hun standpunt vast. Ze zouden uit angst en walging argumenten tegen Jason aanvoeren. Niet omdat hij, zoals zij beweerden, labiel was, maar omdat hij zich gewoon geen zier van hun regels en voorschriften aantrok. Hij daagde hen niet uit, iets waarvan de directeuren wel wisten hoe ze het moesten aanpakken, maar deed of ze helemaal niet bestonden.

'Natuurlijk.' LaValle zette zijn glas neer. 'Laten we het dan nu over uw vriend hebben. De bewijzen tegen hem zijn waterdicht. Hij maakt geen enkele kans op gratie of strafvermindering.'

'Laat hem taart eten,' zei Kendall.

'Dat heeft Marie Antoinette trouwens nooit gezegd,' zei Soraya.

Kendall keek haar fel aan, en LaValle ging verder: 'We kunnen beter zeggen: *laat de straf evenredig zijn aan het misdrijf.* Of in uw geval: *laat de boetedoening evenredig zijn aan het misdrijf.*' Hij stuurde de naar hen toe komende Willard met een handgebaar weg. 'Directeur, wij willen van u het bewijs hebben, het onweerlegbare bewijs, dat Veronica Hart achter uw illegale inval op NSA-territorium zit.'

Ze wist wat hij van haar vroeg. 'We hebben het in feite dus over een uitwisseling van gevangenen – Hart tegen Tyrone.'

'U hebt het volkomen begrepen,' zei LaValle, duidelijk ingenomen met zichzelf.

'Daar moet ik over nadenken.'

LaValle knikte. 'Een redelijk verzoek. Ik zal Willard een maaltijd voor u laten klaarmaken.' Hij keek op zijn horloge. 'Richard en ik hebben over vijftien minuten een afspraak. We zijn over ongeveer twee uur terug. U kunt tot dan over uw antwoord nadenken.'

'Nee, ik moet hier in een andere omgeving over nadenken,' zei Soraya.

'Directeur Moore, na al uw bedrog zou dat een fout van onze kant zijn.'

'U hebt beloofd dat ik weg mocht gaan als ik u mijn bron noemde.'

'En dat mag u, als u met mijn condities akkoord gaat.' Hij stond op, en Kendall deed dat ook. 'Uw vriend en u zijn hier samen binnengekomen. Nu bent u een Siamese tweeling geworden.'

Bourne wachtte tot Gala voldoende hersteld was. Ze kleedde zich trillend aan zonder ook maar één blik op het lijk van de NSA-agent te werpen.

'Ik vind het jammer dat jij hierbij betrokken bent geraakt,' zei Bourne.

'Nee, dat vind je niet jammer. Zonder mij zou je nooit bij Ivan zijn gekomen.' Woedend stak Gala haar voeten in haar schoenen. 'Dit is een nachtmerrie,' zei ze, alsof ze in zichzelf praatte. 'Ik kan elk moment in mijn eigen bed wakker worden en dan is niets van dit alles gebeurd.'

Bourne leidde haar naar de deur.

Gala rilde opnieuw. Ze liep met een zorgvuldige boog om het lijk heen.

'Je gaat met de verkeerde mensen om.'

'Ha, ha, dat is een goeie,' zei ze, terwijl ze door de gang liepen. 'Daar hoor jij ook bij.'

Even later gaf hij haar een teken dat ze moest blijven staan. Hij knielde neer en streek met zijn vingertop over een natte plek in de vloerbedekking.

'Wat is dat?'

Bourne keek naar zijn vingertop. 'Bloed.'

Gala slaakte een zachte kreet. 'Wat doet dat hier?'

'Goede vraag,' zei Bourne, en hij sloop door de gang. Hij zag een kleine veeg op een smalle deur, trok die deur open en deed het licht in de bezemkast aan.

'Jezus,' zei Gala.

In de kast lag een neergezakt lichaam met een kogel in het voorhoofd. Het was naakt, maar er lag een bergje kleren in een hoek, blijkbaar die van de NSA-agent. Bourne knielde neer en zocht in de kleren naar een of ander identiteitsbewijs, maar hij vond niets.

'Wat doe je?' riep Gala.

Bourne zag een kleine driehoek van donkerbruin leer onder het lijk vandaan steken. Het was alleen zichtbaar voor iemand die met zijn gezicht zo dicht bij de vloer was. Hij rolde het lijk op zijn zij en zag een portefeuille. De papieren van de dode zouden van pas kunnen komen, want Bourne had zelf niets meer. Zijn aangenomen identiteit, die hij had gebruikt om de hotelkamer te nemen, was onbruikbaar, want zodra het lijk in de kamer van Fjodor Ilianovitsj Popov was gevonden, zou er een grote klopjacht op gang komen. Bourne pakte de portefeuille.

Hij stond op, pakte Gala's hand vast en zorgde ervoor dat ze daar wegkwamen. Hij wilde dat ze de dienstlift naar de keuken namen. Vandaar was de achteruitgang gemakkelijk te vinden.

Buiten sneeuwde het weer. De wind vanaf het plein was ijzig en snijdend. Bourne hield een *bombila* aan en wilde de chauffeur al het adres van Gala's vriend opgeven, maar besefte toen dat Jakov, de taxichauffeur die voor de NSA werkte, dat adres kende.

'Stap in de taxi,' zei Bourne tegen Gala. 'Maar zorg dat je snel kunt uitstappen en doe dan precies wat ik zeg.'

Soraya had geen twee uur nodig om een besluit te nemen; zelfs geen twee minuten.

'Goed,' zei ze. 'Ik zal doen wat nodig is om Tyrone hier uit te krijgen.'

LaValle draaide zich naar haar om. 'Wel, zo'n capitulatie zou mijn hart verwarmen, als ik niet wist met wat voor een bedrieglijk persoon ik te maken heb. Jammer genoeg,' ging hij verder, 'is in uw geval een verbale capitulatie niet zo overtuigend als bij anderen. Daarom zal de generaal hier u heel goed duidelijk maken wat de gevolgen zijn als u ons blijft bedriegen.'

Soraya stond tegelijk met Kendall op.

LaValle hield haar met zijn stem tegen. 'O, en directeur, als u hier weggaat, hebt u tot morgenvroeg tien uur de tijd om uw besluit te nemen. Ik verwacht u hier dan terug. Ik hoop dat dit duidelijk is.'

De generaal leidde haar de Bibliotheek uit. Ze liepen over de gang naar de deur van het souterrain. Zodra ze zag waar hij haar heen bracht, zei ze: 'Nee! Doe dit niet. Alstublieft. Het is niet nodig.'

Maar Kendall, die kaarsrecht liep, negeerde haar. Toen ze aarzelend bij de deur bleef staan, pakte hij haar elleboog stevig vast en dirigeerde haar de trap af alsof ze een kind was.

Even later bevond ze zich in dezelfde observatiekamer. Tyrone zat op zijn knieën. Hij had zijn armen achter zich en zijn handen lagen aan elkaar gebonden op het tafelblad, dat boven zijn schouders kwam. Die houding was uiterst pijnlijk en vernederend. Zijn bovenlichaam werd naar voren getrokken en zijn schouderbladen naar achteren.

Soraya was een en al afgrijzen. 'Genoeg,' zei ze. 'Ik begrijp het. U hebt het duidelijk gemaakt.'

'Absoluut niet,' zei generaal Kendall.

Soraya zag twee schimmige figuren door de cel lopen. Tyrone was zich ook van hen bewust geworden. Hij probeerde zich om te draaien om te zien wat ze in hun schild voerden. Een van de mannen schoof een zwarte kap over zijn hoofd.

Mijn god, zei Soraya tegen zichzelf. Wat had die andere man in zijn handen?

Kendall duwde haar hard tegen de doorkijkspiegel. 'Wat je vriend betreft, zijn we nog maar net begonnen.'

Twee minuten later vulden ze de waterboardingtank. Soraya gilde.

Bourne vroeg de *bombila*-chauffeur om voor het hotel langs te rijden. Alles zag er kalm en normaal uit. Dat betekende dat de lijken op de zeventiende verdieping nog niet waren ontdekt, maar het zou niet lang duren voordat iemand op zoek ging naar de verdwenen man van de roomservice.

Hij keek naar de overkant van de straat, op zoek naar Jakov. Die stond nog bij zijn auto met een collega-chauffeur te praten. Ze zwaaiden allebei met hun armen om de bloedsomloop op gang te houden. Hij wees Jakov aan voor Gala, die hem herkende. Toen ze het plein voorbij waren, liet Bourne de *bombila* stoppen.

Hij keek Gala aan. 'Ik wil dat je naar Jakov teruggaat en je door hem naar Universitetskaja Plosjsjad op Vorobyovi Gori laat brengen.' Bourne had het over de top van de enige heuvel in de verder platte stad, waar minnaars en studenten heen gingen om dronken te worden, de liefde te bedrijven en dope te roken terwijl ze over de stad uitkeken. 'Wacht daar op me, en wat je ook doet, stap niet uit de auto. Zeg tegen de chauffeur dat je daar met iemand hebt afgesproken.'

'Maar hij heeft ons bespioneerd,' zei Gala.

'Maak je geen zorgen,' verzekerde Bourne haar. 'Ik ben dicht achter je.'

Het uitzicht vanaf Vorobyovi Gori was niet zo geweldig. Ten eerste was er de lelijke kolos van het Loezjniki Stadion op niet al te grote afstand. Ten tweede waren er de torens van het Kremlin, die zelfs de vurigste minnaars niet zouden inspireren. Evengoed was het daar 's avonds zo romantisch als het in Moskou maar kon zijn.

Bourne, die zijn *bombila* het hele eind daarheen de taxi met Gala had laten volgen, was blij dat Jakov alleen maar opdracht had te observeren en rapporteren. Trouwens, de NSA was geïnteresseerd in Bourne, niet in een jonge blonde *djev*.

Toen Bourne op het uitkijkpunt arriveerde, betaalde hij de ritprijs die aan het begin van de rit was overeengekomen. Hij liep over het trottoir en ging voor in Jakovs taxi zitten.

'Hé, wat moet dat?' zei Jakov. Toen herkende hij Bourne en greep hij naar de Makarov die hij in een zelfgemaakte draagband onder zijn rommelige dashboard had.

Bourne trok zijn hand weg, drukte hem tegen de zitting en nam het pistool in beslag. Hij richtte het op Jakov. 'Aan wie breng je verslag uit?'

Jakov zei jengelend: 'Ik daag je uit om nacht na nacht op mijn plaats te zitten, rond te rijden over de Tuinring, eindeloos voort te kruipen over de Tverskaja, te zien hoe je vrachtjes worden weggekaapt door kamikaze-*bombili*, en dan ook nog genoeg geld te verdienen om van te leven.'

'Het kan me niet schelen waarom jij de hoer uithangt bij de NSA,' zei Bourne tegen hem. 'Ik wil weten aan wie je verslag uitbrengt.'

Jakov stak zijn hand op. 'Luister, luister, ik kom uit Bisjkek in Kirgizië. Het is niet zo goed daar; wie kan de kost verdienen? En dus ga ik met mijn gezin naar Rusland, het kloppend hard van de nieuwe federatie, waar de straten geplaveid zijn met roebels. Maar ik kom hier en word als oud vuil behandeld. Mensen op straat spugen op mijn vrouw. Mijn kinderen worden geslagen en uitgescholden. En ik kan nergens in deze stad een baan krijgen. "Moskou voor de Moskovieten," hoor ik steeds weer. En dus ga ik bij de *bombili*, want ik heb geen keus. Maar dit leven, meneer, u weet niet hoe moeilijk het is. Soms kom ik na twaalf uur thuis met honderd roebel, soms met niets. Niemand kan mij verwijten dat ik het geld van de Amerikanen aanpak.

Rusland is corrupt, maar Moskou is meer dan corrupt. Er is geen woord voor hoe erg het hier is. De regering bestaat uit gangsters en criminelen. De criminelen plunderen de natuurlijke rijkdommen van Rusland – olie, aardgas, uranium. Ze graaien, graaien, graaien, want ze willen allemaal grote buitenlandse auto's, een andere *djev* voor elke dag van de week, een datsja in Miami Beach. En wat blijft er voor ons over? Aardappelen en bieten, als we achttien uur per dag werken en als we geluk hebben.'

'Ik heb niets tegen jou,' zei Bourne. 'Je hebt het recht om de kost te verdienen.' Hij gaf Jakov een handvol dollars.

'Ik zie nooit iemand, meneer. Dat zweer ik. Alleen stemmen in mijn mobiele telefoon. Al het geld gaat naar een postbus in...'

Bourne drukte de loop van de Makarov zorgvuldig in Jakovs oor. De taxichauffeur kromp ineen en keek Bourne verdrietig aan.

'Alstublieft, alstublieft, meneer, wat heb ik gedaan?'

'Ik zag je bij het Metropolya met de man die mij probeerde te vermoorden.'

Jakov piepte als een gespietste rat. 'U vermoorden? Ik word alleen betaald om te kijken en verslag uit te brengen. Ik weet niets van...'

Bourne sloeg de chauffeur. 'Hou op met liegen en vertel me wat ik wil weten.'

'Goed, goed.' Jakov beefde van angst. 'De Amerikaan die me betaalt heet Low. Harris Low.'

Bourne liet hem een uitgebreid signalement van Low geven en pakte toen Jakovs mobieltje.

'Stap uit de auto,' zei hij.

'Maar meneer, ik heb antwoord gegeven op al uw vragen,' protesteerde Jakov. 'U hebt me alles afgepakt. Wat wilt u nog meer?'

Bourne boog zich over hem heen, maakte het portier open en duwde hem naar buiten. 'Het is hier druk. *Bombili* komen en gaan. Je bent nu een rijk man. Gebruik een deel van het geld dat ik je heb gegeven om je naar huis te laten brengen.'

Hij schoof achter het stuur, zette de Lada in de versnelling en reed naar het centrum van de stad terug.

Harris Low was een parmantig mannetje met een potlooddunne snor. Hij had het voortijdige witte haar en de rossige huid van veel families in het noordoosten van de Verenigde Staten. De afgelopen elf jaar had hij in Moskou doorgebracht, werkend voor de NSA. Dat had hij vooral gedaan uit respect voor zijn vader, die hetzelfde gevaarlijke pad had gevolgd. Low had zijn vader aanbeden. Zolang als hij zich kon herinneren had hij net zo willen zijn als hij. Net als bij zijn vader was de Amerikaanse vlag op zijn ziel getatoeëerd. Hij had als student in het footballteam gezeten, had een zware fysieke training gevolgd om agent van de NSA te worden en had op terroristen gejaagd in Afghanistan en de Hoorn van Afrika. Hij was niet bang voor een gevecht van man tegen man en vond het ook geen probleem een vijand te doden. Hij deed het voor God en vaderland.

In zijn elf jaar in de hoofdstad van Rusland had Low veel vrienden gemaakt, van wie sommigen zoons van vrienden van zijn vader waren. Hij had een netwerk ontwikkeld van *apparatsjiki* en *siloviki* voor wie diensten en wederdiensten aan de orde van de dag waren. Harris maakte zich geen illusies. Om zijn land te dienen zou hij elke aap vlooien – mits die hem op zijn beurt ook vlooide.

Hij had over de moorden in het Metropolya Hotel gehoord van een vriend van hem op het Openbaar Ministerie, die de politieradio had gevolgd. Harris ontmoette die persoon in het hotel en was dan ook een van de eerste mensen die ter plaatse waren.

Hij interesseerde zich niet voor het lijk in de bezemkast maar herkende Anthony Prowess meteen. Nadat hij zich had geëxcuseerd, verliet hij de plaats delict en ging naar het trappenhuis naast de gang op de zeventiende verdieping om een buitenlands nummer te bellen. Even later nam Luther LaValle op.

'We hebben een probleem,' zei Low. 'Prowess is in extreme mate inactief geworden.'

'Dat is erg verontrustend,' zei LaValle. 'Een gevaarlijke ex-agent loopt los rond in Moskou en heeft nu een van onze eigen mensen vermoord. Je zult wel weten wat je te doen staat.'

Low begreep het. Er was geen tijd om een andere specialist van de NSA naar Moskou te sturen. Dat betekende dat hij Bourne moest elimineren.

'Nu hij een Amerikaans staatsburger heeft vermoord,' zei LaValle, 'kan ik de politie van Moskou en het Openbaar Ministerie daar erbij halen. Ze krijgen dezelfde foto van hem die ik ook binnen een uur naar jouw mobieltje stuur.'

Low dacht even na. 'Hij is niet zo makkelijk te vinden. Moskou ligt ver achter als het op bewakingscamera's aankomt.'

'Bourne zal geld nodig hebben,' zei LaValle. 'Hij zou problemen bij de douane hebben gekregen als hij te veel geld bij zich had. Dat betekent dat hij een rekening bij een bank in Moskou heeft. Laat de plaatselijke mensen onmiddellijk met de surveillance helpen.'

'Komt voor elkaar,' zei Low.

'En Harris. Maak met Bourne niet dezelfde fout als Prowess.'

Bourne bracht Gala naar het appartement van haar vriendin, dat zelfs voor Amerikaanse begrippen luxueus was. Haar vriendin, Lorraine, was een Amerikaanse van Armeense afkomst. Haar donkere ogen en haar en haar olijfbruine huid maakten haar alleen maar exotischer. Ze omhelsde en kuste Gala, begroette Bourne hartelijk en nodigde hem uit een kop thee te blijven drinken.

Terwijl hij door de kamers liep, zei Gala: 'Hij maakt zich zorgen over mijn veiligheid.'

'Wat is er gebeurd?' vroeg Lorraine. 'Gaat het wel goed met je?'

'Het komt wel goed met haar,' zei Bourne, terwijl hij de huiskamer weer binnenkwam. 'Over een paar dagen is het allemaal overgewaaid.' Nu hij zich ervan had overtuigd dat het appartement veilig was, ging hij weg met de waarschuwing dat ze de deur niet open moesten doen voor iemand die ze niet kenden.

Ivan Volkin had Bourne geïnstrueerd naar Novoslobodskaja 20 te gaan, waar de ontmoeting met Dimitri Maslov zou plaatsvinden.

Eerst vond Bourne het een geluk dat de *bombila* die hij had aangehouden het adres kon vinden, maar toen hij werd afgezet, begreep hij het. Novoslobodskaja 20 was het adres van Motorhome, een nieuwe club voor het jonge Moskouse uitgaanspubliek. Op gigantische flatpanelscreens boven de bar in het midden van de club waren beelden van Amerikaans honkbal, basketball en football en Engels rugby en het WK voetbal te zien. De vloer van de hoofdruimte werd beheerst door tafels voor Russisch biljart en Amerikaans pool. Zoals Volkin hem had gezegd, liep Bourne naar de achterkamer, die was ingericht als een Arabische waterpijpruimte, compleet met elkaar overlappende vloerkleden, kussens in edelsteenkleuren, en natuurlijk felgekleurde koperen waterpijpen, die door liggende mannen en vrouwen gerookt werden.

Bourne werd bij de deur tegengehouden door twee zwaargebouwde bewakers van de club en hij zei tegen hen dat hij een afspraak met Dimitri Maslov had. Een van hen wees naar een man die in de verste hoek een waterpijp lag te roken.

'Maslov,' zei Bourne toen hij bij de stapels kussens bij een lage koperen tafel was aangekomen.

'Ik heet Jevgeni. Maslov is er niet.' De man wees. 'Ga zitten.'

Bourne aarzelde even en ging toen op een kussen tegenover Jevgeni zitten. 'Waar is hij?'

'Dacht je dat het zo simpel zou zijn? Eén telefoontje en hup, daar duikt hij op als een geest uit een fles?' Jevgeni schudde zijn hoofd en bood Bourne de pijp aan. 'Goed spul. Probeer maar eens.'

Toen Bourne weigerde, haalde Jevgeni zijn schouders op. Hij nam een diepe trek en liet de rook even later met een hoorbaar gesis ontsnappen. 'Waarom wil je Maslov spreken?'

'Dat is iets tussen hem en mij,' zei Bourne.

Jevgeni haalde zijn schouders weer op. 'Zoals je wilt. Maslov is de stad uit.'

'Waarom werd me dan gezegd dat ik hierheen moest komen?'

'Om beoordeeld te worden, om te zien of je een serieuze persoon bent. Om te zien of Maslov je kan ontmoeten.'

'Maslov vertrouwt erop dat anderen beslissingen voor hem nemen?'

'Hij is een drukbezette man. Hij heeft andere dingen aan zijn hoofd.'

'Bijvoorbeeld de oorlog met de Azeri.'

Jevgeni kneep zijn ogen enigszins samen. 'Misschien kun je Maslov volgende week ontmoeten.'

'Ik moet hem nu spreken,' zei Bourne.

Jevgeni haalde zijn schouders op. 'Zoals ik al zei: hij is de stad uit. Maar misschien komt hij morgenochtend terug.'

'Waarom zorg je daar niet voor?'

'Dat kan ik doen,' zei Jevgeni. 'Maar dat kost je geld.'

'Hoeveel?'

'Tienduizend.'

'Tienduizend dollar om met Dimitri Maslov te praten?'

Jevgeni schudde zijn hoofd. 'De Amerikaanse dollar is te veel gedevalueerd. Tienduizend Zwitserse franken.'

Bourne dacht even na. Hij had niet zoveel geld bij zich, en zeker niet in Zwitserse franken. Maar Baronov had hem de gegevens van het safeloket bij de Moskva Bank gegeven. Nu was er wel het probleem dat het safeloket op naam van Fjodor Ilianovitsj Popov stond, die nu ongetwijfeld door de politie werd gezocht in verband met het lijk in zijn kamer in het Metropolya Hotel. Er was niets aan te doen, dacht Bourne. Hij zou het risico moeten nemen.

'Morgenvroeg heb ik het geld,' zei Bourne.

'Dat is goed.'

'Maar ik geef het aan Maslov en aan niemand anders.'

Jevgeni knikte. 'Akkoord.' Hij noteerde iets op een stukje papier en liet het aan Bourne zien. 'Komt u morgenmiddag om twaalf uur naar dit adres.' Toen streek hij een lucifer aan en hield hem bij de hoek van het papier, dat langzaam opbrandde tot er niets dan as van over was.

Semion Ikoepov, in zijn tijdelijke hoofdkwartier in Grindelwald, was diep geschokt door het nieuws van Harun Ilievs dood. Hij had al vele malen iemand zien sterven, maar Harun was bijna een broer voor hem geweest. Ze hadden zelfs een nog nauwere band gehad, want de twee torsten geen familiebagage mee die hun relatie kon verstoren en vertroebelen. Ikoepov had altijd op de wijze raad van Harun vertrouwd. Dit was een groot verlies.

Zijn gedachten werden onderbroken door de georkestreerde chaos om hem heen. Twintig mensen bemanden computers die verbonden waren met satellietbeelden, surveillancenetwerken en bewakingscamera's op belangrijke knooppunten over de hele wereld. Ze naderden de laatste fase van de aanslag van het Zwarte Legioen. Elk scherm moest worden bestudeerd en geanalyseerd. De gezichten van verdachte personen moesten eruit worden gepikt en door een gigantische massa software worden gehaald die individuen kon identificeren. Op grond van dit alles werkten Ikoepovs mensen aan een realtimetotaalbeeld van de achtergrond waartegen de aanval zou plaatsvinden.

Ikoepov zag dat drie van zijn medewerkers om zijn bureau heen stonden. Blijkbaar wilden ze hem iets vertellen.

'Wat is er?' Hij klonk prikkelbaar. Op die manier kon hij zijn verdriet en onoplettendheid beter camoufleren.

Ismael, de hoogste van de drie medewerkers, schraapte zijn keel. 'We wilden weten wie u achter Jason Bourne aan wilde sturen nu Harun...' Zijn stem stierf weg.

Ikoepov had over diezelfde vraag nagedacht. Hij had in gedachten een lijst gemaakt van allerlei mensen die hij kon sturen, maar de meesten van hen had hij om allerlei redenen ongeschikt gevonden. Bij de tweede en derde poging besefte hij dat die redenen eigenlijk niet veel voorstelden. Nu Ismael hem die vraag weer stelde, wist hij het antwoord.

Hij keek in de gespannen gezichten van zijn medewerkers en zei: 'Ik. Ik ga zelf achter Bourne aan.'

24

In de Alte Botanische Garten was het benauwend heet en zo vochtig als in een regenwoud. De enorme glazen panelen waren ondoorzichtig van de druppels condens die omlaag gleden. Moira, die haar handschoenen en lange winterjas al had uitgetrokken, trok nu de dikke kabeltrui uit die haar bescherming had geboden tegen de tot op het bot doordringende vochtige ochtendkilte van München.

Wat Duitse steden betrof, gaf ze verre de voorkeur aan Berlijn boven München. Al was het alleen maar omdat Berlijn al vele jaren voorop liep in de popmuziek. In Berlijn hadden vermaarde popiconen als David Bowie, Brian Eno, Lou Reed en vele anderen hun creatieve accu opgeladen door te luisteren naar wat musici maakten die veel jonger waren dan zij. Bovendien had de stad zijn erfenis van de oorlog en de nasleep daarvan nog niet verloren. Berlijn was een levend museum dat veranderde bij elke ademtocht die de stad nam.

Er was ook een strikt persoonlijke reden waarom ze de voorkeur aan Berlijn gaf. Ze was daar ongeveer om dezelfde reden gekomen als Bowie: om muffe gewoonten achter zich te laten, om de frisse lucht in te ademen van een stad die anders was dan de steden die ze kende. Al op vroege leeftijd had Moira genoeg gekregen van alles wat vertrouwd was. Telkens wanneer ze zich gedwongen had gevoeld zich bij een groep aan te sluiten, omdat haar vriendinnen dat ook deden, had ze het gevoel dat ze een stukje van zichzelf kwijtraakte. Geleidelijk besefte ze dat haar vriendinnen geen individuen meer waren maar zich ontwikkelden tot een kliek, tot een 'zij' dat Moira weerzinwekkend vond. Ze kon daar alleen aan ontkomen door tot buiten de grenzen van de Verenigde Staten te vluchten.

Ze had voor Londen of Barcelona kunnen kiezen, zoals andere tweedejaars op de universiteit deden, maar ze was gek op Bowie en de Velvet Underground en dus werd het Berlijn.

De Botanische Garten in München werd in het midden van de negentiende eeuw als expositieruimte gebouwd, maar kwam tachtig jaar later, toen de tuin door brand verwoest was, opnieuw tot leven als openbaar park. Buiten wierp de ontzaglijke kolos van de vooroorlogse fontein van Neptunus een schaduw over de plaats waar ze wandelde.

Al die mooie dingen in deze met glas omgeven ruimte onderstreepten alleen maar het feit dat München zelf een stad zonder verve of bezieling was. Het was een saaie stad van saaie mensen, zakenlieden zo grauw als de stad zelf en fabrieken die rook uitbraakten in de laaghangende, dreigende hemel. Het was ook een middelpunt van Europese moslimactiviteit en door de klassieke wisselwerking van actie en reactie dus eveneens een kweekbodem voor neonazistische skinheads.

Moira keek op haar horloge. Het was precies halftien en daar kwam Noah naar haar toe gelopen. Hij was kalm en efficiënt, ondoorgrondelijk, zelfs afwerend, maar toch viel hij wel mee. Ze had hem als begeleider kunnen weigeren; ze was hooggeplaatst genoeg om dat respect af te dwingen. En Noah had respect voor haar. Daar twijfelde ze niet aan.

In veel opzichten deed Noah haar aan Johann denken, de man die haar in haar studententijd had gerekruteerd. Eigenlijk had niet Johann contact met haar opgenomen op de universiteit; daar was hij veel te slim voor. Hij vroeg zijn vriendin haar te benaderen, want hij veronderstelde terecht dat Moira eerder naar een medestudente zou luisteren. Uiteindelijk had Moira hem zelf ontmoet, nieuwsgierig als ze was naar wat hij haar te bieden had. En de rest was geschiedenis. Nou ja, niet precies. Ze had niemand, ook Martin of Bourne niet, verteld voor wie ze echt werkte. Haar contract met de Firma verbood haar dat.

Ze bleef voor de roze, delicate bloesems van een orchidee staan, die gespikkeld waren als de neus van een maagd. In Berlijn had ze ook haar eerste hartstochtelijke liefdesverhouding beleefd, het soort waar je tenen van krulden en je het zicht op je verantwoordelijkheden en de toekomst verloor. Die verhouding was bijna haar ondergang geworden, vooral omdat ze er gaandeweg helemaal door in bezit werd genomen en niet meer het gevoel had een eigen persoonlijkheid te bezitten. Ze werd een seksueel instrument dat bespeeld werd door haar minnaar. Wat hij wilde, wilde zij, en zo bleef er weinig van haar over.

Uiteindelijk had Johann haar gered, maar het was een immens

pijnlijk proces voor haar geweest om zich te scheiden van het genot. Vooral omdat twee maanden daarna haar minnaar stierf. Ze was lang verschrikkelijk woedend op Johann geweest. Die woede had hun vriendschap aangetast, hun onderling vertrouwen in gevaar gebracht. Het was een les die ze nooit zou vergeten en het was ook een van de redenen waarom ze zichzelf niet had toegestaan verliefd op Martin te worden, al had ze gehunkerd naar zijn aanraking. Jason Bourne was een heel ander verhaal, want het was opnieuw of een wervelwind haar had meegevoerd. Maar ditmaal was ze er niet kleiner door geworden, voor een deel omdat ze nu volwassen was en beter wist, maar ook en vooral omdat Bourne niets van haar vroeg. Hij wilde haar niet leiden en niet domineren. Alles aan hem was zuiver en open. Ze liep door naar een andere orchidee, die zo donker als de nacht was, met een klein geel lantaarntje verborgen in het midden. Het was ironisch, vond ze, dat hij ondanks al zijn problemen zichzelf beter in de hand had dan alle mannen die ze ooit had ontmoet. Ze vond zijn zelfverzekerdheid een onweerstaanbaar afrodisiacum, en ook een krachtig tegengif voor haar eigen aangeboren melancholie.

Dat was ook ironisch. Als hij ernaar werd gevraagd, zou Bourne ongetwijfeld zeggen dat hij een pessimist was, maar omdat ze dat zelf was, pikte ze een optimist er meteen uit. Ook in de onmogelijkste situaties zou Bourne een oplossing vinden. Alleen de grootste optimisten konden dat.

Ze hoorde zachte voetstappen, draaide zich om en zag Noah, die zijn schouders had ingetrokken in zijn overjas van tweed. Hoewel hij in Israël was geboren, kon hij nu voor een Duitser doorgaan, zo lang woonde hij al in Berlijn. Hij was Johanns beschermeling geweest; die twee hadden een erg nauwe band gehad. Toen Johann was gedood, had Noah zijn plaats ingenomen.

'Hallo, Moira.' Hij had een smal gezicht en donker haar dat voortijdig vleugjes grijs vertoonde. Zijn lange neus en serieuze mond logenstraften zijn grote voorliefde voor het absurde. 'Geen Bourne, zie ik.'

'Ik heb mijn best gedaan hem bij NextGen aan boord te krijgen.'

Noah glimlachte. 'Daar twijfel ik niet aan.'

Hij wees en ze liepen samen door. Omdat er op deze sombere ochtend maar weinig mensen waren, hoefden ze niet bang te zijn dat iemand hen hoorde.

'Maar op grond van wat je me had verteld had ik eigenlijk al het gevoel dat je niet veel kans maakte.'

'Ik ben niet teleurgesteld,' zei Moira. 'Ik vond het erg vervelend.'

'Ja, omdat je gevoelens voor hem hebt.'

'En als dat nu eens zo is?' zei Moira, meer in de verdediging gedrongen dan ze had verwacht.

'Zeg jij het maar.' Noah keek haar aandachtig aan. 'De partners vinden allemaal dat je emoties te veel invloed hebben op je werk.'

'Waar komt dat nou weer vandaan?' zei ze.

'Je moet weten dat ik aan jouw kant sta.' Zijn stem was die van een psychoanalist die een patiënt die zich steeds meer opwindt tot bedaren probeert te brengen. 'Weet je, je had hier al dagen geleden moeten komen.' Ze kwamen langs een personeelslid dat een perk met Kaapse viooltjes onderhield. Toen ze buiten gehoorsafstand waren, ging hij verder. 'En dan breng je Bourne mee.'

'Dat heb ik je verteld. Ik wilde hem rekruteren.'

'Lieg niet tegen een leugenaar, Moira.' Hij sloeg zijn armen over elkaar. Toen hij weer sprak, had elk woord gewicht. 'We zijn bang dat je je prioriteiten niet goed stelt. Je hebt werk te doen, en nog werk van vitaal belang ook. De Firma kan het zich niet veroorloven dat je aandacht afdwaalt.'

'Bedoel je dat jullie me willen vervangen?'

'Over die mogelijkheid is gesproken,' gaf hij toe.

'Onzin. In dit late stadium kent niemand het project zo goed als ik.'

'Er kwam nog een andere optie ter sprake: we kunnen ons uit het project terugtrekken.'

Moira was diep geschokt. 'Dat zouden jullie niet doen.'

Noah bleef haar aankijken. 'De partners zijn tot de conclusie gekomen dat het in dit geval beter is om ons uit het project terug te trekken dan om te falen.'

Moira voelde dat het bloed naar haar hoofd steeg. 'Jullie kunnen je niet terugtrekken, Noah. Ik zal niet falen.'

'Helaas is dat geen optie meer,' zei hij, 'want het besluit is genomen. Om zeven uur vanmorgen hebben we NextGen er officieel van in kennis gesteld dat we ons uit het project terugtrekken.'

Hij gaf haar een pakje. 'Dit is je volgende missie. Je vertrekt vanmiddag naar Damascus.'

Toen de zon net opkwam, bereikten Arkadin en Devra de brug over de Bosporus en staken hem over naar Istanbul. Sinds ze de ruige, besneeuwde bergen op de ruggengraat van Turkije achter zich hadden gelaten, hadden ze de ene laag kleren na de andere uitgetrokken, en nu begon de dag buitengewoon helder en mild. Plezier-jachten en kolossale tankers gleden door de Bosporus, op weg naar verschillende bestemmingen. Het was een goed gevoel om de ramen te kunnen openzetten. De lucht, fris en vochtig en met een zweem van zout en mineralen, was een hele opluchting na de droge harde winter in de bergen.

's Nachts waren ze bij alle benzinestations, vervallen motels en winkels gestopt die open waren – al waren de meeste dicht – om te proberen Heinrich te vinden, de volgende koerier in het netwerk van Pjotr.

Toen het tijd voor hem werd om haar af te lossen, ging ze op de passagiersstoel zitten, legde haar hoofd tegen het portier en viel in een diepe slaap, waaruit een droom voortkwam. Ze was een wal-vis en zwom in ijskoud zwart water, zo diep dat er geen zon door-drong. Onder haar gaapte een peilloze afgrond. Voor haar zag ze een schimmige vorm. Ze wist niet waarom, maar ze voelde zich ge-dwongen die vorm te volgen, hem in te halen, te zien wat het was. Was het vriend of vijand? Nu en dan vulde ze haar hoofd en keel met geluid, dat ze door de duisternis zond. Maar ze kreeg geen ant-woord. Er waren geen andere walvissen om haar heen, dus waar joeg ze op, wat wilde ze zo wanhopig graag vinden? Er was nie-mand om haar te helpen. Ze werd bang. De angst groeide en groei-de...

De angst klampte zich aan haar vast toen ze met een schok naast Arkadin in de auto wakker werd. Het grijzige licht van vlak voor de dageraad dat over het landschap kroop maakte alle vormen vreemd en vaag bedreigend.

Vijfentwintig minuten later waren ze in het woelige, luidruchti-ge centrum van Istanbul.

'Heinrich brengt de tijd voordat zijn vliegtuig vertrekt graag in Kilyos door, de badplaats ten noorden van de stad,' zei Devra. 'Weet je hoe je daar moet komen?'

Arkadin knikte. 'Ik ben hier bekend.'

Ze kronkelden door Sultanahmet, de kern van het oude Istanbul, en namen toen de Galatabrug, die over de Gouden Hoorn lag, naar Karaköy in het noorden. In vroeger tijden, toen Istanbul nog Con-stantinopel heette, de hoofdstad van het Byzantijnse keizerrijk, was Karaköy een machtige Genuese handelskolonie met de naam Gala-ta. Toen ze op het midden van de brug kwamen, keek Devra naar Europa in het westen en vervolgens over de Bosporus naar Üskü-dar en Azië in het oosten.

Ze kwamen in Karaköy met zijn versterkte Genuese muren en daarboven de natuurstenen Galatatoren met zijn kegelvormige top, een van de oude monumenten, zoals ook het Topkapipaleis en de Blauwe Moskee, die de skyline van de moderne stad beheersten.

Kilyos lag een kleine veertig kilometer ten noorden van het eigenlijke Istanbul aan de kust van de Zwarte Zee. In de zomer was het een populaire badplaats vol mensen die zwommen, in de restaurants langs het strand aten, zonnebrillen en strohoeden kochten, zonnebaadden of alleen maar droomden. In de winter hing er een trieste, enigszins louche sfeer, als van een weduwnaar die in seniliteit vervalt. Evengoed liepen er op deze zonovergoten ochtend, met een wolkeloze blauwe hemel, mensen over het strand heen en weer: jonge stellen hand in hand, moeders met jonge kinderen die lachend naar de waterlijn renden om meteen gillend van schrik en plezier terug te rennen als de branding kwam aanstormen. Een oude man zat op een klapstoel een kromme, met de hand gedraaide sigaar te roken die een stank verspreidde als de schoorsteen van een leerlooierij.

Arkadin parkeerde de auto en stapte uit. Hij rekte zijn spieren na de lange rit.

'Hij herkent me zodra hij me ziet,' zei Devra, die bleef zitten. Ze beschreef Heinrich tot in details. Kort voordat Arkadin naar het strand liep, voegde ze eraan toe: 'Hij staat graag met zijn voeten in het water. Dan voelt hij zich met de aarde verbonden.'

Op het strand was het zo warm dat sommige mensen hun jasje uitgedaan hadden. Een man van middelbare leeftijd had zich van al zijn bovenkleding ontdaan en zat met opgetrokken knieën in het zand, zijn armen eromheen geslagen, zijn gezicht als een heliotroop naar de zon. Kinderen groeven met gele plastic Tweety Birdschepjes en goten zand in roze plastic Petunia Pigemmertjes. Een verliefd stel was in omhelzing bij de waterrand blijven staan. Ze kusten elkaar hartstochtelijk.

Arkadin liep door. Niet ver achter hen stond een man in de branding. Zijn broekspijpen waren opgestroopt. Zijn schoenen, met daarin zijn sokken, had hij ver weg op een hoog punt in het zand gezet. Hij keek naar het water, waarop hier en daar een tanker, klein als een Lego-model, voortschoof langs de blauwe horizon.

Het signalement dat Devra aan Arkadin had gegeven was niet alleen gedetailleerd maar ook accuraat. De man in de branding was Heinrich.

De Moskva Bank was gehuisvest in een enorm, rijkversierd gebouw dat in elke andere stad voor een paleis kon doorgaan maar voor Moskouse begrippen alledaags was. Het stond op de hoek van een drukke doorgaande weg, op een steenworp afstand van het Rode Plein. Op de straten en trottoirs krioelde het van de Moskovieten en toeristen.

Het was kort voor negen uur 's morgens. Bourne had de afgelopen twintig minuten door de omgeving gelopen om te kijken of het gebouw in de gaten werd gehouden. Hij had niemand gezien, maar dat hoefde niet zoveel te betekenen. Hij had politiewagens door de besneeuwde straten zien rijden, misschien meer dan gewoonlijk.

Toen hij door een straat langs de oever liep, zag hij weer een politiewagen, ditmaal met de zwaailichten aan. Hij ging in een portiek staan en zag hem met grote snelheid voorbijrijden. Op de helft van het blok stopte de politiewagen achter een dubbel geparkeerde auto. Hij bleef daar even staan, en er stapten twee agenten uit die naar de auto toe liepen.

Bourne maakte van de gelegenheid gebruik om over het drukke trottoir te lopen. De mensen waren dik ingepakt, als kleine kinderen. Met ingetrokken schouders en kromme ruggen liepen ze door de straten. Hun adem ontsnapte als wolkjes uit hun mond en neus. Toen Bourne ter hoogte van de politiewagen was gekomen, bukte hij zich en keek door het raam naar binnen. Hij zag zijn eigen gezicht naar hem opkijken van een papier dat blijkbaar aan alle politieagenten van Moskou was verstrekt. Volgens de bijbehorende tekst werd hij gezocht voor de moord op een Amerikaanse overheidsfunctionaris.

Bourne liep vlug in de tegenovergestelde richting. Hij verdween om een hoek voordat de agenten de gelegenheid hadden naar hun auto terug te keren.

Hij belde Gala, die op drie straten afstand in Jakovs gehavende Lada op zijn teken zat te wachten. Na zijn telefoontje reed ze het verkeer in en sloeg twee keer rechts af. Zoals ze hadden verwacht, kwam ze maar langzaam in het drukke ochtendverkeer vooruit.

Ze keek op haar horloge en zag dat ze Bourne nog negentig seconden de tijd moest geven. Toen ze het kruispunt bij de bank naderde, zocht ze op haar gemak naar een geschikt doelwit. Een glanzende Zil limousine, met nog geen vlekje sneeuw op zijn dak of motorkap, kwam langzaam van rechts naar het kruispunt toe.

Op het afgesproken tijdstip kwam ze snel naar voren. De banden van de *bombila*, die Bourne en zij hadden nagekeken toen ze naar

Lorraine waren teruggekeerd, waren bijna kaal; van het profiel was zo goed als niets meer over. Gala remde veel te hard en de Lada slipte gierend op de oude banden over de beijzelde straat, totdat zijn grille tegen een spatbord van de Zil-limousine kwam.

Alle verkeer kwam gierend tot stilstand. Claxons loeiden en voetgangers weken af van hun route, aangetrokken door het schouwspel. Binnen dertig seconden waren er drie politiewagens bij het ongeluk.

In de toenemende chaos glipte Bourne door de draaideur de weelderige hal van de Moskva Bank in. Hij liep meteen de marmeren vloer over, onder een van de drie enorme vergulde kroonluchters aan het gewelfde hoge plafond door. In deze grote ruimte leken mensen erg klein, en hij had een gevoel alsof hij een dood familielid in een marmeren grafkelder ging bezoeken.

Op tweederde van de afstand door de immense ruimte bevond zich een rij loketten, met daarachter werkbijen die over hun werk gebogen zaten. Voordat hij naar hen toe ging, keek Bourne of iemand in de bank verdacht gedrag vertoonde. Hij liet Popovs paspoort zien en noteerde het nummer van het safeloket op een blocnote die speciaal daarvoor klaarlag.

De vrouw keek naar hem en nam zijn paspoort en het door hem beschreven vel papier uit de blocnote mee. Ze sloot haar loket en zei tegen Bourne dat hij moest wachten. Hij zag haar naar de chefs en managers lopen, die in rijen achter identieke houten bureaus zaten, om Bournes papieren aan hen te laten zien. Een manager vergeleek het nummer met zijn lijst van safeloketten en keek toen naar het paspoort. Hij aarzelde en pakte de telefoon, maar toen hij Bourne naar hem zag kijken, legde hij de hoorn weer op de haak. Hij zei iets tegen de vrouw, stond toen op en liep naar Bourne toe.

'Meneer Popov.' Hij gaf het paspoort terug. 'Vasili Legev, om u te dienen.' Hij was een vettige Moskoviet die voortdurend zijn handen over elkaar wreef alsof die handen ergens waren geweest waarover hij liever niet wilde praten. Zijn glimlach leek zo echt als een biljet van drie dollar.

Hij maakte een deur in de lokettenwand open en liet Bourne erdoor. 'Het zal me een genoegen zijn u naar uw safeloket te begeleiden.'

Hij leidde Bourne naar het achterste deel van de ruimte. Een discrete deur kwam uit op een stille, met tapijt bedekte gang die een rij vierkante zuilen aan weerskanten had. Aan de muren hingen slechte reproducties van beroemde landschapsschilderijen. Bourne hoorde de gedempte geluiden van rinkelende telefoons en van computerwerkers die informatie invoerden of brieven schreven. De kluisruimte bevond zich recht tegenover hem en de zware deur stond open. Links leidde een marmeren trap naar boven.

Vasili Legev leidde Bourne door de ronde opening naar de kluisruimte. De scharnieren van de deur leken een halve meter lang en zo dik als Bournes biceps. Bourne kwam in een rechthoekige kamer die van vloer tot plafond in beslag werd genomen door metalen kistjes, waarvan alleen de voorkant te zien was.

Ze liepen naar Bournes safeloket. Er waren twee sloten en twee sleutelgaten. Vasili Legev stak zijn sleutel in het linkerslot en Bourne stak de zijne in het rechter. De twee mannen draaiden tegelijk hun sleutels om, en het kistje kon worden losgetrokken. Vasili bracht het naar een van de kleine kamertjes. Hij zette het op een tafel, knikte Bourne toe, ging weg en trok het privacygordijn achter zich dicht.

Bourne ging niet zitten. Hij maakte het kistje open en zag daarin veel geld in Amerikaanse dollars, euro's, Zwitserse franken en nog meer munteenheden. Hij stopte tienduizend Zwitserse franken in zijn zak, en ook wat dollars en euro's, en deed toen het kistje dicht, trok het gordijn opzij en liep de eigenlijke kluisruimte weer in.

Vasili Legev was nergens te bekennen, maar er stonden twee rechercheurs in burger tussen Bourne en de deuropening van de kluisruimte. Een van hen richtte een Makarov-pistool op hem.

De ander zei grijnzend: 'U komt nu met ons mee, *gospadin* Popov.'

Arkadin slenterde met zijn handen in zijn zakken over het halvemaanvormige strand, langs een vrolijk blaffende hond die door zijn eigenaar van zijn riem was bevrijd. Een jonge vrouw veegde haar kastanjebruine haar van haar gezicht weg en glimlachte naar hem toen ze elkaar voorbijliepen.

Toen hij tamelijk dicht bij Heinrich was, trapte Arkadin zijn schoenen uit. Hij trok zijn sokken ook uit, stroopte zijn broekspijpen op en liep naar de brandinglijn, waar het zand donker en korstachtig was. Hij liep schuin naar de branding toe, en toen hij in het water kwam was hij binnen gehoorsafstand van de koerier.

Omdat Heinrich voelde dat er iemand in zijn nabijheid was, draaide hij zich om. Hij schermde zijn ogen tegen de zon af en knikte Arkadin toe om zich vervolgens weer om te draaien.

Zogenaamd omdat hij struikelde in de branding, kwam Arkadin

dichterbij. 'Het verbaast me dat nog iemand anders dan ik van de winterbranding houdt.'

Heinrich hoorde hem blijkbaar niet. Hij bleef naar de horizon kijken.

'Ik vraag me altijd af waarom het toch zo'n goed gevoel is als het water over mijn voeten stroomt en weer terugrolt.'

Even later keek Heinrich hem aan. 'Als u het niet erg vindt: ik probeer te mediteren.'

'Mediteer hier dan over,' zei Arkadin, en hij stak een mes heel zorgvuldig in zijn zij.

Heinrichs ogen gingen wijd open. Hij wankelde, maar Arkadin ving hem op. Ze gingen samen in de branding zitten, als oude vrienden die één probeerden te worden met de natuur.

Heinrichs mond maakte hijgende geluiden. Ze deden Arkadin denken aan een vis die uit het water was getrokken.

'Wat... wat?'

Arkadin sloeg één hand om hem heen en zocht met zijn andere hand onder zijn popeline jasje. Zoals hij had verwacht, had Heinrich het pakje op zijn lichaam, omdat hij het geen moment uit zijn zicht wilde verliezen. Arkadin hield het even in de palm van zijn hand. Het was een kartonnen koker. Zo klein voor iets met zoveel macht.

'Hier zijn veel mensen voor gestorven,' zei Arkadin.

'Er zullen nog veel meer mensen sterven voordat het voorbij is,' kon Heinrich uitbrengen. 'Wie ben jij?'

'Ik ben je dood,' zei Arkadin. Hij stak het mes er weer in en draaide het om tussen Heinrichs ribben.

'Ah, ah, ah,' fluisterde Heinrich terwijl zijn longen zich met zijn bloed vulden. Zijn ademhaling werd ondiep en toen onregelmatig. Toen ademde hij helemaal niet meer.

Arkadin bleef zijn arm kameraadschappelijk om hem heen houden. Toen Heinrich, die nu niets meer dan dood gewicht was, tegen hem aanzakte, hield Arkadin hem overeind. De branding kwam aanrollen en trok zich weer terug.

Arkadin keek naar de horizon, zoals Heinrich had gedaan. Hij was er zeker van dat er voorbij die grens niets dan een zwarte afgrond was, eindeloos en onkenbaar.

Bourne liep gewillig met de twee politiemannen in burger de kluis uit. Toen ze op de gang kwamen, hakte Bourne met de zijkant van zijn hand op de pols van een van de agenten, zodat de Makarov uit diens hand viel en over de vloer gleed. Bourne draaide zich bliksemsnel om en schopte de andere agent, die tegen de rand van een vierkante zuil werd gesmeten. Bourne greep de arm van de eerste agent vast. Hij trok de arm omhoog en ramde met zijn elleboog tegen de ribbenkast van de agent, waarna hij hem hard in zijn nek sloeg. Nu beide agenten op de vloer lagen, rende Bourne door de gang, maar een andere man kwam op hem af gesprint en versperde hem de weg naar de voorkant van de bank. Hij was een man die aan Jakovs signalement van Harris Low voldeed.

Bourne veranderde van koers en sprong de marmeren trap op. Hij nam drie treden tegelijk. Hij rende over de overloop en bereikte de eerste verdieping. Hij had de plattegrond waaraan Baronovs vriend hem had geholpen goed in zijn hoofd geprent en was op weg naar een nooduitgang. Hij had er al rekening mee gehouden dat hij de bank waarschijnlijk niet in en uit zou komen zonder dat hij werd geïdentificeerd. Het was duidelijk geweest dat Vasili Legev, die *gospadin* Popov had herkend, de politie zou bellen terwijl Bourne veilig in het kamertje naast de kluisruimte was. Toen Bourne de gang op rende, kwam hij een bewaker van de bank tegen. Bourne greep hem bij de voorkant van zijn uniform vast, trok hem van de vloer, zwaaide hem rond en gooide hem de trap af naar de naderende NSA-agent.

Hij rende door de gang, bereikte de deur van de brandtrap, maakte hem open en kwam op de trap. Zoals in veel van zulke oude gebouwen was het een trap die rondging met een lege ruimte in het midden.

Bourne rende de trap op. Hij passeerde de tweede verdieping, de derde. Achter hem hoorde hij de deur openklappen, gevolgd door het geluid van gejaagde voetstappen op de trap. Zijn manoeuvre met de bewaker had de NSA-agent vertraagd maar niet tegengehouden.

Hij was tussen de vierde en de bovenste verdieping toen de NSA-agent op hem schoot. Bourne dook weg en hoorde het *peng!* van de afketsende kogel. Hij rende door en er ging nog een schot langs hem. Toen hij eindelijk de deur naar het dak bereikte, maakte hij hem open en gooide hem achter zich dicht.

Harris Low was woedend. Ondanks al het personeel dat hem ter beschikking stond, was Bourne nog steeds op vrije voeten. *Dat komt er nou van*, dacht hij terwijl hij de trap oprende, *als je de details aan de Russen overlaat.* Ze waren geweldig goed in bruut geweld, maar als het op de subtiliteiten van het undercoverwerk aankwam, had je niets aan ze. Die twee politiemannen in burger bijvoorbeeld. Ondanks Lows bezwaren hadden ze niet op hem gewacht maar waren ze zelf de kluisruimte ingegaan om Bourne te halen. Nu moest hij de rommel opruimen die zij hadden gemaakt.

Hij kwam bij de deur naar het dak, draaide aan de kruk en duwde hem open met de onderkant van zijn schoen. Het dak met teerpapier en de lage winterse hemel keken hem somber aan. Ineengedoken en met zijn Walther PPK/s in de aanslag stapte hij het dak op. Plotseling klapte de deur tegen hem aan en kwam hij weer op de kleine overloop terecht.

Op het dak trok Bourne de deur open en dook door de opening. Hij diende Low drie vuistslagen toe, eerst in de maag en toen tegen zijn rechterpols, zodat Low het pistool liet vallen. De Walther vloog de trap af en bleef uiteindelijk op een tree net boven de derde verdieping liggen.

Woedend pompte Low zijn vuist tweemaal achtereen in Bournes nier. Bourne zakte op zijn knieën en Low schopte hem tegen zijn rug, ging schrijlings op zijn borst liggen en drukte Bournes armen tegen de vloer. Hij greep Bournes keel vast en kneep zo hard als hij kon.

Bourne worstelde om zijn armen vrij te krijgen, maar kon vanuit zijn liggende positie niet genoeg kracht zetten. Hij probeerde lucht te krijgen, maar Low kneep zijn keel zo goed dicht dat er geen zuurstof door kon. Bourne deed geen pogingen meer om zijn armen te bevrijden en drukte in plaats daarvan met de onderkant van zijn rug tegen de vloer. Op die manier creëerde hij een draaipunt voor zijn benen, die hij optrok en naar zijn hoofd uitstrekte. Hij bracht zijn kuiten naar elkaar toe, met Lows hoofd ertussen. Low probeerde ze af te schudden door heftig met zijn schouders te draaien, maar Bourne hield vol en versterkte zijn greep. Toen draaide Bourne hen beiden met enorme krachtsinspanning naar links. Lows hoofd sloeg tegen de muur en Bournes armen waren vrij. Hij trok zijn benen terug en sloeg met zijn handpalmen tegen Lows oren.

Low gaf een schreeuw van pijn, maakte zich met een trappende beweging los en strompelde de trap weer af. Bourne, die op zijn knieën zat, zag dat Low op de Walther af ging. Bourne stond op. Net toen Low bij het wapen was aangekomen, sprong Bourne omlaag over de lege ruimte binnen de rondgaande trap. Hij landde op Low, die met de korte maar dikke loop van de Walther in Bournes gezicht sloeg. Bourne deinsde terug en Low boog hem over de leuning. Hij had vier verdiepingen van leegte beneden zich, eindigend op een genadeloze betonnen vloer. Terwijl ze elkaar worstelend vastgrepen, bracht Low de loop van de Walther langzaam en onverbiddelijk naar Bournes gezicht. Tegelijk duwde Bourne met de muis van zijn hand Lows hoofd omhoog.

Low maakte zich uit Bournes greep los en deed een uitval om hem met het pistool bewusteloos te slaan. Bourne boog zijn knieën. Hij gebruikte Lows eigen vaart door zijn arm onder het kruis van de NSA-agent te steken en hem op te tillen. Low probeerde de Walther op Bourne te richten, slaagde daar niet in en haalde zijn arm naar achteren om nog een klap met de loop uit te delen.

Met al zijn overgebleven kracht tilde Bourne hem over de leuning en gooide hem de luchtkoker in. Low stortte omlaag, een wirwar van armen en benen, en smakte beneden op de vloer.

Bourne draaide zich om en ging het dak weer op. Toen hij daar met grote stappen overheen liep, hoorde hij het vertrouwde loeien van politiesirenes. Met de rug van zijn hand veegde hij bloed van zijn wang. Hij bereikte de andere kant van het dak, klom de borstwering op en sprong over de tussenliggende ruimte naar het dak van het volgende gebouw. Hij deed dat nog twee keer totdat hij het veilig vond om naar de straat terug te keren.

25

Soraya had nooit goed begrepen wat paniek was, al had ze een tante gehad die aan paniekaanvallen leed. Als haar tante zo'n aanval had, zei ze een gevoel te hebben alsof iemand een plastic stomerijzak over haar hoofd had getrokken en ze stikte. Soraya zag haar dan ineengedoken in een stoel zitten, of opgerold op haar bed liggen, en vroeg zich af hoe ter wereld ze zoiets kon voelen. Plastic stomerijzakken waren niet eens toegestaan in huis. Hoe kon iemand het gevoel hebben dat ze stikte terwijl ze niets op haar gezicht had?

Nu wist ze het.

Toen ze zonder Tyrone bij het NSA-huis vandaan reed en de hoge metalen hekken achter haar dicht zwaaiden, lagen haar handen trillend op het stuur en voelde haar hart aan alsof het pijnlijk tegen de binnenkant van haar borst stuiterde. Er zat zweet op haar bovenlip, onder haar oksels, in haar nek. Het ergste was nog dat ze bijna geen lucht kreeg. Haar geest rende in het rond als een rat in een kooi. Ze zuchtte en zoog onregelmatige stoten lucht in haar longen. Kortom, ze voelde zich alsof ze werd gewurgd. Toen kwam haar maag in opstand.

Zo vlug als ze kon stopte ze langs de weg. Ze stapte uit en strompelde tussen de bomen, waar ze zich op handen en knieën liet zakken en de zoete ceylonthee uitbraakte.

Doordat zij zulke overijlde beslissingen had genomen, verkeerden Jason, Tyrone en Veronica Hart nu allemaal in vreselijk groot gevaar. Ze huiverde bij het idee. Het was tot daar aan toe om hoofd van de CIA-post in Odessa te zijn, maar het was heel iets anders om voor directeur te moeten spelen. Misschien had ze te veel hooi op haar vork genomen. Misschien had ze niet de stalen zenuwen die je nodig had om moeilijke keuzes te maken. Waar was dat zelfvertrouwen waar ze altijd prat op ging? Dat was in die verhoorcel van de NSA bij Tyrone achtergebleven.

Op de een of andere manier bereikte ze Alexandria, waar ze parkeerde. Ze zat voorovergebogen in de auto, haar klamme voorhoofd tegen het stuur gedrukt. Ze probeerde samenhangend te denken, maar het leek wel of haar hersenen in een blok beton gevat zaten. Ten slotte huilde ze onbedaarlijk.

Ze moest Deron bellen, maar ze was doodsbang voor zijn reactie als ze hem vertelde dat ze zijn beschermeling had laten gevangennemen en martelen door de NSA. Ze had het grondig verknoeid. En ze had geen idee hoe ze die situatie kon rechtzetten. De keuze die LaValle haar had gegeven – Veronica Hart voor Tyrone – was onaanvaardbaar.

Na een tijdje was ze voldoende gekalmeerd om uit haar auto te stappen. Ze bewoog zich als een slaapwandelaar door menigten mensen die niets van haar ellende wisten. Op de een of andere manier leek het haar verkeerd dat de wereld gewoon doorging met draaien, volkomen onverschillig en ongevoelig.

Ze ging een theehuisje in, en toen ze in haar handtas naar haar mobieltje zocht, zag ze het pakje sigaretten. Een sigaret zou haar zenuwen tot bedaren brengen, maar als ze in de koude straat stond te roken, zou ze zich nog meer verloren voelen. Ze besloot er een te nemen als ze op de terugweg naar haar auto was. Nadat ze haar mobieltje op de tafel had gelegd, keek ze ernaar alsof het een levend ding was. Ze bestelde kamillethee, en die bracht haar enigszins tot bedaren, zodat ze de telefoon kon pakken. Ze toetste Derons nummer in, maar toen ze zijn stem hoorde, plakte haar tong aan haar verhemelte vast.

Met veel moeite kon ze haar naam uitspreken. Voordat hij haar kon vragen hoe de missie was verlopen, vroeg ze of ze Kiki, Derons vriendin, kon spreken. Ze wist niet waarom. Ze had Kiki maar twee keer ontmoet. Maar Kiki was een vrouw, en met een instinctief gevoel, een primitief soort verbondenheid, wist Soraya dat ze het gemakkelijker aan haar zou kunnen bekennen dan aan Deron.

Toen Kiki aan de lijn kwam, vroeg Soraya of ze naar het theehuisje in Alexandria kon komen. Toen Kiki vroeg wanneer, zei Soraya: 'Nu meteen. Alsjeblieft.'

'Allereerst moet je ophouden jezelf verwijten te maken,' zei Kiki toen Soraya haar tot in alle pijnlijke details had verteld wat er in het NSA-huis was gebeurd. 'Je wordt verlamd door je schuldgevoel, en geloof me: als we Tyrone uit dat hol willen bevrijden, zul je elke hersencel nodig hebben.'

Soraya keek op van haar lichte thee.

Kiki glimlachte en knikte. In haar donkerrode jurk en met haar opgestoken haar en oorhangers van gehamerd goud leek ze vorstelijker en exotischer dan ooit. Ze torende minstens vijftien centimeter boven iedereen in het theehuisje uit.

'Ik weet dat ik het Deron moet vertellen,' zei Soraya. 'Ik weet alleen niet wat zijn reactie zal zijn.'

'Zijn reactie zal niet zo erg zijn als jij denkt,' zei Kiki. 'Per slot van rekening is Tyrone een volwassen man. Hij kende de risico's net zo goed als ieder ander. Het was zijn keuze, Soraya. Hij had nee kunnen zeggen.'

Soraya schudde zijn hoofd. 'Dat is het nou juist. Ik denk niet dat hij dat kon, tenminste niet vanuit zijn positie.' Ze roerde in haar thee, vooral om nog even te kunnen zwijgen. Toen keek ze op en likte over haar lippen. 'Weet je, Tyrone valt op mij.'

'Nou en of!'

Soraya keek geschrokken. 'Weet je het?'

'Iedereen die hem kent weet dat, schat. Je hoeft alleen maar naar hem te kijken als jullie bij elkaar zijn.'

Soraya voelde dat ze een kleur kreeg. 'Ik denk dat hij alles zou hebben gedaan wat ik hem vroeg, hoe gevaarlijk het ook was en ook als hij het eigenlijk niet wilde.'

'Maar je weet dat hij het wilde.'

Dat was waar, dacht Soraya. Hij was opgewonden geweest. Nerveus, maar duidelijk opgewonden. Ze wist dat hij zich in het bendeleven opgesloten had gevoeld sinds Deron hem onder zijn hoede had genomen. Hij was daar te slim voor, dat wist Deron, maar het ontbrak hem aan de interesse en de aanleg voor wat Deron deed. Toen was zij ten tonele verschenen. Hij had tegen haar gezegd dat hij via haar uit het getto wilde komen.

Toch trok er zich iets samen in haar borst, een misselijk gevoel in het diepst van haar maag. Ze zag steeds weer voor zich hoe Tyrone daar met die kap over zijn hoofd op zijn knieën had gezeten, zijn armen achter hem op het tafelblad gebonden.

'Je wordt bleek,' zei Kiki. 'Voel je je wel goed?'

Soraya knikte. Ze wilde Kiki vertellen wat ze had gezien, maar dat kon ze niet. Als ze erover praatte, zou het allemaal zo angstaanjagend realistisch worden dat ze weer in paniek zou raken.

'Dan moeten we gaan.'

Soraya's hart sloeg over. 'Je moet de dingen niet onnodig uitstellen,' zei ze.

Toen ze naar buiten gingen, haalde ze het pakje sigaretten tevoorschijn en gooide het in een afvalbak. Ze had het niet meer nodig.

Zoals ze hadden afgesproken, kwam Gala met Jakovs *bombila* aanrijden om Bourne op te pikken en gingen ze samen naar Lorraines appartement terug. Het was kort na tien uur 's morgens; hij zou pas om twaalf uur zijn ontmoeting met Maslov hebben. Hij wilde douchen, zich scheren, wat rust nemen.

Lorraine was zo attent hen van alles te voorzien wat ze nodig hadden. Ze gaf Bourne een paar handdoeken en een wegwerpscheermesje en zei dat ze zijn kleren zou wassen en drogen als hij die aan haar gaf. Bourne kleedde zich in de badkamer uit en deed de deur net ver genoeg open om de vuile kleren aan Lorraine te geven.

'Als ik dit in de was heb gedaan, gaan Gala en ik boodschappen doen. Kunnen we iets voor je meebrengen?'

Bourne bedankte haar. 'Alles wat jullie meenemen is goed.'

Hij deed de deur dicht, liep naar de douche en draaide de kranen helemaal open. Uit het medicijnkastje pakte hij massagealcohol, een verbandgaasje, leukoplast en antibiotische crème. Toen ging hij naar het toilet terug, deed het deksel omlaag en maakte zijn geschaafde hiel schoon. Die had het zwaar te verduren gehad en zag er rood en rauw uit. Hij drukte de crème uit de tube op het verbandgaas, legde dat over de wond en plakte het vast.

Toen pakte hij zijn telefoon van de rand van de wastafel, waar hij hem had neergelegd toen hij zich uitkleedde, en toetste het nummer in dat Boris Karpov hem had gegeven.

'Zou je zonder mij willen gaan?' zei Gala, toen Lorraine haar bontjas uit de kast in de hal pakte. 'Ik voel me opeens niet goed.'

Lorraine liep naar haar toe. 'Wat is er?'

'Ik weet het niet.' Gala liet zich op de witte leren bank zakken. 'Ik voel me duizelig.'

Lorraine pakte haar bij haar achterhoofd vast. 'Buig je voorover. Leg je hoofd tussen je knieën.'

Gala deed wat haar gezegd werd. Lorraine liep naar het dressoir, haalde er een fles wodka uit en schonk er iets van in een glas. 'Hier, drink wat. Dan kom je tot bedaren.'

Gala kwam zo voorzichtig overeind als een dronkenman loopt. Ze pakte de wodka aan en goot de drank zo snel door haar keel dat ze bijna stikte. Toen trof het vuur haar maag en verspreidde de warmte zich door haar heen.

'Oké?' vroeg Lorraine.

'Beter.'

'Goed. Ik ga wat warme borsjtsj voor je kopen. Je moet wat eten.' Ze trok haar jas aan. 'Waarom ga je niet liggen?'

Opnieuw deed Gala wat haar gezegd werd, maar toen haar vriendin weg was, stond ze op. Ze vond de bank niet comfortabel. Voorzichtig liep ze door de gang. Ze wilde op een echt bed liggen.

Toen ze langs de badkamer kwam, hoorde ze iemand praten, maar Bourne was daar in zijn eentje. Nieuwsgierig ging ze dichterbij, en toen legde ze haar oor tegen de deur. Ze kon de douche nog beter horen stromen, maar ze hoorde ook Bournes stem. Blijkbaar was hij aan het telefoneren.

Ze hoorde hem zeggen: 'Wát deed Medvedev?' Hij praatte door de telefoon over politiek. Ze wilde haar oor net bij de deur vandaan halen toen ze Bourne hoorde zeggen: 'Het was pech met Tarkanian... Nee, nee, ik heb hem gedood... Ik moest wel. Ik had geen keuze.'

Gala trok zich terug alsof ze haar oor tegen heet ijzer had gelegd. Even stond ze naar de dichte deur te kijken, toen ging ze weg. Bourne had Misja gedood! *Mijn god*, zei ze tegen zichzelf. Hoe kon hij dat doen. Toen dacht ze aan Arkadin, Misja's beste vriend. *Mijn god.*

26

Dimitri Maslov had de ogen van een ratelslang, de schouders van een worstelaar en de handen van een metselaar. Toch was hij als een bankier gekleed toen Bourne hem ontmoette. Dat was in een pakhuis dat ook als vliegtuighangar zou kunnen fungeren. Maslov droeg een Savile Rowpak met een krijtstreepje, een Egyptisch katoenen overhemd en een klassieke das. Zijn krachtige benen eindigden in opvallend delicate voeten, alsof ze van een ander, veel kleiner lichaam afkomstig waren en er later aan waren gezet.

'Noem me maar niet je naam,' zei hij terwijl hij de tienduizend Zwitserse franken aanpakte, 'want ik ga er toch van uit dat die vals is.'

Ze bevonden zich in een van de vele pakhuizen in een beroet industriegebied aan de rand van Moskou, dus op een onopvallende plaats. Net als de andere pakhuizen stond de voorkant vol met pallets vol dozen en kisten, in stapels die bijna tot het plafond reikten. In een van de hoeken stond een vorkheftruck. Daarnaast hing een prikbord waarop allerlei brochures, briefjes, facturen, advertenties en bekendmakingen waren bevestigd. Kale gloeilampen aan het eind van metalen draden brandden als miniatuurzonnen.

Nadat Bourne deskundig op wapens en microfoontjes was gefouilleerd, werd hij door een deur naar een betegelde toiletruimte gebracht die naar urine en muf zweet stonk. Er was daar een geul met water dat traag langs de bodem en een rij hokjes liep. Hij werd naar het laatste hokje gebracht. Daar was geen toilet maar een deur. De twee potige Russen die hem escorteerden leidden hem door een labyrint van kantoren. Een daarvan bevond zich op een verhoogd stalen platform dat aan de achterste muur was bevestigd. Ze hadden de trap naar de deur beklommen, en daar hadden de twee Russen hem achtergelaten, vermoedelijk om zelf op wacht te gaan staan.

Maslov zat achter een sierlijk bewerkt bureau. Hij werd aan

weerskanten geflankeerd door twee andere mannen, identiek aan de twee die voor de deur stonden. In een hoek zat een man met een litteken onder zijn oog. Die man zou niet zijn opgevallen als hij niet zo'n flamboyant hawaïshirt droeg. Bourne was zich ervan bewust dat er nog iemand achter hem zat, met zijn rug naar de deuropening.

'Ik hoorde dat je me wilde spreken.' Maslovs ratelslangogen glommen geel in het felle licht. Toen stak hij zijn hand met de palm omhoog naar voren, alsof hij vuil aan het wegscheppen was. 'Maar daar is iemand die jou wil spreken.'

In een waas vloog de man achter Bourne naar voren. Bourne draaide zich half ineengedoken om en zag de man die hem in het appartement van Tarkanian had aangevallen. Hij kwam met een mes op Bourne af. Omdat het te laat was om het mes van richting te laten veranderen, ging Bourne een stap opzij. Hij greep de rechterpols van de man met zijn linkerhand vast en gebruikte diens eigen vaart om hem naar voren te trekken, zodat zijn gezicht keihard tegen Bournes uitgestoken elleboog dreunde.

De man zakte in elkaar. Bourne trapte met zijn schoen op de pols tot de man het mes losliet, en Bourne pakte het op. Onmiddellijk kwamen de twee potige lijfwachten met getrokken Glocks op hem af. Bourne negeerde hen en hield het mes in zijn rechterhand, met het heft naar voren. Hij stak zijn arm over het bureau naar Maslov uit.

Maslov keek in plaats daarvan naar de man in het hawaïshirt, die opstond en het mes van Bourne overnam.

'Ik ben Dimitri Maslov,' zei hij tegen Bourne.

De grote man in het bankierspak stond op en knikte eerbiedig naar Maslov, die hem het mes gaf en achter het bureau ging zitten.

'Neem Evsei mee en geef hem een nieuwe neus,' zei Maslov tegen niemand in het bijzonder.

De grote man in het bankierspak trok de verdoofde Evsei overeind en sleepte hem het kantoor uit.

'Doe de deur dicht,' zei Maslov, opnieuw tegen niemand in het bijzonder.

Niettemin liep een van de potige Russische lijfwachten naar de deur. Hij deed hem dicht, ging er met zijn rug tegenaan staan, schudde een sigaret uit het pakje en stak hem aan.

'Ga zitten,' zei Maslov. Hij trok een lade open, pakte er een Mauser uit en legde hem binnen handbereik op het bureau. Toen pas keek hij Bourne weer aan. 'Mijn goede vriend Vanja heeft me verteld dat je voor Boris Karpov werkt. Hij zegt dat je beweert informatie te hebben die ik kan gebruiken tegen bepaalde groeperingen die het op mijn territorium hebben voorzien.' Hij tikte met zijn vingers op de kolf van de Mauser. 'Maar ik zou wel heel erg naïef zijn als ik dacht dat je die informatie zomaar wilde verstrekken. Zeg het dus maar. Wat wil je?'

'Ik wil weten wat uw connectie met het Zwarte Legioen is.'

'Mijn connectie? Die is er niet.'

'Maar u hebt van ze gehoord.'

'Natuurlijk heb ik van ze gehoord.' Maslov fronste zijn wenkbrauwen. 'Waar gaat dit naartoe?'

'U hebt uw man Evsei in het appartement van Michail Tarkanian gezet. Tarkanian was lid van het Zwarte Legioen.'

Maslov stak zijn hand op. 'Waar heb je dat nou weer gehoord?'

'Hij werkte tegen mensen – vrienden van mij.'

Maslov haalde zijn schouders op. 'Dat kan wel zijn. Ik weet daar niets van. Ik kan je wel vertellen dat Tarkanian geen lid was van het Zwarte Legioen.'

'Waarom was Evsei daar dan?'

'Aha, nu komen we tot de kern van de zaak.' Maslov wreef met zijn duim over zijn wijs- en middelvinger, een universeel gebaar. 'Wat levert het op?' Zijn mond grijnsde, maar zijn gele ogen bleven zo wazig en kwaadaardig als altijd. 'Al betwijfel ik eerlijk gezegd sterk of er iets aan te verdienen valt. Ik wil alleen maar zeggen: waarom zou de Federale Antinarcoticadienst mij willen helpen? Dat is totaal onlogisch.'

Bourne trok nu eindelijk een stoel bij en ging zitten. Hij dacht weer aan het lange telefoongesprek dat hij in Lorraines appartement met Boris had gehad. Karpov had hem toen op de hoogte gesteld van het huidige politieke klimaat in Moskou.

'Dit heeft niets met narcotica en alles met politiek te maken. De Federale Antinarcoticadienst wordt geleid door Tsjerkesov, die in een eigen oorlog is verwikkeld, de *silovik*-oorlog,' zei Bourne. 'Blijkbaar heeft de president zijn opvolger al uitgekozen.'

'Die pispot van een Mogilovitsj.' Maslov knikte. 'Ja, nou en?'

'Tsjerkesov heeft een hekel aan hem, en wel om de volgende reden. Mogilovitsj werkte vroeger in het gemeentebestuur van St. Petersburg voor de president. De president gaf hem de leiding van de juridische afdeling van VM Pulp en Papier. Mogilovitsj zorgde er prompt voor dat VM het grootste en meest winstgevende pulp- en houtbedrijf van Rusland werd. En nu koopt een van de grootste papierbedrijven van Amerika voor honderden miljoenen dollars vijftig procent van VM op.'

Terwijl Bourne dat vertelde, had Maslov een pennenmesje tevoorschijn gehaald en haalde hij vuil onder zijn gemanicuurde nagels vandaan. Het scheelde niet veel of hij gaapte. 'Dat is algemeen bekend. Wat heb ik daarmee te maken?'

'Het is niet algemeen bekend dat Mogilovitsj het met zichzelf op een akkoordje heeft gegooid waardoor hij een groot deel van de aandelen VM in handen kreeg toen de onderneming via de RAB Bank werd geprivatiseerd. Indertijd werden er vragen over de betrokkenheid van Mogilovitsj bij de RAB Bank gesteld, maar wonder boven wonder gingen die vragen vanzelf weg. Vorig jaar heeft VM het belang van vijfentwintig procent teruggekocht dat RAB had genomen om ervoor te zorgen dat de privatisering probleemloos zou verlopen. De transactie had de zegen van het Kremlin.'

'Je bedoelt de president.' Maslov ging rechtop zitten en legde het pennenmesje weg.

'Ja,' zei Bourne. 'Dat betekent dat Mogilovitsj een fortuin aan de aankoop door de Amerikanen gaat verdienen, en wel op een manier die de president niet in de openbaarheid zou willen hebben.'

'Wie weet wat de persoonlijke betrokkenheid van de president bij die transactie is?'

Bourne knikte.

'Wacht eens even,' zei Maslov. 'Vorige week is een functionaris van de RAB Bank vastgebonden, gemarteld en gestikt in de garage van zijn datsja gevonden. Ik herinner me dat omdat het openbaar ministerie beweerde dat hij zelfmoord had gepleegd. Daar hebben we allemaal heel hard om gelachen.'

'Hij was toevallig wel het hoofd van de divisie van RAB die leningen aan de houtindustrie verstrekte.'

'De man met het rokende pistool die Mogilovitsj en daardoor ook de president te gronde kon richten,' zei Maslov.

'Mijn baas zegt dat die man wel toegang tot het rokende pistool had maar het nooit echt in zijn bezit had. Zijn assistent ging er enkele dagen voor de moord mee vandoor, en nu is het nergens te vinden.' Bourne schoof zijn stoel naar voren. 'Als u hem voor ons vindt en ons de papieren geeft die het bewijs tegen Mogilovitsj vormen, is mijn baas bereid de oorlog tussen u en de Azeri voorgoed in uw voordeel te beslechten.'

'En hoe wou hij dat doen?'

Bourne klapte zijn telefoon open en speelde het mp3-bestand af dat Boris hem had gestuurd. Het was een gesprek tussen de leider van de Azeri en een van zijn luitenants. In dat gesprek beval de leider tot de executie van de RAB-functionaris. Het was net iets voor de Rus in Boris om het bewijsmateriaal vast te houden voor later gebruik, in plaats van meteen achter de leider van de Azeri aan te gaan.

Er kwam een brede grijns op Maslovs gezicht. 'Verrek,' zei hij. 'Nu wordt het interessant!'

Na een tijd werd Arkadin zich ervan bewust dat Devra bij hem stond. Zonder haar aan te kijken hield hij de cilinder omhoog die hij van Heinrich had afgepakt.

'Kom de branding uit,' zei ze, maar toen Arkadin niet in beweging kwam, ging ze achter hem op een zandrug zitten.

Heinrich lag languit op zijn rug, alsof hij een zonnebader was die in slaap was gevallen. Het water had al het bloed weggespoeld.

Na een tijdje kwam Arkadin terug, eerst op het donkere zand, toen achter de waterlijn naar de plaats waar Devra met opgetrokken benen en haar kin op haar knieën was gaan zitten. Toen zag ze dat er drie tenen aan zijn linkervoet ontbraken.

'Allemachtig,' zei ze, 'wat is er met je voet gebeurd?'

De voet was Marlenes ondergang geworden. De drie ontbrekende tenen aan Arkadins linkervoet. Marlene beging de fout hem te vragen wat er was gebeurd.

'Een ongeluk,' zei Arkadin met geoefende soepelheid. 'De eerste keer dat ik in de gevangenis zat. Een stempelmachine ging kapot en de hoofdcilinder viel op mijn voet. Mijn tenen werden geplet. Ze gingen aan pulp en moesten geamputeerd worden.'

Het was een leugen, dat verhaal, gebaseerd op iets wat echt was gebeurd toen hij de eerste keer in de gevangenis zat. Een man had een pakje sigaretten onder Arkadins bed vandaan gestolen. Die man werkte aan de stempelmachine. Arkadin knoeide aan de machine, en toen de man hem de volgende morgen opstartte, viel de hoofdcilinder op hem. Het zag er niet mooi uit; je kon hem in de hele gevangenis horen schreeuwen. Uiteindelijk hadden ze zijn rechterbeen bij de knie moeten afzetten.

Vanaf die dag was Arkadin op zijn hoede bij Marlene. Ze voelde zich tot hem aangetrokken; daar was hij zeker van. Ze was van haar objectieve voetstuk gegleden, van de baan die Ikoepov haar had gegeven. Hij nam het Ikoepov niet kwalijk. Hij zou opnieuw tegen Ikoepov willen zeggen dat hij hem nooit kwaad zou doen, maar hij wist dat Ikoepov hem niet zou geloven. Waarom zou hij? Hij had genoeg bewijzen van het tegendeel gezien om zich zorgen te maken. En toch had Arkadin het gevoel dat Ikoepov hem nooit zijn rug zou toekeren. Ikoepov zou nooit terugkomen op zijn belofte dat hij hem onder zijn hoede zou nemen.

Niettemin moest er iets aan Marlene worden gedaan. Niet alleen zij had zijn linkervoet gezien, maar Ikoepov ook. Arkadin wist dat ze vermoedde dat die verminkte voet iets met zijn afschuwelijke nachtmerries te maken had, dat die voet deel uitmaakte van iets wat hij haar niet kon vertellen. Zelfs het verhaal dat Arkadin haar vertelde had Marlene niet helemaal geloofd. Iemand anders zou het misschien wel hebben geloofd, maar Marlene niet. Ze had niet overdreven toen ze tegen hem zei dat ze griezelig goed kon aanvoelen wat haar cliënten voelden en dat ze dan een manier kon vinden om hen te helpen.

Maar ze kon Arkadin niet helpen. Dat kon niemand. Niemand mocht weten wat hij had meegemaakt. Dat was ondenkbaar.

'Vertel me over je moeder en vader,' zei Marlene. 'En kom nou niet weer aanzetten met het verhaal dat je de psychiater hebt verteld die hier was voordat ik kwam.'

Ze waren op het Meer van Lugano. Het was een milde zomerdag en Marlene droeg een tweedelig badpak, rood met grote roze stippen. Ze droeg roze rubberen slippers en een zonneklep om haar gezicht tegen de zon te beschermen. Hun motorbootje lag midden in het meer voor anker. Nu en dan, als er plezierboten voorbijkwamen over het kristalblauwe water, bracht de lichte golfslag hen aan het deinen. Het dorpje Campione d'Italia verhief zich als de geglazuurde lagen van een bruidstaart op de helling.

Arkadin keek haar nors aan. Het ergerde hem dat ze zich niet door hem liet intimideren. Hij intimideerde de meeste mensen; zo had hij zich gered toen zijn ouders er niet meer waren.

'Hoezo, geloof je niet dat mijn moeder op een lelijke manier is gestorven?'

'Ik interesseer me voor je moeder toen ze nog leefde,' zei Marlene luchtig. 'Wat was ze voor iemand?'

'Eigenlijk was ze net als jij.'

Marlene keek hem ijzig aan.

'Serieus,' zei hij. 'Mijn moeder was zo hard als een vuist vol spijkers. Ze kon tegen mijn vader op.'

Marlene ging daar meteen op in. 'Was dat nodig? Was je vader agressief?'

Arkadin haalde zijn schouders op. 'Niet agressiever dan andere vaders, denk ik. Als hij gefrustreerd was op zijn werk, kreeg ze ervanlangs.'

'En dat vind je normaal.'

'Ik weet niet wat het woord "normaal" betekent.'

'Maar je bent aan agressie gewend, nietwaar?'

'Noemen ze dat geen suggestieve vraag?'

'Wat deed je vader?'

'Hij was consigliere – adviseur – van de Kazanskaja, de familie van de Moskouse *grupperovka* die over de drugshandel en de verkoop van buitenlandse auto's in de stad en de directe omgeving gaat.' Dat was helemaal niet waar. Arkadins vader had in de metaalindustrie gewerkt. Hij was straatarm geweest, en totaal onverantwoordelijk, en twintig uur per dag stomdronken, zoals iedereen in Nizjni Tagil.

'Dus mishandeling en geweld hoorden bij zijn dagelijks leven.'

'Hij leefde niet op straat,' zei Arkadin. Dat was een vervolg op zijn leugen.

Ze keek hem met een vaag glimlachje aan. 'Goed, waar denk jíj dat je vlagen van gewelddadigheid vandaan komen?'

'Als ik je dat vertelde, zou ik je moeten doden.'

Marlene lachte. 'Kom nou, Leonid Danilovitsj. Wil je niet dat meneer Ikoepov iets aan je heeft?'

'Natuurlijk. Ik wil dat hij me vertrouwt.'

'Vertel het me dan.'

Arkadin bleef een hele tijd zitten. De zon voelde goed aan op zijn onderarmen. Het was of de warmte zijn huid strak over zijn spieren trok en ze liet opzwellen. Hij voelde het kloppen van zijn hart alsof het muziek was. Een ogenblik voelde hij zich bevrijd van zijn last, alsof die aan iemand anders toebehoorde, misschien een gekweld personage in een Russische roman. Toen raakte zijn verleden hem als een stomp in zijn maag en moest hij bijna overgeven.

Langzaam en weloverwogen haalde hij de veters uit zijn gymschoenen. Hij trok zijn witte sportsokken uit, en daar was zijn linkervoet met de twee tenen en de drie kleine stompjes, die zo roze waren als de stippen op Marlenes badpak.

'Ik zal je vertellen wat er gebeurd is,' zei hij. 'Toen ik veertien was, sloeg mijn moeder mijn vader met een koekenpan op zijn achterhoofd. Hij was stomdronken en ruikend naar een andere vrouw thuisgekomen. Hij lag languit op zijn buik op het bed te snurken, toen ze – *beng!* – een zware gietijzeren koekenpan van zijn haak aan de keukenmuur pakte en hem zonder een woord te zeggen tien keer op dezelfde plek sloeg. Je kunt je wel voorstellen hoe zijn schedel eruitzag toen ze klaar was.'

Marlene leunde achterover. Blijkbaar had ze moeite met ademhalen. Ten slotte zei ze: 'Dit is niet weer een van je fantasieverhalen, hè?'

'Nee,' zei Arkadin. 'Dat is het niet.'

'En waar was jij?'

'Waar denk je dat ik was? Thuis. Ik heb alles gezien.'

Marlene sloeg haar hand voor haar mond. 'Mijn god.'

Nu hij die bal gif had uitgespuwd, kwam er een opwindend gevoel van vrijheid over Arkadin, al wist hij wat er nu zou komen.

'Wat gebeurde er toen?' zei ze toen ze van de schok was bekomen.

Arkadin liet de lucht uit zijn longen ontsnappen. 'Ik deed een prop in haar mond, bond haar handen achter haar rug en gooide haar in de kast in mijn kamer.'

'En?'

'Toen liep ik het huis uit. Ik ben nooit teruggegaan.'

'Hoe?' Ze keek hem vol afgrijzen aan. 'Hoe kon je zoiets doen?'

'Je walgt nu van me, hè?' Hij zei dat niet woedend maar berustend. Waarom zou ze niet van hem walgen? Ze zou de hele waarheid eens moeten weten.

'Vertel me nog eens wat meer over dat ongeluk in de gevangenis.'

Arkadin wist meteen dat ze naar tegenstrijdigheden in zijn verhaal zocht. Dat was een klassieke ondervragingstechniek. Ze zou de waarheid nooit te weten komen.

'Laten we gaan zwemmen,' zei hij abrupt. Hij trok zijn korte broek en T-shirt uit.

Marlene schudde haar hoofd. 'Ik heb geen zin. Ga jij maar als...'

'Kom nou.'

Hij duwde haar overboord, stond op en dook achter haar aan. Hij vond haar onder water, waar ze trappelde om aan de oppervlakte te komen. Hij sloeg zijn dijen om haar hals, met zijn enkels over elkaar heen, en verstrakte zijn greep op haar. Hij kwam boven, hield zich aan de boot vast en schudde het water uit zijn ogen. Intussen spartelde ze onder hem. Boten ronkten voorbij. Hij zwaaide naar twee jonge meisjes, wier lange haren als paardenmanen achter hen aan wapperden. Hij wilde een liefdesliedje neuriën, maar kon alleen de herkenningsmelodie van *Bridge on the River Kwai* bedenken.

Na een tijdje verzette Marlene zich niet meer. Hij voelde haar gewicht onder hem, wiegend in de golven. Hij wilde het niet, wilde het echt niet, maar het beeld van zijn ouderlijk huis kwam ongevraagd bij hem op. Het was een krot in een smerig, vervallen gebouw uit de Sovjettijd, krioelend van het ongedierte.

Hun armoede weerhield Arkadins vader er niet van het met andere vrouwen te doen. Toen een van hen zwanger werd, besloot ze de baby te krijgen. Hij was er helemaal voor, zei hij tegen haar. Hij zou haar zo veel mogelijk helpen. In werkelijkheid wilde hij het kind dat zijn onvruchtbare vrouw hem niet kon geven. Toen Leonid geboren was, rukte hij het kind uit de armen van het meisje en bracht het naar zijn vrouw.

'Dit is het kind dat ik altijd heb gewild maar jij me niet kon geven,' zei hij tegen haar.

Ze bracht Arkadin plichtsgetrouw groot, zonder te klagen, want wat kon een onvruchtbare vrouw beginnen in Nizjni Tagil? Maar als haar man niet thuis was, sloot ze de jongen uren achtereen in de kast van zijn kamer op. Dan kwam er een blinde woede over haar die haar niet los wilde laten. Ze had de pest aan dit voortbrengsel van haar man en ze moest Leonid straffen omdat ze zijn vader niet kon straffen.

Tijdens een van die langdurige bestraffingen werd Arkadin wakker met een afschuwelijke pijn in zijn linkervoet. Hij was niet alleen in de kast. Zes ratten, groter dan de schoen van zijn vader, renden piepend en tandenknarsend heen en weer. Het lukte hem ze te doden, maar niet voordat ze afmaakten waaraan ze begonnen waren. Ze aten drie van zijn tenen op.

27

'Het begon allemaal met Pjotr Zilber,' zei Maslov. 'Of beter gezegd met zijn jongere broer Aleksei. Aleksei had lef. Hij probeerde tot een van mijn bronnen van buitenlandse auto's door te dringen. Er kwamen veel mensen om het leven, ook mannen van mij en mijn bron. Daarvoor heb ik hem laten doden.'

Dimitri Maslov en Bourne zaten in een glazen serre op het dak van het pakhuis waar Maslov zijn kantoor had. Ze werden omringd door een weelderige overdaad aan tropische bloemen: gespikkelde orchideeën, schitterende rode anthurium, paradijsvogelbloemen, witte siergember en *Heliconia*. De lucht was geparfumeerd met de geuren van frangipane en witte jasmijn. Het was zo warm en vochtig dat Maslov hier in zijn felgekleurde shirt met korte mouwen helemaal op zijn plaats leek. Bourne had zijn mouwen opgestroopt. Er stond een tafel met een fles wodka en twee glazen. Ze hadden hun eerste glas al op.

'Zilber trok aan wat touwtjes en zorgde ervoor dat Borja Maks, een van mijn mannen, naar strafkolonie 13 in Nizjni Tagil werd gestuurd. Heb je daarvan gehoord?'

Bourne knikte. Conklin had die gevangenis verscheidene keren genoemd.

'Dan weet je dat het daar geen pretje is.' Maslov boog zich naar voren, schonk hun glazen nog eens vol, gaf er een aan Bourne en nam het andere zelf. 'Evengoed was Zilber niet tevreden. Hij huurde iemand in die erg, erg goed was. Die persoon kreeg opdracht in de gevangenis te infiltreren en Maks te vermoorden.' Nu hij wodka zat te drinken, omringd door al die felle kleuren, leek hij volkomen op zijn gemak. 'Er is maar één persoon die dat voor elkaar kon krijgen en er levend uit kon komen: Leonid Danilovitsj Arkadin.'

De wodka had Bourne erg veel goed gedaan. Zijn overbelaste lichaam voelde weer warm en sterk aan. Er zat nog een veeg bloed op zijn ene wang, inmiddels opgedroogd, maar Maslov had er niet naar gekeken of er in elk geval niets over gezegd. 'Vertel me over Arkadin.'

Maslov maakte een dierlijk geluid achter in zijn keel. 'Je hoeft alleen te weten dat die schoft Pjotr Zilber heeft vermoord. God mag weten waarom. Daarna is hij van de aardbodem verdwenen. Ik heb Evsei in Misja Tarkanians appartement geposteerd. Ik hoopte dat Arkadin daar terug zou komen. In plaats daarvan kwam jij.'

'Waarom maak je je druk om Zilbers dood?' vroeg Bourne. 'Zo te horen was je niet bepaald op hem gesteld.'

'Hé, ik hoef iemand niet aardig te vinden om zaken met hem te doen.'

'Als je zaken met Zilber wilde doen, had je zijn broer niet moeten laten vermoorden.'

'Ik moet om mijn reputatie denken.' Maslov nam een slokje van zijn wodka. 'Pjotr wist wat voor rottigheid zijn broer uithaalde, maar hield hij hem tegen? Hoe dan ook, die huurmoord was puur zakelijk. Pjotr vatte het veel te persoonlijk op. Hij bleek bijna net zo roekeloos te zijn als zijn broer.'

Daar had je het weer, dacht Bourne. Iedereen kwam altijd met verdachtmakingen tegen Pjotr Zilber. Wat voor een geheim netwerk had hij? 'Wat voor zaken deed je met hem?'

'Ik wilde Pjotrs netwerk in handen hebben. Vanwege de oorlog met de Azeri was ik op zoek naar een nieuwe, veiligere methode om onze drugs te vervoeren. Zilbers netwerk was de ideale oplossing.'

Bourne zette zijn wodka neer. 'Waarom zou Zilber iets met de Kazanskaja te maken willen hebben?'

'Nu blijkt hoe weinig je weet.' Maslov keek hem nieuwsgierig aan. 'Zilber had geld nodig om zijn organisatie te financieren.'

'Je bedoelt zijn netwerk.'

'Ik bedoel precies wat ik zeg.' Maslov keek Bourne lang en indringend aan. 'Pjotr Zilber was lid van het Zwarte Legioen.'

Als een zeeman die voelt dat er storm op komst is zag Devra ervan af om Arkadin nog eens naar zijn verminkte voet te vragen. Op dat moment ging er een trilling van hem uit als van een boogpees die tot het uiterste was gespannen. Ze keek van zijn linkervoet naar het lijk van Heinrich, dat zonlicht opnam waaraan het niets meer zou hebben. Ze voelde het gevaar naast haar en dacht aan haar droom: het onbekende wezen dat ze achtervolgde, het gevoel van volstrekte troosteloosheid, de angst die zich ondraaglijk in haar opbouw-de.

'Je hebt het pakje,' zei ze. 'Is het nu voorbij?'

Een ogenblik zei Arkadin niets. Ze vroeg zich af of ze te lang met haar afleidende vraag had gewacht, of hij zich nu toch nog tegen haar zou keren omdat ze had gevraagd wat er met die verrekte voet was gebeurd.

Een felle woede had Arkadin bevangen, schudde hem heen en weer tot zijn tanden ervan rammelden. Het zou zo gemakkelijk zijn geweest haar glimlachend aan te kijken en haar nek te breken. Zo gemakkelijk; een fluitje van een cent. Maar iets weerhield hem, iets liet hem afkoelen. Het was zijn eigen wil. Hij... wilde... haar... niet... vermoorden. Tenminste, nog niet. Hij vond het prettig hier met haar op het strand te zitten, en er waren nog maar zo weinig dingen die hij prettig vond.

'Ik moet de rest van het netwerk nog opruimen,' zei hij ten slotte. 'Niet dat ik denk dat het er momenteel nog iets toe doet. Jezus, het is opgebouwd door een losgeslagen commandant die te jong was om te weten dat hij voorzichtig moest zijn. Het bestond uit drugs-verslaafden, onverbeterlijke gokkers, zwakkelingen en mensen zon-der geloof. Nog een wonder dat het enigszins functioneerde. Het zou vroeg of laat uit zichzelf zijn ingestort.' Maar wat wist hij daar-van? Hij was maar een soldaat die een onzichtbare oorlog voerde. Het was niet aan hem om zich dingen af te vragen.

Hij haalde zijn telefoon tevoorschijn en belde Ikoepov.

'Waar ben je?' vroeg zijn baas. 'Er is veel achtergrondgeluid.'

'Ik ben op het strand,' zei Arkadin.

'Wat? Het strand?'

'Kilyos. Dat is in de buurt van Istanbul,' zei Arkadin.

'Ik hoop dat je je amuseert, terwijl wij hier in alle staten zijn.'

Arkadins gezicht veranderde meteen. 'Wat is er gebeurd?'

'Die schoft heeft Harun laten vermoorden. Dat is er gebeurd.'

Hij wist hoeveel Harun Iliev voor Ikoepov betekende. Zoveel als Misja voor hem betekende. Een rots in de branding, iemand die voorkwam dat hij wegzakte in de afgrond van zijn verbeelding. 'Er is ook goed nieuws,' zei hij. 'Ik heb het pakje.'

Ikoepov hield zijn adem even in. 'Eindelijk! Maak het open,' be-val hij. 'Vertel me of het document erin zit.'

Arkadin deed wat hem gezegd werd. Hij verbrak het waszegel en wrikte het plastic deksel los waarmee de koker was afgesloten. In de koker zaten strak opgerolde vellen lichtblauw architectenpapier

die nu opengingen als zeilen. Het waren er vier in totaal. Hij bekeek ze vlug.

Het zweet brak hem uit. 'Ik kijk naar een stel bouwtekeningen.'

'Het is het doelwit van de aanslag.'

'Het zijn bouwtekeningen,' zei Arkadin, 'van het Empire State
Building in New York.'

DEEL DRIE

28

Het kostte Bourne tien minuten om een goede verbinding met professor Specter te krijgen, en daarna moest hij nog eens vijf minuten wachten tot Specters mensen hem wakker hadden gemaakt. In Washington was het vijf uur in de morgen. Maslov was naar beneden gegaan om zaken te regelen, zodat Bourne alleen in de serre was achtergebleven voor het voeren van zijn telefoongesprekken. Bourne gebruikte die tijd om na te denken over wat Maslov hem had verteld. Als Pjotr inderdaad lid van het Zwarte Legioen was, waren er twee mogelijkheden. Ten eerste was het mogelijk dat Pjotr zijn eigen organisatie had zonder dat de professor het wist. Dat was al onheilspellend genoeg. De tweede mogelijkheid was nog veel erger, namelijk dat de professor zelf lid was. Maar waarom was hij dan door het Zwarte Legioen aangevallen? Bourne had zelf de tatoeage gezien op de arm van de man die op Specter af was gekomen en hem had geslagen en van de straat had getrokken.

Toen hoorde hij Specters stem in zijn oor. 'Jason,' zei Specter, duidelijk buiten adem, 'wat is er gebeurd?'

Bourne stelde hem op de hoogte. Hij eindigde met de informatie dat Pjotr lid was van het Zwarte Legioen.

Een hele tijd bleef het stil op de lijn.

'Professor, voelt u zich wel goed?'

Specter schraapte zijn keel. 'Ja, prima.'

Maar hij klonk niet prima. Terwijl de stilte voortduurde, probeerde Bourne iets te begrijpen van de emotionele staat waarin zijn baas verkeerde.

'Zeg, ik vind het jammer van uw man Baronov. De moordenaar was niet van het Zwarte Legioen. Hij was een NSA-agent die opdracht had mij te vermoorden.'

'Ik stel je openhartigheid op prijs,' zei Specter. 'En hoewel Baronovs dood me verdriet doet, kende hij de risico's. Net als jij ging hij met open ogen deze oorlog in.'

Er volgde weer een stilte, nog pijnlijker dan de vorige.

Ten slotte zei Specter: 'Jason, ik heb nogal belangrijke informatie voor je achtergehouden. Pjotr Zilber was mijn zoon.'

'Uw zoon? Maar waarom hebt u me dat niet meteen verteld?'

'Angst,' zei de professor. 'Ik heb zijn echte identiteit zo lang geheim gehouden dat het een gewoonte is geworden. Ik moest Pjotr tegen zijn vijanden – mijn vijanden – beschermen, de vijanden die verantwoordelijk waren voor de moord op mijn vrouw. Dat kon ik het best doen door zijn naam te veranderen, dacht ik. En dus verdronk Aleksei Specter toen hij zes jaar oud was en kwam Pjotr Zilber tot leven. Ik liet hem bij vrienden achter. Ik liet al het andere ook achter en ging naar Amerika, naar Washington, om een nieuw leven zonder hem te beginnen. Het was het moeilijkste wat ik ooit heb moeten doen. Maar hoe kan een vader afstand doen van zijn zoon als hij hem niet kan vergeten?'

Bourne wist precies wat hij bedoelde. Hij had de professor willen vertellen wat hij over Pjotr en diens organisatie van mislukkelingen te weten was gekomen, maar dit leek hem niet het moment voor nog meer slecht nieuws.

'En dus hielp u hem?' raadde Bourne. 'In het geheim.'

'In het diepste geheim,' zei Specter. 'Niemand mocht ooit verband tussen ons leggen. Niemand mocht ooit weten dat mijn zoon nog in leven was. Dat was het minste wat ik voor hem kon doen. Jason, ik had hem niet meer gezien sinds hij zes jaar oud was.'

Bourne hoorde het immense verdriet in Specters stem en wachtte even. 'Wat gebeurde er?'

'Hij deed iets heel stoms. Hij wilde het zelf tegen het Zwarte Legioen opnemen. Hij was jarenlang bezig in de organisatie te infiltreren. Hij ontdekte dat het Zwarte Legioen van plan was een grote aanslag in Amerika te plegen, en toen was hij maanden bezig om dichter bij het project te komen. En ten slotte had hij het middel om hun plan te torpederen: hij stal de bouwtekeningen van hun doel. Omdat we niet rechtstreeks met elkaar konden communiceren, stelde ik voor dat hij zijn netwerk gebruikte om mij informatie over de activiteiten van het Zwarte Legioen te verstrekken. Op die manier zou hij me de bouwtekeningen sturen.'

'Hij had toch ook foto's kunnen maken en ze digitaal naar u toe kunnen sturen?'

'Dat heeft hij geprobeerd, maar het lukte niet. Het papier waarop die tekeningen zijn afgedrukt heeft een coating die het onmogelijk maakt ze op welke manier dan ook te kopiëren. Hij moest me de tekeningen zelf sturen.'

'Hij heeft u toch wel verteld waar het tekeningen van waren?' vroeg Bourne.

'Dat wilde hij vertellen,' zei de professor, 'maar voordat hij dat kon doen, werd hij ontvoerd en naar Ikoepovs villa gebracht, waar Arkadin hem heeft gemarteld en vermoord.'

Bourne dacht erover na welke implicaties de dingen die de professor hem had verteld zouden hebben. 'Denkt u dat hij hun heeft verteld dat hij uw zoon was?'

'Dat vraag ik me sinds die poging tot ontvoering steeds weer af. Ik ben bang dat Ikoepov van onze bloedverwantschap weet.'

'Dan kunt u maar beter voorzorgsmaatregelen nemen, professor.'

'Dat ben ik ook van plan, Jason. Ik vertrek over iets meer dan een uur uit de omgeving van Washington. Intussen zijn mijn mensen hard aan het werk geweest. Ik heb gehoord dat Ikoepov opdracht aan Arkadin heeft gegeven de bouwtekeningen uit Pjotrs netwerk te halen. Hij laat een spoor van lijken achter.'

'Waar is hij nu?' vroeg Bourne.

'In Istanbul, maar daar schiet je niets mee op,' zei Specter, 'want als je daar aankomt, is hij vast al weer weg. Het is nu wel belangrijker dan ooit dat je hem vindt, want we hebben vastgesteld dat hij de tekeningen van de koerier heeft afgenomen die hij in Istanbul heeft vermoord, en we hebben niet veel tijd meer voordat de aanslag wordt gepleegd.'

'Waar kwam die koerier vandaan?'

'Uit München,' zei de professor. 'Hij was de laatste schakel van de ketting voordat de tekeningen bij mij zouden worden afgeleverd.'

'Het lijkt me wel duidelijk dat Arkadin een tweeledige missie heeft,' zei Bourne. 'Eerst moet hij de tekeningen in handen krijgen, en dan moet hij het netwerk van Pjotr definitief vernietigen door de leden een voor een te vermoorden. De koerier in München is de enige die nog leeft.'

'Aan wie had Heinrich de plannen in München moeten overgeven?'

'Aan Egon Kirsch. Kirsch werkt voor mij,' zei Specter. 'Ik heb hem al voor het gevaar gewaarschuwd.'

Bourne dacht even na. 'Weet Arkadin hoe Kirsch eruitziet?'

'Nee, en de jonge vrouw die hij bij zich heeft ook niet. Ze heet Devra. Ze was een van Pjotrs mensen, maar nu helpt ze Arkadin haar vroegere collega's te vermoorden.'

'Waarom zou ze dat doen?' vroeg Bourne.

'Ik heb geen flauw idee,' zei de professor. 'Ze was een onbeduidend type in Sebastopol, waar ze zich bij Arkadin aansloot – geen vrienden, geen familie, een weeskind. Tot nu toe hebben mijn mensen niets nuttigs ontdekt. In elk geval trek ik Kirsch uit München terug.'

Bourne dacht koortsachtig na. 'Doet u dat niet. Laat u hem uit zijn appartement naar een veilige plaats ergens in de stad gaan. Ik neem het eerste vliegtuig naar München. Voordat ik hier wegga, wil ik alle informatie over Kirsch' leven hebben die u me kunt geven – waar hij is geboren, opgegroeid, zijn vrienden, familie, schoolopleiding, alle details die hij u kan geven. Ik bestudeer die gegevens in het vliegtuig en ga dan naar hem toe.'

'Jason, ik vind dat dit gesprek niet de goede kant op gaat,' zei Specter. 'Ik denk dat ik wel weet wat je van plan bent. Als ik het goed heb, wil je Kirsch' plaats innemen. Dat verbied ik. Ik wil niet dat je jezelf als lokaas voor Arkadin gebruikt. Dat is veel te gevaarlijk.'

'Het is een beetje laat om terug te krabbelen, professor,' zei Bourne. 'Het is van vitaal belang dat ik die bouwtekeningen in handen krijg. Dat hebt u zelf gezegd. Speelt u uw rol, dan speel ik de mijne.'

'Goed,' zei Specter na een korte aarzeling. 'Maar het hoort ook bij mijn rol dat ik een vriend van me inschakel die vanuit München opereert.'

Dat klonk niet goed, vond Bourne. 'Wat bedoelt u?'

'Je hebt al duidelijk gemaakt dat je alleen werkt, Jason, maar deze Jens is iemand die je bij je wilt hebben. Hij heeft erg veel ervaring met het smerige werk.'

Een professionele huurmoordenaar, dacht Bourne. 'Dank u, professor, maar nee.'

'Dit is geen verzoek, Jason.' Specters stem klonk streng en waarschuwend. 'Jens is de voorwaarde die ik stel. Anders mag je Kirsch' plaats niet innemen. Ik sta niet toe dat je in je eentje in die val loopt. Mijn beslissing is definitief.'

Dimitri Maslov en Boris Karpov omhelsden elkaar als oude vrienden. Bourne stond er zwijgend bij. Als het op Russische politiek aankwam, kon niets hem nog verrassen, maar toch was het verbijsterend om te zien hoe een hooggeplaatste kolonel van de Federale Antinarcoticadienst hartelijk begroet werd door het hoofd van de Kazanskaja, een van de twee beruchtste drugs-*grupperov-ka.*

Deze bizarre ontmoeting vond plaats in Bar-Dak bij het Leninski Prospekt. De club was opengegaan voor Maslov; dat was niet zo vreemd, want hij was de eigenaar. *Bar-Dak* betekende in het moderne Russische bargoens zowel 'bordeel' als 'chaos'. Bar-Dak was geen van beide, al had het wel een opvallend stripperspodium, compleet met stangen en een nogal ongewone leren schommel die op een paardentuig leek.

Een open auditie voor paaldanseressen was in volle gang. De rij oogverblindend mooie jonge blonde vrouwen bewoog zich langs de vier muren van de club, die in een glanzende zwarte emailkleur was geschilderd. Enorme luidsprekers, rijen wodkaflessen op gespiegelde planken en oude spiegelbollen waren de voornaamste attributen.

Toen de twee mannen klaar waren met elkaar op de rug te kloppen, leidde Maslov hen door de grote ruimte. Via een deur kwamen ze in een gang met houten lambriseringen. De geur van cederhout was vermengd met een onmiskenbare zweem van chloor. Het rook naar een sportschool, en met reden. Ze passeerden een deur van matglas in een kleedkamer.

'De sauna is daar.' Maslov wees. 'We zien elkaar daar over vijf minuten.'

Voordat Maslov zijn gesprek met Bourne wilde voortzetten, had hij erop gestaan dat hij met Boris Karpov zou praten. Bourne had niet gedacht dat die daartoe bereid zou zijn, maar toen hij Boris belde, ging zijn vriend meteen akkoord. Maslov had Bourne de naam van Bar-Dak gegeven en verder niets. Karpov had alleen gezegd: 'Ik ken het. Ik ben er over anderhalf uur.'

En nu kwamen de drie mannen in hun blootje, met Turkse handdoeken om hun middel, in de dampende ruimte van de sauna bij elkaar. De wanden van deze kleine ruimte waren met cederhout bedekt, net als die van de gang. Langs drie van de muren stonden banken van houten latwerk. In een van de hoeken lag een berg verhitte stenen, waarboven een koord hing.

Toen Maslov binnenkwam, trok hij aan het koord. Meteen stortte er water over de hete stenen heen. De wolken van damp kronkelden naar het plafond en weer omlaag en omvatten de mannen, die op de banken zaten.

'De kolonel heeft me verzekerd dat hij mij zal helpen als ik hem help,' zei Maslov. 'Misschien moet ik zeggen dat ik Tsjerkesov zal helpen.'

Hij zei dat met een twinkeling in zijn ogen. Nu hij zijn wijde hawaïshirt niet meer aanhad, bleek hij een kleine, pezige man met spieren als kabeltouwen en geen greintje vet te zijn. Hij droeg geen gouden kettingen om zijn hals of diamanten ringen aan zijn vingers. Zijn tatoeages waren zijn sieraden; ze bedekten zijn hele bovenlichaam. Het waren niet de primitieve en vaak vage gevangenistatoeages die je bij veel mannen van zijn slag zag, maar ze behoorden tot de ingewikkeldste figuren die Bourne ooit had gezien: Aziatische draken die vuur spuwden, hun staart lieten krullen, hun vleugels spreidden, hun klauwen uitstaken.

'Vier jaar geleden ben ik een halfjaar in Tokio geweest,' zei Maslov. 'Daar moet je zijn voor tatoeages. Maar meningen kunnen verschillen.'

Boris schudde van het lachen. 'Dus daar was je, rotzak! Ik heb heel Rusland afgezocht.'

'In de Ginza,' zei Maslov, 'heb ik een paar saki-martini's op jou en je agenten gedronken. Ik wist dat jullie me nooit zouden vinden.' Hij maakte een weids gebaar. 'Maar die onprettige situatie ligt achter ons. De echte dader heeft de moorden bekend waarvan ik werd verdacht, en nu zijn we hier in onze eigen *glasnost*.'

'Ik wil meer over Leonid Danilovitsj Arkadin weten,' zei Bourne.

Maslov spreidde zijn handen. 'Ooit was hij een van ons. Toen overkwam hem iets; ik weet niet wat. Hij maakte zich los van de *grupperovka*. Mensen die dat doen blijven niet lang in leven, maar Arkadin is een klasse op zich. Niemand durft hem iets te doen. Hij hult zich in zijn reputatie van moord en genadeloosheid. Neem maar van mij aan: dit is een man zonder hart. *Ja, Dimitri*, zeg je nu misschien tegen mij, *maar geldt dat niet voor de meesten van jouw soort?* Daarop antwoord ik: Ja, maar Arkadin heeft ook geen ziel. Dat scheidt hem van de anderen. Niemand anders is zoals hij. Dat kan de kolonel bevestigen.'

Boris knikte bedachtzaam. 'Zelfs Tsjerkesov is bang voor hem, en onze president ook. Ik ken niemand bij de FSB-1 of de FSB-2 die het tegen hem zou willen opnemen, laat staan iemand die dat dan zou overleven. Hij is net een grote witte haai, de moordenaar van moordenaars.'

'Ben je nu niet een beetje melodramatisch?'

Maslov boog zich naar voren, zijn ellebogen op zijn knieën. 'Luister, vriend, wat je echte naam ook mag zijn: deze Arkadin is geboren in Nizjni Tagil. Ken je dat? Nee? Laat mij je erover vertellen. Dat ellendige hol van een stad, ten oosten van hier in de zuidelijke

Oeral, is een hel op aarde. Die stad staat vol met schoorsteenpijpen die zwaveldampen uit de ijzerfabrieken uitstoten. "Arm" is niet eens een woord dat je op de bewoners kunt toepassen. Ze gieten zelfgemaakte wodka naar binnen die bijna pure alcohol is en vallen bewusteloos neer waar ze toevallig maar zijn. De politie, voor zover je daarvan kunt spreken, is net zo wreed en sadistisch als de burgers. Zoals een goelag omringd wordt door wachttorens, zo wordt Nizjni Tagil omringd door streng beveiligde gevangenissen. Omdat gedetineerden bij hun vrijlating niet eens een treinkaartje krijgen, blijven ze in de stad hangen. Jij als Amerikaan kunt je de wreedheid, de gevoelloosheid van de bewoners van dat menselijke riool niet voorstellen. Alleen de ergste *krims* – zoals de criminelen worden genoemd – wagen zich na tien uur 's avonds op straat.'

Maslov veegde met de rug van zijn hand het zweet van zijn wangen. 'In die stad is Arkadin geboren en getogen. Vanuit die beerput maakte hij naam door mensen uit hun appartementen in oude gebouwen uit de Sovjettijd te schoppen en die appartementen te verkopen aan criminelen met een beetje geld dat ze van gewone burgers hadden gestolen.

Maar wat er in zijn jeugd ook met Arkadin in Nizjni Tagil is gebeurd – en ik beweer niet te weten wat dat is –, het volgt hem als een spook. Geloof me nou maar als ik zeg dat je nog nooit zo'n man als hij hebt ontmoet. Je kunt hem beter niet tegenkomen.'

'Ik weet waar hij is,' zei Bourne. 'Ik ga achter hem aan.'

'Jezus.' Maslov schudde zijn hoofd. 'Je moet wel verdomd graag dood willen.'

'Je kent mijn vriend hier niet,' zei Boris.

Maslov keek Bourne aan. 'Ik ken hem zo goed als ik hem wil kennen, denk ik.' Hij stond op. 'De stank van de dood hangt al om hem heen.'

29

De man die in München uit het vliegtuig stapte en plichtsgetrouw de douane en immigratiedienst passeerde, samen met alle andere passagiers van de vele vluchten die min of meer tegelijk waren ge-arriveerd, leek helemaal niet op Semion Ikoepov. Zijn naam was nu Franz Richter en volgens zijn paspoort was hij Duits staatsburger, maar onder alle make-up en protheses was hij evengoed Semion Ikoepov.

Niettemin voelde Ikoepov zich naakt, blootgesteld aan de nieuws-gierige ogen van zijn vijanden, van wie hij wist dat ze overal wa-ren. Ze wachtten geduldig op hem, als zijn eigen dood. Al sinds hij in het vliegtuig was gestapt, had hij last gehad van een onheilspel-lend voorgevoel. Dat had hij in het vliegtuig niet van zich af kun-nen schudden, en nu ook niet. Hij had het gevoel dat hij naar Mün-chen was gekomen om zijn eigen dood in de ogen te kijken.

Zijn chauffeur stond bij de bagageafdeling op hem te wachten. De zwaarbewapende man nam het enige stuk bagage aan dat Ikoe-pov hem op de chromen bagageband aanwees en droeg het terwijl hij voor Ikoepov uit liep, de drukke hal door en de doffe Münchense avond in, die grauw als de ochtend was. Het was hier niet zo koud als in Zwitserland, maar het was natter. De kilte was even indrin-gend als Ikoepovs voorgevoel.

Hij was niet zozeer bang als wel bedroefd. Bedroefd omdat hij het einde van dit gevecht misschien niet zou meemaken, omdat zijn gehate vijand zou winnen, oude rekeningen niet zouden worden ver-effend, de nagedachtenis van zijn vader bezoedeld zou blijven, de moord op hem ongewroken zou blijven.

Zeker, beide kanten waren aan slijtage onderhevig, dacht hij toen hij zich op de achterbank van de duifgrijze Mercedes liet zakken. Het eindspel was begonnen en hij kon de patstelling al zien aanko-men. Met grote tegenzin moest hij toegeven dat ze hem telkens weer te slim af waren geweest. Misschien had hij het niet in zich om de visie uit te dragen die zijn vader met de Broederschap van het Oosten had gehad; misschien waren de corruptie en de verzaking van idealen te ver gegaan. Wat het geval ook was, hij had veel terrein aan zijn vijand verloren, en Ikoepov was tot de sombere conclusie gekomen dat hij nog maar één kans om te winnen had. Die kans lag bij Arkadin, bij de plannen voor de aanslag van het Zwarte Legioen op het Empire State Building in New York, en bij Jason Bourne. Want hij besefte nu dat zijn vijand te sterk was. Zonder de hulp van de Amerikanen maakte hij weinig kans.

Hij keek door de rookglazen ruit naar de naargeestige skyline van München. Hij huiverde bij het idee hier terug te zijn, in deze stad waar het allemaal begonnen was, waar de Broederschap van het Oosten na de instorting van het Derde Rijk buiten de geallieerde oorlogsprocessen had kunnen blijven.

In die tijd hadden zijn vader – Farid Ikoepov – en Ibrahim Sever samen de leiding gehad van wat er van de Legioenen van het Oosten was overgebleven. Tot aan de overgave van de nazi's had Farid, de intellectueel, leiding gegeven aan het inlichtingennetwerk dat in de Sovjet-Unie was geïnfiltreerd, terwijl Ibrahim, de krijger, het bevel had gevoerd over de legioenen die aan het oostfront vochten.

Zes maanden voor de capitulatie van het Derde Rijk waren de twee mannen in de buurt van Berlijn bij elkaar gekomen. Ze zagen het einde naderen, al wist de krankzinnige nazitop daar nog niets van. En dus maakten ze plannen om ervoor te zorgen dat hun mensen de nasleep van de oorlog zouden overleven. Het eerste wat Ibrahim deed, was zijn soldaten in veiligheid brengen. Omdat de bureaucratische infrastructuur van de nazi's in die tijd door de geallieerde bombardementen was gedecimeerd, was het niet moeilijk om zijn mensen ingezet te krijgen in België, Denemarken, Griekenland en Italië, waar ze niets te duchten hadden van het geweld dat de eerste golf van de geallieerde invasiemacht aan den dag legde.

Omdat Farid en Ibrahim een gruwelijke hekel hadden aan Stalin, omdat ze getuige waren geweest van de enorme gruweldaden die in zijn opdracht waren verricht, verkeerden ze in de unieke positie dat ze de angst van de geallieerden voor het communisme begrepen. Farid kon de andere man ervan overtuigen dat soldaten van geen nut waren voor de geallieerden, maar dat een inlichtingennetwerk dat al in de Sovjet-Unie aanwezig was van onschatbare waarde zou zijn. Hij begreep heel goed dat het communisme het tegenovergestelde van het kapitalisme was en dat de Amerikanen en de Sovjets alleen uit noodzaak bondgenoten waren. Daarom, dacht hij, was het onvermijdelijk dat deze onwillige bondgenoten na de oorlog bittere vijanden van elkaar zouden worden.

Ibrahim kon niet anders dan zijn vriend gelijk geven, en inderdaad ging het zoals Farid had voorspeld. Bij elke stap zagen Farid en Ibrahim kans te voorkomen dat de naoorlogse Duitse autoriteiten bepaalden wat er met hun mensen ging gebeuren. Als gevolg daarvan bleven de Legioenen van het Oosten niet alleen in stand maar kwamen ze in het naoorlogse Duitsland zelfs tot bloei.

Algauw zag Farid dingen gebeuren die hem argwanend maakten. Duitse autoriteiten die het niet eens waren met zijn welsprekende argumenten voor het handhaven van de zelfstandigheid van de Legioenen, werden vervangen door andere die het daar wel mee eens waren. Dat was al vreemd genoeg, maar toen ontdekte hij dat die oorspronkelijke autoriteiten helemaal niet meer bestonden. Allemaal waren ze uit het zicht verdwenen. Niemand hoorde of zag ooit nog iets van hen.

Farid ging aan de zwakke Duitse bureaucratie voorbij en legde zijn bezorgdheid regelrecht aan de Amerikanen voor, maar hij was niet voorbereid op hun reactie: één groot schouderophalen. Blijkbaar maakte niemand zich druk om verdwenen Duitsers. Daarvoor hadden ze het allemaal te druk met het verdedigen van hun portie van Berlijn.

Ongeveer in die tijd stelde Ibrahim hem voor het hoofdkwartier van de Legioenen van het Oosten naar München te verplaatsen, waar ze niets te duchten hadden van de toenemende vijandigheid tussen de Amerikanen en de Sovjets. Farid ging graag akkoord, want hij had genoeg van de Amerikaanse onverschilligheid.

Het naoorlogse München was een platgebombardeerde ravage, waar het krioelde van de geëmigreerde moslims. Ibrahim rekruteerde die mensen meteen voor de organisatie, die inmiddels van naam was veranderd en nu de Broederschap van het Oosten heette. Farid legde contact met de Amerikaanse inlichtingenwereld in München en merkte dat die veel meer belangstelling voor zijn ideeën had. Sterker nog, ze had een dringende behoefte aan hem en zijn netwerk. Hierdoor aangemoedigd, zei hij tegen hen dat als ze een formele regeling met de Broederschap van het Oosten over inlichtingen vanachter het IJzeren Gordijn wilden treffen ze zich in de verdwijningen van de Duitse ex-functionarissen moesten verdiepen. Hij gaf hun een lijst.

Het kostte drie maanden, maar aan het eind daarvan werd hij uitgenodigd voor een gesprek met een zekere Brian Folks, die officieel Amerikaans attaché was. In werkelijkheid was hij de OSS-chef in München, de man die de inlichtingen ontving die Farids netwerk hem vanuit de Sovjet-Unie verstrekte.

Folks zei tegen hem dat het officieuze onderzoek dat hij op verzoek van Farid had ingesteld inmiddels voltooid was. Zonder nog een woord te zeggen overhandigde hij een dunne map, waarna hij ging zitten en wachtte tot Farid hem had gelezen. De map bevatte de foto's van alle Duitse functionarissen op de lijst die Farid had opgesteld. Bij elke foto zat een papier met gegevens. Al die mannen waren dood. Ze waren allemaal in hun achterhoofd geschoten. Farid las het weinige materiaal met toenemende frustratie door. Toen keek hij op naar Folks en zei: 'Is dit het? Is dit alles?'

Folks keek Farid door zijn bril met stalen montuur aan. 'Dit is alles wat in het rapport staat,' zei hij. 'Maar het zijn niet alle bevindingen.' Hij stak zijn hand uit en nam de map weer aan. Hij draaide zich om en stopte de papieren een voor een in een versnipperaar. Toen hij klaar was, gooide hij de lege map in de prullenbak, waarvan de inhoud elke middag om precies vijf uur werd verbrand.

Na dit plechtige ritueel legde hij zijn handen op zijn bureau en zei tegen Farid: 'De ontdekking die u het meest zal interesseren, is deze: uit de verzamelde gegevens blijkt overtuigend dat de moorden op die mannen gepleegd zijn door Ibrahim Sever.'

Tyrone verschoof op de kale betonvloer. Die was door zijn eigen vloeistoffen zo glad geworden dat zijn knie onder hem vandaan schoot en zijn benen pijnlijk gespreid werden. Hij schreeuwde het uit. Natuurlijk kwam niemand hem te hulp; hij was alleen in de verhoorcel in het souterrain van het NSA-huis in Virginia. Hij moest letterlijk nagaan waar hij zich bevond, moest de route weer volgen die Soraya en hij hadden gevolgd toen ze naar dit huis waren gereden. Wanneer? Drie dagen geleden? Tien uur? Hoe lang? De dingen waaraan hij was onderworpen hadden al zijn besef van de tijd weggenomen. Omdat de kap over zijn hoofd het moeilijker maakte te onthouden waar hij was, moest hij steeds weer tegen zichzelf zeggen: 'Ik ben in een verhoorcel in het souterrain van het NSA-huis in...' En dan noemde hij de naam van de laatste plaats waar Soraya en hij doorheen waren gereden... Wanneer was dat geweest?

Dat was het probleem. Hij was zo gedesoriënteerd dat hij soms niet meer het verschil tussen onder en boven wist. Erger nog: die perioden werden steeds langer en kwamen steeds meer voor.

De pijn was nauwelijks een probleem, want hij was pijn gewend, zij het nooit zo intens en zo langdurig. Het probleem was de desoriëntatie, die als een dun boortje in zijn hersenen doordrong. Het leek wel of hij bij elke aanval daarvan weer iets meer van zichzelf kwijtraakte, alsof hij uit korrels zout of zand bestond die geleidelijk wegliepen. En wat zou er gebeuren als ze allemaal weg waren? Wat zou hij dan worden?

Hij dacht aan dj Tank en zijn andere maten van vroeger. Hij dacht aan Deron, aan Kiki, maar die trucs werkten niet. Ze glipten weg als nevel en er bleef alleen een leegte over waarin hij – daar was hij steeds zekerder van – uiteindelijk zou verdwijnen. Toen dacht hij aan Soraya, maakte zich beetje bij beetje een voorstelling van haar, alsof hij een beeldhouwer was en haar uit een brok klei vormde. Terwijl zijn geest elk klein stukje van haar liefdevol herschiep, merkte hij dat hij wonder boven wonder intact bleef.

Hij worstelde zich in een houding die niet al te pijnlijk was. Toen hoorde hij metaal schrapen, en zijn hoofd kwam omhoog. Voordat er iets anders kon gebeuren, drong de geur van net gebakken eieren met spek tot hem door, zodat het water hem in de mond liep. Sinds hij hierheen was gebracht, had hij alleen maar havermout te eten gehad. En dan ook nog op onregelmatige tijden – de ene maaltijd soms heel kort op de andere – om zijn desoriëntatie volledig te maken.

Hij hoorde het schuifelen van leren zolen: twee mannen, vertelden zijn oren hem.

Toen zei de stem van generaal Kendall gebiedend: 'Zet het eten op de tafel, Willard. Ja, daar, dank je. Dat is alles.'

Het ene paar schoenen tikte over de vloer, gevolgd door het geluid van de deur die dichtging. Stilte. Toen het schurend geluid van een stoel die over het beton werd getrokken. Kendall ging zitten, nam Tyrone aan.

'Wat hebben we hier?' zei Kendall in zichzelf. 'Aha, mijn favoriete eten: zacht gebakken eieren, grutten met boter, warme broodjes en jus.' Het geluid van bestek dat werd opgepakt. 'Hou je van grutten, Tyrone? Hou je van broodjes en jus?'

Tyrone was nog niet zover heen dat hij geen woede meer kon opbrengen. 'Het enigste waar ik meer van hou is watermeloen, baas.'

'Dat is een verdomd goede imitatie van je broeders, Tyrone.' Blijkbaar praatte hij al etend. 'Dit is verdomd goed eten. Wil je ook iets?'

Tyrones maag knorde zo hard dat Kendall het vast kon horen.

'Je hoeft me alleen maar alles te vertellen wat die vrouw Moore en jij van plan waren.'

'Ik verlink niemand,' zei Tyrone fel.

'Hm.' De geluiden van Kendall die aan het kauwen was. 'Dat zeggen ze in het begin allemaal.' Hij kauwde nog wat meer. 'Je weet toch dat dit nog maar het begin is, Tyrone? Natuurlijk weet je dat. Zoals je ook weet dat die vrouw Moore je niet zal redden. Ze laat je barsten. Dat staat zo vast als dat ik hier zit en de lekkerste broodjes eet die je ooit hebt gehad. Weet je waarom? Omdat LaValle haar een keuze heeft gelaten: jij of Jason Bourne. Je kent haar voorgeschiedenis met Bourne. Ze kan wel beweren dat ze niet met hem heeft geneukt, maar jij en ik weten beter.'

'Ze heeft nooit met hem geneukt,' zei Tyrone onwillekeurig.

'Ja. Dat heeft ze tegen je gezegd.' Kauw, kauw, kauw gingen Kendalls kaken, die de knapperige bacon vermorzelden. 'Wat zou ze anders moeten zeggen?'

Die klootzak speelde spelletjes met hem; dat wist Tyrone zeker. Jammer genoeg loog hij niet. Tyrone wist wat Soraya voor Bourne voelde; dat stond op haar hele gezicht geschreven als ze hem zag of als zijn naam viel. Hoewel ze het zelf had ontkend, had de vraag die Kendall net had gesteld aan hem geknaagd als een snoepverslaafde aan een chocoladereep.

Het was moeilijk om Bourne niet te benijden om zijn vrijheid, zijn encyclopedische kennis, zijn vriendschap met Deron, die hem als zijn gelijke beschouwde. Maar al die dingen kon Tyrone wel verwerken. Alleen met Soraya's liefde voor Bourne kon hij niet goed leven.

Hij hoorde het schrapen van stoelpoten en voelde de aanwezigheid van Kendall, die bij hem neerhurkte. Het was verbijsterend, dacht Tyrone, hoeveel warmte een mens afgaf.

'Ik moet zeggen, Tyrone, dat je er flink van langs hebt gehad,' zei Kendall. 'Je hebt je zo goed gehouden dat je een beloning verdient. Verrek, we hebben hier verdachten gehad die al na vierentwintig uur om hun mama riepen. Maar jij niet.' Het snelle *klikklak* van metalen eetgerei op een porseleinen bord. 'Wat zou je zeggen van eieren met bacon? Man, wat is dit veel. Ik kan het nooit in mijn eentje op. Dus kom op. Eet mee.'

Toen de kap ver genoeg omhoog werd getrokken om zijn mond vrij te krijgen, verkeerde Tyrone in tweestrijd. Zijn geest zei hem dat hij het aanbod moest weigeren, maar zijn verschrompelde maag hunkerde naar echt eten. Hij rook de geuren van eieren en bacon, voelde het eten warm als een kus op zijn lippen.

'Hé, man, waar wacht je op?'

Wat kan het mij verrotten, zei Tyrone tegen zichzelf. De smaken van het eten explodeerden in zijn mond. Hij zou willen kreunen van genot. Hij verslond de eerste happen die hem werden gevoerd en dwong zich toen om langzaam en systematisch te kauwen. Hij wilde elk beetje smaak uit het gerookte vlees en de heerlijke eidooier halen.

'Smaakt goed,' zei Kendall. Hij was blijkbaar opgestaan, want zijn stem bevond zich boven Tyrone toen hij zei: 'Het smaakt heel goed, hè?'

Tyrone wilde net instemmend knikken toen diep in zijn maag de pijn opvlamde. Hij kreunde toen het nog een keer gebeurde. Hij was wel vaker geschopt en wist dus wat Kendall deed. De derde schop trof doel. Hij probeerde zijn eten binnen te houden, maar de reflex diende zich aan. Even later braakte hij al het heerlijke eten uit dat Kendall hem had gevoerd.

'De Münchense koerier is de laatste in het netwerk,' zei Devra. 'Hij heet Egon Kirsch, maar meer weet ik niet. Ik heb hem nooit ontmoet; niemand die ik ken, heeft hem ontmoet. Pjotr zorgde ervoor dat die schakel volledig van de rest werd gescheiden. Voor zover ik weet, stond Kirsch rechtstreeks met Pjotr in contact en met niemand anders.'

'Aan wie geeft Kirsch zijn inlichtingen door?' vroeg Arkadin. 'Wie staat er aan het andere eind van het netwerk?'

'Ik heb geen idee.'

Hij geloofde haar. 'Hadden Heinrich en Kirsch een bepaalde ontmoetingsplaats?'

Ze schudde haar hoofd.

In het vliegtuig van Istanbul naar München zaten ze naast elkaar en hij vroeg zich af wat hij in godsnaam aan het doen was. Ze had hem alle informatie gegeven die hij van haar zou krijgen. Hij had de bouwtekeningen; hij was met de laatste etappe van zijn missie bezig. Nu hoefde hij alleen nog de plannen aan Ikoepov te geven, Kirsch te vinden en hem ertoe te bewegen hem naar het eind van het netwerk te brengen. Kinderspel.

Dat riep de vraag op wat hij met Devra moest doen. Hij had al besloten haar te doden, zoals hij Marlene en zoveel anderen had gedood. Dat was een voldongen feit, een vast punt in zijn gedachten, een diamant die alleen nog gepoetst hoefde te worden om fonkelend tot leven te komen. Toen hij daar in dat straalvliegtuig zat, hoorde hij de snelle knal van het wapen, het geluid van bladeren die over haar dode lichaam vielen en haar bedekten als een deken.

Devra, die aan het gangpad zat, stond op en liep naar het toilet. Arkadin deed zijn ogen dicht en was weer in de roetige stank van Nizjni Tagil, mannen met bijgevijlde tanden en vage tatoeages, vrouwen oud voor hun leeftijd, kromgebogen, een plastic frisdrankfles met zelfgemaakte wodka aan de mond, meisjes met verzonken ogen, beroofd van een toekomst. En dan het massagraf...

Zijn ogen sprongen open. Hij had moeite met ademhalen. Nadat hij zich overeind had gehesen, liep hij achter Devra aan. Ze was de enige wachtende. De harmonicadeur aan de rechterkant ging open en een oudere vrouw kwam tevoorschijn en perste zich langs Devra en Arkadin. Devra ging het toilet in, maakte de deur dicht en deed hem op slot. Het bordje met BEZET ging aan.

Arkadin liep naar de deur en bleef er even voor staan. Toen klopte hij zachtjes aan.

'Een ogenblik,' zei haar stem.

Hij hield zijn hoofd tegen de deur en zei: 'Devra, ik ben het.' En na een korte stilte. 'Doe open.'

Even later vouwde de deur zich open. Ze stond tegenover hem.

'Ik wil binnenkomen,' zei hij.

Gedurende enkele hartslagen keken ze elkaar strak aan. Ze probeerden allebei de bedoelingen van de ander te doorgronden.

Toen stapte ze achteruit tegen de kleine wastafel aan. Arkadin ging naar binnen, deed met enige moeite de deur achter zich dicht en draaide hem op slot.

30

'Het is het nieuwste van het nieuwste,' zei Günter Müller. 'Gegarandeerd.'

Moira en hij hadden allebei een helm op. Ze liepen door de half geautomatiseerde werkplaatsen van de Kaller Stahlwerke Gesellschaft, waar de koppeling werd geproduceerd die de LNG-tankers met de terminal van NextGen in Long Beach zou verbinden als ze aankwamen.

Müller, de teamleider van het koppelingsproject van NextGen, was lid van de raad van bestuur van Kaller, een niet al te grote man, onberispelijk gekleed: conservatief driedelig krijtstreeppak, dure schoenen en een das in zwart en goud, de kleuren van München sinds de tijd van het Heilige Roomse Rijk. Zijn gezicht was biggetjes-roze, alsof hij net een stoombad had genomen, en hij had dicht bruin haar dat grijs werd aan de zijkanten. Hij praatte langzaam en nadrukkelijk in goed Engels, al maakte hij charmante fouten met modern Amerikaanse uitdrukkingen.

Al lopend legde hij met veel details en grote trots het productieproces uit. Hij hield de ontwerptekeningen en de specificaties voor hen uitgespreid en Müller verwees er steeds weer naar.

Moira luisterde met maar één oor. Haar positie was veranderd sinds de Firma van het toneel was verdwenen. NextGen moest de beveiliging van haar terminal in Long Beach nu zelf regelen en zij had een nieuwe taak gekregen.

Maar hoe meer de dingen veranderen, dacht ze, *des te meer blijven ze hetzelfde.* Zodra Noah haar het pakket voor Damascus had gegeven, had ze geweten dat ze zich niet zou losmaken van het terminalproject in Long Beach. Noah en zijn bazen mochten besluiten wat ze wilden, ze kon NextGen en dit project niet in zo'n gevaarlijke situatie achterlaten. Müller wist net zomin als ieder ander bij Kaller of zelfs bijna iedereen bij NextGen dat ze voor de Firma werkte. Alleen zij wist dat ze in een vliegtuig naar Damascus zou moeten zitten en niet hier bij hem zou moeten zijn. Ze had maar enkele uren respijt voordat haar contactpersoon bij NextGen zich zou afvragen waarom ze nog aan het terminalproject werkte. In die tijd hoopte ze de president-directeur van NextGen ervan te overtuigen hoe verstandig het was dat ze de bevelen van de Firma niet had opgevolgd.

Ten slotte kwamen ze bij de expeditieruimte, waar de zestien onderdelen van de koppeling werden verpakt. Ze zouden naar Long Beach gaan met de 747 van NextGen die Bourne en haar naar München had gebracht.

'Zoals in het contract is aangegeven, zal ons team van ingenieurs u op de terugreis vergezellen.' Müller rolde de tekeningen op, deed er een elastiek omheen en gaf ze aan Moira. 'Ze zullen toezicht houden op de assemblage van de koppeling ter plaatse. Ik heb er alle vertrouwen in dat er zich geen problemen voordoen.'

'Dat mag ook niet,' zei Moira. 'De eerste LNG-tanker komt over dertig uur bij de terminal aan.' Ze wierp Müller een onaangename blik toe. 'Weinig speelruimte voor uw ingenieurs.'

'Maakt u zich geen zorgen, Fräulein Trevor,' zei hij opgewekt. 'Ze zijn absoluut op hun taak berekend.'

'Dat hoop ik voor uw onderneming.' Ze stak de rol onder haar linkerarm en maakte aanstalten om weg te gaan. 'Zullen we in alle eerlijkheid spreken, Herr Müller?'

Hij glimlachte. 'Natuurlijk.'

'Ik zou hier helemaal niet zijn gekomen als uw productieproces niet de ene na de andere vertraging had gehad.'

Müllers glimlach was blijkbaar niet weg te krijgen. 'Mijn beste Fräulein, zoals ik uw superieuren heb uitgelegd, waren die vertragingen onvermijdelijk. Het tijdelijk tekort aan staal lag aan de Chinezen, en het was de schuld van de Zuid-Afrikanen dat de platinamijnen door energietekorten op halve snelheid draaiden.' Hij spreidde zijn handen. 'Ik verzeker u dat we ons best hebben gedaan.' Zijn glimlach werd breder. 'En nu zijn we aan het eind van onze gezamenlijke reis. De koppeling is binnen achttien uur in Long Beach, en acht uur later is zij geassembleerd en kan uw LNG-tanker erop aangesloten worden.' Hij stak zijn hand uit. 'Dan komt het allemaal goed, nietwaar?'

'Natuurlijk. Dank u, Herr Müller.'

Müller klakte bijna met zijn hakken. 'Het genoegen is geheel aan mijn kant, Fräulein.'

Moira liep met Müller door de fabriek terug. Ze nam nog eens afscheid van hem bij de ingang en liep over het grindpad naar haar auto met chauffeur. De zorgvuldig ontworpen Duitse motor zoemde zacht.

Ze reden het terrein van Kaller Stahlwerke af en sloegen links af naar de Autobahn om naar München terug te keren. Na vijf minuten zei haar chauffeur: 'We worden gevolgd, Fräulein.'

Moira draaide zich om en keek door het achterraam. Een kleine Volkswagen, die niet meer dan vijftig meter achter hen reed, knipperde met zijn lichten.

'Stoppen.' Ze duwde de zoom van haar lange rok opzij en haalde een SIG Sauer uit de holster die aan haar linkerenkel was bevestigd.

De chauffeur deed wat hem gezegd werd en de auto kwam in de berm tot stilstand. De Volkswagen stopte achter hen. Moira wachtte op wat er ging gebeuren; ze was te goed getraind om uit de auto te stappen.

Ten slotte reed de Volkswagen de berm af om in de struiken uit het zicht te verdwijnen. Even later kwam er een man tevoorschijn. Hij was lang en smal, met een potloodsnorretje en bretels. Ondanks de Duitse winterkou liep hij in hemdsmouwen, waarschijnlijk om te laten zien dat hij geen wapens bij zich had. Toen hij ter hoogte van haar auto was gekomen, maakte ze het portier voor hem open en hij stapte in.

'Mijn naam is Hauser, Fräulein Trevor. Arthur Hauser.' Hij keek nors. 'Ik verontschuldig me voor de onbeleefdheid van deze geïmproviseerde ontmoeting, maar ik verzeker u dat dit niet overdreven melodramatisch is.' Alsof hij zijn woorden wilde onderstrepen, keek hij met een zorgelijk gezicht over de weg terug naar de fabriek. 'Omdat ik niet veel tijd heb, zal ik direct ter zake komen. Er zit een fout in de koppeling. Laat ik meteen zeggen dat die fout niet in de hardware zit. Die is volkomen in orde; dat verzeker ik u. Maar er is iets met de software aan de hand. Niets wat de werking van de koppeling zal belemmeren, nee, dat zeker niet. Het is een foutje in de beveiliging – een venster, als u het zo wilt noemen. De kans is groot dat het nooit wordt ontdekt, maar evengoed is het aanwezig.'

Toen Hauser weer uit het achterraam keek, kwam er een auto aan. Hij hield zijn kaken op elkaar en ontspande zichtbaar toen de auto doorreed.

'Herr Müller heeft niet helemaal de waarheid gesproken. De vertragingen werden veroorzaakt door dat foutje in de software en niet door iets anders. Ik kan het weten, want ik zat in het team dat de software ontwierp. We hebben geprobeerd het te repareren, maar dat was verschrikkelijk moeilijk en we hadden geen tijd meer.'

'Hoe ernstig is dat foutje?' zei Moira.

'Dat hangt ervan af of u een optimist of een pessimist bent.' Hauser boog beschaamd zijn hoofd. 'Zoals ik al zei, wordt het misschien nooit ontdekt.'

Moira keek een tijdje uit het raam. Ze bedacht dat ze de volgende vraag niet zou moeten stellen, want zoals Noah haar in niet mis te verstane termen had gezegd, had de Firma zich teruggetrokken uit de beveiliging van de LNG-terminal van NextGen.

Het volgende moment hoorde ze zichzelf zeggen: 'Als ik nu eens een pessimist ben?'

Peter Marks trof Rodney Feir, hoofd veldondersteuning van de CIA, achter een bord schelpdierensoep aan. Feir keek op en gaf Marks met een gebaar te kennen dat hij kon gaan zitten. Peter Marks was tot hoofd operaties benoemd nadat de onfortuinlijke Rob Batt als NSA-verklikker was ontmaskerd en uit de CIA was gegooid.

'Hoe gaat het?' vroeg Feir.

'Hoe denk je dat het gaat?' Marks ging tegenover Feir zitten. 'Ik heb alle contacten van Batt gecontroleerd, op zoek naar een NSA-connectie. Dat was veel werk en het was nog frustrerend ook. En jij?'

'Ik ben net zo moe als jij, denk ik.' Feir strooide oestercrackers in de soep. 'Ik heb de nieuwe directeur een briefing gegeven over alles – van agenten in het veld tot en met het schoonmaakbedrijf dat we de afgelopen twintig jaar hebben gebruikt.'

'Denk je dat ze het goed gaat doen?'

Feir wist dat hij voorzichtig moest zijn. 'Ik moet haar nageven dat ze veel oog voor details heeft. Geen steen blijft op de andere. Ze laat niets aan het toeval over.'

'Dat is een opluchting.' Marks draaide met een vork tussen zijn duim en vingers. 'We kunnen echt niet nog een crisis gebruiken. Ik zou blij zijn als we iemand hadden die het hellende schip weer recht kan trekken.'

'Zo denk ik er ook over.'

'Ik ben hier,' zei Marks, 'omdat ik een personeelsprobleem heb. Ik heb wat mensen verloren. Natuurlijk is dat onvermijdelijk. Ik dacht dat ik goede rekruten uit de opleiding zou krijgen, maar die gingen naar Typhon. Ik heb op korte termijn mensen nodig.'

Feir kauwde op een mondvol mosselen en aardappelblokjes. Hij had die rekruten zelf naar Typhon gestuurd en daarna gewacht tot Marks bij hem zou komen. 'Hoe kan ik je helpen?'

'Ik zou graag willen dat een paar mensen van Dick Symes bij mijn directoraat werden gedetacheerd.' Dick Symes was het hoofd inlichtingen. 'Begrijp me goed, het is maar tijdelijk, totdat ik een stel nieuwe rekruten door de training en de voorlichting kan krijgen.'

'Heb je met Dick gepraat?'

'Waarom zou ik? Die zegt natuurlijk dat ik naar de pomp kan lopen. Maar jij kunt mijn probleem aan Hart voorleggen. Ze is overladen met werk, maar als iemand haar kan overhalen naar mij te luisteren, ben jij dat. Als zij dat telefoontje pleegt, kan Dick protesteren wat hij wil, maar dan doet dat er niet meer toe.'

Feir veegde zijn lippen af. 'Over hoeveel mensen hebben we het, Peter?'

'Achttien, vierentwintig op zijn hoogst.'

'Dat zijn er niet zoveel. De directeur zal willen weten wat je van plan bent.'

'Ik heb een resumé klaarliggen,' zei Marks. 'Ik stuur het elektronisch naar jou toe en jij legt het haar persoonlijk voor.'

Feir knikte. 'Dat is wel te regelen, denk ik.'

Marks keek opgelucht. 'Dank je, Rodney.'

'Het is een kleine moeite.' Hij ging verder met wat er nog over was van de soep. Toen Marks aanstalten maakte om op te staan, zei hij: 'Weet jij toevallig waar Soraya is? Ze is niet op kantoor en ze neemt haar mobieltje niet op.'

'Nee.' Marks ging weer zitten. 'Hoezo?'

'Zomaar.'

Iets in Feirs stem trok zijn aandacht. 'Zomaar?'

'Ach, je weet hoe er op kantoor wordt geroddeld.'

'Wat bedoel je?'

'Jullie twee hebben een hechte band, nietwaar?'

'Heb je dat gehoord?'

'Eh, ja.' Feir legde zijn lepel in het lege bord. 'Maar als het niet waar is...'

'Ik weet niet waar ze is, Rodney.' Marks blik dwaalde af. 'We hebben nooit iets met elkaar gehad.'

'Sorry, ik wilde niet nieuwsgierig zijn.'

Marks maakte een wegwuivend gebaar. 'Laat maar. Waarover wilde je eigenlijk met haar praten?'

Feir had gehoopt dat hij dat zou zeggen. De generaal had hem verteld dat hij en LaValle wilden weten hoe Typhon precies werkte. 'Budgetten. Ze heeft zoveel agenten in het veld dat de directeur een overzicht van hun onkosten wil hebben. Eerlijk gezegd is dat sinds Martins dood niet meer gedaan.'

'Dat is begrijpelijk, als je nagaat wat er de laatste tijd allemaal is gebeurd.'

Feir haalde zijn schouders op. 'Ik zou het zelf wel doen. Soraya heeft al genoeg aan haar hoofd, zou ik denken. Maar ik zit met het probleem dat ik niet eens weet waar de dossiers zijn.' Hij zou daar 'Jij wel?' aan toe willen voegen, maar dat zou er te dik op liggen, vond hij.

Marks dacht even na. 'Misschien kan ik je daarmee helpen.'

'Doet je schouder nog veel pijn?' zei Devra.

Arkadin, tegen haar lichaam aan gedrukt, zijn sterke armen om haar heen, zei: 'Ik weet niet wat ik daarop moet zeggen. Ik heb een uiterst hoge pijntolerantie.'

Het toilet in het vliegtuig was zo klein dat hij zich helemaal op haar kon concentreren. Het was of ze samen in een doodkist stonden, alsof ze dood waren maar dan in een vreemd hiernamaals waarin alleen zij tweeën bestonden.

Ze keek glimlachend naar hem op toen een van zijn handen over haar rug naar haar hals gleed. Zijn duim drukte tegen haar kaak en bracht haar hoofd zachtjes omhoog, terwijl zijn vingers zich om haar nek verstrakten.

Hij boog zich naar haar toe en drukte haar met zijn gewicht achterwaarts over de wastafel heen. Hij zag haar achterhoofd in de spiegel, en zijn gezicht dat het hare straks zou bedekken. Een vlam van emotie kwam flakkerend tot leven en verlichtte de zielloze leegte in hem.

Hij kuste haar.

'Rustig,' fluisterde ze. 'Ontspan je lippen.'

Haar vochtige lippen kwamen onder de zijne van elkaar, en haar tong zocht naar die van hem, eerst aarzelend en toen met een onmiskenbare begeerte. Zijn lippen beefden. Hij had nooit iets gevoeld als hij een vrouw kuste. Eigenlijk had hij altijd zijn best gedaan om dat te vermijden, want hij wist niet waar het goed voor was of waarom vrouwen het zo graag wilden. Een uitwisseling van vloeistoffen, meer was het voor hem niet, als een procedure in de spreekkamer van een arts. Het beste wat hij ervan kon zeggen was dat het pijnloos en gauw voorbij was.

Hij stond versteld van de elektriciteit die door hem heen ging toen zijn lippen op de hare drukten. Van het pure genot daarvan. Zo was het bij Marlene niet geweest; zo was het bij niemand geweest. Hij wist niet wat hij van de trilling in zijn knieën moest denken. Haar zoete, kreunende uitademingen drongen als geluidloze kreten van extase in hem binnen. Hij slikte ze in hun geheel in en wilde er meer.

'Willen' was iets waaraan Arkadin niet gewend was. 'Moeten' was het woord dat zijn leven tot aan dat moment had bepaald: hij moest wraak nemen op zijn moeder, hij moest uit zijn ouderlijk huis ontsnappen, hij moest zichzelf zien te redden, wat er ook gebeurde, hij moest rivalen en vijanden uitschakelen, hij moest iedereen doden die te dicht bij zijn geheimen kwam. Maar wíllen? Dat was een heel andere zaak. Devra maakte hem duidelijk wat willen was. En pas toen hij er zeker van was geweest dat hij haar niet meer nodig had, was zijn verlangen opgekomen. Hij wilde haar.

Toen hij haar rok optilde en eronder tastte, kwam haar been omhoog. Haar vingers bevrijdden hem behendig uit zijn kleren. Toen verdwenen alle gedachten uit zijn hoofd.

Toen ze na afloop naar hun plaatsen waren teruggekeerd, langs de rij kwaad kijkende passagiers die voor het toilet in de rij stonden, barstte Devra in lachen uit. Arkadin zat naar haar te kijken. Dat was ook iets unieks aan haar. Ieder ander zou hebben gevraagd: *was dat je eerste keer?* Zij niet. Ze hoefde niet zo nodig het deksel van hem af te wrikken om in hem te kijken en te zien hoe hij in elkaar zat. Dat hoefde ze niet te weten. Omdat hij iemand was die altijd iets nodig had gehad, kon hij die eigenschap niet bij iemand anders verdragen.

Zonder dat hij het kon begrijpen was hij zich bewust van haar aanwezigheid naast hem. Het was of hij haar hartslag kon voelen, de golf van bloed door haar lichaam, een lichaam dat hem kwetsbaar leek, al wist hij hoe hard ze kon zijn na alles wat ze had doorgemaakt. Wat zou het gemakkelijk zijn om haar botten te breken, een mes door haar ribben te steken tot in haar hart, een kogel haar schedel te laten verbrijzelen. Die gedachten brachten hem in een staat van razernij, en hij schoof dichter naar haar toe, alsof ze bescherming nodig had – zoals bijna zeker het geval was, als je bedacht wie haar vroegere bondgenoten waren. Op dat moment wist hij dat hij alles wat in zijn macht lag zou doen om een ieder te doden die haar kwaad wilde doen.

Ze voelde dat hij dichterbij kwam en draaide zich glimlachend naar hem om. 'Weet je, Leonid, voor het eerst in mijn leven voel ik me veilig. Daarom ben ik vaak zo venijnig. Ik heb al vroeg geleerd dat ik op die manier mensen op een afstand kan houden.'

'Je hebt geleerd zo hard te zijn als je moeder was.'

Ze schudde haar hoofd. 'Dat is het beroerde. Mijn moeder was aan de buitenkant wel hard, maar dat ging niet dieper dan haar huid. Daaronder was ze een en al angst.'

Devra leunde tegen de hoofdsteun achterover en ging verder. 'Als ik aan mijn moeder terugdenk, herinner ik me vooral die angst. Die hing als een stank om haar heen. Ook als ze een bad had genomen kon ik het ruiken. Natuurlijk wist ik heel lang niet wat het was, en misschien was ik ook de enige die het rook. Ik weet het niet.

Hoe dan ook, ze vertelde me vaak een oud-Oekraïens volksverhaal. Het ging over de negen cirkels van de hel. Wat wilde ze daarmee? Wilde ze me bang maken of haar eigen angst kleiner maken door mij erin te laten delen? Ik weet het niet. In elk geval vertelde ze me het volgende verhaal. Er is één hemel, maar er zijn negen cirkels van de hel, waar je, afhankelijk van de ernst van je zonden, heen wordt gestuurd als je doodgaat.

De eerste, minst erge cirkel kent iedereen. Daar word je in vuur geroosterd. In de tweede cirkel ben je in je eentje op de top van een berg. Elke nacht bevries je langzaam en verschrikkelijk, om de volgende morgen weer te ontdooien, waarna het allemaal opnieuw begint. In de derde cirkel heerst een oogverblindend licht; op de vierde een diepe duisternis. Op de vijfde waaien ijzige winden die min of meer letterlijk als een mes door je heen snijden. Op de zesde word je doorboord met pijlen. Op de zevende word je langzaam begraven onder een leger van mieren. Op de achtste word je gekruisigd.

Maar mijn moeder was vooral bang voor de negende cirkel. Daar leefde je tussen wilde beesten die menselijke harten verslonden.'

Het ontging Arkadin niet hoe wreed het was om dit aan een kind te vertellen. Hij was er volkomen zeker van dat zijn moeder hem hetzelfde verhaal zou hebben verteld als ze Oekraïens was geweest.

'Ik lachte altijd om haar verhaal, tenminste, dat probeerde ik,' zei Devra. 'Zulke onzin wilde ik niet geloven. Maar dat was voordat een paar van die cirkels van de hel naar ons toe kwamen.'

Arkadin voelde haar aanwezigheid in hem des te intenser. Het leek wel of het gevoel dat hij haar wilde beschermen in zijn binnenste rondstuiterde en exponentieel groter werd naarmate zijn hersenen beter begrepen wat het inhield. Was hij eindelijk op iets gestuit wat groot genoeg, helder genoeg en sterk genoeg was om zijn demonen tot bedaren te brengen?

Na de dood van Marlene had Ikoepov het teken aan de wand gezien. Hij had niet meer geprobeerd in Arkadins verleden te kijken. In plaats daarvan had hij hem naar Amerika gestuurd zodat hij kon opknappen. 'Herprogrammeren' had Ikoepov het genoemd. Arkadin was anderhalf jaar in Washington geweest en had daar een uniek experimenteel programma ondergaan dat ontworpen en uitgevoerd werd door een vriend van Ikoepov. Arkadin was daardoor in veel opzichten veranderd, al was zijn verleden – met alle schaduwen en demonen – intact gebleven. Had het programma maar alle herinneringen daaraan uitgewist! Maar zo zat het programma niet in elkaar. Ikoepov interesseerde zich niet meer voor Arkadins verleden maar voor zijn toekomst, en daar was het programma ideaal voor.

Met zijn gedachten bij het programma viel hij in slaap, maar toen droomde hij dat hij weer in Nizjni Tagil was. Hij droomde nooit van het programma. In het programma voelde hij zich veilig, maar zijn dromen gingen nooit over veiligheid. In zijn dromen stond hij op het punt van grote hoogte naar beneden te worden geduwd.

Als hij in Nizjni Tagil laat op de avond iets wilde drinken, kon hij alleen in een ondergrondse bar terecht die Crespi heette. Het stonk daar en het zat vol met getatoeëerde mannen in trainingspakken en met gouden kettingen om hun hals, en vrouwen in korte rokken, zo dik opgemaakt dat ze op etalagepoppen leken. Achter hun wasbeerogen zaten leegten waar ooit hun ziel had gezeten.

In Crespi werd Arkadin op dertienjarige leeftijd voor het eerst in elkaar geslagen door vier potige mannen met varkensogen en het voorhoofd van een neanderthaler. En naar Crespi keerde Arkadin, na van zijn verwondingen te zijn hersteld, drie maanden later terug, en daar schoot hij de hersenen van de mannen tegen de muren. Toen een andere *krim* zijn pistool probeerde af te pakken, schoot Arkadin hem van dichtbij in zijn gezicht. Dat weerhield alle andere aanwezigen ervan om bij hem in de buurt te komen. Het leverde hem ook een reputatie op, en die hielp hem een klein vastgoedimperium op te bouwen.

In die stad van gesmolten ijzer en sissende sintels had succes zijn eigen specifieke gevolgen. Arkadin kwam onder de aandacht van Stas Koezin, een van de misdaadbazen. Vier jaar later kwam Koezin op een avond naar Arkadin toe. Arkadin was toen juist aan het knokken met een kolossale kerel die Arkadin tot een vuistgevecht had uitgedaagd, met een biertje als inzet.

Nadat Arkadin de reus in elkaar had geslagen, pakte hij zijn gratis biertje en dronk de helft ervan op. Hij draaide zich om en zag Stas Koezin. Arkadin wist meteen wie hij was; dat wist iedereen in Nizjni Tagil. Hij had een dichte zwarte bos haar die nog geen twee centimeter boven zijn wenkbrauwen in een rechte streep eindigde. Zijn hoofd stond op zijn schouders als een knikker op een muur. Zijn kaak was zo erg gebroken en weer in elkaar gezet – waarschijnlijk in de gevangenis – dat hij altijd siste bij het praten, als een slang. Soms was hij nauwelijks te verstaan.

Koezin werd geflankeerd door twee lugubere mannen met diep weggezonken ogen en primitieve tatoeages van honden op de rug van hun handen. Die tatoeages lieten zien dat ze voorgoed onderhorig waren aan hun baas.

'Laten we praten,' zei de monsterlijke verschijning tegen Arkadin, en hij wees met zijn kleine hoofd naar een tafel.

De mannen die aan de tafel hadden gezeten, stonden allemaal tegelijk op toen Koezin eraan kwam, en vluchtten naar de andere kant van de bar. Koezin haakte zijn schoen achter een stoelpoot, trok de stoel achteruit en ging zitten. Verontrustend genoeg hield hij zijn handen op zijn schoot, alsof hij elk moment een wapen kon trekken om Arkadin dood te schieten.

Hij begon te praten, maar het duurde enkele minuten voordat Arkadin iets begreep van wat Koezin zei. Het was of hij een drenkeling hoorde die voor de derde keer onder water ging. Ten slotte besefte hij dat Koezin hem een soort fusie voorstelde: de helft van Arkadins vastgoedbelangen in ruil voor tien procent van Koezins onderneming.

En wat hield die onderneming van Koezin precies in? Niemand wilde er openlijk over praten, maar er deden volop geruchten de ronde. Er werd van alles aan Koezin toegeschreven, van het leveren van gebruikte nucleaire brandstofstaven aan de grote jongens in Moskou tot de handel in blanke slavinnen, drugssmokkel en prostitutie. Arkadin was geneigd de meer buitenissige speculaties van de hand te wijzen. Hij wist heel goed waarmee Koezin geld verdiende in Nizjni Tagil, namelijk met prostitutie en drugs. Elke man in de stad wilde een nummertje maken, en als ze geld hadden, waren drugs verreweg te verkiezen boven bier en zelfgestookte wodka.

Ook nu dacht Arkadin niet in termen van 'willen' maar van 'moeten'. Hij moest meer doen dan zich in leven houden in deze stad van roet, geweld en longziekten. Hij was zover gekomen als hij op eigen kracht kon komen. Hij verdiende genoeg geld om zich te kunnen handhaven, maar niet genoeg om weg te komen naar Moskou, waar hij heen moest om de beste kansen van het leven te grijpen. Buiten verhieven zich de kringen van de hel: schoorsteenpijpen die roetige rook uitbraakten, ijzeren wachttorens van de wrede gevangenis-*zona*'s, vol geweren, krachtige schijnwerpers en loeiende sirenes.

Hierbinnen zat hij met Stas Koezin opgesloten in zijn eigen wrede *zona*. Arkadin gaf het enige verstandige antwoord. Hij zei ja en kwam zo in de negende cirkel van de hel.

31

Terwijl hij in München in de rij stond voor de paspoortcontrole, belde Bourne naar Specter, die hem verzekerde dat alles in gereedheid was gebracht. Even later kwam hij binnen bereik van de eerste bewakingscamera's van het vliegveld. Onmiddellijk werd zijn beeld opgepikt door de software in het hoofdkwartier van Semion Ikoepov, en nog terwijl hij met de professor telefoneerde, werd hij geïdentificeerd.

Ikoepov werd meteen gebeld, en hij beval zijn mensen die in München gestationeerd waren om in actie te komen. Dat betekende dat personeelsleden van de luchthaven en de immigratiedienst die voor Ikoepov werkten ook werden gewaarschuwd. De man die de binnenkomende passagiers naar de verschillende, met koorden afgezette rijen voor de loketten van de immigratiedienst stuurde, kreeg nog net op tijd een foto van Bourne op zijn computerscherm om Bourne naar de rij voor loket 3 te kunnen sturen.

De ambtenaar van de immigratiedienst die loket 3 bemande, luisterde naar de stem in het elektronische apparaatje dat hij in zijn oor had. Toen de man van wie hem was gezegd dat het Jason Bourne was zijn paspoort overhandigde, bladerde de ambtenaar erin en stelde hij de gebruikelijke vragen: 'Hoe lang bent u van plan in Duitsland te blijven? Komt u voor zaken of voor vakantie?' Hij schoof het bij het loket vandaan en legde de foto onder een gonzend purperen licht. Terwijl hij dat deed, drukte hij een metalen schijfje met de dikte van een menselijke nagel in de binnenkant van het paspoortomslag. Toen sloot hij het boekje, streek de voor- en achterkant glad en gaf het aan Bourne terug.

'Ik wens u een aangenaam verblijf in München,' zei hij zonder ook maar enige emotie of belangstelling. Hij keek al langs Bourne naar de volgende passagier die in de rij stond.

Net als op Sjeremetjevo had Bourne het gevoel dat hij werd gadegeslagen. Toen hij in het drukke centrum van de stad aankwam, wisselde hij twee keer van taxi. Op de Marienplatz, een groot plein waarop zich de Mariazuil verhief, liep hij door zwermen van duiven langs middeleeuwse kathedralen en ging hij op in de groepen rondgeleide toeristen, die zich aan de suikertaartarchitectuur vergaapten, en aan de hoge tweeling-koepels van de Frauenkirche, de kathedraal van de aartsbisschop van München-Freising en symbool van de stad.

Hij sloot zich aan bij zo'n groep, die voor een overheidsgebouw stond waarop het officiële wapenschild van de stad was aangebracht, met een afbeelding van een monnik die zijn handen wijd gespreid hield. De gids vertelde de toeristen dat de naam München voortkwam uit het oude Hoogduitse woord dat 'monniken' betekende. In 1158 of daaromtrent bouwde de toenmalige hertog van Saksen en Beieren een brug over de rivier de Isar om de zoutmijnen, waarom de groeiende stad algauw bekend zou staan, met een nederzetting van benedictijner monniken te verbinden. Hij zette een tolhuisje op de brug, die een belangrijke schakel vormde in de zoutroute naar de Beierse hoogvlakten waarop München was gebouwd. Hij vestigde daar ook een muntgebouw, waarin hij zijn winsten opsloeg. Het hedendaagse handelscentrum bevond zich nog ongeveer op de plaats van het middeleeuwse begin.

Toen Bourne er zeker van was dat hij niet werd geschaduwd, verliet hij de groep en stapte hij in een taxi, die hem zes straten bij het Wittelsbachpaleis vandaan afzette.

Volgens de professor had Kirsch gezegd dat hij Bourne op een openbare plaats wilde ontmoeten. Hij koos voor het staatsmuseum voor Egyptische kunst aan de Hofgartenstrasse. Dat museum bevond zich achter de immense rococofaçade van het Wittelsbachpaleis. Bourne liep de ene na de andere straat door tot hij helemaal om het paleis heen was gegaan en keek opnieuw of hij werd geschaduwd. Hij kon zich niet herinneren of hij eerder in München was geweest. Hij had niet dat vreemde déjà vu dat betekende dat hij was teruggekeerd naar een plaats die hij zich niet kon herinneren. Daarom wist hij dat volgers die de stad kenden in het voordeel waren. Er konden bij het paleis wel tien plaatsen zijn waar ze zich konden verstoppen zonder dat hij het merkte.

Hij haalde zijn schouders op en ging het museum in. De metaaldetector werd bemand door twee gewapende bewakers, die ook rugzakken wegzetten en in handtassen keken. Aan weerskanten van de hal stonden twee basalten beelden van de Egyptische god Horus – een valk met een zonneschijf op zijn voorhoofd – en diens moeder Isis. In plaats van verder het museum in te lopen ging Bourne achter het beeld van Horus staan, vanwaar hij tien minuten lang naar de komende en gaande mensen keek. Hij lette op iedereen tussen de vijfentwintig en de vijftig en prentte hun gezichten in zijn hoofd. Het waren er zeventien in totaal.

Vervolgens liep hij langs een gewapende vrouwelijke bewaker naar de museumzalen, waar hij Kirsch aantrof op de plaats waar de man tegen Specter had gezegd dat hij zou zijn. Kirsch bestudeerde een oude houtsnede van een leeuwenkop. Bourne herkende Kirsch van de foto die Specter hem had gestuurd, een kiekje van de twee mannen die naast elkaar op de campus van de universiteit stonden. De koerier van de professor was een pezig klein mannetje met een glimmende kale schedel en zwarte wenkbrauwen zo dik als rupsen. Hij had fletse blauwe ogen die vlug heen en weer keken alsof ze cardanisch waren opgehangen.

Bourne liep hem voorbij en deed of hij naar enkele sarcofagen keek. Intussen keek hij vanuit zijn ooghoeken of hij een van de zeventien mensen zag die na hem het museum waren binnengekomen. Toen hij niemand van hen zag, liep hij terug.

Kirsch draaide zich niet om toen Bourne naast hem kwam staan, maar zei: 'Ik weet dat dit belachelijk klinkt, maar doet dit beeld je niet aan iets denken?'

'De Pink Panther,' zei Bourne, zowel omdat het de afgesproken code was als ook omdat het beeld inderdaad verbijsterend veel op de moderne tekenfilmfiguur leek.

Kirsch knikte. 'Blij dat je hier zonder problemen bent gekomen.' Hij gaf de sleutels van zijn appartement, de code van de voordeur en instructies hoe Bourne er vanaf het museum kon komen. Hij keek opgelucht, alsof hij niet zijn huis overdroeg maar zijn moeizame leven.

'Ik wil je iets over een paar dingen in mijn appartement vertellen.'

Terwijl Kirsch dat zei, liepen ze naar een granieten sculptuur van de knielende Senenmut uit de tijd van de achttiende dynastie.

'De oude Egyptenaren wisten hoe je moet leven,' merkte Kirsch op. 'Ze waren niet bang voor de dood. Voor hen was het gewoon een reis. Ze gingen niet lichtvaardig op weg, maar wisten dat er na het leven iets op hen te wachten lag.' Hij stak zijn hand uit alsof hij het beeld wilde aanraken of misschien iets van de kracht ervan wilde opnemen. 'Kijk toch eens naar dit beeld. Het leven gloeit er nog in, ook na duizenden jaren. Eeuwenlang hadden de Egyptenaren geen gelijken.'

'Tot ze door de Romeinen werden veroverd.'

'En toch,' zei Kirsch, 'werden de Romeinen juist door de Egyptenaren beïnvloed. Een eeuw nadat de Ptolemeeën en Julius Caesar vanuit Alexandrië hadden geregeerd, was het Isis, de Egyptische godin van de wraak en de opstand, die in het hele Romeinse Rijk werd aanbeden. Het is maar al te waarschijnlijk dat de vroege stichters van de christelijke kerk niet om haar en haar volgelingen heen konden, en dat ze haar hebben omgetoverd en van haar krijgshaftige aard hebben ontdaan om haar tot de volkomen vredige Maagd Maria te maken.'

'Leonid Arkadin zou wel wat minder Isis en wat meer Maagd Maria kunnen gebruiken,' merkte Bourne op.

Kirsch trok zijn wenkbrauwen op. 'Wat weet je van die man?'

'Ik weet dat veel gevaarlijke mensen doodsbang voor hem zijn.'

'Met reden,' zei Kirsch. 'De man is een moorddadige maniak. Hij is geboren en getogen in Nizjni Tagil, een kweekbodem van moorddadige maniakken.'

'Dat heb ik gehoord.' Bourne knikte.

'En daar zou hij ook zijn gebleven als Tarkanian er niet was geweest.'

Bourne spitste zijn oren. Hij had aangenomen dat Maslov zijn man in Tarkanians appartement had gezet omdat Gala daar woonde. 'Wacht eens even. Wat heeft Tarkanian met Arkadin te maken?'

'Alles. Zonder Misja Tarkanian zou Arkadin nooit uit Nizjni Tagil zijn weggekomen. Tarkanian bracht hem naar Moskou.'

'Zijn ze allebei lid van het Zwarte Legioen?'

'Dat heb ik me laten vertellen,' zei Kirsch. 'Al ben ik natuurlijk maar een kunstenaar. Het clandestiene leven heeft me een maagzweer bezorgd. Als ik het geld niet nodig had – jammer genoeg ben ik een bijzonder onsuccesvolle kunstenaar – zou ik dit niet zo lang hebben gedaan. Dit zou de laatste dienst zijn die ik Specter bewees.' Hij keek nog steeds schichtig naar links en naar rechts. 'Nu Dieter Heinrich door Arkadin is vermoord, heeft die term "laatste dienst" een nieuwe, angstaanjagende betekenis gekregen.'

Bourne was nu een en al aandacht. Specter had aangenomen dat Tarkanian lid van het Zwarte Legioen was en Kirsch had dat zojuist bevestigd. Maar Maslov had ontkend dat Tarkanian tot die terroristengroep behoorde. Iemand loog.

Bourne wilde Kirsch net naar die discrepantie vragen toen hij vanuit zijn ooghoek een van de mannen zag die na hem het museum waren binnengekomen. De man was even in de hal blijven staan alsof hij zich wilde oriënteren en was toen doelbewust naar deze museumzaal gelopen.

Omdat de man zo dichtbij was dat hij hen in de stilte van het museum zou kunnen verstaan, pakte Bourne de arm van Kirsch vast. 'Kom mee,' zei hij, en hij leidde de Duitse contactpersoon naar een andere kamer, die overheerst werd door een beeld van een tweeling uit de achtste dynastie. Het beeld uit 2390 voor Christus was beschadigd en verweerd door de ouderdom.

Bourne zette Kirsch achter het beeld en ging er als een schildwacht bij staan, lettend op de bewegingen van de andere man. De man keek op, zag dat Bourne en Kirsch niet meer bij het beeld van Senenmut stonden en keek ongeïnteresseerd om zich heen.

'Blijf hier,' fluisterde Bourne tegen Kirsch.

'Wat is er?' Kirsch' stem trilde een beetje, maar hij keek moedig genoeg. 'Is Arkadin hier?'

'Wat er ook gebeurt,' waarschuwde Bourne hem. 'Blijf hier. Je bent veilig tot ik je kom halen.'

Toen Bourne om de achterkant van de Egyptische tweeling heen liep, kwam de man de zaal binnen. Bourne liep naar de deur in de zijkant en kwam in de volgende zaal. De man slenterde ongeïnteresseerd verder. Hij keek vlug om zich heen, zag schijnbaar niets van belang en volgde Bourne.

In deze zaal stonden hoge vitrinekasten, maar hij werd overheerst door een vijfduizend jaar oud beeld van een vrouw die de helft van haar hoofd miste. Het was een verbijsterend beeld, maar Bourne had geen tijd om ernaar te kijken. De zaal, aan de achterkant van het museum, was leeg afgezien van Bourne en de man, die tussen Bourne en de enige uitgang stond.

Bourne posteerde zich naast een tweezijdige vitrinekast met in het midden een plank waaraan kleine voorwerpen hingen: heilige blauwe scarabeeën en gouden sieraden. Omdat de plank een opening in het midden had, kon hij de man zien, terwijl die nog steeds niet wist waar Bourne was.

Bourne bleef doodstil staan en wachtte tot de man om de rechterkant van de vitrinekast heen kwam. Bourne liep vlug naar rechts, om de andere kant van de kast heen, en vloog op de man af.

Hij duwde hem tegen de muur, maar de man behield zijn evenwicht, nam een verdedigende houding aan en trok een aardewerken mes uit een schede onder zijn oksel om daarmee heen en weer te zwaaien en Bourne op een afstand te houden.

Bourne maakte een schijnbeweging naar rechts en ging toen half ineengedoken naar links. Terwijl hij dat deed, sloeg hij met zijn rechterarm tegen de hand die met het mes zwaaide. Met zijn linkerhand greep hij de man bij de keel. Toen de man zijn knie in Bournes buik probeerde te pompen, draaide Bourne zich opzij om de stoot grotendeels te ontwijken. Daardoor blokkeerde hij de hand met het mes niet meer en het lemmet zwaaide nu naar de zijkant van zijn hals. Bourne hield het op tijd tegen, en toen stonden ze daar, met elkaar verstrengeld in een soort patstelling.

'Bourne,' zei de man ten slotte. 'Ik heet Jens. Ik werk voor Dominic Specter.'

'Bewijs het,' zei Bourne.

'Je hebt hier een ontmoeting met Egon Kirsch, want je wilt zijn plaats innemen als Leonid Arkadin hem hier komt zoeken.'

Bourne liet Jens' hals los. 'Doe je mes weg.'

Jens deed wat Bourne vroeg en Bourne liet hem helemaal los.

'Nou, waar is Kirsch? Ik moet hem hier weghalen en veilig op een vliegtuig naar Washington zetten.'

Bourne leidde hem naar de aangrenzende zaal terug, naar het beeld van de tweeling.

'Kirsch, het is veilig. Je kunt tevoorschijn komen.'

Toen de kunstenaar niet verscheen, ging Bourne achter het beeld staan. Daar was Kirsch inderdaad, in elkaar gezakt op de vloer, een kogelgat in zijn achterhoofd.

Semion Ikoepov keek naar de ontvanger die afgestemd was op het elektronisch apparaatje in Bournes paspoort. Toen ze de omgeving van het Egyptisch Museum naderden, gaf hij de chauffeur van zijn auto opdracht langzamer te rijden. Hij had het scherpe gevoel dat er iets te gebeuren stond. Hij zou Bourne onder bedreiging met een wapen naar zijn auto brengen. Dat leek hem de beste manier om hem te laten luisteren naar wat hij hem te zeggen had.

Op dat moment liet zijn telefoon de ringtone horen die hij aan Arkadins nummer had toegekend, en terwijl hij naar Bourne bleef uitkijken, bracht hij de telefoon naar zijn oor.

'Ik ben in München,' zei Arkadin in zijn oor. 'Ik heb een auto gehuurd en ik rij bij het vliegveld vandaan.'

'Goed. Ik kan Jason Bourne elektronisch volgen. Dat is de man die Onze Vriend heeft gestuurd om de tekeningen op te halen.'

'Waar is hij? Ik reken wel met hem af,' zei Arkadin, bot als altijd.

'Nee, nee, ik wil niet dat hij wordt gedood. Ik ontferm me wel over Bourne. Blijf jij intussen in beweging. Ik neem gauw contact op.'

Bourne knielde bij Kirsch neer en onderzocht het lijk.

'Er is een metaaldetector bij de ingang,' zei Jens. 'Hoe heeft iemand hier een pistool naar binnen gekregen? En ik heb ook niets gehoord.'

Bourne draaide Kirsch' hoofd opzij om licht op het achterhoofd te laten vallen. 'Kijk hier.' Hij wees naar de ingangswond. 'En hier. Er is geen uitgangswond. Die zou er zijn geweest als het schot van dichtbij was gelost.' Hij stond op. 'Degene die hem heeft gedood, gebruikte een demper.' Hij liep doelbewust de zaal uit. 'En die persoon werkt hier als bewaker. Het bewakingspersoneel van het museum is gewapend.'

'Het zijn er drie,' zei Jens, die achter Bourne aan kwam.

'Ja. Twee bij de metaaldetector en een die door de zalen loopt.'

In de hal stonden de twee bewakers op hun post naast de metaaldetector. Bourne ging naar een van hen toe en zei: 'Ik heb mijn mobiel ergens in het museum verloren en de bewaakster in de tweede zaal zei dat ze ernaar zou zoeken, maar nu kan ik haar niet vinden.'

'Petra,' zei de bewaker. 'Ja, die is net aan haar lunchpauze begonnen.'

Bourne en Jens gingen door de voordeur naar buiten. Ze liepen de trap af naar het trottoir en keken daar naar links en rechts. Bourne zag een geüniformeerde vrouw vlug door de straat lopen, en Jens en hij gingen achter haar aan.

Ze verdween om een hoek, en de twee mannen renden achter haar aan. Toen ze bij de hoek kwamen, merkte Bourne dat een mooi gestroomlijnde Mercedes naast hen kwam rijden.

Ikoepov schrok toen hij Bourne samen met Franz Jens het museum uit zag komen. Het betekende dat zijn vijand niets aan het toeval overliet. Jens had opdracht Ikoepovs mensen bij Bourne vandaan te houden, zodat Bourne zijn handen vrij had om achter de plannen voor de aanslag aan te gaan. Ikoepov maakte zich meteen grote zorgen. Als Bourne slaagde, was alles verloren; dan zou zijn vijand hebben gewonnen. Dat kon hij niet toestaan.

Hij boog zich vanaf de achterbank naar voren en trok een Luger. 'Iets harder rijden,' zei hij tegen de chauffeur.

Hij drukte zich tegen het portierframe en wachtte tot het laatste moment voordat hij op de knop drukte om het raam naar beneden te laten glijden. Hij mikte op de rennende Jens, maar Jens voelde dat aan, ging langzamer lopen en draaide zich om. Nu Bourne veilig drie passen voor Jens uit liep, loste Ikoepov twee schoten achter elkaar.

Jens zakte op een knie en gleed al vallend van het trottoir af. Ikoepov loste een derde schot om er zeker van te zijn dat Jens het niet zou overleven en liet toen het raam weer omhoogkomen.

'Rijden!' zei hij tegen de chauffeur.

De Mercedes schoot naar voren, de straat door, om zich met gierende banden te verwijderen van het bebloede lichaam dat in elkaar gezakt in de goot lag.

32

Rob Batt zat met een nachtkijker voor zijn ogen in zijn auto. Hij kauwde op het recente verleden alsof het kauwgom was dat zijn smaak had verloren.

Vanaf het moment dat Batt in Veronica Harts kantoor was ontboden en ze hem zijn verraderlijke manoeuvres tegen de CIA voor de voeten had geworpen, had hij zich verdoofd gevoeld. Op het moment zelf had hij helemaal niets voor zichzelf gevoeld. Zijn vijandigheid ten opzichte van Hart was overgegaan in medelijden. Of misschien, had hij gedacht, had hij medelijden met zichzelf. Als een beginneling was hij in een val gelopen. Hij had mensen vertrouwd die helemaal niet te vertrouwen waren. LaValle en Halliday zouden hun zin krijgen; daar twijfelde hij geen moment aan. Vol walging van zichzelf had hij een lange avond zitten drinken.

De volgende morgen besefte Batt, die wakker werd met een enorme kater, dat hij er wel degelijk iets aan kon doen. Hij dacht daar een tijdje over na en slikte intussen aspirientjes tegen zijn stampende hoofd. Hij spoelde ze weg met water en angostura om zijn opstandige maag tot bedaren te brengen.

Geleidelijk had het plan vaste vorm aangenomen in zijn hoofd, zoals een bloem zich openvouwt voor de stralen van de zon. Hij zou wraak nemen op LaValle en Kendall, die hem zo vernederd hadden, en het mooiste was nog dit: als zijn plan slaagde, als hij hun ondergang bewerkstelligde, zou hij ook nog zijn eigen carrière nieuw leven kunnen inblazen.

En nu zat hij achter het stuur van een huurauto en tuurde vanaf de overkant van het Pentagon naar de straat, op zoek naar generaal Kendall. Batt was wel zo verstandig om niet achter LaValle aan te gaan, want LaValle was te slim om een fout te maken. Datzelfde kon niet gezegd worden van de generaal. Als Batt iets van zijn kortstondige bondgenootschap met die twee had geleerd, dan was het dat Kendall een zwakke schakel was. Kendall was gebonden aan LaValle en nam een te slaafse houding aan. Hij had iemand nodig die tegen hem zei wat hij moest doen. Dat verlangen om iemand anders tevreden te stellen maakte volgelingen kwetsbaar; ze maakten fouten die hun leiders niet maakten.

Plotseling zag hij het leven zoals het op Jason Bourne moest overkomen. Hij wist wat Bourne in Reykjavik voor Martin Lindros had gedaan, en hij wist ook dat Bourne zichzelf in gevaar had gebracht om Lindros te vinden en naar huis te halen. Maar zoals de meesten van zijn vroegere collega's had Batt de dingen die Bourne had gedaan als bijkomstige toevalligheden afgedaan. Hij was meegegaan met de algemene opinie dat Bourne een losgeslagen paranoïde figuur was die moest worden tegengehouden voordat hij iets afschuwelijks deed wat de CIA in diskrediet bracht. En toch zagen de mensen in de CIA er geen been in om hem als laatste redmiddel in te zetten. Ze haalden hem over als hun pion te fungeren. Maar eindelijk was hij, Batt, niemands pion meer.

Hij zag generaal Kendall een zijdeur van het gebouw uitkomen en ineengedoken in zijn regenjas over het parkeerterrein naar zijn auto lopen. Terwijl hij door de kijker naar de generaal bleef turen, legde hij zijn hand op de sleutel die hij al in het contact had gestoken. Exact op het moment dat Kendall zijn rechterschouder naar voren boog om zijn motor te starten, startte Batt zijn eigen motor, zodat Kendall het niet hoorde.

Toen de generaal het parkeerterrein af reed, legde Batt de nachtkijker weg en zette hij zijn auto in de versnelling. De avond leek stil en kalm, maar misschien was dat alleen maar een weerspiegeling van Batts stemming. Per slot van rekening was hij een schildwacht van de nacht. Hij was getraind door de Oude Man zelf; daar was hij altijd trots op geweest. Na zijn ondergang had hij beseft dat juist zijn trots een storende uitwerking op zijn gedachten en besluitvorming had gehad. Zijn trots had hem in opstand laten komen tegen Veronica Hart, niet vanwege iets wat ze had gezegd of gedaan – hij had haar niet eens de kans gegeven – maar omdat hij zich gepasseerd had gevoeld. Die trots was zijn zwakheid, en LaValle had dat ingezien en er gebruik van gemaakt. Het was beroerd achteraf beter te weten, dacht hij terwijl hij Kendall naar Fairfax volgde, maar dat maakte hem wel nederig genoeg om in te zien hoever hij van zijn plichten bij de CIA verwijderd was geraakt.

Hij bleef een heel eind achter de auto van de generaal en veranderde steeds van snelheid en rijbaan om niet opgemerkt te worden.

Hij geloofde niet dat Kendall er rekening mee hield gevolgd te worden, maar je kon nooit voorzichtig genoeg zijn. Batt was vastbesloten boete te doen voor de zonde die hij tegen zijn eigen organisatie en tegen de nagedachtenis van de Oude Man had begaan.

Kendall reed naar een onopvallend modern gebouw waarvan de hele benedenverdieping in beslag werd genomen door de sportschool In-Tune. Batt zag de generaal parkeren, een kleine gymtas pakken en de sportschool binnengaan. Tot nu toe had Batt nog niets nuttigs ontdekt, maar hij had lang geleden geleerd geduld te oefenen. Als je surveillancewerk deed, ging het nooit snel of gemakkelijk.

Omdat hij niets beters te doen had tot Kendall weer naar buiten kwam, keek hij naar het bord met IN-TUNE terwijl hij hapjes van een Snickers nam. Waarom kwam dat bord hem bekend voor? Hij wist zeker dat hij daar nooit binnen was geweest. Hij was zelfs nog nooit in dit deel van Fairfax geweest. Misschien kwam het door de naam: In-Tune. Ja, dacht hij, die kwam hem heel bekend voor, maar waarvan wist hij niet.

Er waren vijftig minuten verstreken sinds Kendall naar binnen was gegaan; tijd om zijn nachtkijker op de ingang te richten. Hij zag allerlei mensen het gebouw in en uit gaan. De meesten waren alleen; soms kwamen er twee vrouwen pratend naar buiten, en één keer een stel dat naar een auto liep.

Er gingen nog eens vijftien minuten voorbij, en nog steeds geen Kendall. Batt had de kijker van zijn ogen weggenomen om ze wat rust te gunnen, toen hij de deur van de sportschool zag openzwaaien. Hij zette de kijker weer voor zijn ogen en zag Rodney Feir de avond in komen. *Wat krijgen we nou?* dacht Batt.

Feir streek door zijn vochtige haar. En opeens wist Batt weer waarom de naam In-Tune hem zo bekend voorkwam. Alle hogere CIA-functionarissen moesten melden waar ze na werktijd waren, dan kon de officier van dienst nagaan hoe lang het zou duren voor ze weer op het hoofdkantoor terug waren, als dat nodig was.

Batt zag Feir naar zijn auto lopen en instappen, en beet op zijn lip. Natuurlijk kon het zuiver toeval zijn dat generaal Kendall naar dezelfde sportschool ging als Feir, maar Batt wist dat er in zijn vak niet zoiets als toeval bestond.

Zijn argwaan bleek gerechtvaardigd te zijn toen Feir zijn auto niet startte maar achter het stuur bleef zitten. Hij wachtte op iets, maar wat? Misschien op iemand, dacht Batt.

Tien minuten later kwam generaal Kendall uit de sportschool naar buiten. Hij keek niet naar rechts of naar links maar stevende direct op zijn auto af, startte hem en reed van zijn plek weg. Voordat hij het parkeerterrein had verlaten, startte Feir zijn auto. Kendall sloeg rechts af en Feir volgde hem.

De opwinding laaide op in Batts borst. *Bingo!* dacht hij.

Toen Jens door de eerste twee schoten getroffen was, draaide Bourne zich naar hem om, maar zodra het derde schot Jens' hoofd trof, veranderde hij van gedachten. Hij rende de straat door, wetend dat de andere man dood was en hij niets voor hem kon doen. Hij moest ervan uitgaan dat Arkadin de Duitser naar het museum had gevolgd en op de loer had gelegen.

Bourne ging dezelfde hoek om als de museumbewaakster en zag dat ze had geaarzeld en zich half had omgedraaid toen ze de schoten hoorde. Toen ze Bourne op zich af zag komen, ging ze ervandoor. Ze rende een steegje in. Bourne, die haar volgde, zag haar tegen een omheining van golfplaat op springen, waarachter zich een bouwterrein met zware machines bevond. Ze greep de bovenkant van de omheining vast en hees zich omhoog en naar de andere kant.

Bourne klom achter haar aan over de omheining heen en sprong op de aangedrukte aarde en het betonpuin aan de andere kant. Hij zag haar achter de bemodderde zijkant van een bulldozer wegduiken en rende op haar af. Ze hees zich in de cabine, ging achter het stuur zitten en prutste aan de ontsteking.

Bourne was al tamelijk dichtbij toen de motor ronkend tot leven kwam. Ze zette de bulldozer in zijn achteruit en kwam recht op hem af. Ze had een log voertuig uitgekozen, en hij sprong opzij, greep zich vast en hees zich omhoog. De bulldozer slingerde en de versnellingsbak knarste toen ze hem moeizaam in zijn één zette, maar Bourne was al in de cabine.

Ze wilde haar pistool trekken, maar ze was ook nog steeds met de bulldozer bezig, en Bourne kon het wapen gemakkelijk wegslaan. Het viel bij hun voeten neer en hij schopte het bij haar weg. Toen stak hij zijn hand uit en zette de motor af. Zodra hij dat deed, sloeg de vrouw haar handen voor haar gezicht en barstte in tranen uit.

'Dit is jouw puinhoop,' zei Deron.

Soraya knikte. 'Dat weet ik.'

'Jij kwam naar ons toe, naar Kiki en mij.'

'Ik neem de volle verantwoordelijkheid.'

'Ik denk dat we in dit geval de verantwoordelijkheid moeten delen,' zei Deron. 'Wij hadden nee kunnen zeggen, maar dat deden we niet. Nu verkeren we allemaal – niet alleen Tyrone en Jason – in groot gevaar.'

Ze zaten in Derons huiskamer, een gezellig vertrek met een halfronde bank tegenover een stenen haard en daarboven een grote plasma-tv. Er stonden drankjes op een houten salontafel, maar niemand had ze aangeraakt. Deron en Soraya zaten tegenover elkaar. Kiki lag opgerold in het midden van de halfronde bank.

'Tyrone is al kapot,' zei Soraya. 'Ik heb gezien wat ze met hem deden.'

'Wacht even.' Deron boog zich naar voren. 'Er is verschil tussen waarneming en realiteit. Je moet je niet in de luren laten leggen. Ze zullen het niet wagen blijvende schade bij Tyrone aan te richten. Hij is het enige machtsmiddel dat ze hebben jou te dwingen Jason naar hen toe te brengen.'

Soraya, die merkte dat de angst haar het denken weer onmogelijk maakte, schonk zichzelf een whisky in. Ze liet de vloeistof door het glas schommelen en snoof het complexe aroma op, dat aan heide en butterscotch deed denken. Ze herinnerde zich dat Jason haar eens had verteld dat beelden, geuren, zegswijzen of stemklanken zijn verborgen herinneringen naar boven konden halen.

Ze nam een slokje van de whisky en voelde dat die een stroom van vuur tot in haar maag liet neerdalen. Ze zou nu overal liever zijn dan hier. Ze zou een ander leven willen, maar dit was het leven dat ze had gekozen en dit waren de beslissingen die ze had genomen. Er was niets aan te doen – ze kon haar vrienden niet in de steek laten; ze moest ervoor zorgen dat ze veilig waren. Maar hoe? Dat was de kwellende vraag.

Deron had gelijk wat LaValle en Kendall betrof. Het was een psychologische truc geweest om haar naar de verhoorkamer terug te brengen. Eigenlijk hadden ze haar bijna niets laten zien. Ze rekenden erop dat ze zich het ergste voorstelde, dat ze zich door die gedachten liet kwellen tot ze toegaf en Jason belde, zodat ze hem in hechtenis konden nemen en hem aan de president konden presenteren: het bewijs dat LaValle iets had bereikt wat de CIA ondanks tal van pogingen niet was gelukt en dat LaValle het dus verdiende om de leiding van de CIA te krijgen.

Ze nam nog een slokje whisky. Ze was zich ervan bewust dat Deron en Kiki zwegen, dat ze geduldig wachtten tot de fout die ze had gemaakt goed tot haar doordrong en ze de stap zette om die fout achter zich te laten. Zijzelf moest het initiatief nemen om een plan voor een tegenaanval te formuleren. Dat bedoelde Deron toen hij zei: *Dit is jouw puinhoop.*

'We moeten nu,' zei ze langzaam en zorgvuldig, 'LaValle in zijn eigen spel verslaan.'

'En hoe wou je dat doen?' vroeg Deron.

Soraya keek naar het laatste restje whisky in haar glas. Dat was het nou juist: ze had geen idee.

De stilte duurde maar voort en werd met de seconde drukkender. Toen trok Kiki haar benen onder zich vandaan. Ze stond op en zei: 'Ik heb genoeg van al die somberheid. Als we hier zitten en ons kwaad en gefrustreerd voelen, schiet Tyrone daar niets mee op en komen we ook niet dichter bij een oplossing. Ik ga naar de club van mijn vriend om me te amuseren.' Ze keek van Soraya naar Deron en weer terug. 'Wie gaat er mee?'

Bourne hoorde politiesirenes loeien toen hij daar naast de museumbewaakster in de bulldozer zat. Van dichtbij zag ze er jonger uit dan hij had gedacht. Haar blonde haar, dat in een strakke knot naar achteren was getrokken, was los geraakt. Het golfde om haar bleke gezicht. Haar ogen waren groot en vochtig, en nu ook roodomrand van het huilen. Er was iets aan die ogen waardoor hij dacht dat ze verdrietig geboren was.

'Trek je jasje uit,' zei hij.

'Wat?' De bewaakster verkeerde blijkbaar in totale verwarring.

Zonder iets te zeggen hielp Bourne haar uit haar jasje. Hij trok de mouwen van haar overhemd omhoog en keek naar de binnenkant van haar ellebogen, maar vond geen tatoeage van het Zwarte Legioen. Er zat nu niet alleen droefheid in haar ogen, maar ook regelrechte angst.

'Hoe heet je?' vroeg hij zacht.

'Petra-Alexandra Eichen,' zei ze met bevende stem. 'Maar iedereen noemt me Petra.' Ze veegde over haar ogen en wierp hem een zijdelingse blik toe. 'Ga je me nu doden?'

De politiesirenes waren nu erg luid, en Bourne zou graag ver weg willen zijn.

'Waarom zou ik dat doen?'

'Omdat ik...' Haar stem haperde. Het leek wel of ze bijna stikte in haar eigen woorden, of in een emotie die was opgeweld. '... omdat ik je vriend heb doodgeschoten.'

'Waarom heb je dat gedaan?'

'Voor geld,' zei ze. 'Ik heb geld nodig.'

Bourne geloofde haar. Ze gedroeg zich niet als een professional. 'Wie heeft je betaald?'

Bourne hoorde harde stemmen die het afgemeten jargon spraken dat kenmerkend was voor politie over de hele wereld. Ze waren met hun vangnet begonnen. Hij pakte haar pistool, een Walther P22. Als je in een ommuurde ruimte iemand geluidloos wilde doden, had je een wapen van zo'n klein kaliber nodig, zelfs wanneer je een demper gebruikte.

'Waar is de geluiddemper?'

'Die heb ik in een putje gegooid,' zei ze. 'Zoals me was opgedragen.'

'Je komt er niet verder mee als je bevelen blijft opvolgen. De mensen die je hebben ingehuurd, zullen je evengoed doden,' zei hij, en hij trok haar de bulldozer uit. 'Je zit hier tot aan je nek in.'

Ze kreunde zacht en probeerde zich van hem los te trekken.

Hij hield haar stevig vast. 'Als je wilt, laat ik je regelrecht naar de politie gaan. Die kunnen hier elk moment zijn.'

Haar mond bewoog, maar er kwam niets verstaanbaars uit.

Er drongen stemmen tot hem door, nu duidelijker verstaanbaar. De politie was aan de andere kant van de golfplaten omheining. Hij trok haar in de andere richting. 'Weet je hier een uitweg?'

Petra knikte en wees. Bourne en zij renden schuin over het terrein, door het puin, om zware machines en diepe kuilen heen. Zonder dat hij zich omdraaide wist Bourne dat de politie achter hen op het terrein was gekomen. Hij duwde Petra's hoofd omlaag en boog zich zelf ook voorover om te voorkomen dat ze gezien werden. Achter een kraan stond een directiekeet op betonblokken. Er waren tijdelijke elektrische lijnen gespannen vanaf het metalen dak.

Petra wierp zich languit onder de keet, en Bourne volgde haar. De keet stond zo hoog op de betonblokken dat ze zich op hun buik naar de andere kant konden schuiven, waar Bourne zag dat er een opening in de draadgazen omheining was geknipt.

Ze kropen door de opening en kwamen in een stil steegje met grote afvalbakken en een container vol gebroken tegels, brokken terrazzo en stukken verwrongen metaal, ongetwijfeld afkomstig uit de gebouwen die in de lege ruimte achter hen hadden gestaan.

'Deze kant op,' fluisterde Petra. Ze liep met hem het steegje uit en een woonwijk in. Om de hoek liep ze naar een auto en maakte hem open.

'Geef mij de sleutels,' zei Bourne. 'Ze zullen naar jou uitkijken.'

Hij ving ze op en ze stapten allebei in. Een straat verder kwamen ze een politiewagen tegen. Door de plotselinge spanning beefden Petra's handen op haar schoot.

'We rijden ze gewoon voorbij,' zei Bourne. 'Kijk niet naar ze.'

Verder gebeurde er niets, totdat Bourne zei: 'Ze zijn gekeerd. Ze komen achter ons aan.'

33

'Ik zet je ergens af,' zei Arkadin. 'Er gaat van alles gebeuren en ik wil niet dat je er middenin komt te zitten.'

Devra, op de passagiersplaats van de gehuurde BMW, wierp hem een sceptische blik toe. 'Dat is niks voor jou.'

'Nee? Voor wie dan wel?'

'We moeten Egon Kirsch nog te pakken krijgen.'

Arkadin reed een hoek om. Ze waren in het centrum van de stad, met overal oude kerken en paleizen. Het leek net iets uit de sprookjesverhalen van de gebroeders Grimm.

'Er doet zich een complicatie voor,' zei hij. 'De tegenpartij heeft in dit schaakspel de koning ingezet. Hij heet Jason Bourne en hij is hier in München.'

'Des te meer reden voor mij om bij jou te blijven.' Devra controleerde een van de twee Lugers die Arkadin van Ikoepovs agenten had afgenomen. 'Een kruisvuur heeft veel voordelen.'

Arkadin lachte. 'Het ontbreekt jou niet aan vuur.'

Dat was ook iets aan haar wat hem aantrok: ze was niet bang voor het mannelijke vuur dat in haar buik brandde. Maar hij had haar – en zichzelf – beloofd dat hij haar zou beschermen. Het was erg lang geleden dat hij dat tegen iemand had gezegd, en al had hij gezworen die belofte nooit meer te doen, hij had het toch gedaan. En vreemd genoeg had hij daar een goed gevoel bij. Nu hij bij haar was, had hij zelfs het gevoel dat hij uit de schaduw was gestapt waarin hij was geboren, een schaduw die met tal van gewelddadige incidenten in zijn huid was getatoeëerd. Voor het eerst in zijn leven had hij het gevoel dat hij van de zon op zijn gezicht zou kunnen genieten, en van de wind die Devra's haar optilde als de manen van een paard, en dat hij met haar over straat kon lopen zonder dat het was of hij in een andere dimensie leefde en net vanuit het heelal op deze aarde aangekomen was.

Toen ze voor een rood verkeerslicht stonden, keek hij even naar haar. Het zonlicht viel de auto in en gaf haar gezicht een heel lichte nuance van roze. Op dat moment had hij het gevoel dat er iets van hem naar haar ging, en toen keek ze hem aan alsof zij het ook voelde. Ze glimlachte naar hem.

Het licht sprong op groen en hij reed door de zijstraat. Zijn telefoon zoemde. Hij wierp een blik op het nummer en zag dat het Gala was. Hij nam niet op; hij had geen zin om nu met haar te praten. Eigenlijk wilde hij nooit meer met haar praten.

Drie minuten later kreeg hij een sms'je: MISJA DOOD. GEDOOD DOOR JASON BOURNE.

Nadat hij Rodney Feir en generaal Kendall over de Key Bridge naar het eigenlijke Washington was gevolgd, zorgde Rob Batt ervoor dat er in zijn SLR Nikon met lange lens een nieuw rolletje met snelle film zat. Hij maakte wat digitale foto's met een compactcamera, maar die waren alleen ter ondersteuning, want ze konden in een ommezien met Photoshop worden bewerkt. Om de verdenking weg te nemen dat de beelden waren gemanipuleerd zou hij het onontwikkelde filmrolletje overhandigen aan... nou, dat was zijn echte probleem. Om een heel goede reden was hij persona non grata bij de CIA. Het was verbijsterend hoe snel al die in jaren opgebouwde connecties in rook waren opgegaan. Overigens besefte hij nu wel dat wat hij als vriendschap met de andere topfunctionarissen had beschouwd in werkelijkheid niet meer dan kameraadschap was geweest. Wat hen betrof, bestond hij niet meer. Ze zouden hem dan ook negeren of uitlachen als hij naar hen toe kwam met het bewijs dat de NSA nog een andere CIA-functionaris in de zak had zitten. Daarom had het ook geen enkele zin om Veronica Hart te benaderen. Zelfs wanneer hij bij haar kon komen – wat hij betwijfelde – zou hij als het ware voor haar kruipen wanneer hij nu met haar sprak. Batt had in zijn hele leven nooit voor iemand gekropen en dat ging hij nu ook niet doen.

Toen lachte hij hardop. Wat was het gemakkelijk om jezelf in de maling te nemen. Waarom zou een van zijn vroegere collega's iets met hem te maken willen hebben? Hij had hen verraden; hij had hen aan de vijand overgeleverd. Als hij in hun schoenen stond – en stond hij dat maar! – zou hij net zo'n boosaardige animositeit voelen jegens iemand die hem had verraden. Daarom was hij nu ook van plan LaValle en Kendall te vernietigen. Zij hadden hem verraden, ze hadden hem laten barsten zodra hun dat beter uitkwam.

Zodra hij aan boord was gekomen, hadden ze hem de zeggenschap over Typhon afgenomen.

Boosaardige animositeit. Dat was een voortreffelijke uitdrukking, vond hij, die zijn gevoelens ten opzichte van LaValle en Kendall precies weergaf. Diep in zijn hart wist hij dat hij eigenlijk niet hen haatte maar zichzelf. Maar hij kon zichzelf niet haten; dan was alles verloren. Op dit moment kon hij niet geloven dat hij zo diep was gezonken dat hij naar de NSA was overgelopen. De gedachten die hij daarbij had gehad waren keer op keer door zijn hoofd gegaan, en het leek hem nu of iemand anders, een vreemde, die beslissing had genomen. Hij had die beslissing niet zelf genomen, dat kon niet, en dus hadden LaValle en Kendall hem ertoe gedwongen. Daar zouden ze de ultieme prijs voor moeten betalen.

De twee mannen reden weer, en Batt ging achter hen aan. Na een rit van tien minuten stopten de twee auto's op het drukke parkeerterrein van The Glass Slipper. Toen Batt voorbijreed, stapten Feir en Kendall ieder uit hun eigen auto en gingen naar binnen. Batt reed het blok om en parkeerde in een zijstraat. Hij haalde een minuscule Leica uit zijn dashboardkastje, het soort camera dat door de Oude Man was gebruikt in zijn jonge jaren, toen hij nog mensen schaduwde. Het was het oude trouwe hulpmiddel van spionnen, betrouwbaar en gemakkelijk te verbergen. Batt deed er een snelle film in, stopte hem samen met de digitale camera in het borstzakje van zijn overhemd en stapte uit.

Er stond een gruizige wind. Afval werd uit de goot getild en ergens anders weer neergelegd. Batt stak zijn handen in de zakken van zijn jas, liep haastig langs de huizen en ging The Glass Slipper binnen. Op het toneel stond een slidegitarist die blues speelde. Hij vormde het voorprogramma. Straks zou er een bekende band spelen, die al enkele hit-cd's op zijn naam had.

Hij kende de club alleen van horen zeggen. Hij wist bijvoorbeeld dat Drew Davis de eigenaar was, vooral omdat Davis een markante persoon was die zich steeds weer met de politieke en economische zaken van zwarte Amerikanen in zijn deel van de stad bemoeide. Dankzij Davis' invloed waren opvangtehuizen voor daklozen veiliger geworden en waren er reclasseringshuizen gebouwd. Hij nam ook zoveel mogelijk ex-gedetineerden in dienst en hij maakte daar zo veel ophef over dat er voor de ex-gedetineerden niets anders op zat dan het beste van hun tweede kans te maken.

Omdat Batt niets van de achterkamer van The Glass Slipper wist, was hij verbaasd dat hij na een volledige ronde door de club, plus een expeditie naar de herentoiletten, geen spoor van Feir en de generaal had kunnen vinden.

Omdat hij bang was dat ze hem door een achterdeur waren ontglipt, ging hij naar het parkeerterrein terug, maar daar stonden hun auto's nog op precies dezelfde plek. Terug in de Slipper liep hij weer door de menigte. Hij dacht dat hij ze ergens over het hoofd had gezien. Toch zag hij ze nergens, maar toen hij bij de achterkant kwam, zag hij iemand staan praten met een gespierde zwarte man die ongeveer het postuur had van een groot model koelkast. Na een kort gesprekje maakte de spierbundel een deur open die Batt niet eerder had opgemerkt, en de man glipte door de opening. In de veronderstelling dat Feir en Kendall ook door die deur moesten zijn verdwenen, schuifelde Batt in die richting.

Op dat moment zag hij Soraya door de voordeur binnenkomen.

In zijn verwoede poging om aan de achtervolgende politiewagen te ontkomen gaf Bourne de versnellingsbak van de auto er flink van langs.

'Rustig aan,' zei Petra, 'straks blijft er niets van mijn arme auto over.'

Hij wou dat hij langer op de kaart van de stad had gekeken. Links flitste een straat voorbij die met houten versperringen was afgezet. Het wegdek was opgebroken. De onderlaag zat vol kuilen en barsten en de ergste delen werden uitgegraven.

'Hou je vast,' zei Bourne. Hij zette de auto in zijn achteruit, sloeg de straat in en reed dwars door de versperringen. Een daarvan brak en andere werden opzij geslingerd. De auto kwam op de onderlaag terecht en stuiterde met veel te hoge snelheid door de straat. Het voelde aan alsof ze door een heimachine in de grond werden gestampt. Bournes tanden rammelden in zijn hoofd en Petra moest zich bedwingen om het niet uit te schreeuwen.

Achter hen had de politiewagen er nog meer moeite mee om recht te rijden. Hij slingerde heen en weer om de diepste kuilen in de weg te vermijden. Door de snelheid nog wat op te voeren kon Bourne de onderlinge afstand vergroten. Toen keek hij voor zich uit. Verderop stond een betonwagen dwars over de straat geparkeerd. Als ze zo doorreden, kon het niet anders of ze zouden ertegenaan botsen.

'Wat doe je?' riep Petra uit. 'Ben je gek geworden?'

Op dat moment zette Bourne de auto in zijn vrij en trapte op de rem. Hij zette hem meteen in zijn achteruit, nam zijn voet van de rem en trapte het gaspedaal helemaal in. De auto trilde en de motor gierde. Toen kreeg de transmissie vat op het voertuig en schoot de auto achteruit. De politiewagen kwam, de bestuurder verstijfd van schrik. Bourne slingerde eromheen en meteen daarop botste de politiewagen tegen de zijkant van de betonwagen.

Bourne keek niet eens. Hij was druk bezig de auto achteruit door de straat te rijden. Hij vloog langs de verspreid liggende versperringen, keerde, remde, zette de auto in de eerste versnelling en reed weg.

'Wat doe je hier?' zei Noah. 'Je zou op weg naar Damascus moeten zijn.'

'Ik vertrek over vier uur.' Moira stak haar handen in haar zakken, opdat hij niet zag dat ze tot vuisten gebald waren. 'Je hebt mijn vraag niet beantwoord.'

Noah zuchtte. 'Het maakt geen enkel verschil.'

Haar lach klonk bitter. 'Waarom ben ik nu niet verbaasd?'

'Omdat,' zei Noah, 'je lang genoeg bij Black River hebt gewerkt om te weten hoe wij opereren.'

Ze liepen door de Kaufingerstrasse in het centrum van München, een druk deel van de stad in de buurt van de Marienplatz. Bij het bord van de Augustiner Bierkeller gingen ze naar binnen en kwamen in een lange, schemerige, kathedraalachtige ruimte waar een sterke geur van bier en gekookte worst hing. Er was net genoeg geroezemoes om een persoonlijk gesprek te overstemmen. Ze liepen over de rode tegelvloer, kozen een tafel in een van de zaaltjes en gingen op houten banken zitten. De dichtstbijzijnde gast was een oude man die een pijp rookte en op zijn gemak een krant las.

Moira en Noah bestelden een Hefeweizen, een tarwebier dat troebel was van ongezeefde gist. De serveerster droeg het regionale Dirndlkleid, een lange, brede rok en een laag uitgesneden blouse. Ze had een schort om haar middel, met daarop een decoratieve portemonnee.

'Noah,' zei Moira toen ze hun bier voor zich hadden staan. 'Ik koester geen illusies over de redenen waarom we doen wat we doen, maar hoe kun je van me verwachten dat ik deze informatie negeer? Ik heb dit rechtstreeks van de bron gehoord.'

Noah nam een grote slok van zijn Hefeweizen en veegde zorgvuldig zijn lippen af voordat hij antwoord gaf. Toen tikte hij het puntsgewijs op zijn vingers af. 'Ten eerste heeft die Hauser je verteld dat de fout in de software bijna niet te vinden is. Ten tweede is wat hij je heeft verteld niet te verifiëren. Hij zou een ontevreden werknemer kunnen zijn die wraak wil nemen op Kaller Stahlwerke. Heb je aan die mogelijkheid gedacht?'

'We kunnen de software zelf testen.'

'Geen tijd. Binnen twee dagen wordt de LNG-tanker bij de terminal verwacht.' Hij tikte weer op een vinger. 'Ten derde zouden we niets kunnen doen zonder NextGen te waarschuwen, en die zouden meteen contact opnemen met Kaller Stahlwerke. En dan zitten wij in een lastig parket. En ten vierde en ten slotte: welk deel van "we hebben NextGen er officieel van in kennis gesteld dat we ons uit het project terugtrekken" begrijp je niet?'

Moira leunde even achterover en haalde diep adem. 'Dit is betrouwbare informatie, Noah. We zouden te maken kunnen hebben met datgene waar we ons de meeste zorgen over maken: een terroristische aanslag. Hoe kun je...'

'Je bent al over de schreef gegaan, Moira,' zei Noah scherp. 'Maak dat je in dat vliegtuig komt en ga naar je nieuwe missie, of anders werk je niet meer voor Black River.'

'Het is beter dat we elkaar voorlopig niet ontmoeten,' zei Ikoepov.

Arkadin ziedde van woede. Hij kon zich nauwelijks bedwingen, en dan nog alleen omdat Devra, slim als ze was, haar nagels in zijn handpalm boorde. Ze begreep hem, zonder vragen te stellen of als een gier in zijn verleden te pikken.

'En de tekeningen?' Devra en hij zaten in een naargeestige rokerige bar in een vervallen deel van de stad.

'Die neem ik nu van je over.' Ikoepovs stem klonk ijl en ver weg door de mobiele telefoon, al kon er niet meer dan drie kilometer tussen hen in liggen. 'Ik volg Bourne. Ik ga zelf achter hem aan.'

Arkadin wilde dat niet horen. 'Dat was toch mijn werk?'

'Jouw werk is in feite voorbij. Je hebt de tekeningen en je hebt Pjotrs netwerk uitgeschakeld.'

'Iedereen, behalve Egon Kirsch.'

'Kirsch is al afgehandeld,' zei Ikoepov.

'Ik ben degene die de doelwitten elimineert. Ik zal je de tekeningen geven en dan voor Bourne zorgen.'

'Ik heb je al gezegd, Leonid Danilovitsj, dat ik Bourne niet geëlimineerd wil hebben.'

Binnensmonds maakte Arkadin het geluid van een razend dier. *Maar Bourne moet geëlimineerd worden*, dacht hij. Devra boorde haar nagels dieper in zijn hand, zodat hij de zoete kopergeur van zijn eigen bloed kon ruiken. *En ik moet het doen. Hij heeft Misja vermoord.*

'Luister je naar me?' zei Ikoepov scherp.

Het was of Arkadin zich door een web van woede bewoog. 'Ja, altijd. Maar ik moet erop aandringen dat u me verteld waar u zult zijn als u Bourne benadert. Dat is in het belang van uw eigen veiligheid. Ik wil er niet hulpeloos bij staan als u iets onvoorziens overkomt.'

'Akkoord,' zei Ikoepov na een korte aarzeling. 'Op dit moment rijdt hij ergens in een auto en heb ik dus tijd om de tekeningen van je over te nemen.' Hij gaf Arkadin een adres. 'Ik ben daar over een kwartier.'

'Ik doe er een beetje langer over,' zei Arkadin.

'Binnen een halfuur dan. Zodra ik weet waar ik Bourne ga onderscheppen, geef ik het aan je door. Is dat goed genoeg, Leonid Danilovitsj?'

'Absoluut.'

Arkadin stopte zijn telefoon weg, maakte zich los van Devra en ging naar de bar. 'Een dubbele Oban met ijs.'

De barkeeper, een reusachtige man met tatoeages op zijn armen, kneep zijn ogen half dicht. 'Wat is een Oban?'

'Dat is single malt whisky, rund.'

De barkeeper, die een ouderwets glas aan het poetsen was, bromde: 'Hoe ziet dat eruit, als het koninklijk paleis? We hebben geen single malt dingen.'

Arkadin stak zijn hand uit, greep het glas uit de handen van de barkeeper en gooide het met de bodem vooruit tegen diens neus. Terwijl het bloed uit de neus spoot, trok hij de verdoofde man over de bar en sloeg hem in elkaar.

'Ik kan niet naar München terug,' zei Petra. 'In elk geval voorlopig niet. Dat zei hij tegen me.'

'Waarom zou je je baan op het spel zetten om iemand te vermoorden?' vroeg Bourne.

'Alsjeblieft!' Ze keek hem aan. 'Een hamster zou nog niet kunnen leven van wat ze me in dat rotmuseum betalen.'

Ze zat achter het stuur en reed over de Autobahn. Ze hadden de stad al achter zich gelaten. Bourne vond dat niet erg; hij moest uit München zelf wegblijven tot het tumult om de dood van Egon Kirsch was weggeëbd. De autoriteiten zouden de papieren van iemand anders op Kirsch vinden, en hoewel Bourne er niet aan twij-

335

felde dat ze uiteindelijk achter zijn echte identiteit zouden komen, hoopte hij dat hij dan de tekeningen van Arkadin al had overgenomen en op de terugweg naar Washington zou zijn. Intussen zou de politie hem zoeken als getuige van de moorden op zowel Kirsch als Jens.

'Vroeg of laat,' zei Bourne, 'zul je me moeten vertellen wie jou heeft ingehuurd.'

Petra zei niets, maar haar handen lagen bevend op het stuur. Ze was nog niet bekomen van de enerverende achtervolging.

'Waar gaan we heen?' vroeg Bourne. Hij wilde het gesprek op gang houden, want als hij persoonlijk contact met haar had, zou ze hem meer vertellen. Hij moest van haar horen wie haar opdracht had gegeven Egon Kirsch te vermoorden. Dan zou hij misschien ook weten of Kirsch in verbinding had gestaan met de man die Jens had neergeschoten.

'Naar huis,' zei ze. 'Al had ik nooit gedacht dat ik daar nog eens heen zou willen.'

'Waarom niet?'

'Ik ben in München geboren omdat mijn moeder daarheen ging om van mij te bevallen, maar ik kom uit Dachau.' Ze bedoelde natuurlijk het stadje waarnaar het nabijgelegen concentratiekamp van de nazi's was genoemd. 'Ouders willen niet dat Dachau als geboorteplaats in de papieren van hun kind staat. Dus als het zover is, gaan de vrouwen naar een ziekenhuis in München.' Dat was niet zo vreemd: er waren bijna tweehonderdduizend mensen vernietigd in de tijd dat het kamp bestond, en het kamp bestond het langst van alle kampen, want het was het eerst gebouwd en fungeerde als prototype voor alle andere concentratiekampen.

Het stadje zelf lag ongeveer twintig kilometer ten noordwesten van München aan de rivier de Amper. Het was verrassend landelijk, met zijn smalle straten van kinderhoofdjes, ouderwetse straatlantaarns en stille, lommerrijke lanen.

Toen Bourne opmerkte dat de meeste mensen die ze zagen een tevreden indruk maakten, lachte Petra onaangenaam. 'Ze lopen altijd in een soort mist rond. Ze gaan er diep onder gebukt dat hun stadje zo'n moorddadige last te dragen heeft.'

Ze reed door het centrum van Dachau naar het noorden, tot ze op de plaats kwam waar eens het dorp Etzenhausen had gestaan. Op een sombere heuvel, de Leitenberg, lag een begraafplaats, eenzaam en verlaten. Ze stapten uit en liepen langs een zuil waarin een davidsster was uitgehakt. De zuil was verweerd en overgroeid met blauw mos. De sparren en dennen die eroverheen hingen hielden zelfs op zo'n heldere wintermiddag het daglicht tegen.

Terwijl ze langzaam tussen de grafstenen door liepen, zei ze: 'Dit is de KZ-Friedhof, de begraafplaats van het concentratiekamp. Het grootste deel van de tijd dat het kamp Dachau bestond werden de lijken van de joden op elkaar gelegd en in ovens verbrand, maar tegen het eind was er een gebrek aan kolen. De nazi's moesten iets met de lijken doen en brachten ze dus maar hierheen.' Ze spreidde haar armen. 'Dit is het enige monument dat de joodse slachtoffers kregen.'

Bourne was al op veel begraafplaatsen geweest en had ze altijd erg vredig gevonden. Niet deze KZ-Friedhof, waar hij het griezelige gevoel had dat er voortdurend beweging was en gemompeld werd. Deze begraafplaats was in leven en roerde zich in zijn rusteloze stilte. Hij bleef staan, hurkte neer en streek met zijn vingertoppen over woorden die in een grafsteen waren gegraveerd. Ze waren zozeer door de tijd aangetast dat hij ze niet kon lezen.

'Heb je er ooit bij stilgestaan dat de man die je vandaag hebt doodgeschoten misschien een Jood was?' zei hij.

Ze keek hem fel aan. 'Ik heb je gezegd dat ik het geld nodig had. Ik deed het uit nood.'

Bourne keek om zich heen. 'Dat zeiden de nazi's ook toen ze hun laatste slachtoffers hier begroeven.'

De droefheid in haar ogen maakte even plaats voor een oplaaiende woede. 'Ik haat jou.'

'Maar je haat jezelf nog veel meer.' Hij stond op en gaf haar het pistool terug. 'Hier. Waarom schiet je jezelf niet overhoop? Dan komt er een eind aan alles.'

Ze nam het pistool aan en richtte het op hem. 'Waarom schiet ik jou niet gewoon dood?'

'Als je mij vermoordt, maakt dat het alleen maar erger voor je. Trouwens...' Bourne opende zijn hand om haar de kogels te laten zien die hij uit haar wapen had gehaald.

Met een minachtend geluid stak Petra het pistool in haar holster. Haar gezicht en handen leken groenig in het beetje licht dat door de naaldbomen heen wist te dringen.

'Je kunt goedmaken wat je vandaag hebt gedaan,' zei Bourne. 'Vertel me wie jou heeft ingehuurd.'

Petra keek hem sceptisch aan. 'Ik geef je het geld niet, als het je daarom te doen is.'

'Ik interesseer me niet voor je geld,' zei Bourne, 'maar ik denk dat de man die je hebt doodgeschoten mij iets zou gaan vertellen wat ik moet weten. Ik vermoed dat jij daarom bent ingehuurd om hem te vermoorden.'

Ze keek wat minder sceptisch. 'Echt waar?'

Bourne knikte.

'Ik wílde hem niet vermoorden,' zei ze. 'Dat begrijp je toch wel?'

'Je liep naar hem toe, hield het pistool bij zijn hoofd en haalde de trekker over.'

Petra wendde zich af en keek naar niets in het bijzonder. 'Ik wil er niet over nadenken.'

'Dan ben je niet beter dan alle anderen in het stadje Dachau.'

De tranen liepen uit haar ogen. Ze sloeg haar handen voor haar gezicht en haar schouders schokten. De geluiden die ze maakte leken op wat Bourne op de begraafplaats had gehoord.

Eindelijk was Petra's huilbui voorbij. Ze veegde met de rug van haar handen over haar rood geworden ogen en zei: 'Ik wilde dichter worden, weet je dat? Ik vond altijd dat dichters een soort revolutionairen waren. Ik, een Duitse, wilde de wereld veranderen of op zijn minst verandering brengen in het beeld dat de wereld van ons had. Diep in ons hart hebben we allemaal een schuldgevoel en dat wilde ik verdrijven.'

'Je had exorcist moeten worden.'

Het was een grap, maar in haar stemming kon ze nergens de humor van inzien. 'Dat zou ideaal zijn, hè?' Ze keek hem aan met ogen die nog vol tranen zaten. 'Is het zo naïef om de wereld te willen veranderen?'

'Ik zou het eerder onpraktisch noemen.'

Ze hield haar hoofd schuin. 'Jij bent cynisch, hè?' Toen hij geen antwoord gaf, ging ze verder. 'Ik vind het niet naïef om te geloven dat woorden – dingen die je schrijft – dingen kunnen veranderen.'

'Waarom schrijf je ze dan niet,' zei hij, 'in plaats van mensen dood te schieten voor geld? Dat is toch geen manier om aan de kost te komen?'

Ze zweeg zo lang dat hij zich afvroeg of ze hem wel had gehoord.

Ten slotte zei ze: 'Vooruit dan maar. Ik ben ingehuurd door een man die Spangler Wald heet. Eigenlijk is hij nog maar een jongen, niet ouder dan eenentwintig. Ik had hem in cafés gezien en we hadden een paar keer koffie met elkaar gedronken. Hij zei dat hij entropische economie studeerde, wat dat ook mag zijn.'

'Ik geloof niet dat iemand daarin kan afstuderen,' zei Bourne.

'Typisch.' Petra snotterde nog. 'Ik moet mijn leugenmeter laten bijstellen.' Ze haalde haar schouders op. 'Ik ben nooit goed met mensen geweest. Ik heb een beter contact met de doden.'

Bourne zei: 'Je kunt het verdriet en de woede van zoveel mensen niet op je schouders nemen zonder levend begraven te worden.'

Ze wendde zich van de rij vervallen grafstenen af. 'Wat kan ik anders doen? Ze zijn nu vergeten. Hier ligt de waarheid. Als je de waarheid weglaat, is dat dan niet erger dan een leugen?'

Toen hij geen antwoord gaf, trok ze haar schouders even op en keek toen om zich heen. 'Nu je hier bent geweest, wil ik je laten zien wat de toeristen te zien krijgen.'

Ze liep met hem naar haar auto terug en reed de verlaten heuvel af naar het officiële Dachau-monument.

Er hingen sluiers over wat er van de kampgebouwen was overgebleven, alsof de kwalijke dampen van de kolengestookte ovens nog opstegen en met de thermiek naar beneden kwamen, als aasvogels die op zoek waren naar de doden. Toen ze kwamen aanrijden, zagen ze een metalen sculptuur, een aangrijpende interpretatie van skeletmagere gevangenen die op het prikkeldraad leken dat hen gevangen had gehouden. In wat ooit het voornaamste administratiegebouw was geweest waren cellen nagebouwd. Er waren daar ook vitrinekasten met schoenen en andere onuitsprekelijk trieste voorwerpen, al wat er over was van de gevangenen.

'Die borden,' zei Petra. 'Zie je ergens vermeld staan hoeveel joden hier zijn gemarteld en hun leven hebben verloren? "Honderddrieënnegentigduizend ménsen verloren hier hun leven," staat er op de borden. Daar zit geen boetedoening in. We verbergen ons nog steeds voor onszelf. We zijn nog steeds een land van Jodenhaters, hoe vaak we die impuls ook in gerechtvaardigde woede proberen te smoren, alsof wij er recht op hebben ons gekrenkt te voelen.'

Bourne had tegen haar kunnen zeggen dat het leven nooit zo simpel was, maar het leek hem beter haar te laten uitrazen. Het was duidelijk dat ze niemand anders had bij wie ze die dingen kwijt kon.

Ze gaf hem een rondleiding langs de ovens, die na al die jaren nog onheilspellend leken. Het was of ze leefden, of ze gloeiden, deel uitmaakten van een ander universum dat met onuitsprekelijke verschrikkingen in het onze overliep. Ten slotte verlieten ze het crematorium en kwamen ze in een lange kamer waarvan de muren bedekt waren met brieven. Sommige waren geschreven door gevangenen, andere door families die wanhopig uitkeken naar nieuws van hun dierbaren. Er waren ook andere notities, tekeningen en formele verzoeken om inlichtingen. Alles was in het Duits. Niets was in een andere taal vertaald.

Bourne las alles. De nasleep van de wanhoop, gruweldaden en dood hing in deze kamers, kon er niet uit ontsnappen. Er heerste hier een ander soort stilte dan op de Leitenberg. Hij hoorde het zachte schuifelen van schoenzolen, het piepen van de sportschoenen van de toeristen die zich van de ene naar de andere vitrinekast bewogen. Het was of die verzamelde onmenselijkheid het spreken onmogelijk maakte, of misschien waren woorden – welke woorden dan ook – zowel ontoereikend als overbodig.

Ze liepen langzaam door het vertrek. Petra las de ene na de andere brief; hij zag haar lippen bewegen. Aan het eind van de muur trok een brief zijn aandacht. Zijn hart ging meteen sneller slaan. Een vel briefpapier, met de hand beschreven. De schrijver klaagde dat hij een gas had ontwikkeld dat volgens hem veel effectiever was dan zyklon B, maar dat niemand van de leiding van Dachau het nodig vond hem een antwoord te sturen. Misschien was dat gas daarom nooit in Dachau gebruikt. Maar wat Bourne veel meer interesseerde, was het logo op het briefpapier: het wiel van drie paardenkoppen, met in het midden een ss-doodskop.

Petra kwam naast hem staan. Ze had nu diepe rimpels in haar voorhoofd. 'Dat komt me bekend voor.'

Hij keek haar aan. 'Wat bedoel je?'

'Ik heb iemand gekend. Oude Pelz. Hij zei dat hij in de stad woonde, maar ik denk dat hij dakloos was. Hij kwam naar de schuilkelder van Dachau om te slapen, vooral 's winters.' Ze duwde een losgeraakte haarlok achter haar oor. 'Hij praatte aan een stuk door, je weet hoe gekke mensen zijn, alsof hij tegen iemand anders praatte. Hij liet me een keer een lapje met datzelfde insigne zien. Hij had het over iets wat het Zwarte Legioen heette.'

Bournes hart bonkte. 'Wat zei hij?'

Ze haalde haar schouders op.

'Jij haat de nazi's zo erg,' zei hij. 'Ik vraag me af of je weet dat sommige dingen die zij in het leven hebben geroepen nog steeds bestaan.'

'Ja hoor, zoals de skinheads.'

Hij wees naar het insigne. 'Het Zwarte Legioen bestaat nog steeds en het vormt nog steeds een gevaar, een groter gevaar zelfs dan in de tijd waarin oude Pelz het kende.'

Petra schudde haar hoofd. 'Hij praatte maar door. Ik heb nooit geweten of hij tegen mij of tegen zichzelf praatte.'

'Kun je me naar hem toe brengen?'

'Ja, maar ik weet niet of hij nog leeft. Hij zoop als een spons.'

Tien minuten later reed Petra door de Augsburgerstrasse. Ze was op weg naar de voet van een heuvel die de Karlsburg heette. 'Het is verdomd ironisch,' zei ze verbitterd, 'dat de plaats waaraan ik de grootste hekel heb nu ook de veiligste plaats voor mij is.'

Ze zette de auto op de parkeerplaats naast de St. Jakobkerk. De achthoekige barokke toren was vanuit het hele stadje te zien. Daarnaast stond het warenhuis Hörhammer. 'Je ziet daar naast Hörhammer die trap die naar de gigantische schuilkelder in de heuvel leidt, maar daar kun je niet naar binnen.'

Ze leidde hem de trap op naar de kerk, door het renaissance-interieur en langs het koor. Naast de sacristie bevond zich een onopvallende deur van donker hout en daarachter leidde een natuurstenen trap met enkele bochten omlaag naar de crypte, die verrassend klein was voor zo'n grote kerk.

Zoals Petra hem vlug liet zien, was er een reden voor die kleine omvang: achter de crypte lag een labyrint van kamers en gangen.

'De bunker,' zei ze, en ze deed een rij kale gloeilampen aan die rechts van hen aan de muur was bevestigd. 'Hier vluchtten mijn grootouders heen toen jouw land de officieuze hoofdstad van het Derde Rijk platbombardeerde.' Ze had het over München, maar Dachau lag dichtbij genoeg om van de Amerikaanse luchtaanvallen te lijden te hebben.

'Als je je land zo erg haat,' zei Bourne, 'waarom ga je dan niet weg?'

'Omdat,' zei Petra, 'ik er ook van houd. Dat is het mysterie wanneer je Duits bent. Je bent trots en tegelijk haat je jezelf.' Ze haalde haar schouders op. 'Wat kun je doen? Je speelt de kaart die het lot je geeft.'

Bourne wist wat voor gevoel dat was. Hij keek om zich heen. 'Weet je hier de weg?'

Ze slaakte een diepe zucht, alsof haar woede haar had uitgeput. 'Toen ik een kind was, namen mijn ouders me elke zondag mee naar de mis. Het zijn godvrezende mensen. Wat een grap! Heeft God zijn gezicht niet jaren geleden van deze stad afgewend?

Hoe dan ook, op een zondag verveelde ik me zo erg dat ik wegsloop. In die tijd werd ik geobsedeerd door de dood. Kun je het me kwalijk nemen? Ik groeide op met de stank van de dood in mijn neusgaten.' Ze keek naar hem op. 'Kun je geloven dat ik behalve mezelf niemand ken die ooit naar het monument is geweest? Denk je dat mijn ouders daar ooit heen zijn gegaan? Mijn broers, mijn tantes en ooms, mijn klasgenoten? Kom nou! Ze willen niet eens toegeven dat het bestaat.'

Ze was blijkbaar weer moe. 'Nou, ik ging hierheen om contact met de doden te hebben, maar ik zag niet genoeg van hen, en dus liep ik door, en wat vond ik toen? De bunker van Dachau.'

Ze legde haar hand op de muur en bewoog hem zo liefhebbend over de ruwe steen alsof ze een minnaar streelde. 'Dit werd mijn plaats, mijn hoogstpersoonlijke wereld. Ik was alleen gelukkig als ik onder de grond was, in het gezelschap van de honderddrieënnegentigduizend doden. Ik voelde ze. Ik geloofde dat de ziel van ieder van hen hier gevangenzat. Het was zo oneerlijk, vond ik. Ik vroeg me af hoe ik ze kon bevrijden.'

'Ik denk dat je dat alleen kunt doen,' zei Bourne, 'door jezelf te bevrijden.'

Ze maakte een gebaar. 'De slaapplaats van oude Pelz is deze kant op.'

Toen ze voorzichtig door een tunnel liepen, zei ze: 'Het is niet te ver. Hij was graag dicht bij de crypte. Hij dacht dat een paar van die mensen van vroeger zijn vrienden waren. Hij zat urenlang met ze te praten, al drinkend, alsof ze nog leefden en hij ze kon zien. Wie weet? Misschien kon hij dat ook. Er zijn wel vreemdere dingen gebeurd.'

Na korte tijd kwam de tunnel in een reeks kamers uit. De stank van whisky en muf zweet kwam hun tegemoet.

'Het is de derde kamer aan de linkerkant,' zei Petra.

Maar voordat ze daar aankwamen, werd de deuropening opgevuld door een kolossaal lichaam waarop een hoofd als een kegelbal stond, met haar dat recht overeind stond als de stekels van een stekelvarken. De woeste ogen van oude Pelz bekeken hen van top tot teen.

'Wie is daar?' Zijn stem klonk dik als nevel.

'Ik ben het, Herr Pelz. Petra Eichen.'

Maar de oude Pelz keek vol afschuw naar het pistool op haar heup. 'Niks daarvan!' Hij bracht een geweer omhoog, schreeuwde 'Neonazi's!' en schoot.

34

Soraya liep achter Kiki aan en voor Deron uit The Glass Slipper in. Kiki had van tevoren gebeld en ze waren nog maar amper binnen of de eigenaar, Drew Davis, kwam aangewaggeld als Dagobert Duck. Hij was een verweerde oude man met wit haar dat overeind stond alsof het geschrokken was van het feit dat hij nog leefde. Hij had een levendig gezicht met ondeugende ogen, een neus als een prop kauwgom en een brede glimlach die hij had geperfectioneerd in tal van tv-optredens en campagnes voor plaatselijke politici, en ook als hij zijn goede werken deed in de armere delen van de wijk. Evengoed bezat hij een warmte die echt was. Als je met hem sprak, kreeg je de indruk dat hij alleen naar jou luisterde.

Hij omhelsde Kiki terwijl ze hem op beide wangen kuste en hem 'Papa' noemde. Later, toen ze aan elkaar waren voorgesteld en aan een goede tafel zaten die Drew Davis voor hen had gereserveerd, bij champagne en lekkere hapjes, vertelde Kiki hoe ze hem kende.

'Toen ik een klein meisje was, werd onze stam getroffen door zo'n erge droogte dat veel van de oude mensen en kleine kinderen ziek werden en doodgingen. Na een tijdje kwam een groepje blanken ons helpen. Ze zeiden tegen ons dat ze tot een organisatie behoorden die ons elke maand geld zou sturen nadat ze hun programma in ons dorp hadden opgezet. Ze hadden water meegebracht, maar natuurlijk was het niet genoeg.

Toen ze weg waren, geloofden we niet dat ze hun beloften zouden nakomen en vervielen we in wanhoop, maar toen kwam er echt water, en daarna kwamen de regens tot we hun water niet meer nodig hadden, maar ze gingen niet weg. Hun geld werd besteed aan medicijnen en schoolopleidingen. Elke maand kreeg ik, net als alle andere kinderen, brieven van onze sponsor – degene die het geld stuurde.

Toen ik oud genoeg was, schreef ik Drew terug en correspondeerden we met elkaar. Jaren later, toen ik wilde doorleren, zorgde hij ervoor dat ik in Kaapstad naar school kon gaan, en daarna sponsorde hij me pas echt, want hij liet me naar de Verenigde Staten komen om hier te studeren. Hij vroeg me nooit om iets in ruil, behalve dat ik goed mijn best deed op school. Hij is zoiets als mijn tweede vader.'

Ze dronken champagne en keken naar het paaldansen, dat tot Soraya's grote verbazing kunstiger en minder vulgair was dan ze had gedacht. Evengoed waren er daar meer chirurgisch vergrote lichaamsdelen dan ze ooit had gezien. Ze kon met geen mogelijkheid begrijpen waarom een vrouw borsten zou willen die er als ballonnen uitzagen en zich ook zo gedroegen.

Ze bleef haar champagne drinken en was zich er maar al te goed van bewust dat ze overdreven kleine slokjes nam. Ze zou niets liever doen dan Kiki's advies opvolgen, haar problemen een paar uur vergeten, dronken worden en zich laten gaan. Jammer genoeg wist ze dat het niet zou gebeuren. Ze was er te beheerst, te geremd voor. *Wat ik zou moeten doen*, dacht ze somber terwijl ze naar een roodharig meisje keek met borsten en heupen die de zwaartekracht tartten en niet met de rest van haar verbonden leken te zijn, *is me bezatten, uit mijn dak gaan en zelf ook gaan paaldansen.* Toen lachte ze om het absurde idee. Ze was nooit zo iemand geweest, zelfs niet toen ze er de leeftijd voor had. Ze was altijd het brave meisje geweest, rustig en berekenend, geneigd alles te analyseren. Ze keek even naar Kiki, wier prachtige gezicht niet alleen door de gekleurde stroboscooplampen werd verlicht maar ook door een hevige vreugde. Leidde een braaf meisje niet een leven zonder kleur, zonder smaak? vroeg Soraya zich af.

Die gedachte maakte haar nog zwaarmoediger, maar het was nog maar het begin, want even later keek ze op en zag ze Rob Batt. *Wat krijgen we nou?* dacht ze. Hij had haar gezien en liep nu recht op haar af.

Soraya excuseerde zich, stond op en liep in de andere richting, naar de damestoiletten. Op de een of andere manier zag Batt kans om voor haar te komen. Ze maakte rechtsomkeert en liep tussen de tafels door. Batt rende door het gangpad dat naar de keuken leidde en haalde haar in.

'Soraya, ik moet met je praten.'

Ze schudde hem af, liep door en ging de voordeur uit. Op het parkeerterrein kwam hij achter haar aan rennen. Er viel een beetje natte sneeuw, maar er stond geen wind en de neerslag viel recht omlaag. De sneeuw smolt op haar schouders en onbedekte hoofd. Ze wist niet waarom ze naar buiten was gegaan. Ze waren hier met Kiki's auto vanaf Derons huis heen gereden en ze had geen auto waar ze in kon stappen. Misschien had ze gewalgd van de aanblik van een man die ze sympathiek had gevonden en die ze had vertrouwd en die dat vertrouwen had beschaamd, die naar de duistere kant was overgelopen, zoals ze de NSA van LaValle bij zichzelf noemde, want ze kon de woorden *National Security Agency* niet meer uitspreken zonder misselijk te worden. De NSA stond nu symbool voor alles wat in de laatste jaren mis was gegaan in Amerika: de machtsgrepen, het gevoel bij sommigen in Washington dat ze het recht hadden om alles te doen, of er nu democratische wetten waren of niet. In feite was het allemaal minachting, dacht ze. Deze mensen waren zozeer overtuigd van hun gelijk dat ze alleen maar minachting en misschien zelfs medelijden konden opbrengen voor degenen die het aandurfden tegen hen in verzet te komen.

'Soraya, wacht! Blijf staan!'

Batt had haar ingehaald.

'Ga weg,' zei ze. Ze liep door.

'Maar ik moet met je praten.'

'Vergeet het maar. Wij hebben niets te bespreken.'

'Het is een kwestie van nationale veiligheid.'

Soraya schudde ongelovig haar hoofd en liep met een bitter lachje door.

'Hé, jij bent mijn enige hoop. Jij bent de enige die ervoor openstaat om naar me te luisteren.'

Ze rolde met haar ogen en draaide zich naar hem om. 'Jij hebt wel lef, Rob. Ga maar terug om de laarzen van je nieuwe meester te likken.'

'LaValle heeft me laten barsten, Soraya, dat weet je.' Hij keek haar smekend aan. 'Zeg, ik heb een verschrikkelijke fout gemaakt. Ik dacht dat ik de CIA redde.'

Soraya kon dat niet geloven. Ze lachte hem bijna in zijn gezicht uit. 'Wat? Denk je dat ik dat geloof?'

'Ik ben een product van de Oude Man. Ik had geen vertrouwen in Hart. Ik...'

'Kom nou niet met de Oude Man aanzetten. Als je echt zijn product was, zou je ons nooit hebben verraden. Dan zou je hebben volgehouden en aan de oplossing hebben meegewerkt, in plaats van het probleem erger te maken.'

'Jij hebt minister Halliday niet gehoord. Die kerel is een ware natuurkracht. Ik werd in zijn dampkring gezogen. Ik heb een fout gemaakt, oké? Dat geef ik toe.'

'Er is geen excuus voor jouw gebrek aan vertrouwen.'

Batt hield haar zijn handen voor, met de palmen naar buiten. 'Je hebt volkomen gelijk, maar allemachtig, kijk nu dan eens naar me. Ik word grondig gestraft, nietwaar?'

'Dat weet ik niet, Rob. Zeg het maar.'

'Ik heb geen baan en ook geen vooruitzicht dat ik er een vind. Mijn vrienden nemen de telefoon niet op als ik bel, en als ik ze op straat of in een restaurant tegenkom, gedragen ze zich zoals jij daarnet deed: ze lopen weg. Mijn vrouw is bij me weggegaan en heeft de kinderen meegenomen.' Hij streek door zijn natte haar. 'Sinds het gebeurd is, leef ik in mijn auto. Ik ben een puinhoop, Soraya. Wat zou een ergere straf kunnen zijn?'

Was het een karakterfout van haar dat ze met hem meevoelde? vroeg Soraya zich af. Maar ze toonde geen zweem van medeleven. Ze bleef alleen zwijgend staan wachten tot hij verderging.

'Luister naar me,' smeekte hij. 'Luister...'

'Ik wil niet luisteren.'

Toen ze zich wilde omdraaien, duwde hij een digitale camera in haar hand. 'Kijk dan tenminste naar deze foto's.'

Soraya wilde hem eerst teruggeven maar bedacht toen dat ze niets te verliezen had. Batts camera stond aan en ze drukte op de REVIEW-knop. Ze zag een serie surveillancefoto's van generaal Kendall.

'Wat is dat?' vroeg ze.

'Dat heb ik gedaan sinds ik ontslagen ben,' zei Batt. 'Ik zoek naar een manier om LaValle ten val te brengen. Ik wist dat hij een harde noot was om te kraken, maar Kendall, nou, dat is een ander verhaal.'

Ze keek op naar zijn gezicht, dat een innerlijk vuur uitstraalde dat ze nooit eerder bij hem had gezien. 'Waarom dacht je dat?'

'Kendall is onrustig en verbitterd. Het ergert hem dat LaValle de baas is. Hij wil meer macht dan Halliday en LaValle hem willen geven. Dat verlangen maakt hem dom en kwetsbaar.'

Onwillekeurig was ze nieuwsgierig. 'Wat heb je ontdekt?'

'Meer dan ik kon hopen.' Batt knikte haar toe. 'Kijk maar verder.'

Toen Soraya van de ene naar de andere foto keek, bonkte haar hart. Ze keek nog eens wat beter. 'Is dat... Grote goden, dat is Rodney Feir!'

Batt knikte. 'Kendall en hij hadden afgesproken in Feirs sportschool, en daarna gingen ze ergens eten, en nu zijn ze hier.'

Ze keek naar hem op. 'Zijn ze nu met zijn tweeën in The Glass Slipper?'

'Dat zijn hun auto's.' Batt wees. 'Er is een achterkamer. Ik weet niet wat daar gebeurt, maar je hoeft geen grote geleerde te zijn om daarnaar te kunnen raden. Generaal Kendall is een godvrezende huisvader. Hij gaat elke zondag met zijn gezin en LaValle en diens gezin naar de kerk; daar kun je de klok op gelijkzetten. Hij is erg actief in de kerk. Iedereen kent hem daar.'

Soraya zag het licht aan het eind van haar persoonlijke tunnel. Dit was een manier om Tyrone en haar uit de problemen te krijgen. 'Twee vliegen in één klap,' zei ze.

'Ja, het valt alleen niet mee ze daarbinnen te betrappen. Je komt daar alleen binnen met een uitnodiging. Ik ben dat nagegaan.'

Langzaam kwam er een glimlach op Soraya's gezicht. 'Laat dat maar aan mij over.'

Nadat Kendall hem had geschopt totdat hij braakte, gebeurde er een hele tijd niets. Het leek wel een eeuwigheid. Inmiddels had Tyrone al gemerkt dat de tijd in een folterend traag tempo voortkroop. Een minuut bestond uit duizend seconden, een uur bestond uit tienduizend minuten, en een dag... nou, er zaten zoveel uren in een dag dat ze niet meer te tellen waren.

Een van de keren dat zijn kap was weggehaald had hij over de korte kant van de kamer heen en weer gelopen. Hij had niet in de buurt van het achterste gedeelte met zijn onheilspellende waterboardingkuip willen komen.

Ergens wist hij dat hij het besef van de tijd kwijt was, en dat dit hoorde bij het proces om hem af te matten, hem aan het praten te krijgen, hem binnenstebuiten te keren. Van moment tot moment had hij het gevoel dat hij van een helling gleed die zo glad en zo steil was dat hij zich nergens aan kon vastgrijpen, hoe hij ook zijn best deed. Hij viel in de duisternis, in een leegte waarin zich niets anders bevond dan hijzelf.

Ook dat was de bedoeling. Hij kon zich voorstellen dat een van Kendalls ondergeschikten een wiskundige formule had uitgewerkt die aangaf hoeveel een gevangene werd afgebroken per uur dat hij opgesloten zat.

Vanaf het moment dat hij tegen Soraya had gezegd dat hij voor haar van nut zou kunnen zijn, had hij boeken gelezen over wat je in de ergste situaties kon doen. Hij was toen op een truc gestuit die hem nu van pas kwam: hij moest een plaats in zijn geest vinden waar hij zich kon terugtrekken als het erg moeilijk werd, een onschendbare plaats waar hij veilig was, ongeacht wat ze met hem deden. Hij had die plaats nu. Hij was er verscheidene keren geweest toen de pijn die hij had doordat hij met zijn armen hoog achter zich zat vastgebonden zelfs voor hem te erg werd. Maar er was één ding dat hem bang maakte: die verrekte bak aan het andere eind van de kamer. Als ze hem gingen *waterboarden*, was hij verloren. Zolang als hij zich kon herinneren was hij doodsbang voor verdrinking geweest. Hij kon niet zwemmen, kon niet eens drijven. Telkens wanneer hij het had geprobeerd, was hij bijna gestikt en hadden ze hem als een kleuter uit het water moeten halen. Hij had het algauw opgegeven, in de veronderstelling dat het niet belangrijk was. Wanneer ging hij zeilen of op een strand liggen? Nooit.

Maar nu was het water naar hem toe gekomen. Die verrekte kuip stond daar te wachten en te grijnzen als een walvis die op het punt stond hem in zijn geheel in te slikken. Hij was geen Jonas; dat wist hij. Dat verrekte ding zou hem niet levend uitspuwen.

Hij keek omlaag en zag dat de hand die hij voor zich hield nu beefde. Hij wendde zich af en drukte hem tegen de muur, alsof de betonblokken zijn onredelijke angst konden absorberen.

Hij schrok toen het geluid van de deur die werd opengemaakt door de kleine ruimte galmde. Een van de NSA-zombies kwam binnen, met dode ogen en dode adem. Hij zette het dienblad met eten neer en ging weg zonder zelfs maar een blik op Tyrone te werpen. Dat hoorde allemaal bij de tweede fase van het plan om hem te breken: ze lieten hem denken dat hij niet bestond.

Hij liep naar het dienblad. Zoals gewoonlijk bestond het eten uit koude havermout. Het deed er niet toe; hij had honger. Hij pakte de plastic lepel en nam een hap van de pap. Die was rubberachtig, zonder ook maar enige smaak. Hij kokhalsde bijna van de tweede hap, want hij kauwde op iets anders dan havermout. Omdat hij wist dat al zijn bewegingen werden gadegeslagen, bukte hij zich en spuwde hij de hele hap uit. Toen gebruikte hij de vork om een opgevouwen stukje papier open te krijgen. Er stond iets op geschreven. Hij boog zich nog wat meer voorover om de letters te kunnen onderscheiden.

HOU VOL, stond er.

Eerst kon Tyrone zijn ogen niet geloven. Toen las hij het opnieuw. Toen hij het een derde keer had gelezen, nam hij het briefje met de volgende hap havermout op zijn lepel. Hij kauwde het langzaam en systematisch op en slikte het door.

Toen liep hij naar het roestvrijstalen toilet, ging op de rand zitten en vroeg zich af wie dat briefje had geschreven en hoe hij met hem zou kunnen communiceren. Pas na enige tijd besefte hij dat dit ene korte berichtje uit de wereld buiten zijn kleine cel het evenwicht dat hij was kwijtgeraakt had hersteld. In zijn hoofd werd tijd weer een kwestie van normale seconden en minuten, en het bloed stroomde weer door zijn aderen.

Arkadin liet zich door Devra de bar uit slepen voordat hij hem helemaal kon verwoesten. Niet dat hij zich iets aantrok van de schurkachtige klanten die in verbijsterde stilte naar de ravage keken die hij aanrichtte, alsof het een tv-programma was, maar hij was wel beducht voor de politie, die in deze achterbuurt goed vertegenwoordigd was. In de tijd dat ze in de kroeg hadden gezeten had hij drie politiewagens langzaam door de straat zien rijden.

Ze reden in de zon door de rommelige straten. Hij hoorde honden blaffen, stemmen schreeuwen. Hij was blij met de warmte van haar heup en schouder tegen hem aan. Ze was zijn anker; ze trok zijn woede tot een aanvaardbaar niveau omlaag. Hij drukte haar nog dichter tegen zich aan. Zijn gedachten keerden met koortsachtige intensiteit naar zijn verleden terug.

Voor Arkadin begon de negende cirkel van de hel onschuldig genoeg: Stas Koezin bevestigde dat hij in de prostitutie en de drugs zat. Gemakkelijk geld verdienen, dacht Arkadin, die meteen het valse gevoel had dat hem niets meer kon overkomen.

Eerst was zijn rol eenvoudig en duidelijk: hij zou in zijn gebouwen ruimte vrijmaken waarin Koezin zijn bordeelimperium kon uitbreiden. Dat deed Arkadin met zijn gebruikelijke efficiency. Niets had eenvoudiger kunnen zijn, en gedurende enkele maanden, waarin de roebels binnenrolden, feliciteerde hij zichzelf met zijn lucratieve transactie. Bovendien leverde zijn samenwerking met Koezin hem veel extra voordelen op, variërend van gratis drinken in de plaatselijke kroegen tot het gratis samenzijn met Koezins steeds grotere schare van tienermeisjes.

Maar juist dat – die tienermeisjes – werd Arkadins glibberige helling naar de onderste cirkel van de hel. Als hij bij de bordelen vandaan bleef, alleen een keer per week ging kijken of de appartementen niet werden vernield, kon hij gemakkelijk vergeten wat er werkelijk aan de hand was. Meestal had hij het te druk met het tellen van zijn geld. Maar als hij zich een gratis nummertje permitteerde, kon het hem niet ontgaan hoe jong de meisjes waren, hoe bang ze waren, hoeveel blauwe plekken ze op hun dunne armen hadden, hoe hol hun ogen waren, en maar al te vaak ook hoe verdoofd de meesten zich gedroegen. Het was net een stel zombies.

Dat alles zou misschien min of meer aan Arkadin voorbij zijn gegaan als hij geen sympathie voor een van hen had opgevat. Jelena was een meisje met brede lippen, een huid zo bleek als sneeuw en ogen die brandden als kolenvuur. Ze lachte gauw en was in tegenstelling tot de andere meisjes niet geneigd zonder duidelijke reden in tranen uit te barsten. Ze lachte om zijn grappen en bleef na afloop met haar gezicht tegen zijn borst bij hem liggen. Hij vond het prettig om haar in zijn armen te hebben. Haar warmte ging in hem over als goede wodka, en hij raakte eraan gewend dat ze precies de juiste positie vond, zodat de rondingen van haar lichaam perfect aansloten op die van hem. Hij kon in haar armen in slaap vallen, wat voor hem weinig minder dan een wonder was. Hij kon zich niet herinneren wanneer hij voor het laatst een hele nacht had geslapen.

Ongeveer in die tijd riep Koezin hem bij zich. Hij zei dat Arkadin het zo goed deed dat hij hem een groter belang in de onderneming wilde geven.

'Natuurlijk moet je dan wel een actievere rol spelen,' zei Koezin met zijn half verstaanbare stem. 'De zaken gaan zo goed dat ik nu vooral meer meisjes nodig heb. En daar kun jij voor zorgen.'

Koezin gaf Arkadin de leiding van een ploeg die niets anders deed dan meisjes uit de bevolking van Nizjni Tagil rekruteren. Dat deed Arkadin met zijn gebruikelijke angstaanjagende efficiency. Hij deelde nog even vaak het bed met Jelena, maar hun samenzijn had niet meer zo'n idyllisch karakter. Ze was bang geworden, zei ze tegen hem, want sommige meisjes waren verdwenen. De ene dag zag ze hen nog; de volgende dag waren ze verdwenen alsof ze nooit hadden bestaan. Niemand praatte over hen; niemand gaf antwoord als ze vroeg waar ze gebleven waren. Over het geheel genomen wees Arkadin haar angsten van de hand. Per slot van rekening waren de meisjes jong. Het was toch niet zo vreemd dat ze ergens anders heen gingen? Maar Jelena was ervan overtuigd dat de verdwijning van de meisjes niets met henzelf en alles met Stas Koezin te maken had. Wat hij ook zei, haar angsten namen niet af, tot hij beloofde haar te beschermen, ervoor te zorgen dat haar niets overkwam.

Na zes maanden nam Koezin hem apart.

'Je doet geweldig goed werk.' Door een mix van wodka en cocaïne was Koezin nog moeilijker verstaanbaar. 'Maar ik heb er meer nodig.'

Ze zaten in een van de bordelen en Arkadin had met zijn geoefende oog gezien dat het opvallend onderbezet was. 'Waar zijn alle meisjes?' vroeg hij.

Koezin maakte een armgebaar. 'Weg, weggelopen, wie zal het zeggen? Als die meiden een beetje geld in hun zak hebben, gaan ze ervandoor.'

Arkadin, altijd pragmatisch ingesteld, zei: 'Dan ga ik met mijn mannen op zoek naar ze.'

'Tijdverspilling.' Koezins kleine hoofd deinde op zijn schouders heen en weer. 'Zorg dat ik meer meisjes krijg.'

'Het wordt moeilijk,' merkte Arkadin op. 'Sommige meisjes zijn bang; ze willen niet met ons mee.'

'Neem ze evengoed mee.'

Arkadin fronste zijn wenkbrauwen. 'Ik snap niet wat je bedoelt.'

'Oké, debiel, dan leg ik het je uit. Je gaat met je mannen in een busje zitten en grijpt de meiden van de straat.'

'Je hebt het over ontvoering.'

Koezin lachte. 'Hé, hij snapt het!'

'En de politie dan?'

Koezin lachte nog harder. 'Ik heb de politie in mijn zak zitten. En al was dat niet zo, dacht je dat ze betaald kregen om te werken? Het kan ze geen moer schelen.'

De volgende drie weken hadden Arkadin en zijn mannen nachtdienst. Ze brachten meisjes naar het bordeel, of ze nu wilden of niet. Die meisjes waren kwaad en vaak agressief, totdat Koezin met ze naar een achterkamer ging waar ze geen van allen een tweede keer wilden komen. Koezin deed niets met hun gezicht, want dat zou slecht voor de zaken zijn. Ze kwamen alleen met blauwe plekken op hun armen en benen terug.

Arkadin keek naar dat beheerste geweld alsof hij door het verkeerde eind van een telescoop keek. Hij wist dat het gebeurde maar deed alsof hij er niets mee te maken had. Hij bleef zijn geld tellen, en dat stapelde zich nu nog sneller op. Zijn geld en Jelena hielden hem 's nachts warm. Telkens wanneer hij bij haar was, keek hij of ze blauwe plekken op haar armen en benen had. Toen hij haar liet beloven geen drugs te gebruiken, lachte ze. 'Leonid Danilovitsj, wie heeft er nou geld voor drugs?'

Hij glimlachte daarom, want hij wist wat ze bedoelde. Zijzelf had meer geld dan alle andere meisjes in het bordeel bij elkaar. Hij wist dat omdat hij degene was die het haar gaf.

'Koop een nieuwe jurk en nieuwe schoenen,' had hij wel eens tegen haar gezegd, maar omdat ze een zuinig meisje was, glimlachte ze dan alleen maar en kuste hem met veel genegenheid op zijn wang. Ze had gelijk, besefte hij. Ze moest niet de aandacht op zich vestigen.

Op een avond niet lang daarna sprak Koezin hem aan toen hij uit Jelena's kamer kwam.

'Ik heb een dringend probleem en ik heb je hulp nodig,' zei de monsterlijke man.

Arkadin ging met hem mee naar buiten. Een busje stond met draaiende motor op straat te wachten. Koezin ging achterin zitten en Arkadin volgde hem. Twee van de bordeelmeisjes werden door twee griezels van Koezin bewaakt.

'Ze probeerden te ontsnappen,' zei Koezin. 'We hebben ze net gevangen.'

'Ze moeten een lesje leren,' zei Arkadin, want hij nam aan dat zijn compagnon dat wilde horen.

'Daar is het te laat voor.' Koezin gaf een teken aan de bestuurder, en het busje kwam in beweging.

Arkadin leunde achterover en vroeg zich af wat ze gingen doen. Hij hield zijn mond, want hij wist dat het dom zou overkomen als hij nu vragen stelde. Een halfuur later ging het busje langzamer rijden en sloeg het een onverharde weg in. De volgende minuten hotsten ze over een onregelmatig karrenspoor dat erg smal moest zijn, want er schraapten steeds takken tegen de zijkanten van het busje.

Ten slotte stopten ze. De portieren gingen open en iedereen stapte uit. Het was erg donker. De enige verlichting kwam van de koplampen van het busje, maar in de verte stak het vuur van de smeltovens als bloed tegen de hemel af, of beter gezegd tegen de onderkant van de kolkende uitwaseming van de honderden schoorsteenpijpen. In Nizjni Tagil zag niemand ooit de hemel, en als het sneeuwde, werden de vlokken grijs of soms zelfs zwart wanneer ze door de industriële smog dwarrelden.

Arkadin liep met Koezin mee. De twee griezels duwden de meisjes door het onkruid en het dichte struikgewas. Er hing zo'n sterke geur van dennenhars dat de afschuwelijke stank van ontbinding bijna werd gemaskeerd.

Na honderd meter trokken de griezels de meisjes aan de kraag om ze stil te laten staan. Koezin haalde zijn pistool tevoorschijn en schoot een van de meisjes in haar achterhoofd. Ze viel in een bed van dode bladeren voorover. Het andere meisje gilde, spartelde in de greep van de griezel en deed verwoede pogingen om weg te rennen.

Toen wendde Koezin zich tot Arkadin en legde het pistool in zijn hand. 'Als je de trekker overhaalt,' zei hij, 'worden we gelijke compagnons.'

Er zat iets in Koezins ogen wat een koude rilling door Arkadin heen liet gaan. Het leek wel of Koezins ogen glimlachten zoals de duivel glimlachte, zonder warmte, zonder menselijkheid, omdat het genoegen dat de glimlach had voortgebracht een kwaadaardig, verdorven karakter had. Op dat moment dacht Arkadin aan de gevangenissen rondom Nizjni Tagil, want hij wist nu zonder enige twijfel dat hij opgesloten zat in zijn eigen persoonlijke gevangenis. Hij had geen idee of er een sleutel was, laat staan hoe hij daar gebruik van moest maken.

Het pistool – een oude Luger met het hakenkruis van de nazi's – was vettig van Koezins opwinding. Arkadin bracht het ter hoogte van het hoofd van het meisje. Ze jammerde en huilde. Arkadin had in zijn jonge leven veel dingen gedaan, waarvan sommige onvergeeflijk waren, maar hij had nooit in koelen bloede een meisje doodgeschoten. En toch moest hij dat nu doen, wilde hij succes hebben en de gevangenis van Nizjni Tagil overleven.

Hij was zich ervan bewust dat Koezin met vurige ogen naar hem keek, ogen zo rood als het vuur van de smelterijen van Nizjni Tagil zelf, en toen voelde hij de loop van een pistool in zijn nek en wist hij dat de bestuurder van het busje achter hem stond, ongetwijfeld op bevel van Koezin.

'Doe het,' zei Koezin zacht, 'want hoe dan ook lost iemand in de komende tien seconden een schot.'

Arkadin richtte de Luger. De knal galmde door het diepe, onherbergzame woud, en het meisje gleed bij haar vriendin in de kuil met bladeren.

35

De trekker van het 8mm Mauser K98-geweer werd overgehaald, en er galmde een harde klik door de schuilkelder van Dachau. Maar daar bleef het dan ook bij.

'Verrek!' kreunde oude Pelz. 'Ik ben vergeten dat ding te laden!' Petra haalde haar pistool tevoorschijn, richtte het omhoog en haalde de trekker over. Omdat het resultaat hetzelfde was als wat hem was overkomen, gooide oude Pelz de K98 op de vloer.

'*Scheisse!*' zei hij vol walging.

Ze liep naar hem toe. 'Herr Pelz,' zei ze vriendelijk. 'Zoals ik al zei, heet ik Petra. Kent u me nog?'

De oude man hield op met mompelen en keek haar aandachtig aan. 'Je lijkt verdomd veel op een Petra-Alexandra die ik eens heb gekend.'

'Petra-Alexandra.' Ze lachte en kuste hem op zijn wang. 'Ja, ja, dat ben ik!'

Hij deinsde een beetje terug en legde zijn hand op zijn wang, waar ze hem had gekust. Toen keek hij, nog steeds sceptisch, langs haar naar Bourne. 'Wie is die nazischoft? Heeft hij je gedwongen hierheen te komen?' Hij balde zijn handen tot vuisten. 'Ik sla hem tot moes!'

'Nee, Herr Pelz, dit is een vriend van mij. Hij is een Rus.' Ze gebruikte de naam die Bourne haar had genoemd en die op het paspoort stond dat Boris Karpov hem had gegeven.

'Voor mij zijn Russen niks beter dan nazi's,' bromde de oude man.

'Eigenlijk ben ik een Amerikaan die met een Russisch paspoort reist.' Bourne zei dat eerst in het Engels en toen in het Duits.

'Je spreekt heel goed Engels voor een Rus,' zei oude Pelz in uitstekend Engels. Toen lachte hij, zijn tanden vergeeld door tijd en tabak. Nu hij een Amerikaan tegenover zich had, kreeg hij nieuwe energie, alsof hij uit een sluimering van tientallen jaren was ontwaakt. Zo was hij nu eenmaal: een konijn dat uit een hoed werd getrokken om vervolgens weer in de schaduw te verdwijnen. Hij was niet gek; hij leefde alleen in het sombere heden en het levendige verleden. 'Ik heb de Amerikanen omhelsd toen ze ons van de tirannie bevrijdden,' ging hij trots verder. 'In mijn tijd heb ik ze geholpen de nazi's op te sporen, en ook de nazisympathisanten die deden alsof ze goede Duitsers waren.' Hij spuwde die laatste woorden uit alsof hij er niet tegen kon ze in zijn mond te hebben.

'Wat doet u dan hier?' zei Bourne. 'Hebt u geen huis?'

'Natuurlijk wel.' Oude Pelz smakte met zijn lippen, alsof hij het leven van zijn jonge jaren kon proeven. 'Ik heb zelfs een erg mooi huis in Dachau. Het is blauw en wit, met bloemen langs een paaltjeshek. In de achtertuin staat een kersenboom die 's zomers zijn vleugels spreidt. Het huis is verhuurd aan een leuk jong stel met twee flinke kinderen, die hun huur altijd keurig op tijd naar mijn oomzegger in Leipzig sturen. Dat is een belangrijke advocaat, weet je.'

'Herr Pelz, ik begrijp het niet,' zei Petra. 'Waarom woont u niet in uw eigen huis? Dit is toch geen plaats om te leven?'

'De bunker houdt me gezond.' De oude man keek haar scherp aan. 'Weet je wat er zou gebeuren als ik naar mijn huis terugging? Ze zouden me 's nachts weghalen, en dan zou niemand me ooit nog zien.'

'Wie zou dat met u doen?' zei Bourne.

Pelz dacht blijkbaar over die vraag na, alsof hij zich de inhoud probeerde te herinneren van een boek dat hij op de middelbare school had gelezen. 'Ik heb je al gezegd dat ik een nazi-jager was, en een verdomd goeie ook. In die tijd leefde ik als een vorst – of, als ik eerlijk moet zijn, als een hertog. Hoe dan ook, daarna werd ik arrogant en maakte ik mijn fout. Ik ging achter het Zwarte Legioen aan, en die roekeloze beslissing werd mijn ondergang. Door hen raakte ik alles kwijt, zelfs het vertrouwen van de Amerikanen. Die hadden die verrekte mensen in die tijd meer nodig dan mij. Het Zwarte Legioen schopte me de goot in, als een stuk vuilnis of een schurftige hond. Van daaruit was het maar een klein eindje kruipen naar deze ingewanden van de aarde.'

'Ik ben hier gekomen om met u over het Zwarte Legioen te praten,' zei Bourne. 'Ik ben ook een jager. Het Zwarte Legioen is geen naziorganisatie meer. Ze zijn nu een islamitisch terroristennetwerk.'

Oude Pelz wreef over zijn grijze stoppelkin. 'Ik zou verrast moeten zijn, maar dat ben ik niet. Die schoften wisten hoe ze hun kaarten moesten uitspelen – bij de Duitsers, de Britten en vooral de Amerikanen. Na de oorlog speelden ze met iedereen. Elke westerse inlichtingendienst gooide geld in hun richting. Bij de gedachte dat ze geïntegreerde spionnen achter het IJzeren Gordijn zouden hebben liep het kwijl ze in de mond. En die schoften waren er algauw achter dat ze bij de Amerikanen het best af waren. Waarom? Omdat die al het geld hadden en daar in tegenstelling tot de Britten niet krenterig mee waren.' Hij giechelde. 'Maar zo zijn Amerikanen nu eenmaal, hè?'

Zonder op het vanzelfsprekende antwoord te wachten ging hij verder. 'En dus legde het Zwarte Legioen contact met het Amerikaanse inlichtingenapparaat. Ze konden de Amerikanen er gemakkelijk van overtuigen dat ze nooit nazi's waren geweest en alleen maar tegen Stalin hadden willen vechten. En dat was tot op zekere hoogte ook wel waar, al stonden hun na de oorlog andere doelen voor ogen. Per slot van rekening zijn het moslims; ze hebben zich in de westerse samenleving nooit op hun gemak gevoeld. Ze wilden iets opbouwen voor de toekomst, en net als veel andere opstandelingen legden ze het fundament met Amerikaanse dollars.'

Hij keek op naar Bourne. 'Jij bent een Amerikaan, arme stumper. Zonder de financiële ondersteuning van jouw land had geen van die moderne terroristennetwerken kunnen bestaan. Dat is verdomd ironisch.'

Even mompelde hij maar wat, toen zette hij een lied in waarvan de tekst zo melancholiek was dat de tranen in zijn rode ogen opwelden.

'Herr Pelz,' zei Bourne om de oude man weer bij de les te krijgen. 'U had het over het Zwarte Legioen.'

'Noem me maar Virgil,' zei Pelz, die uit zijn trance kwam. Hij knikte. 'Ja, mijn officiële naam is Virgil, en voor jou, Amerikaan, zal ik mijn lamp hoog genoeg houden om licht te laten vallen op de schoften die mijn leven hebben verwoest. Waarom niet? Als ik het in dit stadium van mijn leven aan iemand moet vertellen, dan maar aan jou.'

'Ze zijn achter,' zei Bev tegen Drew Davis. Bev, een vrouw van midden vijftig met een stevig postuur en een snel verstand, was de meisjeshoedster van The Glass Slipper, zoals ze het zelf cynisch noemde. Ze handhaafde de orde, maar trad tegelijk als een soort moeder op.

'Het gaat vooral om de generaal,' zei Davis. 'Nietwaar, Kiki?'

Kiki knikte. Ze werd geflankeerd door Soraya en Deron, en ze stonden met zijn allen in Davis' kleine kantoortje, dat vanuit de hoofdzaal via een korte trap te bereiken was. De bassen en drums stampten als de vuisten van woedende reuzen door de muren. Het kantoor zag eruit als een zolderkamertje zonder ramen. De muren waren net een tijdmachine, beplakt met foto's van Drew Davis met Martin Luther King, Nelson Mandela, vier verschillende Amerikaanse presidenten, een groot aantal Hollywoodsterren en allerlei vn-functionarissen en -ambassadeurs uit zo ongeveer alle landen in Afrika. Er waren ook informele kiekjes van hem met zijn arm om een jongere Kiki in de Masai Mara. Ze zag er volkomen ongedwongen uit, als een koningin-in-opleiding.

Na haar gesprek met Rob Batt op het parkeerterrein was Soraya weer naar binnen gegaan en had ze Kiki en Deron over haar plan verteld. De band op het podium maakte zo'n lawaai dat niemand zou kunnen meeluisteren, zelfs niet iemand aan de volgende tafel. Vanwege haar oude vriendschap met Drew Davis was het aan Kiki de vonk te laten overspringen die de lont tot ontbranding bracht. En dat had ze gedaan, met deze geïmproviseerde bespreking in Davis' kantoor als gevolg.

'Wil ik hier zelfs maar over nadenken, dan moet je me volledige immuniteit garanderen,' zei Drew Davis tegen Soraya. 'En verder houd je onze namen erbuiten, tenzij je je de woede op de hals wilt halen van mij – en dat wil je niet – en de helft van de gekozen bestuurders in deze wijk.'

'Je hebt mijn woord,' zei Soraya. 'We willen die twee mensen. Dat is alles.'

Drew Davis keek Kiki aan, die hem bijna onwaarneembaar toeknikte.

Nu wendde Davis zich tot Bev.

'Dit zijn de dingen die jullie kunnen doen en die jullie niet kunnen doen,' zei Bev zodra ze haar baas zag kijken. 'Ik laat niemand in mijn domein toe die hier niet met een legitiem doel komt, dus iemand die geen klant of clubmeisje is. Jullie kunnen dus niet komen binnenstormen. Als ik dat toestond, zouden we morgen geen klanten meer hebben.'

Ze keek Drew Davis niet eens aan, maar Soraya zag hem instemmend knikken en ze zag het somber in. Alles hing ervan af dat ze toegang tot de generaal kregen terwijl hij aan het stoeien was. Toen kreeg ze een idee.

'Ik ga als clubmeisje naar binnen,' zei ze.

'Nee, dat doe je niet,' zei Deron. 'De generaal en Feir kennen jou. Eén blik op jou en ze zijn weg.'

'Mij kennen ze niet.'

Ze keken allemaal naar Kiki.

'Absoluut niet,' zei Deron.

'Rustig maar,' zei Kiki met een lachje. 'Ik doe niet alles. Ik heb alleen toegang nodig.' Ze maakte gebaren alsof ze foto's maakte. Toen keek ze Bev aan. 'Hoe kom ik in de privékamer van de generaal?'

'Daar kun je niet komen. Om voor de hand liggende redenen zijn de privékamers heilig. Ook een huisregel. En de generaal en Feir hebben hun partner voor vanavond al gekozen.' Ze trommelde met haar vingers op Davis' bureaublad. 'Maar in het geval van de generaal is er wel een manier.'

Virgil Pelz leidde Bourne en Petra verder de hoofdtunnel van de bunker in. Ze kwamen in een ruw uitgehakte ronde ruimte. Er stonden daar banken, een kleine gaskachel en een koelkast.

'Wat een geluk dat iemand vergeten is de elektriciteit af te sluiten,' zei Petra.

'Helemaal geen geluk.' Pelz ging op een bank zitten. 'Mijn oomzegger stopt iemand op het gemeentehuis stiekem geld toe om het licht aan te houden.' Hij bood hun whisky of wijn aan, maar ze wilden niet. Hij schonk wel drank voor zichzelf in en dronk het glas in één teug leeg, misschien om zich op te peppen of om te voorkomen dat hij weer in de schimmenwereld wegzakte. Het was duidelijk dat hij graag gezelschap had, dat de stimulans die van andere mensen uitging hem tot leven liet komen.

'Het meeste van wat ik je al over het Zwarte Legioen heb verteld is elementaire geschiedenis, als je weet waar je moet kijken. Maar als je wilt begrijpen waarom ze zo goed hun weg door het gevaarlijke naoorlogse landschap konden vinden, moet je je in twee mannen verdiepen: Farid Ikoepov en Ibrahim Sever.'

'Ik neem aan dat die Ikoepov de vader van Semion Ikoepov is,' zei Bourne.

Pelz knikte. 'Inderdaad.'

'En had Ibrahim Sever een zoon?'

'Hij had er twee,' antwoordde Pelz, 'maar nu loop ik op de zaken vooruit.' Hij smakte met zijn lippen en wierp een blik op de fles whisky, maar zag ervan af om nog een glas te nemen.

'Farid en Ibrahim waren de beste vrienden. Ze waren samen op-gegroeid, elk de enige zoon in een groot gezin. Misschien raakten ze daardoor als kinderen met elkaar verbonden. De band was sterk en hield het grootste deel van hun leven stand, maar Ibrahim Sever was in zijn hart een krijger en Farid Ikoepov een intellectueel, dus het zaad van de ontevredenheid en het wantrouwen moet al in een vroeg stadium zijn uitgestrooid. In de oorlog hadden ze veel succes met hun gezamenlijk leiderschap. Ibrahim had de leiding van de sol-daten van het Zwarte Legioen aan het oostfront; Farid gaf leiding aan het inlichtingennetwerk dat hij in de Sovjet-Unie had opgezet.

Na de oorlog ontstonden de problemen. Omdat hij niet meer als militair commandant kon optreden, werd Ibrahim bang dat zijn macht werd aangetast.' Pelz klakte met zijn tong. 'Luister, Ameri-kaan, als je je geschiedenis kent, weet je dat de twee oude bondge-noten en vrienden Gaius Julius Caesar en Pompeius Magnus vijan-den werden door de ambities, angsten, intriges en machtsstrijd van de mensen die onder hun bevel stonden. Zo ging het ook met deze twee mannen. Geleidelijk raakte Ibrahim ervan overtuigd – onge-twijfeld ook door toedoen van zijn militantere raadgevers – dat zijn oude vriend van plan was de macht te grijpen. In tegenstelling tot Caesar, die in Gallië was toen Pompeius hem de oorlog verklaarde, woonde Farid in het huis naast Ibrahim. Ibrahim Sever en zijn man-nen drongen 's nachts dat huis binnen en vermoordden Farid Ikoe-pov. Farids zoon Semion schoot drie dagen later Ibrahim dood toen die naar zijn werk reed. Ibrahims zoon Asher ging in een Münchense nachtclub op Semion af om wraak te nemen. Het lukte Asher te ontsnappen, maar in het vuurgevecht dat erop volgde kwam Ashers jongere broer om het leven.'

Pelz wreef over zijn gezicht. 'Kun je het voor je zien, Amerikaan? Het was net een oude Romeinse vendetta, een bloedbad van Bij-belse proporties.'

'Ik heb van Semion Ikoepov gehoord, maar niet van Sever,' zei Bourne. 'Waar is Asher Sever nu?'

De oude man haalde zijn schouders op. 'Wie weet? Als Ikoepov het wist, zou Sever nu dood zijn.'

Even zweeg Bourne, peinzend over de aanslag van het Zwarte Le-gioen op de professor. Hij dacht aan alle kleine tegenstrijdigheden die hij had opgemerkt: Pjotr die zo'n vreemd netwerk van decadente en onbekwame figuren had opgebouwd, de professor die zei dat het zijn idee was geweest om de gestolen tekeningen via het netwerk te-rug te krijgen, en de vraag of Misja Tarkanian – evenals Arkadin zelf – lid was van het Zwarte Legioen. Ten slotte zei hij: 'Virgil, ik moet je wat vragen stellen.'

'Ja, Amerikaan.' De ogen van Pelz keken zo helder en scherp als die van een roodborstje.

Toch aarzelde Bourne. Het was in strijd met al zijn instincten en met alle lessen die hem waren geleerd om een vreemde iets over zijn missie of achtergrond te vertellen, maar er zat niets anders voor hem op. 'Ik ben naar München gekomen omdat een vriend van me, een soort mentor, me heeft gevraagd achter het Zwarte Legioen aan te gaan, ten eerste omdat ze een aanslag tegen mijn land willen plegen, en ten tweede omdat hun leider Semion Ikoepov opdracht heeft gegeven zijn zoon Pjotr te vermoorden.'

Pelz keek hem verbaasd aan. 'Asher Sever gebruikte de machtsbasis die hij van zijn vader had geërfd – een machtig inlichtingennetwerk, verspreid over Azië en Europa – en verdreef Semion. Ikoepov staat al tientallen jaren niet meer aan het hoofd van het Zwarte Legioen. Anders had ik hier vast niet meer gezeten. In tegenstelling tot Asher Sever was Ikoepov iemand met wie je kon praten.'

'Bedoel je dat je Semion Ikoepov en Asher Sever allebei hebt ontmoet?' zei Bourne.

'Ja.' Pelz knikte. 'Hoezo?'

Bourne had het koud gekregen bij de gedachte aan het ondenkbare. Was het mogelijk dat de professor al die tijd tegen hem had gelogen? Maar als dat zo was, dus als hij in werkelijkheid lid van het Zwarte Legioen was, waarom had hij de aflevering van de aanslagplannen dan aan Pjotrs zwakke netwerk overgelaten? Hij moest toch wel hebben geweten hoe onbetrouwbaar de leden daarvan waren. Het was volslagen onbegrijpelijk.

Omdat hij wist dat hij dit probleem stap voor stap moest oplossen, haalde hij zijn mobieltje tevoorschijn. Hij zocht tussen de foto's tot hij de foto van Egon Kirsch had gevonden die de professor hem had gestuurd. Hij keek naar de twee mannen op de foto en gaf de telefoon toen aan Pelz.

'Virgil, herken je een van deze mannen?'

Pelz tuurde naar de foto, stond op en hield hem in het licht van een gloeilamp. 'Nee.' Hij schudde zijn hoofd, keek nog eens goed en wees toen met zijn wijsvinger naar de foto. 'Ik weet het niet, want hij ziet er zo anders uit...' Hij liep naar Bourne terug en hield de telefoon in een zodanige stand dat ze de foto allebei konden zien. Toen tikte hij op de afbeelding van professor Specter. '... maar verdomd, ik zou zweren dat dit Asher Sever is.'

36

Peter Marks, het hoofd operaties van de CIA, was bij Veronica Hart in haar kamer. Ze waren samen verdiept in stapels personeelsgegevens toen ze haar kwamen halen. Luther LaValle, die twee federale *marshals* bij zich had, was met een rechterlijk bevel door de beveiliging van de CIA gekomen. Hart was er nauwelijks voor gewaarschuwd – een telefoontje van de eerste bewakers op de begane grond – dat haar professionele wereld in elkaar viel. Ze had geen tijd om de vallende brokstukken te ontwijken.

Ze had nauwelijks tijd gehad om het aan Marks te vertellen en op te staan om de confrontatie met haar aanklagers aan te gaan, toen de drie mannen haar kamer al binnenkwamen en haar een federale machtiging lieten zien.

'Veronica Rose Hart,' galmde de oudste van de federale marshals, die beiden een volstrekt onbewogen gezicht hadden, 'u wordt hierbij gearresteerd wegens het samenspannen met een zekere Jason Bourne, een voortvluchtige agent, voor doeleinden die in strijd zijn met de voorschriften van de CIA.'

'Op grond van welk bewijs?' vroeg Hart.

'Surveillancefoto's van de NSA, waarop te zien is dat u op de binnenplaats van de Freer Gallery een pakket aan Jason Bourne overhandigt,' zei de marshal met dezelfde zombiestem.

Marks, die was opgestaan, zei: 'Dit is absurd. U gelooft toch niet...'

'Blijft u erbuiten, meneer Marks,' zei Luther LaValle, die wist dat hij niet zou worden tegengesproken. 'Nog één woord van u en ik laat een formeel onderzoek tegen u instellen.'

Marks wilde net weer iets zeggen toen een scherpe blik van de CIA-directeur hem tot zwijgen bracht. Zijn kaken gingen op elkaar, maar de woede in zijn ogen was onmiskenbaar.

Hart liep om het bureau heen en de jongste marshal boeide haar handen op haar rug.

'Is dat echt nodig?' zei Marks.

LaValle wees zwijgend naar hem. Toen ze Hart haar kamer uit leidden, zei ze: 'Neem het over, Peter. Jij bent nu waarnemend directeur van de CIA.'

LaValle grijnsde. 'Niet lang, als ik daar iets over te zeggen heb.'

Toen ze weg waren, liet Marks zich in zijn stoel zakken. Hij merkte dat zijn handen beefden en vouwde ze samen alsof hij aan het bidden was. Zijn hart bonkte zo hard dat het hem moeite kostte te denken. Hij sprong overeind, liep naar het raam achter het bureau van de CIA-directeur en staarde de duisternis van Washington in. Alle monumenten waren verlicht en in alle straten en doorgaande wegen was verkeer. Alles was zoals het moest zijn, en toch kwam niets hem vertrouwd voor. Hij had een gevoel alsof hij in een ander universum was terechtgekomen. Hij kon geen getuige zijn geweest van wat er zojuist was gebeurd. Het kon niet waar zijn dat de NSA de CIA in zijn gigantische klauwen kreeg. Toen draaide hij zich om naar het lege kantoor en drong het pas goed tot hem door dat hij zojuist had moeten aanzien dat de CIA-directeur geboeid werd weggevoerd. Zijn benen werden slap en hij moest op de grote stoel achter het bureau gaan zitten.

Toen besefte hij welke implicaties het had dat hij in die stoel zat. Hij pakte de telefoon en belde Stu Gold, de voornaamste juridisch adviseur van de CIA.

'Blijf waar je bent. Ik kom eraan,' zei Gold met zijn gebruikelijke nuchtere stem. Was er dan niets wat hem uit het veld kon slaan?

Toen voerde Marks een serie telefoongesprekken. Het zou een lange, zware nacht worden.

Rodney Feir had de tijd van zijn leven. Toen hij met Afrique naar een van de kamers achter in The Glass Slipper ging, voelde hij zich in de zevende hemel. Terwijl hij een Viagra slikte, besloot hij haar te vragen een aantal dingen te doen die hij nooit eerder had geprobeerd. *Waarom ook niet?* vroeg hij zich af.

Hij kleedde zich uit en dacht intussen aan de informatie over de veldagenten van Typhon die Peter Marks hem via de interne post van de CIA had gestuurd. Feir had nadrukkelijk tegen Marks gezegd dat hij die gegevens niet elektronisch toegestuurd wilde krijgen omdat dat niet veilig was. De gegevens zaten opgevouwen in de binnenzak van zijn jas en hij zou ze aan generaal Kendall geven voordat ze The Glass Slipper verlieten. Hij had ze ook onder het eten kunnen overhandigen, maar hij vond dat na alle genoegens die ze zich hadden gepermitteerd een glas champagne de juiste manier was om de avond te besluiten.

Afrique lag al languit op het bed, haar grote ogen half dicht, maar ze kwam ter zake zodra Feir bij haar lag. Hij probeerde zich te concentreren op wat er gebeurde, maar omdat zijn lichaam er al helemaal door in beslag werd genomen, was dat niet nodig. In plaats daarvan dacht hij aan de dingen die hem echt gelukkig maakten, bijvoorbeeld dat hij Peter Marks het nakijken zou geven. In zijn jeugd waren mensen als Marks – en ook Batt – degenen geweest die alles op hem voor hadden, intelligente jongens met spierkracht. Ze hadden zijn leven bedorven. Het waren de jongens die een grote vriendenkring hadden, die alle mooie meisjes konden krijgen, die in auto's reden terwijl hij nog op een scooter rondtufte. Hij was de nerd, de niet zo magere – zeg maar gerust dikke – jongen die het mikpunt van al hun grappen was, die werd geïntimideerd en buitengesloten, die ondanks zijn hoge IQ geen woord kon uitbrengen en niet voor zichzelf kon opkomen.

Hij was als veredelde kantoorklerk bij de CIA gekomen en had zich weliswaar omhooggewerkt maar was altijd buiten het veldwerk of de contraspionage gebleven. Nee, hij was hoofd veldondersteuning. Dat betekende dat hij de leiding had van het verzamelen en verspreiden van de papieren die waren opgesteld door uitgerekend de CIA-agenten op wie hij zo jaloers was. Zijn kantoor was het middelpunt van vraag en aanbod, en soms kon hij zichzelf ervan overtuigen dat hij aan het hoofd stond van het zenuwcentrum van de CIA. Meestal daarentegen zag hij zich zoals hij werkelijk was: iemand die verantwoordelijk was voor de verwerking van elektronische lijsten, formulieren, verzoeken, materiaaltoekenningen, budgetspreadsheets, personeelsprofielen, vrachtbrieven – een ware lawine van bestanden die door het intranet van de CIA vlogen. Met andere woorden, hij was iemand die informatie verwerkte. Verder had hij niets te zeggen.

Hij was nu gehuld in genot. Een warme, trage spanning verspreidde zich vanuit zijn kruis naar zijn bovenlijf en ledematen. Hij deed zijn ogen dicht en zuchtte.

In het begin had hij er geen moeite mee gehad om een anoniem radertje in de CIA-machine te zijn, maar toen de jaren verstreken en hij opklom in de hiërarchie, had alleen de Oude Man zijn waarde ingezien, want de Oude Man had hem steeds weer promotie gegeven. Niemand anders – zeker niet een van de andere directeuren – zei ooit een woord tegen hem tenzij ze iets van hem nodig hadden.

Dan vloog er ineens een verzoek door de CIA-cyberspace, zo snel als je 'ik heb het direct nodig' kon zeggen. Als hij ze gaf wat ze direct nodig hadden, kreeg hij geen enkele reactie, zelfs geen knikje op de gang, maar er hoefde zich maar een klein beetje vertraging voor te doen, om welke reden dan ook, en ze stortten zich op hem als spechten op een boom vol insecten. Ze bleven hem lastigvallen tot ze hadden wat ze wilden, en dan was het weer stil. Hij vond het een trieste ironie dat hij zelfs binnen zo'n geheimzinnige organisatie als de CIA een buitenstaander was.

Het was vernederend om een van die stereotiepe Amerikanen te zijn die keer op keer zand in hun gezicht geschopt kregen. Wat haatte hij zichzelf omdat hij een levend, ademend cliché was! Deze avonden met generaal Kendall gaven kleur en betekenis aan zijn leven, de clandestiene ontmoetingen in de sauna van de sportschool, de diners in barbecuetenten in SE en dan de heerlijke chocoladebruine nachtmutsjes in The Glass Slipper, waar hij er eindelijk eens helemaal bij hoorde in plaats van met zijn neus tegen de ruit van iemand anders gedrukt te staan. Omdat hij wist dat hij niet meer kon veranderen moest hij er genoegen mee nemen zich helemaal te laten gaan in Afriques bed in The Glass Slipper.

Generaal Kendall zat een sigaret te roken in de kraal, de naam die ze aan de kamer hadden gegeven waar de meisjes voor de gasten langs paradeerden. Hij genoot intens. Als hij al aan zijn baas dacht, was het aan de hartaanval die LaValle bij de aanblik van dit alles zou krijgen. Aan zijn gezin dacht hij helemaal niet. In tegenstelling tot Feir, die altijd hetzelfde meisje nam, hield Kendall, als het op de vrouwen van The Glass Slipper aankwam, van afwisseling, en waarom ook niet? Op alle andere terreinen van zijn leven had hij bijna geen keus. Als hij hier geen keus had, waar dan wel?

Hij zat op de purperen fluwelen bank, zijn ene arm over de rugleuning, en keek met half dichtgeknepen ogen naar de langzame parade van vlees. Hij had zijn keuze al bepaald, het meisje was zich in haar kamer aan het uitkleden, maar toen Bev naar hem toe was gekomen met de suggestie dat hij misschien iets bijzonders zou willen – nog een meisje om een trio te vormen – had hij niet geaarzeld. Hij had al op het punt gestaan zijn keuze te maken toen hij iemand zag. Ze was onmogelijk lang, met een huid als de donkerste chocolade, en ze bezat zo'n vorstelijke schoonheid dat het zweet hem uitbrak.

Hij keek Bev aan en ze kwam naar hem toe. Bev kende zijn verlangens. 'Ik wil haar,' zei hij tegen Bev, en hij wees naar de vorstelijke schoonheid.

'Ik ben bang dat Kiki niet beschikbaar is,' zei ze.

Na dat antwoord wilde Kendall haar des te meer. De doortrapte heks; ze kende hem te goed. Hij haalde vijf biljetten van honderd dollar tevoorschijn. 'En nu?' zei hij.

Zoals altijd stak Bev het geld in haar zak. 'Laat het maar aan mij over,' zei ze.

De generaal zag haar tussen de meisjes door lopen naar Kiki, die enigszins bij de anderen vandaan stond. Terwijl hij hen zag praten, sloeg zijn hart als een oorlogstrommel in zijn borst. Hij zweette zo erg dat hij zijn handpalmen aan het purperen fluweel van de armleuning van de bank moest afvegen. Als ze nee zei, wat zou hij dan doen? Maar ze zei niet nee, ze keek door de kamer naar hem met een glimlach die zijn temperatuur enkele graden omhoog liet gaan. Jezus, wat wilde hij haar!

Alsof hij in trance was, zag hij haar door de kamer naar hem toe komen, wiegend met haar heupen en met die betoverende vage glimlach. Hij stond op, al kostte dat hem moeite. Hij voelde zich een maagd van zeventien. Kiki stak haar hand uit en hij pakte hem vast, doodsbang dat ze terug zou deinzen als die van hem te vochtig was, maar de vage glimlach verdween niet van haar gezicht.

Hij beleefde er een intens genot aan om zich door haar langs alle andere meisjes te laten leiden. Hij genoot van hun jaloerse blikken.

'Welke kamer heb je?' mompelde Kiki met een stem als honing.

Kendall, die haar kruidige muskusachtige geur inademde, kon zijn stem niet vinden. Hij wees, en ze leidde hem opnieuw met zich mee alsof hij aan een leiband liep. Even later stonden ze voor de deur.

'Weet je zeker dat je vanavond twee meisjes wilt?' Ze streek met haar heup langs de zijne. 'Voor veel mannen die ik heb ontmoet was ik meer dan genoeg.'

Er trok een heerlijke rilling over de ruggengraat van de generaal, een gevoel dat uiteindelijk als een verhitte pijl tussen zijn dijen bleef zitten. Hij stak zijn hand uit en maakte de deur open. Lena kronkelde naakt op het bed. Hij hoorde de deur achter zich dichtgaan. Zonder erbij na te denken kleedde hij zich uit. Toen stapte hij over de berg van zijn kleren heen, pakte Kiki's hand vast en liep naar het bed. Hij knielde erop neer, ze liet zijn hand los, en hij viel op Lena.

Hij voelde Kiki's handen op zijn schouders en ging kreunend op in Lena's weelderige lichaam. Het genot was des te groter doordat hij zich kon verheugen op Kiki's lange, lenige lichaam, dat ze tegen zijn glanzende rug drukte.

Het duurde even voordat hij besefte dat de snelle lichtflitsen niet het gevolg waren van de verhoogde opwinding van zenuwuiteinden achter zijn ogen. Verdoofd van seks en verlangen, kon hij zijn hoofd alleen maar langzaam omdraaien, en op dat moment keek hij weer in een reeks flitsen. Zelfs toen, terwijl de negatiefbeelden achter zijn netvliezen dansten, kon zijn benevelde brein niet helemaal begrijpen wat er gebeurde en bleef zijn lichaam zich ritmisch tegen Lena's soepele vlees bewegen.

De camera flitste weer. Te laat stak hij zijn hand op om zijn ogen af te schermen, en de grimmige realiteit keek hem recht aan. Kiki, nog steeds aangekleed, bleef foto's van hem en Lena maken.

'Lachen, generaal,' zei ze met die sensuele, honingzoete stem. 'Je kunt niets anders doen.'

'Ik heb te veel woede in me,' zei Petra. 'Het is net een van die vlees-etende ziekten waar je over leest.'

'Dachau is giftig voor je, en München nu ook,' zei Bourne. 'Je moet hier weg.'

Ze ging naar de linkerrijbaan en trapte nog meer op het gas. Ze waren op de terugweg naar München in de auto die Pelz' oomzegger op naam van die oomzegger voor hem had gekocht. De politie keek misschien nog naar hen beiden uit, maar het enige spoor dat ze hadden was Petra's appartement in München, en ze waren geen van beiden van plan daar in de buurt te komen. Zolang ze niet uitstapte, dacht Bourne dat het redelijk veilig was als ze hem naar de stad terugreed.

'Waar kan ik heen?' zei ze.

'Ga helemaal uit Duitsland weg.'

Ze lachte, maar het was geen aangenaam geluid. 'Hard weglopen, bedoel je?'

'Waarom zou je het zo zien?'

'Omdat ik een Duitse ben. Ik hoor hier thuis.'

'De politie van München is op zoek naar je,' zei hij.

'En als ze me vinden, zit ik mijn straf voor de moord op je vriend uit.' Ze knipperde met haar licht om een langzamere auto uit de weg te krijgen. 'Intussen heb ik geld. Ik kan leven.'

'Maar wat ga je doen?'

Ze keek hem met een scheve grijns aan. 'Ik ga voor Virgil zorgen. Hij moet afkicken; hij heeft iemand nodig die om hem geeft.' Ze naderden de stad en ze veranderde van rijbaan om eraf te kunnen als het nodig was. 'De politie vindt me niet,' zei ze met een vreemd soort zekerheid, 'want ik breng hem hier ver vandaan. Virgil en ik worden twee vrijbuiters die een heel nieuwe manier van leven gaan leren.'

Egon Kirsch woonde in de noordelijke wijk Schwabing, die als een wijk van jonge intellectuelen bekendstond vanwege de universitaire studenten die je overal in de straten, cafés en bars zag.

Toen ze bij het grote plein van Schwabing kwamen, stopte Petra. 'Toen ik nog jonger was, kwam ik hier vaak met mijn vrienden. We waren toen allemaal militanten. We voerden actie voor verandering en voelden ons met dit plein verbonden, want van hieruit heeft de Freiheitsaktion Bayern, een van de beroemdste verzetsgroepen, tegen het eind van de oorlog Radio München veroverd. Via de radio riepen ze de bevolking op om alle plaatselijke nazileiders gevangen te nemen en afschuw van het regime te laten blijken door witte lakens uit de ramen te hangen – iets waar trouwens de doodstraf op stond. Ze hebben ook veel burgerlevens gered toen het Amerikaanse leger hier aankwam.'

'Eindelijk vinden we in München iets waar zelfs jij trots op kunt zijn,' zei Bourne.

'Misschien wel.' Petra lachte bijna bedroefd. 'Maar van al mijn vrienden ben ik de enige die revolutionair is gebleven. De anderen werken tegenwoordig in het bedrijfsleven of zijn huisvrouw. Ze leiden trieste, grauwe levens. Ik zie ze soms nog wel als ze naar hun werk of naar huis sjokken. Ik loop ze voorbij en ze kijken niet eens op. Uiteindelijk hebben ze me allemaal teleurgesteld.'

Kirsch' appartement bevond zich op de bovenste verdieping van een mooi huis met grijs stucwerk, gewelfde ramen en een pannendak van terracotta. Tussen twee van de ramen zat een nis met een beeld van de maagd Maria die het kindje Jezus in haar armen hield.

Petra stopte voor het gebouw. 'Ik wens je alle goeds, Amerikaan,' zei ze. Ze gebruikte met opzet de term van Virgil Pelz. 'Bedankt... voor alles.'

'Je zult het misschien niet geloven, maar we hebben elkaar geholpen,' zei Bourne toen hij uitstapte. 'Veel succes, Petra.'

Toen ze was weggereden, draaide hij zich om, ging de trap op naar het gebouw en gebruikte de code die Kirsch hem had gegeven om de voordeur open te maken. Het interieur was netjes en smetteloos schoon. De gelambriseerde hal glansde van de was. Bourne beklom de gebogen houten trap naar de bovenste verdieping en gebruikte Kirsch' sleutel om naar binnen te gaan. Hoewel het appartement zelf licht en luchtig was, met veel ramen die uitkeken op de straat, heerste er een diepe stilte, alsof het zich op de bodem van de zee bevond. Er was geen tv, geen computer. Langs een hele muur van de huiskamer stonden boekenkasten met werken van Nietzsche, Kant, Descartes, Heidegger, Leibniz en Machiavelli. Er waren ook boeken van veel van de grote wiskundigen, biografen, romanschrijvers en economen. De andere muren waren bedekt met Kirsch' ingelijste of van een passe-partout voorziene lijntekeningen, zo gedetailleerd en ingewikkeld dat het op het eerste gezicht bouwtekeningen leken, waarna ze plotseling scherp in beeld kwamen en Bourne besefte dat het abstracte tekeningen waren. Als alle goede kunst leken ze heen en weer te bewegen tussen de realiteit en een droomwereld waarin alles mogelijk was.

Nadat hij vlug door alle kamers was gelopen, ging hij in een stoel achter Kirsch' bureau zitten. Hij dacht lang en diep na over de professor. Was hij Dominic Specter, de vijand van het Zwarte Legioen, zoals hij beweerde te zijn, of was hij Asher Sever, de leider van het Zwarte Legioen? Als hij Sever was, had hij zelf de aanval op zichzelf geënsceneerd – een ingewikkeld plan dat mensenlevens had gekost. Kon de professor zich schuldig hebben gemaakt aan zo'n irrationele daad? Ja, als hij de leider van het Zwarte Legioen was, kon dat. Ten tweede had Bourne zich afgevraagd waarom de professor de gestolen tekening aan Pjotrs onbetrouwbare netwerk had toevertrouwd. Maar er was nog een raadsel: als de professor dezelfde persoon was als Sever, waarom wilde hij die papieren dan zo graag in handen krijgen? Dan zou hij ze toch al hebben? Die twee vragen gingen steeds maar weer door Bournes hoofd zonder dat hij een bevredigend antwoord vond. Hij begreep niets van de situatie waarin hij zich bevond. Dat betekende dat een essentieel stukje van de puzzel ontbrak. Toch had hij het hardnekkige gevoel dat hij, net als de tekeningen van Egon Kirsch, twee afzonderlijke realiteiten te zien kreeg – wist hij nu maar welke echt was en welke vals.

Ten slotte dacht hij na over iets wat hem al sinds het incident in het Egyptisch Museum had dwarsgezeten. Hij wist dat Franz Jens de enige was geweest die hem tot in het museum was gevolgd. Hoe kon Arkadin dan weten waar hij was? Arkadin moest Jens hebben vermoord. Hij moest ook opdracht hebben gegeven Egon Kirsch te vermoorden, maar nogmaals: hoe wist hij waar Kirsch was?

De antwoorden op beide vragen waren een kwestie van tijd en plaats. Hij was niet naar het museum gevolgd, dus... Opeens had hij het koud. Hij dacht diep na. Als hij niet fysiek gevolgd was, moest hij ergens een zendertje op zijn lichaam hebben. Maar hoe was het daar aangebracht? Iemand kon op het vliegveld tegen hem aan zijn gebotst. Hij stond op en kleedde zich langzaam uit. Daarbij onderzocht hij elk kledingstuk, op zoek naar een elektronisch apparaatje. Hij vond niets, kleedde zich aan en ging weer in de stoel zitten, diep in gedachten verzonken.

Met zijn fotografisch geheugen nam hij elke stap van zijn reis van Moskou naar München door. Toen hij zich de ambtenaar van de Duitse immigratiedienst herinnerde, besefte hij dat zijn paspoort bijna een halve minuut uit zijn handen was geweest. Hij haalde het uit zijn borstzak, bladerde het door en onderzocht elke bladzijde visueel en door er met zijn vinger overheen te strijken. Aan de binnenkant van de achterkant vond hij, in de vouw van het bindwerk, het minuscule zendertje.

37

'Wat is het alleen al geweldig om die frisse nachtlucht in te ademen,' zei Veronica Hart toen ze even buiten het Pentagon op het trottoir stond.

'Met dieseldampen en al,' zei Stu Gold.

'Ik wist wel dat LaValle geen succes zou hebben met zijn beschuldigingen,' zei ze toen ze naar zijn auto liepen. 'Je kunt zo zien dat ze verzonnen zijn.'

'Ik zou het nog maar niet vieren,' zei de advocaat. 'LaValle heeft me verteld dat hij die surveillancefoto's van jou met Bourne morgen aan de president laat zien. Dan kan de president je ontslaan.'

'Kom nou, Stu, dat waren particuliere gesprekken van Martin Lindros en een burger, Moira Trevor. Er kwam niets in voor. LaValle heeft alleen gebakken lucht.'

'Hij heeft de minister van Defensie,' zei Gold. 'Gezien de omstandigheden is dat al genoeg om jou in moeilijkheden te brengen.'

Er stak wind op. Hart pakte haar haar vast en schoof het van haar gezicht weg. 'Dat hij naar de CIA kwam en mij geboeid naar buiten voerde... Met dat spektakel heeft LaValle een grote fout gemaakt.' Ze draaide zich om en keek naar het hoofdkwartier van de NSA, waar ze drie uur gevangen had gezeten totdat Gold met zijn rechterlijk bevel kwam om haar vrij te krijgen. 'Hij heeft me vernederd en daar zal hij voor boeten.'

'Veronica, doe geen overijlde dingen.' Gold maakte het autoportier open en hielp haar instappen. 'LaValle kennende, acht ik het heel waarschijnlijk dat hij juist wil dat je iets doms doet. Zo worden fatale fouten gemaakt.'

Hij liep om de voorkant van de auto heen en ging achter het stuur zitten. Ze reden weg.

'We kunnen dit niet op ons laten zitten, Stu. Als we hem niet tegenhouden, kaapt hij de CIA onder onze neus vandaan.' Toen ze over de Arlington Memorial Bridge reden, zag ze de nacht van Virginia overgaan in de nacht van Washington. Het Lincoln Memorial verhief zich recht tegenover hen. 'Ik heb een belofte gedaan toen ik in dienst kwam.'

'Zoals alle CIA-directeuren.'

'Nee, ik heb het over een persoonlijke belofte.' Ze wilde erg graag Lincoln op zijn stoel zien zitten, een president die over al het onbekende nadacht waarmee ieder mens te maken had. Ze vroeg Gold daar te stoppen. 'Ik heb dit nooit aan iemand verteld, Stu, maar op de dag dat ik officieel directeur van de CIA werd ben ik naar het graf van de Oude Man gegaan. Ben jij ooit op de nationale begraafplaats Arlington geweest? Het is een kalmerende plaats, maar op zijn eigen manier ook een stimulerende plaats. Zoveel helden, zoveel moed, de grondslag van onze vrijheid, Stu, van ons allemaal.'

Ze waren bij het monument aangekomen. Ze stapten uit, liepen naar het majestueuze, felverlichte granieten beeld en keken omhoog naar Lincolns strenge, wijze gezicht. Iemand had een boeket bloemen bij zijn voeten gelegd. De verschrompelde bloemhoofdjes knikkebolden in de wind.

'Ik ben een hele tijd bij het graf van de Oude Man gebleven,' ging Hart verder met een stem alsof ze ver weg was. 'Ik zweer je dat ik hem kon voelen, dat ik iets tegen me aan voelde bewegen, en toen in me.' Ze draaide haar hoofd opzij om de advocaat aan te kijken. 'We hebben bij de CIA een oud en prachtig erfgoed, Stu. Ik heb toen gezworen, en ik zweer nu, dat ik dat erfgoed door niets of niemand zal laten aantasten.' Ze haalde diep adem. 'Wat daar ook voor nodig mag zijn.'

Gold keek terug zonder met zijn ogen te knipperen. 'Weet je wat je verlangt?'

'Ja, ik geloof van wel.'

Ten slotte zei hij: 'Goed, Veronica. Jij mag het zeggen. Wat er ook voor nodig mag zijn.'

Rodney Feir, die zich na zijn lichamelijke activiteit energiek en onkwetsbaar voelde, ontmoette generaal Kendall in de champagnekamer. Die kamer was gereserveerd voor vips die de genoegens van de avond hadden gesmaakt en nog even wilden blijven, met of zonder hun meisjes. Natuurlijk was het veel duurder om hier met meisjes te zijn dan zonder.

De champagnekamer was ingericht als een vertrek van een pasja in het Midden-Oosten. De twee mannen lagen loom op grote kussens terwijl hun de champagne van hun keuze werd gepresenteerd. Feir was van plan de generaal nu de gegevens van Typhons veldagenten te overhandigen, maar eerst wilde hij nog even helemaal opgaan in het pure genot dat de achterkamers van The Glass Slipper te bieden hadden. Als hij straks buiten kwam, zou de echte wereld weer op hem neerstorten met alle ergernissen, vernederingen, sleur en de angst die hij telkens had als hij iets ging doen om LaValles positie ten opzichte van de CIA-directeur te versterken.

Kendall had zijn mobieltje in zijn hand en zat er nogal stijfjes bij, zoals het een militair betaamde. Feir veronderstelde dat de man zich helemaal niet op zijn gemak voelde in zo'n luxueuze omgeving. De mannen praatten een tijdje, dronken hun champagne en verkondigden theorieën over anabole steroïden en honkbal, over de kans dat de Redskins de play-offs van volgend jaar zouden halen, over de grillige bewegingen van de effectenmarkt, over alles behalve politiek.

Na een tijdje, toen de champagnefles bijna leeg was, keek Kendall op zijn horloge. 'Wat heb je voor me?'

Dit was het moment waarnaar Feir had uitgekeken. Hij kon bijna niet wachten tot hij het gezicht van de generaal zag op het moment dat die een glimp van de informatie opving. Hij greep in de zak in de voering van zijn jas en haalde het pakje tevoorschijn. Een papieren exemplaar was het gemakkelijkste middel om gegevens uit het CIA-gebouw te smokkelen, want de beveiligingssystemen signaleerden het komen en gaan van elk apparaat met een harde schijf die groot genoeg was voor substantiële databestanden.

Er verscheen een brede glimlach op Feirs gezicht. 'Alles. Alle gegevens van de Typhon-agenten over de hele wereld.' Hij hield het pakje omhoog. 'Laten we het er nu over hebben wat ik in ruil krijg.'

'Wat wil je?' zei Kendall zonder veel enthousiasme. 'Een hoger salaris? Meer zeggenschap?'

'Ik wil respect,' zei Feir. 'Ik wil dat LaValle evenveel respect voor me heeft als jij.'

Er speelde een merkwaardig glimlachje om de mondhoeken van de generaal. 'Ik kan niet namens Luther spreken, maar ik zal zien wat ik kan doen.'

Toen hij zich naar voren boog om de gegevens aan te pakken, vroeg Feir zich af waarom hij zo ernstig was – nee, meer dan ernstig, hij was somber. Feir wilde hem er net naar vragen toen een lange, elegante slanke vrouw opeens foto's maakte.

'Wat is dit?' vroeg hij tussen de oogverblindende flitsen door.

Toen hij weer helder kon zien, zag hij Soraya Moore naast hen staan. Ze had het pakje met gegevens in haar hand.

'Dit is geen goede avond voor jou, Rodney.' Ze pakte het mobieltje van de generaal op, drukte er met haar duim op, en meteen was het hele gesprek tussen de generaal en Feir te horen. Het was opgenomen en kon worden afgedraaid om iedereen naar zijn verraad te laten luisteren. 'Nee. Al met al zal dit het einde van de rit voor jou zijn.'

'Ik ben niet bang voor de dood,' zei Devra, 'als je je daar zorgen over maakt.'

'Ik maak me geen zorgen,' zei Arkadin. 'Waarom denk je dat ik me zorgen maak?'

Ze beet in het chocolade-ijs, dat hij voor haar had gekocht. 'Je hebt die diepe verticale streep tussen je ogen.'

Ze wilde ijs, al was het midden in de winter. Misschien ging het haar om de chocolade, dacht hij. Niet dat het er iets toe deed. Op een vreemde manier was het altijd prettig om haar met kleine dingen een plezier te doen – alsof hij zichzelf daarmee ook een plezier deed, al leek dat hem onmogelijk.

'Ik maak me geen zorgen,' zei hij. 'Ik ben heel erg kwaad.'

'Omdat je baas tegen je zei dat je bij Bourne uit de buurt moest blijven.'

'Ik blijf niet bij Bourne uit de buurt.'

'Dan wordt je baas kwaad.'

'Er komt nog wel een gelegenheid,' zei Arkadin, en hij ging vlugger lopen.

Ze waren in het centrum van München; hij wilde op een centrale locatie zijn als Ikoepov hem vertelde waar hij Bourne zou ontmoeten, want dan kon hij er zo snel mogelijk zijn.

'Ik ben niet bang voor de dood,' herhaalde Devra. 'Al vraag ik me wel af wat je doet als je geen herinneringen meer hebt.'

Arkadin keek haar aan. 'Wat?'

'Als je naar een dode kijkt, wat zie je dan?' Ze nam weer een hap ijs tussen haar tanden, zodat er kleine inkepingen achterbleven in wat er van het bolletje was overgebleven. 'Niets, toch zeker? Helemaal niets. Het leven is het nest ontvlogen, en tegelijk daarmee zijn alle herinneringen verdwenen die in de loop van de jaren zijn opgebouwd.' Ze keek hem aan. 'Op dat moment houd je op menselijk te zijn. Wat ben je dan nog wel?'

'Wie kan dat een moer schelen?' zei Arkadin. 'Het is helemaal niet gek om geen herinneringen te hebben.'

Soraya kwam kort voor tien uur 's morgens bij het NSA-huis aan. Toen ze de verschillende veiligheidscontroles was gepasseerd en de Bibliotheek werd binnengeleid, was ze dan ook precies op tijd.

'Ontbijt, mevrouw?' vroeg Willard terwijl hij haar over het weelderige tapijt leidde.

'Ja, vandaag wel,' zei ze. 'Een omelet met fijne kruiden zou lekker zijn. Heb je een baguette?'

'Jazeker, mevrouw.'

'Goed.' Ze verlegde het bewijsmateriaal tegen generaal Kendall van de ene naar de andere hand. 'En een pot ceylonthee, Willard. Dank je.'

Ze liep door naar de plaats waar Luther LaValle zijn ochtendkoffie zat te drinken. Hij keek uit het raam en wierp een scheef oog op het vroege voorjaar. Het was zo warm dat er in de haard alleen maar koude, witte as lag.

Hij keek niet om toen ze ging zitten. Ze legde de map met bewijsmateriaal op haar schoot en zei toen zonder nadere inleiding: 'Ik kom Tyrone halen.'

LaValle negeerde haar. 'Er is niets met jouw Zwarte Legioen aan de hand. Er zijn geen ongewone terroristische activiteiten in de Verenigde Staten. We hebben niets ontdekt.'

'Heb je gehoord wat ik zei? Ik kom Tyrone halen.'

'Dat gaat niet gebeuren,' zei LaValle.

Soraya haalde Kendalls mobiele telefoon tevoorschijn en speelde het gesprek af dat hij in de champagnekamer van The Glass Slipper met Rodney Feir had gehad.

'*Alle gegevens van de Typhon-agenten over de hele wereld,*' zei Feirs stem. '*Laten we het er nu over hebben wat ik in ruil krijg.*'

Generaal Kendall: '*Wat wil je? Een hoger salaris? Meer zeggenschap?*'

Feir: '*Ik wil respect. Ik wil dat LaValle evenveel respect voor me heeft als jij.*'

'Nou en?' LaValle keek om. Zijn ogen waren donker en glazig. 'Dat is Feirs probleem, niet het mijne.'

'Misschien heb je gelijk.' Soraya schoof de map over de tafel naar hem toe. 'Maar dit is wel degelijk jouw probleem.'

LaValle keek haar even aan. Zijn ogen zaten nu vol gif. Zonder zijn blik te laten zakken stak hij zijn hand uit en maakte hij de map open. Daar zag hij de ene na de andere foto van generaal Kendall, poedelnaakt, betrapt op gemeenschap met een jonge zwarte vrouw.

'Welke gevolgen kan het voor die carrièreofficier en vrome christelijke huisvader hebben als dat verhaal uitkomt?'

Willard kwam met haar ontbijt. Hij dekte de tafel met een strak wit tafellaken. Serviesgoed en bestek kwamen op precies de juiste plaats terecht. Toen hij klaar was, keek hij LaValle aan. 'Iets voor u, meneer?'

LaValle stuurde hem met een kleine snelle handbeweging weg. Weer bekeek hij de foto's. Toen haalde hij een mobieltje tevoorschijn, legde het op de tafel en duwde het naar haar toe.

'Bel Bourne,' zei hij.

Soraya verstijfde met een vork vol omelet halverwege haar mond. 'Pardon?'

'Ik weet dat hij in München is. Onze mensen daar hebben hem op de bewakingscamera's van het vliegveld gezien. Ik heb daar mensen om hem in hechtenis te nemen. U hoeft hem alleen maar in de val te laten lopen.'

Ze lachte en legde haar vork neer. 'U droomt, meneer LaValle. Ik heb u in de klem, niet andersom. Als deze foto's in de openbaarheid komen, kan uw rechterhand het wel schudden, zowel professioneel als persoonlijk. U weet net zo goed als ik dat u dat niet laat gebeuren.'

LaValle pakte de foto's op en liet ze weer in de envelop glijden. Toen pakte hij een pen en schreef een naam en adres op de voorkant van de envelop. Hij wenkte Willard, en zodra die er was, zei LaValle: 'Wil je deze foto's laten scannen en elektronisch naar *The Drudge Report* sturen? En laat ze dan zo gauw mogelijk per koerier naar *The Washington Post* brengen.'

'Uitstekend, meneer.' Willard stak de envelop onder zijn arm en verdween naar een ander deel van de Bibliotheek.

Toen haalde LaValle zijn mobiele telefoon tevoorschijn en belde een lokaal nummer. 'Gus, met Luther LaValle. Goed, goed. Hoe gaat het met Ginnie? Goed, doe haar de groeten van me. De kinderen ook... Moet je horen, Gus, ik zit hier met een probleem. Er zijn bewijzen gevonden tegen generaal Kendall. Ja, dat klopt, er wordt al maanden een intern onderzoek tegen hem ingesteld. Met onmiddellijke ingang is hij ontslagen uit de NSA. Nou, je zult het zien. Op dit moment zijn er foto's naar jou onderweg. Natuurlijk is het exclusief, Gus. Echt waar, ik ben geschokt, diep geschokt. Dat zul jij ook zijn als je de foto's ziet... Ik stuur je binnen veertig minuten een officiële verklaring. Ja, natuurlijk. Je hoeft me niet te bedanken, Gus. Ik denk altijd het eerst aan jou.'

Soraya keek naar dit alles met een misselijk gevoel in het diepst van haar maag. Dat gevoel zwol aan van een ijsbal van ongeloof tot een ijsberg van ongeloof.

'Hoe kon u dat doen?' zei ze toen LaValle klaar was met zijn telefoongesprek. 'Kendall is uw plaatsvervanger, uw vriend. U en hij gaan elke zondag samen met uw gezinnen naar de kerk.'

'Ik heb geen permanente vrienden of bondgenoten; ik heb alleen permanente belangen,' zei LaValle onbewogen. 'U zult een verdomd betere directeur zijn als u dat inziet.'

Ze haalde nog een stel foto's tevoorschijn, waarop te zien was dat Feir een pakje aan generaal Kendall gaf. 'Dat pakje,' zei ze, 'bevat gegevens over de aantallen en locaties van veldpersoneel van Typhon.'

LaValle bleef haar minachtend aankijken. 'Wat heb ik daarmee te maken?'

Voor de tweede keer moest Soraya moeite doen om haar verbazing te camoufleren. 'Uw plaatsvervanger krijgt daar geheime CIA-informatie in zijn bezit.'

'Daar moet u met uw eigen mensen over praten.'

'Ontkent u dat u generaal Kendall opdracht heeft gegeven Rodney Feir als informant te rekruteren?'

'Ja, dat ontken ik.'

Soraya kreeg bijna geen lucht meer. 'Ik geloof u niet.'

LaValle keek haar met een ijzig glimlachje aan. 'Het doet er niet toe wat u gelooft, directeur. Alleen de feiten tellen.' Hij schoot de foto met zijn nagel weg. 'Wat generaal Kendall ook deed, hij deed het op eigen initiatief. Ik weet daar niets van.'

Soraya vroeg zich af hoe alles zo mis kon gaan. Toen schoof LaValle de telefoon opnieuw over de tafel.

'Bel nu Bourne.'

Ze had een gevoel alsof er een stalen band om haar borst zat; het bloed gonsde in haar oren. *Wat nu?* zei ze tegen zichzelf. *Lieve god, wat kan ik doen?*

Ze hoorde haar eigen stem: 'Wat moet ik tegen hem zeggen?'

LaValle haalde een papier tevoorschijn waar een tijd en een plaats op stonden. 'Hij moet hierheen gaan, om deze tijd. Zeg tegen hem dat u in München bent, dat u over uiterst belangrijk materiaal over de aanslag van het Zwarte Legioen beschikt en dat hij dat zelf moet inzien.'

Soraya's hand was zo glad van het zweet dat ze hem met haar

servet afveegde. 'Hij wordt achterdochtig als ik hem niet met mijn eigen telefoon bel. Misschien neemt hij in dat geval niet eens op, want dan weet hij niet dat ik het ben.'

LaValle knikte, maar toen ze haar telefoon pakte, zei hij: 'Ik ga luisteren naar elk woord dat u zegt. Als u hem probeert te waarschuwen, verzeker ik u dat uw vriend Tyrone dit gebouw niet levend verlaat. Is dat duidelijk?'

Ze knikte maar deed niets.

LaValle keek naar haar als naar een kikker die opengesneden op een ontleedtafel lag. Hij zei: 'Ik weet dat u dit niet wilt doen, directeur. Ik weet dat u dit absolúút niet wilt doen. Maar u zúlt Bourne bellen en u zúlt die val voor me leggen, want ik ben sterker dan u. Daarmee bedoel ik mijn wil. Ik krijg wat ik wil, directeur, tot elke prijs, maar u niet – u hebt te veel gevóél voor een lange carrière in het inlichtingenwerk. U bent ten ondergang gedoemd en dat weet u zelf ook wel.'

Soraya had na de eerste paar woorden al niet meer naar hem geluisterd. Ze had zich voorgenomen de situatie naar haar hand te zetten, de catastrofe om te zetten in een overwinning, en deed nu verwoede pogingen een nieuwe tactiek te bepalen. *Eén stap tegelijk,* zei ze tegen zichzelf. *Ik moet nu niet aan Tyrone denken, of aan de mislukte truc met Kendall, of aan mijn eigen schuldgevoelens. Ik moet nu aan dit telefoontje denken; hoe kan ik voorkomen dat Jason wordt opgepakt?*

Het leek onmogelijk, maar zo'n gedachte was defaitistisch en hielp haar geen steek verder. Maar... wat kon ze doen?

'Na uw telefoontje,' zei LaValle, 'blijft u hier en houden we u in het oog totdat Bourne in hechtenis is genomen.'

In het onbehaaglijke besef dat hij zijn gretige ogen op haar gericht hield, klapte ze haar mobieltje open en belde ze Jason.

Toen ze zijn stem hoorde, zei ze: 'Hallo, met mij. Soraya.'

Bourne stond in het appartement van Egon Kirsch en keek naar buiten toen zijn mobieltje ging. Hij zag Soraya's nummer op het scherm verschijnen en hoorde haar zeggen: 'Hallo, met mij. Soraya.'

'Waar ben je?'

'Ik ben zowaar in München.'

Hij ging op de armleuning van een fauteuil zitten. 'O ja? Hier in München?'

'Dat zei ik.'

Hij fronste zijn wenkbrauwen en hoorde echo's in zijn hoofd van ver weg. 'Ik ben verbaasd.'

'Niet zo verbaasd als ik. De CIA weet dat je in München bent. Ze hebben beelden van de bewakingscamera's op het vliegveld.'

'Daar was niets aan te doen.'

'Vast niet. Hoe dan ook, ik ben hier niet voor officiële CIA-zaken. We zijn de communicatie van het Zwarte Legioen blijven volgen en we hebben eindelijk een doorbraak.'

Hij stond op. 'Wat dan?'

'De telefoon is te onveilig,' zei ze. 'We moeten elkaar spreken.' Ze noemde hem de plaats en de tijd.

Hij keek op zijn horloge en zei: 'Dat is over ruim een uur.'

'Dik in orde. Ik haal het wel. Jij ook?'

'Ik denk van wel,' zei hij. 'Tot straks.'

Hij verbrak de verbinding, liep naar het raam, leunde op de vensterbank en liet het gesprek woord voor woord door zijn gedachten gaan.

Het was of hij met een schok buiten zichzelf was gekomen – alsof hij buiten zijn lichaam was getreden en iets onderging wat iemand anders was overkomen. Zijn geest, die een seismische verschuiving in zijn neuronen registreerde, worstelde met een herinnering. Bourne wist dat hij dit gesprek eerder had gevoerd, maar hij kon zich echt niet herinneren waar of wanneer of welke betekenis het nu voor hem kon hebben.

Hij zou met zijn vruchteloze overpeinzingen zijn doorgegaan als de bel niet was gegaan. Hij wendde zich van het raam af, liep door de huiskamer en drukte op de knop die het slot van de buitendeur liet opengaan. Nu zouden Arkadin en hij eindelijk oog in oog staan – Arkadin, de legendarische moordenaar die zich in het vermoorden van moordenaars specialiseerde, die een streng beveiligde Russische gevangenis in en uit was geglipt zonder dat iemand het merkte, en die het gelukt was Pjotr en zijn hele netwerk te elimineren.

Er werd op de deur geklopt. Bourne bleef bij het kijkgaatje vandaan, en ook bij de deur zelf, en maakte hem vanaf de zijkant open. Er volgde geen schot, geen versplintering van hout en metaal. In plaats daarvan ging de deur naar binnen open en stapte een parmantig mannetje met een donkere huid en een spadevormige baard het appartement in.

'Draai je langzaam om,' zei Bourne.

De man hield zijn handen waar Bourne ze kon zien en draaide zich naar hem om. Het was Semion Ikoepov.

'Bourne,' zei hij.

Bourne haalde zijn paspoort tevoorschijn en maakte het open.

Ikoepov knikte. 'Ik zie het. Ga je me nu in opdracht van Dominic Specter vermoorden?'

'Je bedoelt Asher Sever.'

'Lieve help,' zei Ikoepov, 'daar gaat mijn verrassing.' Hij glimlachte. 'Ik beken dat ik geschokt ben. Evengoed moet ik je feliciteren, Bourne. Je bent iets te weten gekomen wat niemand anders weet. Al is het me een volslagen raadsel hoe dat kan.'

'Laten we het zo houden,' zei Bourne.

'Het geeft niet. Het gaat er nu om dat ik je er zo snel mogelijk van moet overtuigen dat Sever je heeft bespeeld. Omdat je zijn leugens al hebt doorgrond, kunnen we naar het volgende stadium gaan.'

'Waarom denk je dat ik ga luisteren naar iets wat je te zeggen hebt?'

'Als je Severs leugens hebt ontdekt, ken je ook de recente geschiedenis van het Zwarte Legioen. Dan weet je dat we ooit een soort broers waren en hoe diep de vijandschap tussen ons nu zit. We zijn vijanden, Sever en ik. Onze oorlog kan maar één resultaat hebben. Begrijp je dat?'

Bourne zei niets.

'Ik wil je helpen voorkomen dat zijn mensen een aanslag op jouw land plegen. Is dat duidelijk genoeg?' Hij haalde zijn schouders op. 'Ja, natuurlijk ben je sceptisch. Dat zou ik in jouw plaats ook zijn.' Hij bracht zijn linkerhand heel langzaam naar de rand van zijn jas en trok hem opzij zodat de voering te zien was. Er stak iets uit een binnenzak. 'Voordat er iets verkeerds gebeurt, kun je misschien beter even kijken naar wat ik hier heb.'

Bourne boog zich naar hem toe en pakte de SIG Sauer die Ikoepov in een holster aan zijn riem had. Toen trok hij het pakje los.

Terwijl hij het openmaakte, zei Ikoepov: 'Ik heb heel veel moeite moeten doen om die papieren van mijn vijand te stelen.'

Bourne zag dat het de bouwtekeningen van het Empire State Building waren. Toen hij opkeek, zag hij dat Ikoepov hem aandachtig gadesloeg. 'Daar wil het Zwarte Legioen zijn aanslag plegen. Weet je wanneer?'

'Jazeker.' Ikoepov keek op zijn horloge. 'Over precies drieëndertig uur en zesentwintig minuten.'

38

Veronica Hart keek naar *The Drudge Report* toen Stu Gold met generaal Kendall haar kamer binnenkwam. Ze zat voor haar bureau en de monitor stond naar de deur gekeerd, zodat Kendall een goed zicht had op de foto's van hemzelf en de vrouw uit The Glass Slipper. 'Dat is nog maar één site,' zei ze, en ze wees naar drie stoelen tegenover haar. 'Er zijn er nog veel meer.' Toen haar gasten waren gaan zitten, zei ze tegen Kendall: 'Wat zal uw gezin hier wel niet van zeggen, generaal? Uw dominee en de gemeente?' Ze bleef neutraal kijken. Het mocht niet aan haar stem te horen zijn hoe prachtig ze dit alles vond. 'Ik heb begrepen dat veel van die gemeenteleden niet zo gek zijn op zwarte Amerikanen, zelfs niet als dienstmeisjes en kindermeisjes. Ze hebben liever Oost-Europeanen – jonge blonde Poolse en Russische vrouwen. Dat is toch zo?'

Kendall zei niets. Hij zat kaarsrecht en met zijn handen zedig samengevouwen tussen zijn knieën, alsof hij voor de krijgsraad verscheen.

Hart wou dat Soraya er was, maar ze was niet uit het NSA-huis teruggekomen. Dat was al zorgwekkend genoeg, maar ze nam ook haar mobiele telefoon niet op.

'Ik heb hem aangeraden ons te helpen bewijzen dat LaValle ook betrokken was bij het complot om CIA-geheimen te stelen,' zei Gold.

Nu lachte Hart de generaal poeslief toe. 'En wat vindt u van dat voorstel, generaal?'

'Het rekruteren van Rodney Feir was helemaal mijn idee,' zei Kendall met een onbewogen gezicht.

Hart boog zich naar voren. 'Wilt u ons laten geloven dat u zo'n riskante actie zou ondernemen zonder uw chef in te lichten?'

'Na het fiasco met Batt moest ik iets doen om te bewijzen wat ik waard was. Ik dacht dat ik de beste kans maakte als ik Feir probeerde in te palmen.'

'Dit leidt tot niets,' zei Hart.

Gold stond op. 'Dat vind ik ook. De generaal wil zich in het zwaard storten voor de man die hem heeft verraden.' Hij liep naar de deur. 'Ik begrijp dat niet goed, maar je hebt nu eenmaal allerlei soorten mensen.'

'Is dat het?' Kendall keek recht voor zich uit. 'Bent u klaar met me?'

'Ja,' zei Hart, 'maar Rob Batt niet.'

De generaal keek op toen hij Batts naam hoorde. 'Batt? Wat heeft hij met dit alles te maken? Hij is uit beeld.'

'Dat denk ik niet.' Hart stond op en ging achter zijn stoel staan. 'Batt heeft u gevolgd vanaf het moment dat u zijn leven verwoestte. Die foto's waarop te zien is dat Feir en u de sportschool, de barbecuetent en The Glass Slipper in en uit gingen, zijn door hem gemaakt.'

'Maar hij heeft nog meer.' Gold hield veelbetekenend zijn aktetas omhoog.

'Dus,' zei Hart, 'ik ben bang dat u nog een tijdje langer bij de CIA blijft.'

'Hoeveel langer?'

'Wat maakt het u uit?' zei Hart. 'U hebt geen leven meer om naar terug te gaan.'

Terwijl Kendall bij twee gewapende agenten achterbleef, gingen Hart en Gold naar de kamer ernaast, waar Rodney Feir zat, ook bewaakt door twee agenten.

'Amuseert de generaal zich nogal?' zei Feir toen ze tegenover hem gingen zitten. 'Dit is een zwarte dag voor hem.' Hij grinnikte om zijn eigen grap, maar hij was de enige.

'Beseft u wel hoe belabberd de situatie is waarin u verkeert?' zei Gold.

Feir glimlachte. 'Ik denk dat ik wel vat op de situatie heb.'

Gold en Hart wisselden een blik. Ze begrepen niet hoe Feir zich zo luchthartig kon gedragen.

Gold zei: 'U gaat voor heel lange tijd naar de gevangenis, meneer Feir.'

Feir sloeg zijn benen over elkaar. 'Ik denk van niet.'

'Dan denkt u verkeerd,' zei Gold.

'Rodney, we kunnen bewijzen dat je geheimen van Typhon hebt gestolen en ze aan een hoge functionaris van een rivaliserende inlichtingenorganisatie hebt gegeven.'

'Alsjeblieft!' zei Feir. 'Ik weet heel goed wat ik heb gedaan en dat jullie me daarop hebben betrapt. Ik zeg alleen dat het er allemaal niets toe doet.' Hij bleef vergenoegd kijken, alsof hij bij het pokeren een royal flush had en zij alleen maar vier azen.

'Legt u dat eens uit,' zei Gold kortaf.

'Ik heb het verknoeid,' zei Feir, 'maar ik heb er geen spijt van dat ik het heb gedaan, alleen dat ik ben betrapt.'

'Met die houding kom je beslist niet verder,' zei Hart venijnig. Ze was niet van plan zich nog langer door Luther LaValle en zijn trawanten te laten intimideren.

'Ik ben van nature niet berouwvol, directeur. Maar mijn houding is van geen belang, net zomin als dat bewijs van jullie. Als ik wél zo berouwvol was als Rob Batt, zou dat dan verschil voor jou maken?' Hij schudde zijn hoofd. 'Laten we elkaar niets wijsmaken. Het doet er niet meer toe wat ik heb gedaan en hoe ik daarover denk. Laten we over de toekomst praten.'

'Jij hebt geen toekomst,' zei Hart nuffig.

'Dat staat nog te bezien.' Feir hield die irritante glimlach op haar gericht. 'Ik stel een ruil voor.'

Gold keek ongelovig. 'U wilt een deal sluiten?'

'Laten we het een eerlijke uitwisseling noemen,' zei Feir. 'Jullie trekken alle aanklachten tegen mij in en geven me een royale ontslagpremie en een aanbevelingsbrief die ik in de particuliere sector kan laten zien.'

'Verder nog iets?' zei Hart. 'Wat zou je zeggen van ook nog een zomerhuis aan de Chesapeake Bay met een jacht erbij?'

'Dat is een royaal aanbod,' zei Feir met een uitgestreken gezicht, 'maar ik wil je het vel niet over de oren halen, directeur.'

Gold stond op. 'Dit is onduldbaar gedrag.'

Feir keek hem aan. 'Wind u zich niet zo op, meneer Gold. U hebt mijn kant van de ruil nog niet gehoord.'

'Ik ben niet geïnteresseerd.' Gold maakte een gebaar naar de twee agenten. 'Breng hem naar de arrestantencel terug.'

'Dat zou ik niet doen, als ik u was.' Feir verzette zich niet toen de agenten zijn beide armen vastpakten en hem overeind trokken. Hij keek Hart aan. 'Directeur, heb je je ooit afgevraagd waarom Luther LaValle nooit een greep naar de CIA heeft gedaan toen de Oude Man nog leefde?'

'Dat hoefde ik me niet af te vragen, want dat weet ik. De Oude Man was te machtig. Hij had te veel connecties.'

'Zeker, maar er is nog een andere, meer specifieke reden.' Feir keek van de ene naar de andere agent.

Hart kon hem wel wurgen. 'Laat hem los,' zei ze.

Gold kwam een stap naar voren. 'Directeur, ik raad u sterk aan...'

'Het kan geen kwaad om naar de man te luisteren, Stu.' Hart knikte. 'Ga je gang, Rodney. Je hebt één minuut.'

'LaValle heeft verschillende keren een greep naar de CIA gedaan toen de Oude Man de leiding had. Het mislukte elke keer, en waarom?' Feir keek van de een naar de ander, opnieuw met die vergenoegde grijns op zijn gezicht. 'Omdat de Oude Man jarenlang een mol binnen de NSA had.'

Hart keek hem met grote ogen aan. 'Wat?'

'Dit is onzin,' zei Gold. 'Hij neemt je in de maling.'

'Goed geraden, meneer Gold, maar mis. Ik weet wie die mol is.'

'Hoe kun jij dat nou weten, Rodney?'

Feir lachte. 'Soms – niet zo vaak, dat geef ik toe – is het wel handig de hoogste archiefbediende van de CIA te zijn.'

'Dat ben jij niet...'

'Dat ben ik wél, directeur.' Een onweerswolk van intense woede bracht hem even aan het trillen. 'Dat is met geen enkele dure titel te camoufleren.' Hij wuifde met zijn hand en zijn opgelaaide woede zakte snel weer af tot smeulende kooltjes. 'Hoe dan ook, ik zie dingen in de CIA die niemand anders ziet. De Oude Man had maatregelen genomen voor het geval hij gedood zou worden, maar dat weet u beter dan ik, meneer Gold, nietwaar?'

Gold keek Hart aan. 'Voor het geval hij plotseling zou overlijden, had de Oude Man verzegelde enveloppen voor verschillende hoofden van afdelingen achtergelaten.'

'Een van die enveloppen,' zei Feir, 'namelijk die met de identiteit van de mol binnen de NSA, was bestemd voor Rob Batt. Dat was indertijd wel logisch, want Batt was hoofd operaties. Maar de envelop is nooit bij Batt aangekomen. Daar heb ik voor gezorgd.'

'Jij...' Hart was zo woedend dat ze nauwelijks een woord kon uitbrengen.

'Ik zou kunnen zeggen dat ik Batt er toen al van verdacht dat hij voor de NSA werkte,' zei Feir, 'maar dat zou een leugen zijn.'

'Dus je hield die envelop achter, ook toen ik was benoemd.'

'Een machtsmiddel, directeur. Ik dacht dat ik mijn verlaat-de-gevangeniskaart vroeg of laat wel zou kunnen gebruiken.'

En weer liet hij die glimlach zien. Hart had zin hem met haar vuist in zijn gezicht te slaan. Met veel moeite hield ze zich in. 'En intussen liet je LaValle over ons heen lopen. Door jou werd ik geboeid mijn kamer uit geleid, en door jou scheelde het niet veel of het erfgoed van de Oude Man ging verloren.'

'Ja, nou, zulke dingen gebeuren. Wat kun je eraan doen?'

'Ik zal je vertellen wat ik kan doen,' zei Hart. Ze gaf een teken aan de agenten, die Feir weer vastgrepen. 'Ik kan tegen je zeggen dat je naar de pomp kunt lopen. Ik kan tegen je zeggen dat je de rest van je leven in de gevangenis zit.'

Zelfs nu liet Feir zich niet uit het veld slaan. 'Ik zei dat ik wist wie de mol was, directeur. Bovendien – en dit zal je in het bijzonder interesseren – weet ik waar hij gestationeerd is.'

Hart was te woedend om zich daarvoor te interesseren. 'Weg met hem.'

Toen hij de kamer uit werd geleid, zei Feir: 'Hij zit in het NSA-huis buiten de stad.'

De CIA-directeur voelde dat haar hart bonkte. Die verrekte grijns van Feir was nu niet alleen heel begrijpelijk maar ook gerechtvaardigd.

Over drieëndertig uur en zesentwintig minuten. Ikoepovs onheilspellende woorden galmden nog in Bournes oren toen hij een snelle beweging zag. Ikoepov en hij stonden in de hal, met de voordeur nog open, en er was heel even een schaduw op de overkant van de gang gevallen. Er was daar iemand, aan het oog onttrokken door de halfopen deur.

Bourne bleef met Ikoepov praten maar pakte hem bij zijn elleboog vast en liep met hem de huiskamer in. Ze liepen over het kleed naar het gangetje dat naar de slaapkamers en de badkamer leidde. Toen ze langs een van de ramen kwamen, barstte de ruit naar binnen door de kracht van iemand die erdoorheen sprong. Bourne draaide zich bliksemsnel om en richtte de SIG Sauer die hij van Ikoepov had afgepakt op de indringer.

'Laat die SIG vallen,' zei een vrouwenstem achter hem. Hij keek om en zag dat de figuur op de gang – een jonge bleke vrouw – een Luger op zijn hoofd richtte.

'Leonid, wat doe jij hier?' Ikoepov keek stomverbaasd. 'Ik heb je uitdrukkelijk bevolen om...'

'Het is Bourne.' Arkadin kwam door de glasscherven op de vloer dichterbij. 'Bourne heeft Misja gedood.'

'Is dat waar?' Ikoepov keek Bourne aan. 'Heb jij Michail Tarkanian gedood?'

'Hij liet me geen keus,' zei Bourne.

Devra, die haar Luger recht op Bournes hoofd gericht hield, zei: 'Laat die SIG vallen. Ik zeg het niet nog een keer.'

Ikoepov stak zijn hand naar Bourne uit. 'Ik neem hem over.'

'Geen beweging,' beval Arkadin. Zijn eigen Luger was op Ikoepov gericht.

'Leonid, wat doe je?'

Arkadin negeerde hem. 'Doe wat de dame zegt, Bourne. Laat de SIG vallen.'

Bourne deed wat hem gezegd werd. Zodra hij het pistool had losgelaten, gooide Arkadin zijn Luger weg en sprong hij op Bourne af. Bourne bracht zijn onderarm op tijd omhoog om Arkadins knie te blokkeren, maar hij voelde de schok helemaal tot in zijn schouder. Ze bevochten elkaar met verwoestende klappen, slimme schijnbewegingen en defensieve blokkeringen. Voor elke beweging van zijn kant had Arkadin het perfecte verweer, en omgekeerd. Toen Bourne in de ogen van de Rus keek, zag hij daarin zijn duisterste daden weerspiegeld, alle dood en vernietiging in zijn verleden. In die onverzoenlijke ogen zat een leegte die zwarter was dan een sterrenloze nacht.

Bourne week achteruit en ze bewogen zich door de huiskamer tot ze onder de boogpoort tussen de huiskamer en de rest van het appartement door gingen. In de keuken greep Arkadin een hakmes en haalde daarmee uit naar Bourne. Bourne dook voor het dodelijke wapen weg en greep naar een houten blok met vleesmessen. Toen het hakmes op het aanrechtblad neerdreunde, scheelde het maar een centimeter of Bournes vingers waren geraakt. Nu versperde Arkadin hem de weg naar de messen. Hij zwaaide met het hakmes heen en weer alsof het een sikkel was waarmee hij tarwe aan het maaien was.

Bourne was bij het aanrecht. Hij trok een bord uit het droogrek en slingerde het als een frisbee van zich af, zodat Arkadin moest wegduiken. Toen het bord tegen de muur achter Arkadin uit elkaar spatte, trok Bourne een vleesmes als een zwaard uit de schede. Staal kletterde tegen staal, tot Bourne het mes gebruikte om direct naar Arkadins buik te steken. Arkadin haalde met het hakmes uit naar de plaats waar Bourne het mes vasthield, en Bourne moest het loslaten. Het mes sloeg met een galmend geluid tegen de vloer. Arkadin vloog op Bourne af en ze grepen elkaar vast.

Het lukte Bourne het hakmes bij zich vandaan te houden, en omdat ze zo dicht bij elkaar waren, kon Arkadin er ook niet mee heen en weer zwaaien. Omdat hij besefte dat hij er alleen maar last van had, liet Arkadin het vallen.

Gedurende drie lange minuten hielden ze elkaar in een dubbele greep. Ze waren bebloed en gekneusd, en geen van beiden zag kans de overhand te behalen. Bourne had nog nooit iemand met Arkadins fysieke en mentale capaciteiten ontmoet, iemand die zoveel overeenkomst met hemzelf vertoonde. Vechten tegen Arkadin was zoiets als vechten tegen een spiegelbeeld van zichzelf, en dat stond hem helemaal niet aan. Hij had een gevoel alsof hij aan de rand van een vreselijke afgrond stond, een kloof die vervuld was van eindeloos afgrijzen en waar geen leven in stand kon blijven. Het was of Arkadin naar hem had uitgehaald om hem in die afgrond te trekken, alsof hij hem de troosteloosheid wilde laten zien die achter zijn eigen ogen verborgen lag, het gruwelijke beeld van zijn vergeten verleden dat terugkwam.

Met uiterste krachtsinspanning verbrak Bourne de greep van Arkadin en pompte zijn vuist tegen het oor van de Rus. Arkadin deinsde terug tegen een zuil en Bourne rende de keuken uit en het gangetje door. Terwijl hij dat deed, hoorde hij het onmiskenbare geluid van een wapen dat doorgeladen werd, en hij dook halsoverkop de grote slaapkamer in. Een schot versplinterde het houten deurkozijn net boven zijn hoofd.

Hij krabbelde overeind en ging recht op Kirsch' kast af. Op hetzelfde moment hoorde hij Arkadin naar de bleke vrouw roepen dat ze niet moest schieten. Bourne duwde een stel kleren aan hangers opzij en graaide naar het multiplexpaneel in de achterwand van de kast, op zoek naar de klemmetjes die Kirsch hem in het museum had beschreven. Net toen hij hoorde dat Arkadin de slaapkamer binnenstormde, draaide hij de klemmetjes om, verwijderde het paneel en stapte, bijna dubbel geklapt, door de opening in een wereld vol schaduw.

Toen Devra zich omdraaide na haar poging Bourne te verwonden, keek ze recht in de loop van de SIG Sauer, die Ikoepov had opgeraapt.

'Idioot,' zei Ikoepov, 'jij en je vriendje gaan alles verknoeien.'

'Wat Leonid doet, is zijn eigen zaak,' zei ze.

'Dat is nou juist zijn fout,' zei Ikoepov. 'Leonid heeft geen eigen zaak. Alles wat hij is, heeft hij aan mij te danken.'

Ze kwam uit de schaduw van de gang naar de huiskamer. De Luger bij haar heup was op Ikoepov gericht. 'Hij is klaar met jou,' zei ze. 'Er is een eind aan zijn horigheid gekomen.'

Ikoepov lachte. 'Heeft hij dat tegen jou gezegd?'

'Dat heb ik tegen hem gezegd.'

'Dan ben je een nog grotere idioot dan ik dacht.'

Ze maakten allebei een omtrekkende beweging, op hun hoede voor de kleinste beweging van de ander. Evengoed kon Devra een ijzig glimlachje produceren. 'Hij is veranderd sinds hij uit Moskou is vertrokken. Hij is nu een ander mens.'

Ikoepov maakte een laatdunkend geluid achter in zijn keel. 'Het eerste wat jij moet bedenken, is dat Leonid niet kan veranderen. Ik weet dat beter dan iedereen, want ik heb jarenlang geprobeerd een beter mens van hem te maken. Dat is me niet gelukt. Het is niemand gelukt die het heeft geprobeerd, en weet je waarom? Omdat Leonid niet intact is. Ergens in de dagen en nachten van Nizjni Tagil is hij gebroken. Niets of niemand kan hem meer in elkaar zetten; de stukken passen gewoon niet aan elkaar.' Hij wees met de loop van de SIG Sauer. 'Ga nu weg zolang het nog kan, anders zal hij je vast en zeker doden, zoals hij alle anderen heeft gedood die dicht bij hem probeerden te komen.'

'Wat een waanidee!' snauwde Devra. 'Je bent zoals iedereen van jouw soort: gecorrumpeerd door macht. Je bent al zoveel jaren ver verwijderd van het gewone leven dat je je eigen realiteit hebt gecreëerd, een realiteit die je helemaal naar je hand kunt zetten.' Ze kwam een stap naar hem toe, wat tot een gespannen reactie van hem leidde. 'Denk je dat je mij kunt doden voordat ik jou dood? Daar zou ik maar niet op rekenen.' Ze schudde haar hoofd. 'Trouwens, jij hebt meer te verliezen dan ik. Ik was al halfdood toen Leonid me vond.'

'Aha, nu begrijp ik het.' Leonid knikte. 'Hij heeft je van jezelf gered. Hij heeft je van de straat gered. Is dat het?'

'Leonid beschermt mij.'

'God allemachtig, over waanideeën gesproken!'

Devra's ijzige glimlach werd breder. 'Een van ons begaat een fatale fout. Het staat nog te bezien wie dat is.'

'De kamer staat vol met etalagepoppen die ik heb gemaakt,' had Egon Kirsch gezegd toen hij zijn atelier aan Bourne beschreef. 'Ik houd het licht met verduisteringschermen buiten de deur, want die poppen zijn mijn creatie. Ik heb ze in zekere zin vanaf de grond opgebouwd. Je zou kunnen zeggen dat het niet alleen mijn creaties maar ook mijn metgezellen zijn. In dat opzicht kunnen ze zien of, als je wilt, gelóóf ik dat ze kunnen zien, en welk wezen kan zijn schepper in de ogen zien zonder gek of blind te worden, of beide?'

Met de indeling van de kamer in zijn hoofd sloop Bourne door de studio. Hij ontweek de poppen, om geen geluid te maken of om, zoals Kirsch misschien zou hebben gezegd, het proces van hun geboorte niet te verstoren.

'Je denkt dat ik gek ben,' had Kirsch in het museum tegen Bourne gezegd. 'Niet dat het er iets toe doet. Voor alle kunstenaars – succesvol of niet – zijn hun scheppingen levend. Ik ben geen uitzondering. Nadat ik jarenlang heb geprobeerd abstracties tot leven te brengen heb ik mijn werk een menselijke gedaante gegeven.'

Omdat hij een geluid hoorde, verstijfde Bourne even. Hij keek langs de dij van een pop. Zijn ogen waren aan de duisternis gewend geraakt en hij zag beweging: Arkadin had het paneel gevonden en was achter hem aan het atelier in gekomen.

Bourne dacht dat hij hier veel meer kans maakte dan in Kirsch' appartement. Hij kende de indeling, de duisternis werkte in zijn voordeel, en als hij snel toesloeg, zou hij zijn ogen kunnen gebruiken terwijl Arkadin nog niets kon onderscheiden.

Met die strategie in gedachten kwam hij achter de pop vandaan en liep naar de Rus toe. Het atelier was net een mijnenveld. Er stonden drie poppen tussen Arkadin en hem, allemaal met een eigen houding: nummer één zat met een klein schilderij in de handen alsof het een boek was; nummer twee stond met gespreide benen in de klassieke schiethouding; nummer drie rende voorovergebogen, alsof de finish dichtbij was.

Bourne liep om de hardloper heen. Arkadin zat op zijn hurken; hij was zo verstandig om op één plaats te blijven tot zijn ogen aan het donker gewend waren. Dat had Bourne ook gedaan toen hij enkele ogenblikken geleden het atelier was binnengekomen.

Opnieuw viel het Bourne op hoe griezelig veel Arkadin op hem leek. Hij beleefde er geen enkel plezier aan om naar zichzelf te kijken terwijl hij zijn best deed zichzelf te vinden en te doden. Het wekte een heel primitieve angst in hem.

Bourne ging vlugger lopen en kwam bij de pop die een schilderij zat te lezen. In het scherpe besef dat hij nog maar weinig tijd had kwam Bourne geruisloos ter hoogte van de schietende pop. Juist op het moment dat hij een uitval naar Arkadin wilde doen, zoemde zijn mobieltje en lichtte het scherm op met Moira's nummer.

Met een geluidloze vloek sprong Bourne op Arkadin af. Arkadin, bedacht op de kleinste verandering, draaide zich afwerend naar het geluid toe, en Bourne stuitte op een massieve muur van spiermassa, met daarachter een moorddadige wil van een felle intensiteit. Arkadin haalde uit; Bourne gleed achteruit tussen de benen van de schietende pop. Toen Arkadin achter hem aan kwam, rende hij recht tegen de heupen van de pop. Hij deinsde met een vloek terug en haalde uit naar de pop. Het mes trof het acryl en bleef in het plaatmetaal daaronder steken. Bourne gaf een schop terwijl Arkadin het lemmet eruit probeerde te trekken, en beukte met de linkerkant van zijn borst tegen hem aan. Arkadin probeerde zich weg te draaien, maar Bourne ramde met zijn schouder tegen de rug van de pop. Die was bijzonder zwaar en hij moest al zijn kracht in de stoot leggen, maar de pop viel om en Arkadin kwam eronder terecht.

'Je vriend liet me geen keus,' zei Bourne. 'Hij zou me hebben gedood als ik hem niet had tegengehouden. Hij was te ver weg; ik moest het mes gooien.'

Van Arkadin kwam een geluid als geknetter van vuur. Het duurde even voor Bourne besefte dat het een lach was. 'Ik wil met je wedden, Bourne. Ik wed dat Misja, voordat hij doodging, tegen je zei dat je ten dode opgeschreven was.'

Bourne wilde hem net antwoord geven toen hij de doffe glinstering van een SIG Sauer Mosquito in Arkadins hand zag. Hij dook weg en de .22-kogel floot over zijn hoofd.

'Hij had gelijk.'

Bourne draaide zich weg, dook om de andere poppen heen en gebruikte ze als dekking toen Arkadin nog drie schoten loste. Pleisterkalk, hout en acryl verbrijzelden dicht bij Bournes linkerschouder en -oor. Hij dook achter Kirsch' werktafel. Achter zich hoorde hij het kreunen van Arkadin en het geluid van scheurend metaal: de man werkte zich onder de omgevallen etalagepop vandaan.

Op grond van Kirsch' beschrijving wist Bourne dat de voordeur links van hem was. Hij krabbelde overeind en rende de hoek om. Op datzelfde moment loste Arkadin weer een schot. Een brok pleisterkalk met latwerk viel uiteen toen de .22 in de hoek insloeg. Bourne stak zijn hand naar de deur uit, maakte hem open en rende de gang in. Links van hem bevond zich de open deur naar Kirsch' appartement.

'Er kan niets goeds van komen dat we elkaar onder schot houden,' zei Ikoepov. 'Laten we deze situatie rationeel bekijken.'

'Dat is jouw probleem,' zei Devra. 'Het leven is niet rationeel; het is een totale chaos. Dat is een van je waanideeën. Omdat je machtig bent, denk je dat je alles kunt beheersen. Maar dat kun je niet. Dat kan niemand.'

'Leonid en jij denken dat jullie weten wat jullie doen, maar dat is niet zo. Niemand opereert in een vacuüm. Als je Bourne doodt, heeft dat verschrikkelijke gevolgen.'

'Gevolgen voor jou, maar niet voor ons. Dat heb je met macht: jij zoekt altijd naar de kortste weg. Opportunisme, politieke kansen, grenzeloze corruptie.'

Op dat moment hoorden ze de schoten, maar alleen Devra wist dat ze uit de Mosquito van Arkadin kwamen. Ze voelde dat Ikoepovs vinger zich om de trekker van de SIG verstrakte en nam een ineengedoken schiethouding aan, want ze wist dat als niet Arkadin maar Bourne verscheen ze hem dood zou schieten.

De situatie had een kookpunt bereikt, en het was duidelijk dat Ikoepov zich grote zorgen maakte. 'Devra, ik smeek je er nog eens over na te denken. Leonid kent het totaalbeeld niet. Bourne moet in leven blijven. Het was erg wat hij met Misja heeft gedaan, maar persoonlijke gevoelens mogen hier niet meespelen. Al die planning, al dat bloedvergieten... Het zal niets opleveren als Bourne door Leonid wordt gedood. Je moet me toestaan dat te voorkomen. Ik wil je alles geven, alles wat je maar wilt.'

'Wou je me omkopen? Geld zegt me niets. Ik wil Leonid,' zei Devra.

Op dat moment verscheen Bourne in de deuropening. Devra en Ikoepov keken allebei opzij. Devra gaf een schreeuw, want ze wist, of meende te weten, dat Arkadin dood was, en dus richtte ze de Luger nu niet meer op Ikoepov maar op Bourne.

Bourne dook de gang op, en terwijl ze naar de deur liep, loste ze het ene schot na het andere. Omdat ze zich helemaal op Bourne concentreerde, nam ze haar blik van Ikoepov weg. Daardoor ontging haar een beweging van cruciaal belang: hij richtte de SIG op haar.

'Ik heb je gewaarschuwd,' zei hij, terwijl hij haar in de borst schoot.

Ze viel op haar rug.

'Waarom wilde je niet luisteren?' zei Ikoepov terwijl hij nog eens op haar schoot.

Devra maakte een geluidje toen haar lichaam iets opveerde. Ikoepov stond bij haar.

'Hoe kon je je door zo'n monster laten verleiden?' zei hij.

Devra keek met roodomrande ogen naar hem op. Het bloed werd met elke moeizame hartslag uit haar lichaam gepompt. 'Dat vroeg ik hem ook over jou.' Elke onregelmatige ademtocht deed haar onbeschrijflijk pijn. 'Hij is geen monster, maar als hij een monster is, ben jij nog veel erger.'

Haar hand bewoog. Ikoepov, in beslag genomen door haar woorden, lette niet goed op, totdat de kogel die ze met haar Luger afvuurde zijn rechterschouder trof. Hij klapte tegen de muur. Door de pijn liet hij de SIG vallen. Omdat hij zag dat ze nog een keer probeerde te schieten, draaide hij zich om en rende het appartement uit. Hij vluchtte de trap af en de straat op.

39

Midden op de ochtend ontspande Willard zich in de personeelska-
mer naast de Bibliotheek van het NSA-huis. Hij genoot van zijn koffie met veel suiker en melk terwijl hij *The Washington Post* las, toen
zijn mobieltje zoemde. Hij keek en zag dat het zijn zoon Oren was.
Natuurlijk kwam het telefoontje niet echt van Oren, maar Willard
was de enige die dat wist.

Hij legde de krant neer en keek naar de foto die op het schermpje van zijn telefoon verscheen. Het was een foto van twee mensen
die voor een landelijke kerk stonden waarvan de torenspits bijna
tot de bovenrand van de foto reikte. Willard wist niet wie die mensen waren of waar ze waren, maar dat deed er ook niet toe. Er zaten zes codes in zijn hoofd; deze foto vertelde hem welke van die
zes hij moest gebruiken. De twee personen plus de kerktoren bete-
kenden dat hij code drie moest nemen. Als er bijvoorbeeld twee
mensen voor een boog stonden, moest hij één van twee aftrekken
en niet erbij optellen. Er waren nog meer visuele aanwijzingen. Een
bakstenen gebouw betekende dat hij het aantal personen door twee
moest delen, een brug dat hij het met twee moest vermenigvuldigen
enzovoort.

Willard wiste de foto uit zijn telefoon, pakte het derde katern van
de *Post* op en nam het eerste verhaal op pagina drie. Te beginnen
met het derde woord ontcijferde hij het bericht, dat een oproep was
om in actie te komen. Terwijl hij het artikel doornam en bepaalde
letters door andere verving, zoals het protocol voorschreef, ging er
een diepe ontroering door hem heen. Hij was dertig jaar de ogen en
oren van de Oude Man binnen de NSA geweest, en de plotselinge
dood van de Oude Man in het afgelopen jaar had hem diep getroffen. Daarna was hij getuige geweest van Luther LaValles nieuwste poging om de CIA in handen te krijgen en had hij gewacht tot
zijn telefoon ging, maar maandenlang was zijn verlangen om weer

een foto op zijn schermpje te zien verschijnen vreemd genoeg on-bevredigd gebleven. Hij kon gewoon niet begrijpen waarom de nieu-we CIA-directeur geen gebruik van hem maakte. Was hij tussen wal en schip gevallen? Wist Veronica Hart niet dat hij bestond? Daar leek het sterk op, zeker nadat LaValle kans had gezien Soraya Moore in de val te lokken, samen met haar vriend, die nog benedendeks gevangen zat, zoals Willard de cellen in het souterrain bij zichzelf noemde. Hij had voor de jongeman die Tyrone heette gedaan wat hij kon, al was dat bitter weinig. Toch wist hij dat zelfs het klein-ste teken van hoop – de wetenschap dat je niet alleen was – vol-doende was om een dapper hart nieuwe kracht te geven, en als hij enige mensenkennis bezat, had Tyrone een dapper hart.

Willard had altijd acteur willen worden – vele jaren was Laurence Olivier zijn god geweest --, maar ook in zijn stoutste dromen had hij zich nooit kunnen voorstellen dat zijn acteercarrière zich op het politieke toneel zou afspelen. Hij was daar bij toeval op verzeild ge-raakt toen hij in zijn studietijd een rol speelde, om precies te zijn die van Henry V, een van Shakespeares grote tragische politici. Zo-als de Oude Man tegen hem zei toen die achter de coulissen was ge-komen om Willard te feliciteren: Henry's verraad jegens Falstaff is van politieke en niet van persoonlijke aard en eindigt in succes. 'Zou je dat ook graag in het echte leven willen doen?' had de Oude Man hem gevraagd. Hij was naar Willards toneelschool gekomen om re-kruten voor de CIA te vinden. Hij zei dat hij zijn mensen vaak op de onwaarschijnlijkste plaatsen vond.

Toen hij klaar was met ontcijferen, kende Willard zijn onmid-dellijke instructies, en hij dankte de hogere machten dat hij na de dood van de Oude Man niet was afgedankt. Hij voelde zich als zijn oude vriend Henry V, al waren er meer dan dertig jaren verstreken sinds hij op een toneel had gestaan. Opnieuw werd van hem ge-vraagd dat hij zijn grootste rol zou spelen, een rol die hem op het lijf geschreven was.

Hij stak de opgevouwen krant onder zijn arm, pakte zijn mo-bieltje en ging naar de salon. Er restten hem nog twintig minuten pauze, meer dan genoeg tijd om te doen wat van hem verlangd werd. Hij had namelijk opdracht gekregen de digitale camera te vinden die Tyrone bij zich had gehad toen hij gevangen werd genomen. Hij stak zijn hoofd in de Bibliotheek, constateerde dat LaValle nog op zijn gebruikelijke plaats zat, tegenover Soraya Moore, en liep door de gang.

Hoewel de Oude Man hem had gerekruteerd, had Alex Conklin

hem opgeleid. Conklin, had de Oude Man tegen hem gezegd, was de beste in wat hij deed, namelijk het voorbereiden van agenten die in het veld zouden opereren. Hij kwam er algauw achter dat Conklin er binnen de CIA weliswaar om bekendstond dat hij clandestiene agenten opleidde maar dat hij er ook goed in was om 'slapende' spionnen te coachen. Willard bracht bijna een jaar bij Conklin door, zij het nooit op het CIA-hoofdkantoor. Hij maakte deel uit van Treadstone, Conklins project dat zo geheim was dat zelfs het meeste CIA-personeel niet van het bestaan wist. Het was van het grootste belang dat hij niet openlijk met de CIA in verbinding stond. Omdat de Oude Man wilde dat hij uiteindelijk binnen de NSA ging werken, moest zijn achtergrond ook tegen het meest diepgaande onderzoek bestand zijn.

Dit alles ging door Willards hoofd toen hij door de heilige gangen van het NSA-huis liep. Hij kwam de ene na de andere agent tegen en wist dat hij zijn taak perfect had volbracht. Hij was de onmisbare niemand, degene die altijd aanwezig was en die door niemand werd opgemerkt.

Hij wist waar Tyrones fototoestel was, want hij was erbij geweest toen Kendall en LaValle hadden besproken wat ze ermee gingen doen, maar anders zou hij ook wel hebben geweten waar LaValle het had verstopt. Hij wist bijvoorbeeld dat het nooit buiten het NSA-huis mocht worden gebracht, zelfs niet door LaValle zelf, tenzij de belastende beelden die Tyrone van de cellen en de waterboarding-tanks had gemaakt naar de computerserver van het huis waren overgebracht of van de schijf van de camera waren verwijderd. Misschien waren de beelden al gewist, maar dat betwijfelde hij. In de korte tijd waarin de camera in het bezit van de NSA was geweest was Kendall niet meer in het huis geweest en was LaValle geobsedeerd door zijn poging Soraya Moore over te halen Jason Bourne aan hem uit te leveren.

Willard wist alles van Bourne. Hij had de Treadstone-dossiers gelezen, zelfs de dossiers die niet meer bestonden, omdat ze versnipperd en verbrand waren toen de informatie die ze bevatten te gevaarlijk voor Conklin en ook voor de CIA was geworden. Hij wist dat er veel meer achter Treadstone had gezeten dan de Oude Man had geweten. Dat was Conklins werk; dat was iemand geweest voor wie het woord 'geheimhouding' de heilige graal was. Niemand wist wat zijn uiteindelijke plannen met Treadstone waren geweest.

Willard stak zijn loper in het slot van LaValles kantoordeur en toetste de elektronische code in. Hij kende de code van iedereen –

hoe zou hij anders als slapende spion van nut kunnen zijn? De deur ging naar binnen open en hij glipte de kamer in, maakte de deur dicht en deed hem achter zich op slot.

Hij liep naar LaValles bureau, trok de laden een voor een open en zocht naar valse achterkanten of dubbele bodems. Toen hij die niet vond, ging hij naar de boekenkast en de kast met hangmappen en drankflessen. Hij nam de platen van de muren om te kijken of er een geheime bergplaats achter zat, maar hij vond niets.

Hij ging op een hoek van het bureau zitten en keek in de kamer om zich heen. Terwijl hij zich afvroeg waar LaValle de camera kon hebben verborgen, zwaaide hij onwillekeurig met zijn been heen en weer. Plotseling hoorde hij een geluid dat de hak van zijn schoen tegen de rand van het bureau maakte. Hij sprong eraf, liep eromheen en kroop in de knieruimte, waar hij tegen de rand tikte tot hij het geluid hoorde dat zijn hak had gemaakt. Ja, nu was hij er zeker van: dat deel van de rand was hol.

Hij tastte met zijn vingertoppen en vond het kleine schuifje, duwde het opzij en trok het luikje open. Daar lag Tyrones camera. Hij stak net zijn hand ernaar uit toen hij het krassen van metaal op metaal hoorde.

LaValle was bij de deur.

'Zeg dat je van me houdt, Leonid Danilovitsj.' Devra keek glimlachend naar hem op terwijl hij zich over haar heen boog.

'Wat is er gebeurd, Devra? Wat is er gebeurd?' was het enige wat hij kon uitbrengen.

Hij had zich eindelijk van de sculptuur verlost en zou achter Bourne aan zijn gegaan, maar hij had de schoten in Kirsch' appartement gehoord, gevolgd door het geluid van rennende voeten. De huiskamer was bespat met bloed. Hij zag haar op de vloer liggen, de Luger nog in haar hand. Haar shirt was rood gekleurd.

'Leonid Danilovitsj.' Ze had zijn naam geroepen zodra hij in haar wazige gezichtsveld was verschenen. 'Ik heb op je gewacht.'

Ze wilde hem vertellen wat er gebeurd was, maar het bloed borrelde bij haar mondhoeken op en ze begon vreselijk te rochelen. Arkadin tilde haar hoofd van de vloer en legde het op zijn dijen. Hij duwde het vastgeplakte haar van haar voorhoofd en wangen weg. Er bleven rode strepen achter, als oorlogsverf.

Ze wilde verdergaan maar zweeg. Haar ogen werden wazig en hij dacht dat ze dood was. Toen werden ze weer helder. Haar glimlach kwam terug en ze zei: 'Hou je van me, Leonid?'

Hij bukte zich en fluisterde in haar oor. Zei hij 'ik hou van je'? Er zat zoveel ruis in zijn hoofd dat hij zichzelf niet kon horen. Hield hij van haar, en zo ja, wat betekende dat? Maakte het zelfs iets uit? Hij had beloofd haar te beschermen en had daarin gefaald. Hij keek in haar ogen, in haar glimlach, maar zag alleen zijn eigen verleden dat omhoogkwam om hem weer helemaal te verzwelgen.

'Ik heb meer geld nodig,' zei Jelena toen ze op een avond met hem verstrengeld lag.

'Waarvoor? Ik geef je genoeg.'

'Ik vind het hier verschrikkelijk; het is net een gevangenis. De meisjes huilen steeds. Ze worden geslagen en dan verdwijnen ze. Vroeger maakte ik vriendinnen om de tijd te verdrijven, om overdag iets te doen te hebben, maar tegenwoordig doe ik dat niet meer. Wat heeft het voor zin? Ze zijn binnen een week weg.'

Arkadin wist dat Koezin een onverzadigbare behoefte aan meer meisjes had. 'Ik begrijp niet waarom je daardoor meer geld nodig hebt.'

'Als ik geen vriendinnen kan hebben,' zei Jelena, 'wil ik drugs.'

'Ik heb je gezegd: geen drugs.' Arkadin rolde zich van haar af en ging rechtop zitten.

'Als je van me houdt, haal je me hier weg.'

'Van je houdt?' Hij keek haar aan. 'Wie zei iets over houden van?'

Ze huilde. 'Ik wil met je samenleven, Leonid. Ik wil altijd bij je zijn.'

Arkadin voelde dat iets onbekends zich om zijn keel sloot. Hij stond op en liep achteruit. 'Jezus.' Hij pakte zijn kleren bij elkaar. 'Hoe kom je op zulke ideeën?'

Hij liet haar erbarmelijk huilend achter en ging weg om meer meisjes te halen. Voordat hij bij de voorkant van het bordeel was, sprak Stas Koezin hem aan.

'Jelena's gehuil maakt de andere meisjes van streek,' zei hij met zijn sissende stem. 'Dat is slecht voor de zaken.'

'Ze wil met me samenleven,' zei Arkadin. 'Niet te geloven, hè?'

Koezin lachte. Het was een geluid als van nagels die over een schoolbord krasten. 'Ik vraag me af wat erger zou zijn, de zeurende vrouw die wil weten waar je de hele nacht bent geweest of de krijsende kinderen die je uit de slaap houden.'

Ze lachten daar allebei om, en Arkadin dacht er niet meer over na. De volgende drie dagen werkte hij gestaag door. Hij kamde Nizjni Tagil systematisch uit, op zoek naar meisjes voor het bordeel.

Daarna sliep hij twintig uur achter elkaar, en vervolgens ging hij regelrecht naar Jelena's kamer. Hij trof daar een ander meisje aan, een van de meisjes die hij kortgeleden van de straat had geplukt. Ze sliep in Jelena's bed.

'Waar is Jelena?' Hij trok de lakens weg.

Ze keek naar hem op, en ze knipperde met de ogen als een vleermuis in het zonlicht. 'Wie is Jelena?' zei ze met een stem die hees was van de slaap.

Arkadin beende de kamer uit en ging naar het kantoor van Stas Koezin. De grote man zat achter een grijs metalen bureau en praatte in de telefoon, maar hij gaf Arkadin met een gebaar te kennen dat hij alvast kon gaan zitten. Arkadin, die liever bleef staan, pakte de rugleuning van een houten stoel vast en boog zich daarover naar voren.

Ten slotte legde Koezin de hoorn neer en zei: 'Wat kan ik voor je doen, mijn vriend?'

'Waar is Jelena?'

'Wie?' Koezin trok zijn wenkbrauwen naar elkaar toe, waardoor hij op een cycloop leek. 'O, ja, de huiler.' Hij glimlachte. 'Die zal je niet meer lastigvallen.'

'Wat betekent dat?'

'Waarom stel je een vraag waarop je het antwoord al weet?' Koezins telefoon ging en hij nam op. 'Wacht even,' zei hij in de hoorn. Toen keek hij op naar zijn compagnon. 'Vanavond gaan we dineren om je vrijheid te vieren, Leonid Danilovitsj. We maken er een mooie avond van, goed?'

Toen ging hij verder met zijn telefoongesprek.

Arkadin had een gevoel alsof de tijd stil was blijven staan en hij gedoemd was de rest van zijn leven dit moment steeds opnieuw mee te maken. Zwijgend liep hij als een robot het kantoor uit, het bordeel uit, het gebouw uit dat hij samen met Koezin in eigendom had. Zonder erbij na te denken, stapte hij in zijn auto en reed naar het bos met druipende sparren en dennen. De zon stond niet aan de hemel en de horizon werd getekend door schoorstenen. De lucht was nevelig van koolstof- en zwaveldeeltjes en akelig oranjerood getint, alsof alles in brand stond.

Arkadin stopte langs de weg en liep over het karrenspoor. Hij volgde de route die het busje de vorige keer had genomen. Op een gegeven moment merkte hij dat hij zo hard als hij kon tussen de naaldbomen door liep. Intussen werd de lucht van ontbinding en verval steeds heviger, alsof die stank hem enthousiast ontving.

Hij bleef abrupt bij de rand van de kuil staan. Hier en daar waren zakken ongebluste kalk leeggestrooid om het ontbindingsproces te bevorderen; evengoed was er geen twijfel mogelijk over de inhoud van de kuil. Arkadin liet zijn blik over de lijken gaan tot hij haar vond. Jelena lag in elkaar gezakt, zoals ze was neergekomen nadat ze over de rand was geschopt. Enkele heel grote ratten waren op weg naar haar toe.

Arkadin, die regelrecht in de hel staarde, slaakte een zachte kreet, het geluid dat een puppy maakt als je per ongeluk op zijn pootje trapt. Hij klauterde de kuil in en negeerde de afschuwelijke stank. Met tranen in zijn ogen sleepte hij haar de helling op. Hij legde haar op de woudbodem neer, het bed van bruine naalden, zo zacht als haar eigen bed. Toen liep hij naar de auto terug, maakte de kofferbak open en haalde er een schop uit.

Hij begroef haar een kleine kilometer bij de kuil vandaan op een open plek die afgelegen en vredig was. Hij droeg haar het hele eind over zijn schouder. Toen hij klaar was, stonk hij naar de dood. Op dat moment, toen hij daar gehurkt zat, zijn gezicht onder de strepen van zweet en vuil, betwijfelde hij of hij de stank ooit zou kunnen wegboenen. Als hij een gebed had gekend, zou hij het op dat moment hebben opgezegd, maar hij kende alleen vloeken, en die stiet hij uit met de kracht van de rechtvaardigen. Maar hij was niet rechtvaardig; hij was verdoemd.

Een zakenman zou een beslissing moeten nemen, maar Arkadin was geen zakenman en vanaf die dag was zijn lot bezegeld. Hij keerde naar Nizjni Tagil terug met zijn twee geladen Stechkin-pistolen en met extra munitie in zijn borstzakken. Hij ging het bordeel in en schoot de twee griezels dood die op wacht stonden. Geen van beiden kreeg de kans zijn wapen te trekken.

Stas Koezin verscheen met een Korovin TK-pistool in de deuropening. 'Leonid, wat is dat nou?'

Arkadin schoot hem één keer in elke knie. Koezin zakte schreeuwend in elkaar. Toen hij de Korovin omhoog wilde brengen, trapte Arkadin hard op zijn pols. Koezin kreunde diep, maar hij wilde het pistool niet loslaten, en dus schopte Arkadin hem in zijn knie. De bulderkreet die dat tot gevolg had liet de laatste meisjes uit hun kamers komen.

'Ga weg.' Arkadin sprak tegen de meisjes, al keek hij nog steeds strak naar Koezins monsterlijke gezicht. 'Neem al het geld mee dat jullie kunnen vinden en ga naar jullie families terug. Vertel ze over de kuil met ongebluste kalk ten noorden van de stad.'

Hij hoorde hen rennen en met elkaar praten, en toen was het stil. 'Vervloekte klootzak,' zei Koezin, die naar Arkadin opkeek. Arkadin lachte en schoot hem in zijn rechterschouder. Toen stak hij de Stechkins in hun holsters en sleepte Koezin over de vloer. Hij moest een van de dode bewakers uit de weg duwen, maar ten slotte was hij de trap af en de voordeur uit en sleepte hij de kreunende Koezin achter zich aan. Op straat kwam een van Koezins busjes met gierende banden tot stilstand. Arkadin trok zijn pistolen en schoot ze leeg in het busje. Dat schudde op zijn schokdempers. De ruiten verbrijzelden en de claxon loeide, want de dode bestuurder was erop gevallen. Er kwam niemand uit.

Arkadin sleepte Koezin naar zijn auto en gooide hem op de achterbank. Toen reed hij van de stad naar het bos en sloeg het karrenspoor in. Aan het eind bleef hij staan en sleepte hij Koezin naar de rand van de kuil.

'Verdomme, Arkadin!' schreeuwde Koezin. 'Verd...'

Arkadin schoot hem in zijn linkerschouder, die verbrijzeld werd. Koezin viel in de kuil met ongebluste kalk. Arkadin keek over de rand. Daar lag het monster, boven op de lijken.

Er liep bloed uit Koezins mond. 'Schiet me dood!' schreeuwde hij. 'Dacht je dat ik bang voor de dood was? Toe dan! Doe het nu!'

'Het is niet aan mij om jou te doden, Stas.'

'Schiet me dood, zei ik. Verdomme, maak het nu af!'

Arkadin wees naar de lijken. 'Je zult sterven in de armen van je slachtoffers. Hun vloeken zullen in je oren galmen.'

'En al jóúw slachtoffers dan?' schreeuwde Koezin toen Arkadin uit het zicht verdween. 'Je zult stikken in je eigen bloed!'

Arkadin schonk hem geen aandacht. Hij zat al achter het stuur van zijn auto en reed achteruit het bos uit. Het was gaan regenen, en druppels die de kleur van wapens hadden en als kogels aanvoelden, vielen uit een kleurloze hemel. Het trage gebulder van de opgestarte smeltovens klonk als het daveren van kanonnen, een teken dat er een oorlog begon die hem vast en zeker zou vernietigen als hij niet op een andere manier dan in een lijkenzak uit Nizjni Tagil wegkwam.

40

'Waar ben je, Jason?' zei Moira. 'Ik probeerde je te bereiken.'
'Ik ben in München,' zei hij.
'Wat geweldig! Goddank ben je dichtbij. Ik moet je spreken.' Ze klonk een beetje buiten adem. 'Vertel me waar je bent en ik zie je daar.'

Bourne bracht zijn telefoon van zijn ene naar zijn andere oor om zijn onmiddellijke omgeving beter te kunnen overzien. 'Ik ben op weg naar de Englischer Garten.'

'Wat doe je in Schwabing?'

'Dat is een lang verhaal; ik vertel het je als ik je zie.' Bourne keek op zijn horloge. 'Maar ik ontmoet Soraya over tien minuten bij de Chinese pagode. Ze zegt dat ze nieuwe informatie over de aanslag van het Zwarte Legioen heeft.'

'Dat is vreemd,' zei Moira. 'Ik ook.'

Bourne stak vlug de straat over, nog steeds uitkijkend naar volgers.

'Ik kom daarheen,' zei Moira. 'Ik ben met een auto; ik kan er over een kwartier zijn.'

'Geen goed idee.' Hij wilde haar niet bij een professionele ontmoeting hebben. 'Ik bel je zodra ik klaar ben. Dan kunnen we...' Plotseling besefte hij dat hij tegen de lucht praatte. Hij belde naar Moira's nummer maar kreeg haar voicemail. Die verrekte vrouw, dacht hij.

Hij kwam bij de rand van de Englischer Garten, een park dat twee keer zo groot was als Central Park in New York. Het werd in tweeën gedeeld door de rivier de Isar en was een uitgestrektheid van velden, bossen en zelfs heuvels, met overal jogging- en fietspaden. Dicht bij het hoogste punt van een van de heuvels stond de Chinese pagode. Dat was in feite een biertuin.

Natuurlijk dacht hij aan Soraya toen hij daar aankwam. Het was vreemd dat Moira en zij allebei informatie over het Zwarte Legioen hadden. Hij dacht nu ook weer aan zijn telefoongesprek met haar. Iets aan dat gesprek had hem dwars gezeten, iets waar hij net niet bij kon. Telkens wanneer hij ernaar reikte, ging het verder bij hem vandaan.

Zijn tempo werd vertraagd door horden van toeristen, Amerikaanse diplomaten, kinderen met ballonnen en vliegers. Verder verzamelde zich bij de pagode een demonstratie van tieners die tegen nieuwe voorschriften over het universitaire studieprogramma protesteerden.

Hij baande zich een weg door de menigte, langs een moeder en kind en een groot gezin met Nikes en afschuwelijke trainingspakken. Het kind keek naar hem en Bourne glimlachte instinctief. Toen wendde hij zich af en veegde het bloed van zijn gezicht, al bleef het uit de wonden sijpelen die waren ontstaan toen hij zijn gevecht met Arkadin leverde.

'Nee, je mag geen worstjes,' zei de moeder met een zwaar Brits accent tegen haar zoon. 'Je bent de hele nacht misselijk geweest.'

'Maar mama,' zei hij. 'Ik voel me dik in orde.'

Dik in orde. Bourne bleef staan en wreef met de muis van zijn hand over zijn slaap. *Dik in orde;* de zin stuiterde door zijn hoofd als een balletje door een flipperkast.

Soraya.

Hallo, met mij. Soraya. Zo was ze het telefoongesprek begonnen. Toen had ze gezegd: *Ik ben zowaar in München.*

En kort voordat ze had opgehangen: *Dik in orde. Ik haal het wel. Jij ook?*

Bourne, omstuwd door mensen, voelde zich alsof zijn hoofd in brand stond. Er was iets met die zinnen. Hij kende ze, en hij kende ze niet, en hoe was dat mogelijk? Hij schudde zijn hoofd om daar helderheid in te brengen; herinneringen verschenen als messneden door een stuk stof. Een sprankje licht...

En toen zag hij Moira. Ze liep vlug vanaf de andere kant in de richting van de Chinese pagode. Ze had een gespannen, zelfs grimmig gezicht. Wat was er gebeurd? Welke informatie had ze voor hem?

Hij rekte zijn hals, op zoek naar Soraya in de drukte van de demonstratie. Toen herinnerde hij het zich.

Dik in orde.

Soraya en hij hadden dit gesprek eerder gehad – waar? In Odessa? *Hallo, met mij* voor haar naam betekende dat ze onder druk stond. *Zowaar* voor een plaatsnaam waar ze zou zijn betekende dat ze daar niet was.

Dik in orde betekende dat het een val was.

Hij keek op en voelde zich ontmoedigd. Moira liep recht in die val.

Toen de deur openging, verstijfde Willard. Hij zat op handen en knieën onder het bureau en was vanuit de deuropening niet te zien. Hij hoorde stemmen; een daarvan was die van LaValle. Hij hield zijn adem in.

'Het is geen probleem,' zei LaValle. 'Mail me de cijfers, en als ik klaar ben met die vrouw Moore, zal ik ernaar kijken.'

'Goed,' zei Patrick, een van LaValles assistenten, 'maar u kunt beter naar de Bibliotheek teruggaan, want die vrouw Moore doet moeilijk.'

LaValle vloekte. Willard hoorde hem naar het bureau lopen en papieren verschuiven. Misschien zocht hij een map. LaValle bromde tevreden, liep weer door de kamer en deed de deur achter zich dicht. Pas toen Willard hoorde dat de sleutel in het slot werd omgedraaid, ademde hij weer uit.

Hij zette het fototoestel aan, hopend dat de beelden niet waren gewist, en daar waren ze, het ene na het andere, het bewijsmateriaal dat de ondergang van Luther LaValle en zijn hele NSA-leiding zou bewerkstelligen. Met behulp van het draadloze Bluetooth-protocol stuurde hij de beelden van de camera naar zijn mobieltje. Toen dat gebeurd was, belde hij het nummer van zijn zoon – dat niet het nummer van zijn zoon was, maar als iemand het belde nam een jongeman op die instructie had om voor zijn zoon door te gaan – en stuurde de foto's in één keer naar hem toe. Als hij ze een voor een stuurde, met afzonderlijke telefoontjes, zou de server in het huis alarm slaan.

Ten slotte leunde Willard achterover en haalde diep adem. Het was gebeurd; de foto's waren nu in de handen van de CIA, waar ze het meest goed zouden doen of – als je Luther LaValle was – de meeste schade zouden aanrichten. Hij keek op zijn horloge, stopte de camera in zijn zak, maakte het luikje van het verborgen vak weer dicht en kwam onder het bureau vandaan.

Vier minuten later zette hij – zijn haar gekamd, zijn uniform afgeborsteld, kortom een piekfijne verschijning – een kopje ceylonthee voor Soraya en een single malt whisky voor Luther LaValle neer. Mevrouw Moore bedankte hem; LaValle hield zijn blik op haar gericht en negeerde hem zoals gewoonlijk.

Moira had hem niet gezien, en Bourne kon niet naar haar roepen, want in deze mensenmassa zou zijn stem niet ver dragen. Omdat hij niet verder naar voren kon komen, schuifelde hij naar links om langs de rand van de menigte bij haar te komen. Hij probeerde haar opnieuw te bellen, maar ze hoorde haar telefoon niet of wilde niet opnemen.

Toen hij uit de drukte kwam, zag hij de NSA-agenten. Ze liepen in een soort formatie naar het midden van de menigte, en hij moest aannemen dat er nog anderen waren in die steeds kleinere kring waarin ze hem wilden vangen. Ze hadden hem nog niet gezien, maar Moira was dicht bij een van de twee mannen die Bourne zag. Hij kon niet bij haar komen zonder dat ze hem zagen. Niettemin bleef hij langs de rand van de menigte lopen. Die was inmiddels zo groot geworden dat veel van de jonge mensen tegen elkaar aan duwden terwijl ze hun leuzen riepen.

Bourne ging door, al deed hij dat voor zijn gevoel in een steeds langzamer tempo, alsof hij zich door een droom bewoog waarin de natuurwetten niet bestonden. Hij moest bij Moira komen zonder dat de agenten hem zagen; het was gevaarlijk voor haar om naar hem uit te kijken terwijl de menigte geïnfiltreerd werd door NSA-agenten. Het was veel beter dat hij eerst bij haar kwam, want dan kon hij de bewegingen van hen beiden beheersen.

Ten slotte, toen hij dicht bij de NSA-agenten kwam, zag hij waarom de menigte plotseling in beroering was gekomen. Een grote groep skinheads was met duwen begonnen; sommigen hadden koperen boksbeugels of honkbalknuppels. Ze hadden tatoeages van hakenkruisen op hun gespierde armen, en toen ze naar de scanderende studenten uithaalden, rende Bourne op Moira af. Op datzelfde moment duwde een van de NSA-agenten met zijn elleboog een skinhead opzij en ving een glimp op van Bourne. Hij draaide zich meteen om en zijn lippen bewogen toen hij in zijn microfoontje sprak. Hij was draadloos verbonden met de andere leden van het team waarvan Bourne vermoedde dat het hem moest ontvoeren.

Hij pakte Moira vast, maar de agent had hem te pakken gekregen en trok Bourne naar zich toe. Blijkbaar wilde hij hem vasthouden tot de andere leden van het team bij hen aangekomen waren. Bourne sloeg hem keihard met de muis van zijn hand op zijn kin. Het hoofd van de man klapte achterover en hij viel in een groepje skinheads, die dachten dat hij hen aanviel en op hem inbeukten.

'Jason, wat is er met jou gebeurd?' vroeg Moira. Bourne en zij draaiden zich om en baanden zich een weg door de menigte. 'Waar is Soraya?'

'Die is hier nooit geweest,' zei Bourne. 'Dit is een NSA-val.'

Het zou beter zijn geweest om haar midden in de drukte te houden, maar dat was ook het midden van de val. Bourne leidde haar door de menigte, in de hoop tevoorschijn te komen op een plaats waar de agenten hen niet zouden zien, maar nu zag hij er drie buiten de massa van de demonstratie staan en wist hij dat ze niet weg konden komen. Hij veranderde van koers en trok Moira verder de steeds roeriger wordende massa demonstranten in.

'Wat doe je?' zei Moira. 'Lopen we nu niet recht in de val?'

'Vertrouw op me.' Instinctief ging hij naar een van de brandhaarden, waar de skinheads met de studenten in botsing waren gekomen.

Ze bereikten de rand van het escalerende gevecht tussen de twee groepen jongeren. Vanuit zijn ooghoek zag Bourne een NSA-agent die zich door dezelfde mensenmassa heen worstelde. Bourne probeerde een andere richting in te slaan, maar ze konden niet verder. Een golf van studenten stuwde hen voort als drijfhout in de branding. De NSA-agent voelde die nieuwe beweging in de massa. Hij wilde zich ertegen verzetten, draaide zich om en botste recht tegen Moira op.

Hij blafte Bournes naam in zijn microfoontje, en Bourne schopte tegen de zijkant van zijn knie. De agent wankelde, maar zag kans de hakbeweging die Bourne op zijn schouderblad had gericht te pareren. De agent trok een pistool, en Bourne griste een honkbalknuppel uit de hand van een skinhead en sloeg de agent zo hard op de rug van zijn handen dat hij het pistool liet vallen.

Toen hoorde Bourne achter zich Moira zeggen: 'Jason, ze komen eraan!'

De val kon elk moment dichtklappen.

41

Luther LaValle wachtte angstvallig op het telefoontje van de leider van het team dat Bourne moest ontvoeren in München. Hij zat in zijn gebruikelijke stoel tegenover het raam en keek uit over de glooiende gazons links van het brede griendland. Langs die bochtige oprijlaan stonden eiken en populieren als schildwachten. Nadat hij uit zijn kantoor was teruggekeerd en Soraya Moore verbaal op haar nummer had gezet, deed hij zijn best om haar te negeren. Hij negeerde ook Willard, die het na de tweede keer had opgegeven hem te vragen of hij nog een single-malt whisky wilde. Hij wilde geen whisky meer en hij wilde ook geen woord meer van die vrouw Moore horen. Wat hij wilde, was dat zijn mobiele telefoon ging en dat zijn teamleider hem vertelde dat Jason Bourne in hechtenis was. Meer verlangde hij niet van deze dag; het leek hem niet te veel gevraagd.

Evengoed waren zijn zenuwen strakker dan een gespannen boogpees. Hij had zin om te schreeuwen, om iemand te stompen; hij had zich bijna als een raket op Willard gestort toen de butler hem de vorige keer aansprak – de man was zo verdomd onderdanig. Naast hem zat de vrouw Moore, haar benen over elkaar, teugjes van die verrekte ceylonthee te nemen. Hoe kon ze zo kalm zijn!

Hij stak zijn hand uit en sloeg de kop en schotel uit haar handen. Ze stuiterden op de dikke vloerbedekking, samen met wat er over was van de inhoud, maar bleven intact. Hij sprong overeind en trapte op het porselein tot het helemaal in kleine stukjes gebroken was. Hij zag Soraya naar hem opkijken en snauwde: 'Hé! Waar kijk je naar?'

Zijn mobieltje zoemde en hij griste het van de tafel. Zijn hart maakte een sprongetje en er verspreidde zich een triomfantelijke glimlach over zijn gezicht. Maar het was een bewaker bij de poort, niet de leider van zijn ontvoeringsteam.

'Meneer, neemt u me niet kwalijk dat ik u lastigval,' zei de bewaker, 'maar de directeur van de CIA is hier.'

'Wat?' LaValle schreeuwde het bijna uit. Een bittere teleurstelling maakte zich van hem meester. 'Hou haar buiten de deur!'

'Jammer genoeg is dat niet mogelijk, meneer.'

'Natuurlijk is het mogelijk.' Hij ging naar het raam. 'Ik geef je een bevel!'

'Ze heeft federale marshals bij zich,' zei de bewaker. 'Ze zijn al op weg naar het huis.'

Het was waar. LaValle kon het konvooi over de oprijlaan zien rijden. Sprakeloos van woede en verwarring stond hij ernaar te kijken. Hoe durfde de CIA-directeur inbreuk te maken op zijn persoonlijke heiligdom! Hiervoor zou hij haar achter de tralies zetten!

Hij schrok, want hij voelde dat er iemand naast hem stond. Het was Soraya Moore. Haar brede lippen vormden een raadselachtig glimlachje.

Toen keek ze hem aan en zei: 'Ik geloof echt dat dit het einde der tijden is.'

De mensenmassa sloot zich om Bourne en Moira. Wat eerst nog een eenvoudige demonstratie was geweest, was nu een volslagen mêlee. Hij hoorde wilde kreten en beledigingen en ook het vertrouwde loeien van politiesirenes die uit verschillende richtingen naderden. Bourne was er vrij zeker van dat de leden van het NSA-team niet met de Münchense politie in aanvaring wilden komen. Ze hadden dus niet veel tijd meer. De NSA-agent bij Bourne hoorde de sirenes ook, en hoewel zijn handen duidelijk nog half verdoofd waren van de klap met de honkbalknuppel, greep hij Moira bij de keel.

'Laat die knuppel vallen en kom met me mee, Bourne,' zei hij tegen het aanzwellend geschreeuw in, 'of ik zweer je dat ik haar nek breek als een takje.'

Bourne liet de knuppel vallen, maar terwijl hij dat deed, beet Moira in de hand van de agent. Bourne dreef zijn vuist in de zachte plek onder het borstbeen, greep de pols van de agent vast, draaide de arm in een onnatuurlijke stand en brak met een hard kraakgeluid de elleboog van de man. De agent zakte kreunend op zijn knieën.

Bourne pakte diens paspoort en elektronisch oordopje, gooide Moira het paspoort toe en stak het dopje in zijn oor.

'Naam,' zei hij.

Moira had de portefeuille al open. 'William K. Saunders.'

'Met Saunders,' zei Bourne in het draadloze netwerk. 'Bourne en het meisje ontsnappen. Ze lopen in noordnoordwestelijke richting langs de pagode.'

Toen pakte hij haar hand vast. 'In zijn hand bijten,' zei hij terwijl ze over de gevallen agent heen stapten. 'Dat was heel professioneel van je.'

Ze lachte. 'Het was goed genoeg, hè?'

Ze liepen door de menigte heen naar het zuidoosten. Achter hen baanden de NSA-agenten zich in tegenovergestelde richting een weg door de mensenmassa. Voor hen uit kwam geüniformeerde oproerpolitie aandraven, hun semiautomatische wapens in de aanslag. Ze liepen Bourne en Moira voorbij zonder hen een blik waardig te keuren.

Moira keek op haar horloge. 'Laten we zo gauw mogelijk naar mijn auto gaan. We moeten een vliegtuig halen.'

Hou vol. Die twee woorden die Tyrone in zijn havermout had gevonden waren genoeg om hem op de been te houden. Kendall kwam niet terug en er kwam ook geen andere ondervrager. Zijn maaltijden arriveerden trouwens regelmatig, en er stond nu echt eten op de dienbladen. Dat laatste was een zegen, want hij geloofde niet dat hij ooit nog havermout door zijn keel kon krijgen.

De perioden waarin de zwarte kap niet om zijn hoofd zat, leken hem steeds langer te duren, maar zijn besef van de tijd was verdwenen en hij wist dus niet echt of het zo was. In elk geval had hij van die perioden gebruikgemaakt om te lopen, sit-ups en hurkoefeningen te doen – alles om die verschrikkelijke, door merg en been gaande pijn in zijn armen, schouders en hals te verlichten.

Hou vol. Die boodschap had net zo goed *Je bent niet alleen* of *Heb vertrouwen* kunnen luiden, zoveel betekenis hadden die woorden. Toen hij ze las, wist hij dat Soraya hem niet in de steek had gelaten en dat iets in het gebouw, iemand die toegang tot het souterrain had, aan zijn kant stond. En op dat moment kwam er als het ware een openbaring tot hem, alsof hij – als hij zich zijn Bijbel goed herinnerde – Paulus op de weg naar Damascus was, bekeerd door Gods licht.

Er staat iemand aan mijn kant – niet de kant van de Tyrone die woedend en wraakzuchtig door zijn buurt zwierf, niet de Tyrone die door Deron gered was uit een leven in de goot, zelfs niet de Tyrone die een diep ontzag had voor Soraya. Nee, toen hij eenmaal spontaan *Er staat iemand aan mijn kant* zei, besefte hij dat hij met *mijn kant* de CIA bedoelde. Hij was niet alleen voorgoed uit zijn buurt weggekomen, maar ook onder de mooie schaduw van Soraya vandaan. Hij was nu zijn eigen baas; hij had zijn eigen roeping gevonden, niet als beschermeling van Deron, of als zijn discipel, niet als Soraya's bewonderende assistent. Hij wilde bij de CIA zijn en proberen iets voor de wereld te betekenen. Zijn wereld bleef niet meer beperkt tot hemzelf aan de ene kant en het gezag aan de andere kant. Hij verzette zich niet meer tegen wat hij aan het worden was.

Hij keek op. Nu moest hij hier wegkomen. Maar hoe? Hij kon het best proberen in contact te komen met degene die het briefje had gestuurd, wie dat ook was geweest. Hij dacht even na. Omdat het briefje in zijn eten verstopt had gezeten, lag het voor de hand dat hij zelf ook een briefje zou schrijven en het zou verstoppen in wat hij van het eten overliet. Natuurlijk was het niet zeker dat die persoon het briefje zou vinden, of zelfs zou weten dat het er was, maar het was zijn enige kans en hij was vastbesloten hem aan te grijpen.

Hij keek om zich heen of hij iets zag wat hij als schrijfgerei kon gebruiken, toen hij opeens verstijfde, want de deur ging met een dreun open. Hij draaide zich om. Was Kendall teruggekomen om nog meer sadistische spelletjes te spelen? Was de echte beul gearriveerd? Hij wierp een angstige blik over zijn schouder naar de waterboardingtank, en zijn bloed stolde in zijn aderen. Toen draaide hij zich weer om en zag Soraya in de deuropening staan. Ze grijnsde van oor tot oor.

'God,' zei ze, 'wat ben ik blij je te zien!'

'Wat leuk u te zien,' zei Veronica Hart, 'vooral onder deze omstandigheden.'

Luther LaValle was opgestaan en bij het raam vandaan gekomen toen de CIA-directeur, geflankeerd door federale marshals en CIA-agenten, de Bibliotheek binnenkwam. Alle anderen die op dat moment aanwezig waren, zetten grote ogen op en trokken zich toen op bevel van de marshals haastig terug. LaValle stond nu kaarsrecht en keek Hart aan.

'Hoe durft u?' zei LaValle nu. 'Dit onduldbare gedrag zal niet ongestraft blijven. Zodra ik minister Halliday van Defensie van uw criminele schending van het protocol op de hoogte heb gesteld....'

Hart wuifde met de foto's van de cellen in het souterrain. 'U hebt gelijk, meneer LaValle, dit onduldbare gedrag zal niet ongestraft blijven, maar ik denk dat minister Halliday van Defensie voorop zal lopen om u voor uw criminele gedragingen te bestraffen.'

'Ik doe wat ik doe om mijn land te verdedigen,' zei LaValle stijfjes. 'Als een land in oorlog verkeert, moeten er buitengewone acties worden ondernomen om de grenzen veilig te stellen. U en mensen als u, met uw slappe linkse opvattingen, zijn fout, niet ik.' Hij was lijkbleek, al vlamden zijn wangen op. 'Ik ben hier de patriot. U... u pleegt alleen maar obstructie. Dit land zal barsten en breken wanneer mensen als u de leiding krijgen. Ik ben de enige redding van Amerika.'

'Ga zitten,' zei Hart kalm maar beslist, 'voordat een van mijn "linkse" mensen u tegen de vlakte slaat.'

LaValle keek haar kwaad aan en liet zich toen langzaam in de stoel zakken.

'Het moet wel prettig zijn om in een privéwereld te leven waarin je zelf de regels bepaalt en je je geen moer van de realiteit hoeft aan te trekken.'

'Ik heb geen spijt van wat ik heb gedaan. Als u wroeging verwacht, zit u er finaal naast.'

'Eerlijk gezegd,' zei Hart, 'verwacht ik niets van u tot u *gewaterboard* bent.' Ze wachtte tot al het bloed uit zijn gezicht was weggetrokken en voegde er toen aan toe: 'Dat zou een oplossing zijn, úw oplossing, niet de mijne.' Ze schoof de foto's in de envelop terug.

'Wie heeft ze gezien?' vroeg LaValle.

De CIA-directeur zag hem ineenkrimpen toen ze zei: 'Iedereen die ze moet zien.'

'Nou...' Hij was ongebroken, zonder enig berouw. 'Dan is het voorbij.'

Hart keek langs hem naar de voorkant van de Bibliotheek. 'Nog niet helemaal.' Ze knikte. 'Daar komen Soraya en Tyrone.'

Semion Ikoepov zat op de stoep van een gebouw, niet ver van de plaats waar de schietpartij had plaatsgevonden. Zijn jas verborg het bloed dat zich daarbinnen had verzameld, en hij trok dus niet veel aandacht, alleen nu en dan een nieuwsgierige blik van een voorbijganger. Hij voelde zich duizelig en misselijk, ongetwijfeld van de shock en het bloedverlies, en dat betekende dat hij niet helder kon denken. Met bloeddoorlopen ogen keek hij om zich heen. Waar was de auto die hem hierheen had gebracht? Hij moest hier weg voordat Arkadin uit dat gebouw kwam en hem zag. Hij had een tijger uit de wildernis gehaald en geprobeerd hem te temmen, en hoe je het ook bekeek: dat was een historische fout geweest. Hoe vaak was dat al eerder geprobeerd, altijd met hetzelfde resultaat? Tijgers moesten niet worden getemd, en dat gold ook voor Arkadin. Hij was wat hij was en zou nooit iets anders zijn: een moordmachine met bijna bovennatuurlijke capaciteiten. Ikoepov had zijn talent gezien en gretige pogingen gedaan het voor zijn eigen doeleinden in te zetten. Nu had de tijger zich tegen hem gekeerd. Hij had er een voorgevoel van gehad dat hij in München zou sterven, en nu wist hij waarom en hoe.

Toen hij omkeek naar het appartementengebouw van Egon Kirsch, ging er plotseling een golf van angst door hem heen, alsof de dood daar elk moment uit naar buiten kon komen om hem te besluipen. Hij probeerde zich te vermannen, probeerde overeind te komen, maar er schoot een afschuwelijke pijn door hem heen. Zijn knieën bezweken en hij zakte weer op de koude stenen.

Er kwamen nog meer mensen voorbij, die hem volkomen negeerden. Er reden auto's voorbij. De hemel kwam omlaag; de dag verduisterde alsof er een wolk overheen kwam te hangen. Een plotselinge windvlaag bracht de eerste regen mee, hard als hagel. Hij dook met zijn hoofd tussen zijn schouders en trilde onbedaarlijk.

Het volgende moment hoorde hij zijn naam roepen. Hij keek om en zag de nachtmerriegestalte van Leonid Danilovitsj Arkadin de trappen van Kirsch' gebouw af komen. Dat motiveerde Ikoepov enorm. Hij deed weer een poging om op te staan. Kreunend kwam hij overeind, maar hij bleef onzeker staan wankelen toen Arkadin op hem af begon te rennen.

Op dat moment stopte er een zwarte Mercedes langs de stoeprand. De bestuurder stapte vlug uit, pakte Ikoepov vast en sleepte hem over het trottoir. Ikoepov verzette zich, maar dat had geen zin. Door het bloedverlies was hij zwak geworden, en hij werd steeds zwakker. De bestuurder maakte het achterportier open en duwde hem op de achterbank. Hij trok een .45 HK 1911 en hield daarmee Arkadin op een afstand. Toen liep hij vlug om de voorkant van de Mercedes heen, schoof achter het stuur en reed weg.

Ikoepov, ineengezakt in de hoek van de achterbank, maakte ritmische kreungeluiden van pijn, als rookwolkjes uit een stoomlocomotief. Hij was zich bewust van de zachte schokken waarmee de auto in een hoog tempo door de straten van München reed. Pas daarna besefte hij geleidelijk dat hij niet in zijn eentje op de achterbank zat. Hij knipperde met zijn ogen om enigszins helder te kunnen zien.

'Hallo, Semion,' zei een bekende stem.

Opeens kon Ikoepov weer helder zien. 'Jij!'

'Het is lang geleden dat we elkaar hebben gezien, nietwaar?' zei Dominic Specter.

'Het Empire State Building,' zei Moira terwijl ze de tekeningen bestudeerde die Bourne uit Kirsch' appartement had meegenomen. 'Ik kan bijna niet geloven dat ik het mis had.'

Ze stonden op een parkeerplaats langs de Autobahn die naar het vliegveld leidde.

'Wat bedoel je, dat je het mis had?' zei Bourne.

Ze vertelde hem wat Arthur Hauser, de ingenieur in dienst van Kaller Stahlwerke, hem over het foutje in de software voor de LNG-terminal had verteld.

Bourne dacht even na. 'Als een terrorist dat foutje zou gebruiken om de software te beheersen, wat zou hij dan kunnen doen?'

'De tanker is zo gigantisch groot en de terminal is zo complex dat de koppeling elektronisch wordt geregeld.'

'Via het softwareprogramma.'

Moira knikte.

'Dus hij kan de tanker tegen de terminal laten botsen.' Hij keek haar aan. 'Zouden de tanks met vloeibaar gas dan ontploffen?'

'Die kans is groot.'

Bourne dacht verwoed na. 'Dan zou de terrorist wel moeten weten dat het foutje bestaat, en hoe hij er gebruik van kan maken, en hoe hij de software kan manipuleren.'

'Het klinkt eenvoudiger dan te proberen een groot gebouw in Manhattan op te blazen.'

Ze had natuurlijk gelijk, en omdat hij al over een aantal vragen had nagedacht, zag hij meteen de implicaties daarvan.

Moira keek op haar horloge. 'Jason, het NextGen-vliegtuig met de koppeling vertrekt over dertig minuten.' Ze zette de auto in de versnelling en voegde in op de Autobahn. 'We moeten een besluit nemen voordat we op het vliegveld zijn. Gaan we naar New York of naar Long Beach?'

Bourne zei: 'Ik vroeg me af waarom Specter en Ikoepov die tekeningen zo graag in handen wilden hebben.' Hij keek naar de blauwdrukken alsof hij ze wilde dwingen tegen hem te praten. 'Er is het probleem,' zei hij langzaam en peinzend, 'dat ze waren toevertrouwd aan Specters zoon Pjotr, die zich meer voor meisjes, drugs en het Moskouse nachtleven interesseerde dan voor zijn werk. Als gevolg daarvan zat zijn netwerk vol mislukkelingen, junks en zwak- kelingen.'

'Waarom ter wereld zou Specter zo'n belangrijk document aan zo'n netwerk toevertrouwen?'

'Dat is het nou juist,' zei Bourne. 'Dat zou hij nooit doen.'

Moira keek hem aan. 'Wat betekent dat? Is het netwerk nep?'

'Niet wat Pjotr betrof,' zei Bourne, 'maar inderdaad, zoals Spec- ter het zag, waren alle leden van het netwerk onbelangrijk.'

'Dan zijn de tekeningen ook nep.'

'Nee. Ik denk dat ze echt zijn, en dat Specter daarop rekende,' zei Bourne. 'Maar als je de situatie logisch en kalm onder ogen ziet, iets wat niemand doet als er een terroristische aanslag dreigt, is de kans dat een cel de noodzakelijke materialen het Empire State Build- ing binnen krijgt erg klein.' Hij rolde de plannen op. 'Nee, ik denk dat het een ingewikkelde vorm van desinformatie was: dat hij in- formatie liet uitlekken naar Typhon en mij rekruteerde vanwege mijn trouw aan Specter. Het had allemaal tot doel de Amerikaan- se veiligheidstroepen op de verkeerde kust te mobiliseren.'

'Dus je denkt dat de LNG-terminal in Long Beach het echte doel- wit van het Zwarte Legioen is.'

'Ja,' zei Bourne. 'Dat denk ik.'

Tyrone stond op LaValle neer te kijken. Er was een vreselijke stil- te over de Bibliotheek neergedaald toen Soraya en hij waren bin- nengekomen. Hij zag dat Soraya het mobieltje van LaValle van de tafel pakte.

'Goed,' zei ze met een hoorbare zucht van verlichting. 'Er heeft niemand gebeld. Jason moet in veiligheid zijn.' Ze probeerde hem met haar eigen telefoon te bellen, maar hij nam niet op.

Hart, die was opgestaan toen ze waren binnengekomen, zei: 'Je ziet er beroerd uit, Tyrone.'

'Dat is wel te verhelpen met een training op de CIA-opleiding,' zei hij.

Hart keek Soraya even aan en zei toen: 'Ik denk dat je dat wel hebt verdiend.' Ze glimlachte. 'In jouw geval laat ik de gebruikelij- ke waarschuwingen achterwege: hoe zwaar het trainingsprogram- ma is en dat veel rekruten het in de eerste twee weken opgeven. Ik weet dat we niet bang hoeven te zijn dat jij het opgeeft.'

'Nee, mevrouw.'

'Noem me maar directeur, Tyrone. Dat heb je ook verdiend.'

Hij knikte maar kon zijn blik niet van LaValle wegnemen.

Zijn belangstelling bleef niet onopgemerkt. De CIA-directeur zei: 'Meneer LaValle, het lijkt me niet meer dan rechtvaardig dat Tyrone over uw lot beslist.'

'U bent gek.' LaValle keek stomverbaasd. 'U kunt niet...'

'Integendeel,' zei Hart, 'dat kan ik wel.' Ze keek Tyrone aan. 'Het is helemaal aan jou, Tyrone. Laat de strafmaat op het misdrijf zijn afgestemd.'

Tyrone, die fel naar LaValle keek, zag in diens ogen wat hij altijd in de ogen van blanken zag die een confrontatie met hem aangingen: een giftige mengeling van minachting, afkeer en angst. Vroeger zou dat hem tot razernij hebben gebracht, maar toen was hij onwetend geweest. Misschien had hij in die ogen toen een weerspiegeling van de blik in zijn eigen ogen gezien. Vandaag niet, nooit meer, want toen hij gevangen had gezeten, had hij eindelijk begrepen wat Deron hem had willen leren: dat zijn eigen onwetendheid zijn ergste vijand was. Kennis stelde hem in staat de verwachtingen die anderen van hem hadden te veranderen, in plaats van hen met een stiletto of pistool te bedreigen.

Hij keek om zich heen en zag de afwachtende uitdrukking op Soraya's gezicht. Toen keek hij LaValle weer aan en zei: 'Ik denk dat iets openbaars wel geschikt zou zijn, iets wat gênant genoeg is om helemaal tot aan minister Halliday van Defensie door te dringen.'

Veronica Hart kon haar lachen niet inhouden. Ze lachte tot de tranen in haar ogen sprongen.

42

'Zo te zien ben je er niet best aan toe, mijn beste Semion.' Dominic Specter keek naar Ikoepov, die pijn leed omdat hij rechtop zat. 'Ik moet naar een dokter.' Ikoepov hijgde als een auto die in een te lage versnelling een steile helling op rijdt.

'Wat jij nodig hebt, mijn beste Semion, is een chirurg,' zei Specter. 'Jammer genoeg hebben we daar geen tijd voor. Ik moet naar Long Beach en ik kan het me niet veroorloven je achter te laten.'

'Dit was mijn idee, Asher.' Nu hij zich met zijn rug tegen de zitting had gedrukt, kwam er weer een klein beetje kleur op Ikoepovs wangen.

'Het was ook jouw idee om Pjotr te gebruiken. Hoe noemde je mijn zoon? O ja, een nutteloze wrat op de kont van het lot. Dat was het toch?'

'Hij wás nutteloos, Asher. Hij gaf alleen maar om neuken en drugs. Voelde hij zelfs wel betrokkenheid bij de zaak? Wist hij zelfs wel wat dat woord betekende? Ik betwijfel het, en jij ook.'

'Je hebt hem vermoord, Semion.'

'En jij hebt Iliev laten vermoorden.'

'Ik dacht dat je van gedachten veranderd was,' zei Sever. 'Ik dacht dat je hem achter Bourne aan had gestuurd om mij te ontmaskeren, om de overhand te krijgen door hem over het doelwit in Long Beach te vertellen. Kijk me niet zo aan. Is het zo vreemd? Per slot van rekening zijn we langer vijanden geweest dan bondgenoten.'

'Je bent paranoïde geworden,' zei Ikoepov, al had hij indertijd zijn plaatsvervanger gestuurd om Sever te ontmaskeren. Hij had tijdelijk geen vertrouwen in Severs plan gehad, had ten slotte het gevoel gekregen dat de risico's voor hen allen te groot waren. Van het begin af had hij er bij Sever op aangedrongen Bourne hierbuiten te houden, maar hij had zich neergelegd bij Severs argument dat de

CIA Bourne vroeg of laat in het spel zou brengen. 'Het is veel beter dat wij ze voor zijn, dus dat we Bourne zelf in het spel brengen,' had Sever ten slotte gezegd, en daarmee was de zaak beklonken geweest. Tot nu toe.

'We zijn allebei paranoïde geworden.'

'Een triest feit,' zei Ikoepov met een zucht van pijn. Het was waar: het was hun grote kracht geweest dat ze samenwerkten zonder dat iemand in beide kampen daarvan wist, maar dat was ook hun zwakheid geweest. Omdat hun organisaties elkaar zogenaamd bestreden, omdat de grote vijand van het Zwarte Legioen in werkelijkheid zijn nauwste bondgenoot was, waren alle andere potentiële rivalen teruggedeinsd en had het Zwarte Legioen kunnen opereren zonder gedwarsboomd te worden. Niettemin hadden de acties die beide mannen soms voor de schijn moesten ondernemen het vertrouwen tussen hen onbewust aangetast.

Ikoepov had het gevoel dat hun onderlinge wantrouwen nog nooit zo groot was geweest als nu. Hij wilde daar iets aan doen. 'Pjotr heeft zichzelf gedood – en in feite verdedigde ik alleen maar mezelf. Wist je dat hij Arkadin had ingehuurd om mij te doden? Wat had ik dan moeten doen?'

'Er waren andere opties,' zei Sever, 'maar jouw idee van gerechtigheid is oog om oog, tand om tand. Voor een moslim heb je veel van het joodse Oude Testament in je. En nu lijkt het erop dat diezelfde gerechtigheid zich tegen je zal keren. Als Arkadin je te pakken krijgt, vermoordt hij je.' Sever lachte. 'Ik ben de enige die je nu nog kan redden. Ironisch, nietwaar? Je hebt mijn zoon gedood en nu beslis ik over jouw leven of dood.'

'Wij hebben altijd over elkaars leven of dood beslist.' Ikoepov probeerde het gesprek enigszins naar zich toe te trekken. 'Er zijn slachtoffers gevallen aan beide kanten. Dat was betreurenswaardig maar noodzakelijk. Hoe meer de dingen veranderen, des te meer blijven ze hetzelfde. Afgezien van Long Beach.'

'Dat is nou precies het probleem,' zei Sever. 'Ik heb net Arthur Hauser ondervraagd. Dat was onze man binnen het Kaller-bedrijf, en als zodanig werd hij door mijn mensen in de gaten gehouden. Eerder vandaag werd hij bang en praatte hij met een lid van Black River. Ik had wat tijd nodig om hem aan het praten te krijgen, maar uiteindelijk lukte dat. Hij heeft die vrouw – Moira Trevor – over de fout in de software verteld.'

'Dus Black River weet het.'

'Als ze het weten,' zei Sever, 'doen ze er niets aan. Hauser heeft me namelijk ook verteld dat ze zich uit NextGen hebben teruggetrokken. Black River regelt hun beveiliging niet meer.'

'Wie dan wel?'

'Dat doet er niet toe,' zei Sever. 'Het gaat erom dat de tanker nog geen dag varen van de kust van Californië verwijderd is. Mijn softwaredeskundige is aan boord en op zijn post. Nu is het de vraag of die medewerkster van Black River in haar eentje in actie zal komen.'

Ikoepov fronste zijn wenkbrauwen. 'Waarom zou ze? Jij kent Black River net zo goed als ik. Ze opereren als team.'

'Zeker, maar die vrouw Trevor had inmiddels al aan haar volgende missie moeten beginnen. Ik heb van mijn mensen gehoord dat ze nog in München is.'

'Misschien neemt ze een paar snipperdagen.'

'En misschien,' zei Sever, 'gaat ze handelen op grond van de informatie die Hauser haar heeft verstrekt.'

Ze naderden het vliegveld, en met enige moeite wees Ikoepov daarnaar. 'We kunnen daar alleen achter komen door te kijken of ze in het NextGen-vliegtuig zit waarmee de koppeling naar de terminal wordt gebracht.' Hij glimlachte vaag. 'Blijkbaar vind je het verrassend dat ik zoveel weet. Ik heb ook mijn spionnen, en van velen van hen weet jij niets af.' Hij tastte onder zijn jas en zuchtte van pijn. 'Het is me ge-sms't, maar ik kan mijn mobieltje niet vinden.' Hij keek om zich heen. 'Dat moet uit mijn zak zijn gevallen toen je chauffeur me in de auto werkte.'

Sever negeerde het verwijt en maakte een wuifgebaar. 'Laat maar. Hauser heeft me alle details gegeven, als we door de beveiliging kunnen komen.'

'Ik heb mensen bij de immigratiedienst van wie jij niet weet.'

Severs glimlach bezat een zekere mate van de wreedheid die ze met elkaar deelden. 'Mijn beste Semion, dan ben je toch nog ergens goed voor.'

Arkadin vond Ikoepovs mobieltje in de goot, waar het terecht was gekomen toen Ikoepov in de Mercedes werd geduwd. Hij bedwong de aandrang om het kapot te stampen en maakte het open om te zien wie Ikoepov het laatst had gebeld. Het laatst binnengekomen bericht bleek een sms'je te zijn. Hij riep het op en las de informatie over een vliegtuig van NextGen dat over twintig minuten zou vertrekken. Hij vroeg zich af waarom dat belangrijk zou zijn voor Ikoepov. Een deel van hem wilde naar Devra terug – hetzelfde deel dat zich ertegen had verzet dat hij haar achterliet om achter Ikoepov aan te gaan –, maar in Kirsch' appartementengebouw wemelde het van de politie. Het hele blok werd afgezet, en hij keek dan ook niet om, probeerde er niet aan te denken hoe ze daar verwrongen op de vloer had gelegen en met haar lege ogen naar hem had opgekeken toen ze al niet meer ademhaalde.

Hou je van me, Leonid?

Wat had hij haar geantwoord? Hij wist het al niet meer. Haar dood was als een droom, iets levendigs waar geen touw aan vast te knopen was. Misschien was het een symbool, al wist hij niet meer waarvan.

Hou je van me, Leonid?

Het deed er niet toe, al wist hij dat het er voor haar wel toe deed. Hij had gelogen, natuurlijk had hij gelogen om haar laatste ogenblikken gemakkelijker te maken, maar de gedachte dat hij tegen haar had gelogen dreef een mes door wat voor zijn hart moest doorgaan.

Hij keek naar het sms'je en wist waar hij Ikoepov zou kunnen vinden. Hij draaide zich om en liep naar het afgezette gedeelte van de straat terug. Zogenaamd als misdaadverslaggever van de *Abendzeitung* sprak hij een van de jongere geüniformeerde agenten aan. Hij stelde hem gerichte vragen over de schietpartij en zei dat hij van bewoners van aangrenzende gebouwen had gehoord dat er was geschoten. Zoals hij al vermoedde, had de agent alleen maar bewakingsdienst en wist hij bijna niets. Maar daar ging het Arkadin ook niet om; hij was nu binnen de afzetting en leunde tegen een van de politiewagens terwijl hij zijn nutteloze vraaggesprek hield.

Ten slotte werd de agent weggeroepen. Hij stuurde Arkadin weg met de mededeling dat de commissaris om vier uur die middag een persconferentie zou geven; dan kon hij alle vragen stellen die hij wilde. Zo bleef Arkadin alleen achter, leunend tegen de auto. Snel liep hij om de voorkant van de auto heen, en op het moment dat de wagen van de forensische dienst arriveerde – de perfecte afleiding – maakte hij het portier aan de bestuurderskant open. Hij startte de politiewagen en reed weg. Eenmaal op de Autobahn, zette hij de sirene aan en reed op topsnelheid naar het vliegveld.

'Het zal me geen moeite kosten jou aan boord te krijgen,' zei Moira. Ze nam de vierbaansweg naar de vrachtterminal, liet haar identiteitsbewijs van NextGen bij het bewakingshokje zien en reed door naar het parkeerterrein buiten de terminal. Onderweg naar het vliegveld had ze er lang en diep over nagedacht of ze Jason moest vertellen voor wie ze echt werkte. Als ze hem vertelde dat ze voor Black River werkte, zou ze haar contract schenden, en op dit moment hoopte ze vurig dat ze geen reden zou hebben het hem te vertellen.

Nadat ze de beveiliging, de douane en de immigratiedienst waren gepasseerd, kwamen ze op het platform en liepen ze naar de 747 toe. Een verplaatsbare trap stond voor de hoge passagiersdeur, die openstond. Aan de andere kant van het vliegtuig stond de truck van Kaller Stahlwerke Gesellschaft geparkeerd, samen met een hijstoestel van het vliegveld, dat kisten met onderdelen van de LNG-koppeling in het laadruim van het straalvliegtuig laadde. De truck was blijkbaar aan de late kant, en het laadproces moest noodzakelijkerwijs traag en zorgvuldig verlopen. Kaller en NextGen konden zich in dit late stadium geen ongeluk permitteren.

Moira liet haar identiteitsbewijs van NextGen aan een van de bemanningsleden zien, die onder aan de trap stond. Hij glimlachte, knikte en verwelkomde hen aan boord. Moira slaakte een zucht van verlichting. Nu zat er tussen hen en de aanslag van het Zwarte Legioen alleen nog een tien uur durende vliegreis naar Long Beach.

Maar toen ze boven aan de trap kwamen, kwam er iemand uit het vliegtuig. Hij bleef in de deuropening staan en keek op haar neer.

'Moira,' zei Noah, 'wat doe jij hier? Waarom ben je niet onderweg naar Damascus?'

Manfred Holger, Ikoepovs man bij de immigratiedienst, wachtte hen op bij de controlepost van de vrachtterminals. Hij stapte bij hen in de auto en ze reden snel door. Ikoepov had hem met Severs mobieltje gebeld. Hij had net op het punt gestaan naar huis te gaan, maar gelukkig voor hen had hij zijn uniform nog niet uitgetrokken.

'Dat is gemakkelijk.' Holger sprak op de gewichtige manier die er door zijn superieuren bij hem ingehamerd was. 'Ik hoef alleen maar in de immigratiegegevens te kijken om te weten of ze door het systeem is gekomen.'

'Dat is niet goed genoeg,' zei Ikoepov. 'Misschien reist ze onder een andere naam.'

'Goed, dan ga ik aan boord en kijk ik alle paspoorten na.' Holger zat op de voorbank en draaide zich nu om naar Ikoepov. 'Als die vrouw, Moira Trevor, aan boord blijkt te zijn, wat moet ik dan doen?'

'Haal haar uit het vliegtuig,' zei Sever meteen.

Holger keek Ikoepov vragend aan, en die knikte. Ikoepovs gezicht was weer grauw, en het kostte hem meer moeite de pijn te bedwingen.

'Breng haar naar ons toe,' zei Sever.

Holger had hun diplomatieke paspoorten aangenomen en hen snel door de beveiliging geleid. De Mercedes stond nu aan de rand van het platform. De 747 met het logo van NextGen op de zijkanten en staart stond nog te wachten tot de inhoud van de truck van Kaller Stahlwerke was overgeladen. Omdat die truck zo dicht voor het toestel stond, waren ze niet te zien voor iemand die in het vliegtuig stapte of daar al in zat.

Holger knikte, stapte uit de Mercedes en liep over het platform naar de verrijdbare trap.

'*Kriminalpolizei*,' zei Arkadin nadat hij met de politiewagen bij de controlepost van de vrachtterminal was gestopt. 'We hebben reden om aan te nemen dat iemand die vanmiddag twee mensen heeft vermoord hierheen is gevlucht.'

De bewakers lieten hem langs de douane en de immigratiedienst rijden zonder naar zijn papieren te vragen; de politieauto zelf was voldoende bewijs voor hen. Toen Arkadin over het parkeerterrein naar het platform reed, zag hij het straalvliegtuig, de truck van NextGen waaruit kisten in het laadruim werden gehesen, en de zwarte Mercedes die op enige afstand van beide stond. Hij herkende de auto meteen en zette de politiewagen recht achter de Mercedes. Een ogenblik bleef hij achter het stuur zitten. Hij keek naar de Mercedes alsof die auto zelf zijn vijand was.

Hij zag de silhouetten van twee mannen op de achterbank en het kostte hem weinig moeite om een van hen als Semion Ikoepov te herkennen. Hij vroeg zich af welk van de pistolen die hij bij zich had hij zou gebruiken om zijn vroegere mentor dood te schieten: de sig Sauer 9mm, de Luger of de .22 sig Mosquito. Het hing ervan af wat voor schade hij wilde toebrengen, en aan welk lichaamsdeel. Hij had Stas Koezin in zijn knieën geschoten om hem beter te zien lijden, maar dit was een andere tijd en vooral ook een andere plaats. Het vliegveld was openbare ruimte en in de aangrenzende passagiersterminal wemelde het van de bewakers. Hij was als lid van de *Kriminalpolizei* een heel eind gekomen, maar hij wist dat hij het lot niet moest tarten. Nee, dit moest een snelle, zuivere liquidatie worden. Het enige wat hij verlangde, was dat hij in Ikoepovs ogen zou kijken als de man stierf, en dat Ikoepov wist wie een eind aan zijn leven had gemaakt en waarom.

Arkadin had niet precies geweten op welk moment Koezin was gestorven, maar hij was zich volledig bewust van dit moment. Hij besefte hoe belangrijk het was dat de zoon het van de vader overnam, dat de zoon wraak nam op het psychologisch en fysiek overwicht dat een volwassene op een kind heeft. Het kwam geen moment bij hem op dat hij geen kind meer was geweest toen Misja aan Semion Ikoepov had gevraagd hem erbovenop te helpen. Vanaf het moment dat hij Ikoepov had ontmoet had hij een vaderfiguur in hem gezien. Hij had hem gehoorzaamd zoals hij een vader zou gehoorzamen, had zijn oordelen geaccepteerd, had zijn hele wereldbeeld geslikt, was hem trouw geweest. En nu zou hij hem doden voor de zonden die Ikoepov op hem had doen neerkomen.

'Toen je niet naar het vliegtuig kwam waarmee je geacht werd te vertrekken, had ik het gevoel dat je hier zou komen opdagen.' Noah keek haar aan. Hij had helemaal geen oog voor Bourne. 'Ik laat je niet in het vliegtuig toe, Moira. Je bent hier niet meer bij betrokken.'

'Ze werkt toch nog steeds voor NextGen?' zei Bourne.

'Wie is dit?' vroeg Noah, zijn blik nog steeds op haar gericht.

'Ik ben Jason Bourne.'

Er gleed een trage glimlach over Noahs gezicht. 'Moira, je hebt ons niet aan elkaar voorgesteld.' Hij keek Bourne aan en stak zijn hand uit. 'Noah Petersen.'

Bourne schudde zijn hand. 'Jason Bourne.'

Met diezelfde sluwe glimlach op zijn gezicht zei Noah Petersen: 'Weet je dat ze tegen je gelogen heeft? Dat ze je onder valse voorwendsels naar NextGen heeft gehaald?'

Hij keek even naar Moira, maar tot zijn teleurstelling zag hij geen schrik of verontwaardiging op haar gezicht.

'Waarom zou ze dat doen?' vroeg Bourne.

'Omdat,' zei Moira, 'ik net als Noah voor Black River werk, het particuliere beveiligingsbedrijf. We zijn door NextGen ingehuurd om toezicht te houden op de beveiliging van de LNG-terminal.'

Nu keek Noah geschrokken. 'Moira, hou op. Je schendt je contract.'

'Het doet er niet toe, Noah. Ik heb een halfuur geleden ontslag genomen bij Black River. Ik ben hoofd beveiliging van NextGen geworden. Dus in feite ben jij het die niet welkom is in dit vliegtuig.'

Noah bleef stokstijf staan, tot Bourne een stap naar hem toe deed. Toen trok hij zich terug en ging hij de trap af. Op de helft aangekomen, keek hij haar aan. 'Jammer, Moira. Ooit had ik vertrouwen in jou.'

Ze schudde haar hoofd. 'Weet je wat jammer is? Dat Black River geen geweten heeft.'

Noah keek haar nog even aan. Toen draaide hij zich om, ging vlug de rest van de trap af en liep weg over het platform, zonder de Mercedes en de politiewagen daarachter te zien.

Arkadin koos voor de Mosquito, want die zou het minste lawaai maken. Met zijn hand om de kolf stapte hij uit de politiewagen en liep naar de bestuurderskant van de Mercedes. Hij moest eerst afrekenen met de chauffeur, die ongetwijfeld ook als lijfwacht fungeerde. Terwijl hij zijn Mosquito uit het zicht hield, tikte hij met zijn knokkel op de ruit.

Toen de chauffeur de ruit omlaag liet komen, stak Arkadin de Mosquito in zijn gezicht en haalde de trekker over. Het hoofd van de chauffeur klapte zo hard naar achteren dat de halswervels braken. Arkadin trok het portier open, duwde het lijk opzij en knielde op de voorbank neer, tegenover de twee mannen op de achterbank. Hij herkende Sever van een oude foto die Ikoepov hem een keer had laten zien: het gezicht van zijn vijand. 'Verkeerde tijd, verkeerde plaats,' zei hij, en hij schoot Sever in zijn borst.

Toen Sever vooroverzakte, richtte Arkadin zijn aandacht op Ikoepov. 'Je dacht toch niet dat je aan me kon ontsnappen, vader?'

Ikoepov – die door de plotselinge aanval en de niet uit te houden pijn in zijn schouder alsnog in een shocktoestand raakte – zei: 'Waarom noem je me vader? Je vader is lang geleden gestorven, Leonid Danilovitsj.'

'Nee,' zei Arkadin. 'Hij zit hier als een gewonde vogel tegenover me.'

'Ja, een gewonde vogel.' Met grote moeite maakte Ikoepov zijn jas open, waarvan de voering drijfnat was van het bloed. 'Je vriendin schoot op me voordat ik haar uit zelfverdediging neerschoot.'

'Dit is geen rechtbank. Waar het mij om gaat, is dat ze dood is.' Arkadin duwde de loop van de Mosquito onder Ikoepovs kin en drukte hem omhoog. 'En jij, vader, leeft nog.'

'Ik begrijp je niet.' Ikoepov slikte. 'Ik heb je nooit begrepen.'

'Wat ben ik anders voor jou geweest dan een middel om een doel te bereiken? Ik doodde wanneer jij zei dat ik dat moest doen. Waarom? Waarom deed ik dat? Kun je me dat vertellen?'

Ikoepov zei niets. Hij wist niet wat hij kon zeggen om zijn dood te ontgaan.

'Ik deed het omdat ik getraind was om het te doen,' zei Arkadin. 'Daarom stuurde je me naar Amerika, naar Washington, niet om me van mijn moorddadige razernijen te genezen, zoals je zei, maar om er zelf gebruik van te kunnen maken.'

'En wat dan nog?' Ikoepov had eindelijk zijn stem gevonden. 'Welk nut zou je anders kunnen hebben? Toen ik je vond, scheelde het niet veel of je pleegde zelfmoord. Ik heb je gered, ondankbaar stuk vreten.'

'Je hebt me gered om me tot dit leven te kunnen veroordelen, dat volgens mij helemaal geen leven is. Ik begrijp nu dat ik nooit echt uit Nizjni Tagil ben ontsnapt. Dat zal me ook nooit lukken.'

Ikoepov glimlachte. Hij dacht dat hij zijn beschermeling kon inschatten. 'Jij wilt me niet doden, Leonid Danilovitsj. Ik ben je enige vriend. Zonder mij ben je niets.'

'Ik ben altijd al niets geweest,' zei Arkadin terwijl hij de trekker overhaalde. 'Nu ben jij ook niets.'

Hij stapte uit de Mercedes en liep over het platform naar de plaats waar het NextGen-personeel bijna klaar was met het inladen van de kisten. Zonder dat ze hem zagen klom hij op het hijstoestel. Hij hurkte net onder de cabine neer, en zodra de laatste kist aan boord was gehesen en de laders van NextGen het laadruim via de binnentrap verlieten, sprong hij aan boord van het vliegtuig. Hij dook achter een stapel kisten en bleef geduldig zitten wachten tot de deuren dicht waren en hij opgesloten zat.

Bourne zag de Duitse functionaris aankomen en vermoedde dat er iets mis was: een ambtenaar van de immigratiedienst die eigenlijk geen reden had om hen te ondervragen. Toen herkende hij het gezicht van de man. Hij zei tegen Moira dat ze het vliegtuig weer in moest gaan en bleef in de deuropening staan toen de ambtenaar de trap op kwam.

'Ik moet de paspoorten van iedereen zien,' zei de man toen hij bij Bourne was aangekomen.

'Er zijn al paspoortcontroles gedaan, *mein Herr*.'

'Evengoed moet er nu nog een beveiligingscontrole worden verricht.' De ambtenaar stak zijn hand uit. 'Uw paspoort alstublieft. En dan controleer ik de identiteit van alle anderen aan boord.'

'U herkent me niet, *mein Herr*?'

'Alstublieft.' De man legde zijn hand op de kolf van de Luger in zijn holster. 'U belemmert het werk van een ambtenaar in functie. Gelooft u me, ik neem u in hechtenis als u weigert me uw paspoort te laten zien en opzij te gaan.'

'Hier is mijn paspoort, *mein Herr*.' Bourne sloeg het open op de laatste bladzijde en wees naar een plekje op de binnenkant van het omslag. 'En hier hebt u een elektronisch volgapparaatje aangebracht.'

'Wat is dat voor een beschuldiging? U hebt geen bewijs...'

Bourne liet hem het kapotgemaakte apparaatje zien. 'Ik geloof niet dat u hier voor officiële zaken bent. Ik denk dat degene die u opdracht heeft gegeven dit apparaatje in mijn paspoort te verstoppen u betaalt om nu de paspoorten te controleren.' Bourne pakte de elleboog van de man vast. 'Laten we naar de leiding van de immigratiedienst lopen en vragen of ze u hebben gestuurd.'

De man richtte zich stijfjes op. 'Ik ga nergens met u naartoe. Ik heb werk te doen.'

'Ik ook.'

Toen Bourne hem de trap af trok, greep de man naar zijn wapen.

Bourne boorde zijn vingers in de zenuwbundel net boven de elleboog van de man. 'U kunt uw wapen trekken,' zei Bourne, 'maar wees dan wel voorbereid op de gevolgen.'

De ijzige afstandelijkheid van de man verdween eindelijk, zodat de angst die eronder lag in zicht kwam. Zijn ronde gezicht was nu bleek en bezweet.

'Wat wilt u van me?' zei hij toen ze over het platform liepen.

'Breng me naar uw echte werkgever.'

De ambtenaar had nog een klein beetje bravoure over. 'U denkt toch niet echt dat hij hier is?'

'Nou, daar was ik niet zeker van, totdat u dat zei. Nu weet ik dat hij er is.' Bourne schudde de ambtenaar heen en weer. 'Breng me nu naar hem toe.'

De ambtenaar knikte verslagen. Hij dacht natuurlijk aan zijn nabije toekomst. Met een versneld tempo leidde hij Bourne achter de 747 langs. Op dat moment kwam de NextGen-truck rommelend tot leven om bij het vliegtuig vandaan te rijden. Toen zag Bourne de zwarte Mercedes en de politiewagen daarachter.

'Waar komt die politiewagen vandaan?' De ambtenaar rukte zich van Bourne los en rende naar de geparkeerde auto's toe.

Bourne, die zag dat de portieren aan de bestuurderskant van beide auto's openstonden, volgde de man op de voet. Toen ze dichterbij kwamen, was duidelijk dat er niemand in de politiewagen zat, maar toen ze door de portieropening van de Mercedes keken, zagen ze de bestuurder voorovergezakt zitten. Zo te zien was hij naar de passagierskant geduwd.

Bourne trok het achterportier open en zag Ikoepov; de bovenkant van zijn schedel was weggeschoten. Een andere man was naar voren gevallen tegen de hoofdsteunen van de stoel voor hem. Toen Bourne hem voorzichtig naar achteren trok, zag hij dat het Dominic Specter – of Asher Sever – was, en nu was alles hem duidelijk. Officieel waren die twee mannen vijanden, maar in het geheim waren ze bondgenoten. Dat beantwoordde veel vragen, vooral waarom iedereen met wie Bourne over het Zwarte Legioen had gesproken een andere mening had over wie lid was en wie niet.

Sever zag er klein en zwak uit, veel ouder dan hij was. Hij was met een .22 in zijn borst geschoten. Bourne voelde zijn pols en luisterde naar zijn ademhaling. Hij leefde nog.

'Ik bel een ambulance,' zei de ambtenaar.

'Doe wat je moet doen,' zei Bourne, en hij pakte Sever op. 'Ik neem deze mee.'

Hij liet de immigratieman met de ravage achter, liep over het platform en beklom de verrijdbare trap.

'Wegwezen,' zei hij, terwijl hij Sever over drie zitplaatsen heen legde.

'Wat is er met hem gebeurd?' zei Moira verbaasd. 'Leeft hij nog?'

Bourne knielde bij zijn oude mentor neer. 'Hij haalt nog adem.' Terwijl hij het overhemd van de professor wegscheurde, zei hij tegen Moira: 'Kun je ervoor zorgen dat we opstijgen? We moeten hier nu weg.'

Moira knikte. Ze liep door het gangpad en sprak met een van de stewardessen, die meteen het EHBO-kistje ging halen. De deur naar de cockpit stond nog open, en Moira gaf de captain en de copiloot bevel op te stijgen.

Binnen vijf minuten was de verrijdbare trap verwijderd en taxiede de 747 naar de startbaan. Even later kregen ze toestemming om op te stijgen. De remmen werden uitgeschakeld, de motoren maakten toeren en het straalvliegtuig schoot met toenemende snelheid over de startbaan. Ze kwamen van de grond, de wielen werden ingetrokken, de vleugelkleppen werden bijgesteld, en ze stegen op in een hemel die vervuld was van het rood en goud van de ondergaande zon.

43

'Is hij dood?' Sever keek op naar Bourne, die de wond in zijn borst schoonmaakte.

'U bedoelt Semion?'

'Ja. Semion. Is hij dood?'

'Ikoepov en de chauffeur zijn allebei dood.'

Bourne drukte Sever omlaag terwijl de alcohol alles wegbrandde wat de wond kon laten etteren. Er waren geen organen geraakt, maar de wond moest uiterst pijnlijk zijn.

Bourne gebruikte de antiseptische crème uit een tube in het EHBO-kistje. 'Wie heeft u neergeschoten?'

'Arkadin.' Tranen van pijn rolden over Severs wangen. 'Om de een of andere reden is hij volslagen krankzinnig geworden. Misschien was hij altijd al krankzinnig. Tenminste, dat dacht ik. Allah, dat doet pijn!' Hij haalde een paar keer zwak adem voordat hij verderging. 'Hij dook op uit het niets. De chauffeur zei: "Er is een politiewagen achter ons gestopt." Voor ik er erg in had, maakte hij zijn raam open en kreeg hij een kogel recht in zijn gezicht. Semion en ik hadden geen tijd om na te denken. Arkadin zat opeens in de auto. Hij schoot op mij, maar ik ben er zeker van dat het hem om Semion te doen was.'

Bourne besefte wat er in Kirsch' appartement gebeurd moest zijn. Hij zei: 'Ikoepov heeft zijn vriendin Devra gedood.'

Sever kneep zijn ogen dicht. Het kostte hem moeite om normaal adem te halen. 'Nou en? Het kon Arkadin nooit iets schelen wat er met zijn vrouwen gebeurde.'

'Hij gaf om deze vrouw,' zei Bourne, terwijl hij een verband aanlegde.

Sever keek ongelovig naar Bourne op. 'Weet je wat zo vreemd is? Ik geloof dat ik hem Semion "vader" hoorde noemen. Semion begreep het niet.'

'En hij zal het ook nooit begrijpen.'

'Hou op met dat gedoe en laat me doodgaan, verdomme!' zei Sever kwaad. 'Het maakt nu niet uit of ik leef of dood ben.'

Bourne was klaar met verbinden.

'Wat gebeurd is, is gebeurd. Het lot neemt zijn loop. Jij kunt daar niets aan doen, en iemand anders kan dat ook niet.'

Bourne ging tegenover Sever zitten. Hij was zich ervan bewust dat Moira bij hen in de buurt stond en naar hen keek en luisterde. Uit het verraad van de professor bleek weer eens dat je nooit veilig was als je persoonlijke gevoelens in je leven toeliet.

'Jason.' Severs stem was zwakker. 'Het was nooit mijn bedoeling je te bedriegen.'

'Dat was het wel, professor. Bedriegen is het enige wat u kunt.'

'Ik was je als een zoon gaan beschouwen.'

'Zoals Ikoepov Arkadin als een zoon beschouwde.'

Met veel moeite schudde Sever zijn hoofd. 'Arkadin is krankzinnig. Misschien zijn ze dat allebei. Misschien voelden ze zich door hun gezamenlijke krankzinnigheid tot elkaar aangetrokken.'

Bourne boog zich naar voren. 'Laat me u een vraag stellen, professor. Denkt u dat u geestelijk gezond bent?'

'Natuurlijk ben ik dat.'

Sever keek Bourne strak aan, ook nu nog uitdagend.

Een ogenblik deed Bourne niets. Toen stond hij op en liep hij samen met Moira naar voren.

'Het is een lange vlucht,' zei ze zacht, 'en je hebt je rust nodig.'

'Wij allebei.'

Ze gingen naast elkaar zitten en zwegen een hele tijd. Nu en dan hoorden ze Sever zacht kreunen. Het ronken van de motoren bracht hen langzaam in slaap.

Het was ijskoud in het laadruim, maar dat vond Arkadin niet erg. De winters in Nizjni Tagil waren gruwelijk geweest. In een van die winters had Misja Tarkanian hem gevonden toen hij zich schuilhield voor wat er van Stas Koezins regime was overgebleven. Misja, zo hard als het lemmet van een mes, had het hart van een dichter. Hij vertelde verhalen die mooi genoeg waren om gedichten te kunnen zijn. Arkadin was onder zijn bekoring gekomen – als zo'n woord op hem van toepassing kon zijn. Met zijn prachtige verhalen voerde Misja hem ver weg van Nizjni Tagil, en als Misja hem voorbij de binnenring van schoorsteenpijpen bracht, en voorbij de buitenring van streng beveiligde gevangenissen, voerden zijn verhalen Arkadin naar plaatsen voorbij Moskou, naar landen voorbij Rusland. De verhalen gaven Arkadin een eerste idee van de wereld als geheel.

Zoals hij daar nu met zijn rug tegen een kist aan zat, zijn knieën tegen zijn borst getrokken om warmte vast te houden, had hij alle reden om aan Misja te denken. Ikoepov had ervoor geboet dat hij Devra had gedood, en nu moest Bourne boeten voor de dood van Misja. Maar nog niet meteen, dacht Arkadin, al schreeuwde zijn bloed om wraak. Als hij Bourne nu doodde, zou Ikoepovs plan slagen, en dat kon hij niet toestaan, want dan zou zijn wraak niet volledig zijn.

Arkadin leunde met zijn hoofd tegen de rand van de kist en deed zijn ogen dicht. Wraak was nu net zoiets als Misja's gedichten. De wraak bloeide open en omringde hem met een hemelse schoonheid, de enige vorm van schoonheid die tot hem doordrong, de enige schoonheid die blijvend was. Het idee van die schoonheid, het vooruitzicht daarvan, stelde hem in staat om geduldig tussen de kisten op zijn moment van wraak te zitten wachten, zijn moment van heel bijzondere schoonheid.

Bourne droomde van de hel die Nizjni Tagil werd genoemd, alsof hij daar was geboren. Bij het wakker worden wist hij dat Arkadin dichtbij was. Hij deed zijn ogen open en zag Moira naar hem kijken.

'Hoe denk je over de professor?' vroeg ze. Hij vermoedde dat ze daarmee bedoelde: *Hoe denk je over mij?*

'Ik denk dat de jaren van obsessie hem gek hebben gemaakt. Ik denk dat hij het verschil tussen goed en kwaad niet meer weet.'

'Heb je hem daarom niet gevraagd waarom hij zijn vernietigende weg heeft gevolgd?'

'In zekere zin,' zei Bourne. 'Maar wat zijn antwoord ook zou zijn geweest, het zou voor ons niet te begrijpen zijn.'

'Fanaten zijn nooit te begrijpen,' zei ze. 'Daarom is het zo moeilijk iets tegen hen te doen. Een rationele reactie, altijd onze eerste keuze, haalt maar zelden iets uit.' Ze hield haar hoofd schuin. 'Hij heeft je bedrogen, Jason. Hij heeft jouw geloof in hem opgekweekt en er gebruik van gemaakt.'

'Als je op de rug van een schorpioen klimt, kun je erop rekenen dat je gestoken wordt.'

'Heb je er geen behoefte aan om wraak te nemen?'

'Misschien zou ik hem in zijn slaap moeten wurgen, of hem moeten doodschieten, zoals Arkadin met Semion Ikoepov heeft gedaan. Denk je nou echt dat ik me dan beter zou voelen? Ik zal wraak nemen door de aanslag van het Zwarte Legioen te voorkomen.'

'Je klinkt zo rationeel.'

'Ik voel me niet rationeel, Moira.'

Ze begreep wat hij bedoelde, en het bloed steeg naar zijn wangen. 'Ik mag dan tegen je hebben gelogen, Jason, maar ik heb je niet bedrogen. Dat zou ik nooit kunnen.' Ze keek hem aan. 'Er zijn de afgelopen week zoveel keren geweest waarop ik het je heel graag wilde vertellen, maar ik zat met mijn plicht ten opzichte van Black River.'

'Voor plicht heb ik begrip, Moira.'

'Begrip is tot daar aan toe, maar zul je me ook vergeven?'

Hij stak zijn hand uit. 'Jij bent geen schorpioen,' zei hij. 'Zo ben je niet.'

Ze pakte zijn hand vast, bracht hem naar haar mond en drukte hem tegen haar wang.

Op dat moment hoorden ze Sever een schreeuw geven. Ze stonden op en liepen door het gangpad naar hem toe. Hij lag opgerold op zijn zij, als een klein kind dat bang is voor het donker. Bourne knielde neer en trok Sever voorzichtig op zijn rug om de druk van de wond af te nemen.

De professor keek eerst Bourne aan. Toen Moira tegen hem sprak, richtte hij zijn blik op haar.

'Waarom deed u het?' zei Moira. 'Waarom viel u het land aan dat u als uw eigen land was gaan beschouwen?'

Sever kon niet op adem komen. Hij slikte krampachtig. 'Jullie zouden het nooit begrijpen.'

'Vertelt u het toch maar.'

Sever deed zijn ogen dicht, alsof hij zich een voorstelling wilde maken van elk woord dat uit zijn mond kwam. 'De moslimsekte waar ik bij hoor, en waar Semion bij hoorde, is erg oud, zelfs eeuwenoud. Hij is ooit begonnen in Noord-Afrika.' Hij zweeg even, nu al buiten adem. 'Onze sekte is erg streng. Het fundamentalisme waarin we geloven is zo vroom dat het absoluut niet aan ongelovigen kan worden uitgelegd. Maar dit kan ik jullie wel vertellen: we kunnen niet in de moderne wereld leven omdat de moderne wereld al onze wetten schendt. Daarom moet die wereld worden vernietigd.

Evengoed...' Hij likte over zijn lippen en Bourne schonk wat water in, tilde zijn hoofd op en liet hem drinken. Toen Sever klaar was, ging hij verder: 'Ik had niet moeten proberen jou te gebruiken, Jason. In de loop van de jaren zijn Semion en ik het vaak oneens geweest. Dit was de laatste keer, de druppel die de emmer deed overlopen. Hij zei dat jij problemen zou maken, en daar had hij gelijk in. Ik dacht dat ik een realiteit kon creëren, dat ik jou kon gebruiken om de Amerikaanse veiligheidsdiensten wijs te maken dat we een aanslag op New York zouden plegen.' Hij liet een droog lachje horen. 'Ik verloor het grondbeginsel van het leven uit het oog; dat je de realiteit niet kunt beheersen, omdat die te willekeurig, te chaotisch is. Dus je ziet dat ik zelf op een dwaalspoor was geraakt, Jason, niet jij.'

'Professor, het is allemaal voorbij,' zei Moira. 'We laten de tanker pas aankoppelen als de fout uit de software is gehaald.'

Sever glimlachte. 'Een goed idee, maar het levert niets op. Weet je hoeveel schade zoveel vloeibaar aardgas kan aanrichten? Meer dan tien vierkante kilometer verwoesting, duizenden doden. Amerika's corrupte, hebzuchtige manier van leven zou de klap krijgen waar Semion en ik tientallen jaren van hebben gedroomd. Dat is mijn grootste roeping in dit leven. De materiële verwoesting en het verlies van al die mensenlevens zijn het zout in de pap.'

Hij zweeg even om op adem te komen. Hij haalde ondieper en onregelmatiger adem dan ooit. 'Als de grootste haven van het land in vlammen opgaat, gaat de hele Amerikaanse economie mee. Dan is bijna de helft van jullie import verdwenen. Er komen grote tekorten aan goederen en voedsel; bedrijven gaan failliet; aandelenprijzen kelderen; er breekt algehele paniek uit.'

'Hoeveel van uw mensen zijn aan boord?' zei Bourne.

Sever glimlachte zwakjes. 'Ik hou van je als van een zoon, Jason.'

'U hebt uw eigen zoon laten omkomen,' zei Bourne.

'Geofferd, Jason. Er is verschil.'

'Voor hem niet.' Bourne pikte de draad weer op. 'Hoeveel mensen, professor?'

'Eén, niet meer dan één.'

'Eén man kan de tanker niet overnemen,' zei Moira.

Er speelde een glimlach om zijn lippen, al had hij zijn ogen dicht en was hij nauwelijks nog bij bewustzijn. 'Als de mens geen machines had gemaakt om het werk voor hem te doen...'

Moira keek Bourne aan. 'Wat betekent dat?'

Bourne schudde de schouder van de oude man heen en weer, maar Sever was bewusteloos.

Moira onderzocht zijn ogen, zijn voorhoofd, zijn halsslagader.

'Zonder intraveneuze antibiotica redt hij het vast niet.' Ze keek Bourne aan. 'We zijn nu dicht genoeg bij New York. We kunnen daar even landen, alvast een ambulance oproepen...'

'We hebben geen tijd,' zei Bourne.

'Ik weet dat we geen tijd hebben.' Moira pakte zijn arm vast. 'Maar ik wil je de keuze geven.'

Bourne keek naar het doorgroefde gezicht van zijn mentor, dat in de slaap veel ouder leek, alsof het was gekrompen. 'Hij redt het in zijn eentje, of hij redt het niet.'

Hij wendde zich af en zei tegen Moira: 'Bel NextGen. Ik heb het volgende nodig.'

44

Op nog geen uur afstand van de haven van Long Beach ploegde de tanker *Moon of Hormuz* door de Stille Oceaan. De kapitein, een veteraan die Sultan heette, had bericht gekregen dat de LNG-terminal er klaar voor was om deze eerste zending vloeibaar aardgas te ontvangen. Door de huidige staat van de wereldeconomie was het LNG nog kostbaarder geworden. Vanaf het moment dat de *Moon of Hormuz* uit Algerije was vertrokken, was de waarde van de lading met meer dan dertig procent toegenomen.

De tanker, twaalf huizenverdiepingen hoog en zo groot als een dorp, bevatte honderdvijfentwintig miljoen liter LNG, gekoeld tot een temperatuur van min honderdzestig graden Celsius. Wat de hoeveelheid energie betrof, kwam dit overeen met tachtig miljard liter aardgas. Het schip had vijf mijl nodig om tot stilstand te komen, en vanwege de vorm van de romp en de containers aan dek kon Sultan de eerste twaalfhonderd meter niet vooruitkijken. De tanker had met een snelheid van twintig knopen gevaren, maar drie uur geleden had hij opdracht gegeven de motoren in hun achteruit te zetten. Nu ze de terminal tot op vijf mijl waren genaderd, had het schip een snelheid van zes knopen, en die snelheid nam nog steeds af.

Als hij dicht bij de kust kwam, kreeg hij het altijd te kwaad met zijn zenuwen en maakte de nachtmerrie van een armageddon zich van hem meester, want zo zou je een ramp met de *Moon of Hormuz* wel mogen noemen. Als het LNG uit de tanks in het water stroomde, zou het resulterende vuur bijna tien kilometer in doorsnee zijn. Nog eens tien kilometer daarbuiten zou de warmtestraling elk menselijk wezen ogenblikkelijk laten verbranden.

Toch waren die scenario's inderdaad alleen maar nachtmerries. In tien jaar tijd had zich aan boord van zijn schip nooit een incident voorgedaan, en zolang hij het bevel voerde, zou dat ook niet gebeuren. Hij dacht aan het mooie weer, en aan de tien dagen die hij met een vriendin op het strand van Malibu zou doorbrengen, toen de radio-officier hem een bericht van NextGen overhandigde. Hij kon over vijftien minuten een helikopter verwachten en moest de passagiers daarvan – Moira Trevor en Jason Bourne – alle hulp verlenen waar ze om vroegen. Dat was al verrassend genoeg, maar hij wond zich op over de laatste zin: hij moest hun bevelen opvolgen totdat de *Moon of Hormuz* veilig aangekoppeld lag in de terminal.

Toen de deuren van het laadruim opengingen, was Arkadin, die achter een van de kisten gehurkt zat, daarop voorbereid. Terwijl het onderhoudsteam van het vliegveld aan boord klom, kwam hij tevoorschijn en riep hij een van hen vanuit de schaduw aan. De man kwam naar hem toe, en Arkadin brak zijn nek en sleepte hem naar de diepste schaduw van het laadruim, een eind bij de kisten van NextGen vandaan. Hij trok het onderhoudstenue van de man uit en deed het zelf aan. Toen liep hij naar het werkgedeelte, waarbij hij de badge uit het zicht hield, opdat niemand kon zien dat zijn gezicht niet met de foto overeenkwam. Niet dat het er iets toe deed: deze mensen waren hier om de lading zo snel mogelijk naar de wachtende trucks van NextGen over te brengen. Het kwam bij niemand van hen op dat ze misschien een indringer in hun midden hadden.

Arkadin bewoog zich geleidelijk naar de open laaddeuren toe en stapte met een kist mee op de laadbak. Toen de lading in de truck werd overgeladen, sprong hij op het platform, waar hij meteen onder de vleugel van de 747 wegdook. Nu hij in zijn eentje aan de andere kant van het vliegtuig was, liep hij daar met snelle, zakelijke stappen bij vandaan. Niemand sprak hem aan, niemand keurde hem zelfs een blik waardig, want hij bewoog zich met het gezag van iemand die daar hoorde te zijn. Dat was het geheim als je een andere identiteit aannam, zelfs tijdelijk: mensen negeerden of accepteerden alles wat in hun ogen correct was.

Intussen ademde hij de frisse, zilte lucht diep in, en de zeewind wapperde zijn broekspijpen tegen zijn benen. Hij voelde zich bevrijd van alles wat hem aan de aarde had gebonden: Stas Koezin, Marlene, Gala en Ikoepov waren nu allemaal weg. De zee wenkte hem en hij kwam eraan.

NextGen had zijn eigen kleine terminal aan de vrachtkant van het vliegveld Long Beach. Moira had radiografisch contact opgenomen met het hoofdkantoor van NextGen. Ze had uitgelegd wat er aan de hand was en om een helikopter gevraagd die Bourne en haar naar de tanker kon brengen.

Arkadin was eerder bij de NextGen-terminal dan Bourne. Hij liep nu vlug en gebruikte de badge om in de gedeelten te komen die niet voor iedereen toegankelijk waren. Op het platform aangekomen, zag hij de helikopter meteen staan. De piloot praatte met een onderhoudsmonteur. Toen ze allebei neerhurkten om iets aan het onderstel te bekijken, trok Arkadin zijn pet laag over zijn voorhoofd en liep met ferme pas naar de andere kant van de helikopter, waar hij deed alsof hij met iets bezig was.

Hij zag Bourne en Moira uit de NextGen-terminal komen. Ze bleven even staan en hij hoorde hen erover praten of zij al dan niet mee zou gaan, maar die discussie moesten ze al eerder hebben gevoerd, want het ging met korte staccatosalvo's, alsof het steno was.

'De feiten, Jason. Ik werk voor NextGen; zonder mij kom je niet in die helikopter.'

Bourne wendde zich af, en een ogenblik had Arkadin een onheilspellend gevoel, alsof Bourne hem had gezien. Toen wendde Bourne zich weer tot Moira en liepen ze samen vlug over het platform.

Bourne stapte aan de kant van de piloot in, terwijl Moira op Arkadins kant van de helikopter afstevende. Met een professionele glimlach stak hij zijn hand uit om haar in de cockpit te helpen. Hij zag dat de onderhoudsman in hun richting wilde komen, maar liet hem met een gebaar weten dat het niet nodig was. Toen hij door de gebogen perspexdeur naar Moira opkeek, dacht hij aan Devra en ging er een schok door hem heen, alsof haar bloedende hoofd tegen hem aan gevallen was. Hij zwaaide naar Moira, en ze stak bij wijze van antwoord haar hand op.

De rotorbladen wervelden rond en de onderhoudsman gaf Arkadin een teken dat hij bij het toestel vandaan moest gaan. Arkadin stak zijn duimen op. Sneller en sneller draaiden de bladen, en er ging een trilling door het frame van de helikopter. Kort voordat het toestel van de grond kwam, klom Arkadin op het onderstel en maakte zich zo klein mogelijk. Zo vloog hij over de Stille Oceaan, gegeseld door een straffe aanlandige wind.

De tanker doemde groot op toen de helikopter er met topsnelheid op afging. Er was maar één ander vaartuig te zien, een vissersboot op enkele mijlen afstand, buiten de veiligheidsgrenzen die door de kustwacht en de Binnenlandse Veiligheidsdienst waren opgelegd.

Bourne, die recht achter de piloot zat, zag dat hij zijn best deed om de tanker precies vanuit de juiste richting te benaderen.

'Is alles in orde?' riep hij boven het bulderen van de rotorbladen uit.

De piloot wees naar een van de meters. 'Er is een kleine afwijking in de vluchthoogte, maar dat zal wel door de wind komen.'

Bourne was daar niet zo zeker van. De afwijking was constant, terwijl de wind dat niet was. Hij had er een vermoeden van wat – of beter gezegd, wie – het probleem veroorzaakte.

'Ik denk dat we een verstekeling hebben,' zei Bourne tegen de piloot. 'Ga laag vliegen als je bij de tanker komt. Vlieg rakelings over de bovenkant van de containers heen.'

'Wat?' De piloot schudde zijn hoofd. 'Te gevaarlijk.'

'Dan ga ik zelf kijken.' Bourne maakte zijn gordel los en schoof naar de deur.

'Oké, oké!' schreeuwde de piloot. 'Ga maar weer zitten!'

Ze waren nu bijna bij de boeg van de tanker. Die was ongelooflijk groot, een stad die zich door de Stille Oceaan bewoog.

'Hou je vast!' riep de piloot, en hij ging veel sneller omlaag dan gebruikelijk was. Ze zagen bemanningsleden over het dek rennen, en er kwam iemand – ongetwijfeld de kapitein – uit het stuurhuis bij de achtersteven. Iemand riep dat ze moesten optrekken; de bovenkant van de containers kwam met angstaanjagende snelheid op hen af. Kort voordat ze rakelings over de eerste container heen vlogen, schommelde de helikopter enigszins.

'De afwijking is weg,' zei de piloot.

'Blijf hier,' riep Bourne naar Moira. Wat er ook gebeurt, blijf aan boord.' Toen pakte hij het wapen dat dwars over zijn knieën lag, maakte de deur open en sprong, op het moment dat zij zijn naam schreeuwde, uit de helikopter.

Hij landde na Arkadin, die al op het dek was gesprongen en tussen containers door rende. Bemanningsleden renden op hen beiden af. Bourne wist niet of een van hen de softwareman van Sever was, maar hij richtte een kruisboog en ze bleven abrupt staan. Omdat hij wist dat het op een tanker met veel vloeibaar aardgas gelijk stond aan zelfmoord als je met een vuurwapen schoot, had hij Moira gevraagd NextGen twee kruisbogen in de helikopter te laten leggen. Hij wist niet hoe ze daar zo gauw aan gekomen waren, maar een groot concern als NextGen kon zo ongeveer alles krijgen zodra ze het hebben wilden.

Achter hem landde de helikopter op het deel van het voordek dat was vrijgemaakt. De motoren gingen uit. Voorovergebogen om de rotorbladen te vermijden maakte hij de deur van de helikopter open en keek op naar Moira. 'Arkadin is hier ergens. Blijf uit de weg.'

'Ik moet naar de kapitein toe. Ik kan op mezelf passen.' Ook zij had een kruisboog op haar schoot. 'Wat wil Arkadin?'

'Mij. Ik heb zijn vriend gedood. Het doet er voor hem niet toe dat het zelfverdediging was.'

'Ik kan helpen, Jason. We kunnen samenwerken. Twee kunnen meer dan één.'

Hij schudde zijn hoofd. 'Niet in dit geval. Trouwens, je ziet hoe langzaam de tanker vaart; hij staat in zijn achteruit. We zijn binnen de vijfmijlsgrens. Met elke meter die we afleggen neemt het gevaar dat duizenden mensen en de haven van Long Beach lopen exponentieel toe.'

Ze knikte stijfjes, kwam uit de helikopter en liep vlug over het dek naar de kapitein, die op haar instructies wachtte.

Bourne draaide zich om en liep behoedzaam tussen de containers door in de richting waar hij een glimp van Arkadin had opgevangen. De middenpaden tussen de containers hadden wel wat weg van de ravijnen van Manhattan. De wind sloeg gierend om hoeken en floot versterkt door de gangpaden alsof het tunnels waren.

Kort voordat hij het eind van de eerste rij containers bereikte, hoorde hij Arkadin, die hem in het Russisch toesprak.

'Er is niet veel tijd meer.'

Bourne bleef staan en probeerde vast te stellen waar de stem vandaan kwam. 'Wat weet jij daarvan, Arkadin?'

'Waarom denk je dat ik hier ben?'

'Ik heb Misja Tarkanian gedood en nu wil jij mij doden. Zo heb je het toch beschreven in het appartement van Egon Kirsch?'

'Luister nou eens, Bourne. Als ik dat wilde, had ik je elk moment kunnen doden toen de vrouw en jij aan boord van de 747 van Next-Gen lagen te slapen.'

Bournes bloed stolde in zijn aderen. 'Waarom heb je dat niet gedaan?'

'Luister, Bourne. Semion Ikoepov, die mij heeft gered en die ik vertrouwde, heeft mijn vrouw doodgeschoten.'

'Ja, daarom heb je hem vermoord.'

'Misgun je mij mijn wraak?'

Bourne zei niets. Hij dacht aan wat hij met Arkadin zou doen als hij Moira kwaad zou doen.

'Je hoeft niets te zeggen, Bourne, ik weet het antwoord al.'

Bourne draaide zich om. De stem leek zich te hebben verplaatst. Waar hield hij zich schuil?

'Maar zoals ik al zei: we hebben weinig tijd om Ikoepovs man aan boord te vinden.'

'Hij is eigenlijk Severs man,' zei Bourne.

Arkadin lachte. 'Wat maakt dat uit? Ze speelden onder een hoedje. Al die tijd deden ze zich als bittere vijanden voor en intussen maakten ze plannen voor deze ramp. Ik wil deze ramp voorkomen – ik móét hem voorkomen, anders is mijn wraak op Ikoepov niet compleet.'

'Ik geloof je niet.'

'Hoor eens, Bourne, je weet dat we niet veel tijd hebben. Ik heb me op de vader gewroken, maar dit plan is zijn kind. Sever en hij hebben het ter wereld gebracht, het gevoed toen het klein was, door de groeistuipen van de puberteit heen geholpen. En nu komt deze drijvende supernova elk moment dichter bij de gigantische verwoesting waar die twee gekken naar streefden.'

De stem verplaatste zich weer. 'Wil je dat, Bourne? Natuurlijk niet. Laten we dan samen op zoek gaan naar Severs man.'

Bourne aarzelde. Hij vertrouwde Arkadin niet, en toch moest hij hem vertrouwen. Hij bekeek de situatie van alle kanten en kwam tot de conclusie dat hij het spel mee moest spelen. 'Hij is een softwareman,' zei hij.

Arkadin kwam tevoorschijn. Hij klom van de bovenkant van een van de containers af. Een ogenblik stonden de twee mannen tegenover elkaar, en opnieuw had Bourne het vreemde gevoel dat hij in een spiegel keek. Toen hij in Arkadins ogen keek, zag hij daarin niet de waanzin waarover de professor had gesproken; hij zag zichzelf, een en al verdriet en duisternis.

'Sever heeft me verteld dat er maar één man is, maar hij zei ook dat we hem niet zouden vinden, en zelfs als we hem zouden vinden, zou het er niet toe doen.'

Arkadin fronste zijn wenkbrauwen en kreeg daardoor het lepe, woeste uiterlijk van een wolf. 'Wat bedoelde hij?'

'Dat weet ik niet zeker.' Hij draaide zich om en liep over het dek naar de bemanningsleden die de ruimte hadden vrijgemaakt waarop de helikopter kon landen. 'We zoeken,' zei hij terwijl Arkadin met hem meeliep, 'een tatoeage die kenmerkend is voor het Zwarte Legioen.'

'Het rad van paarden met de doodskop in het midden.' Arkadin knikte. 'Die heb ik gezien.'

'Op de binnenkant van de elleboog.'

'We kunnen ze allemaal doden.' Arkadin lachte. 'Maar dan zou jij in gewetensnood komen.'

De twee mannen keken naar de armen van de acht bemanningsleden op het dek, maar vonden geen tatoeage. Toen ze bij het stuurhuis kwamen, was de tanker nog maar twee mijl van de terminal verwijderd. Hij kwam nauwelijks nog vooruit. Bij de éénmijlsgrens stonden vier sleepboten te wachten tot ze de tanker naar de terminal konden trekken.

De kapitein was een donker type met een gezicht dat eruitzag alsof het niet door wind en zon was getekend maar door een of ander zuur. 'Zoals ik al tegen mevrouw Trevor zei, hebben we nog zeven bemanningsleden. De meesten van hen werken in de machinekamer. En dan zijn er mijn eerste stuurman hier, de radio-officier en de scheepsarts. Die is in de ziekenboeg en zorgt voor een bemanningslid dat ziek werd toen we nog maar twee dagen uit Algerije waren vertrokken. O ja, en de kok.'

Bourne en Arkadin keken elkaar aan. De radioman leek de logische keuze, maar toen de kapitein ook hem ontbood, bleek hij de tatoeage van het Zwarte Legioen niet te hebben. De kapitein en zijn eerste stuurman evenmin.

'De machinekamer,' zei Bourne.

In opdracht van zijn kapitein leidde de eerste stuurman hen het dek op en de trap aan stuurboord af tot in de ingewanden van het schip, waar ze ten slotte in de enorme machinekamer arriveerden. Daar waren vijf mannen hard aan het werk, hun gezicht en armen smerig van vet en vuil. In opdracht van de eerste stuurman staken ze hun armen omhoog, maar toen Bourne bij de derde in de rij was aangekomen, keek de vierde man met half dichte ogen naar hen en ging er toen vandoor.

Bourne ging achter hem aan, terwijl Arkadin een omtrekkende beweging maakte en zich een weg zocht door de vettige stad van knarsende machinerieën. De man verdween uit Bournes zicht, maar toen Bourne een hoek om ging, zag hij hem bij de rij gigantische Hyundai-dieselmotoren, die speciaal ontworpen waren voor de hele vloot van LNG-tankers. De man probeerde heimelijk een kastje tussen de stutten van de machine te steken, maar Arkadin, die van achteren op hem afkwam, greep zijn pols vast. Het bemanningslid rukte zich los, haalde het kastje weer naar zich toe en wilde net op een knop drukken toen Bourne het uit zijn hand schopte. Het kastje vloog door de lucht en Arkadin dook erachteraan.

'Voorzichtig,' zei het bemanningslid toen Bourne hem vastgreep. Hij negeerde Bourne en keek naar het kastje, dat Arkadin naar hen terugbracht. 'Je hebt de hele wereld in je hand.'

Intussen trok Bourne zijn mouw omhoog. De arm van de man was besmeurd met vet, vermoedelijk met opzet, want toen Bourne een lap nam en hem schoonveegde, verscheen de tatoeage van het Zwarte Legioen op de binnenkant van de linkerelleboog.

De man scheen zich nergens druk om te maken. Zijn hele wezen was geconcentreerd op het kastje dat Arkadin in zijn handen had. 'Dat laat alles de lucht in vliegen,' zei hij, en hij deed er een uitval naar. Bourne hield hem met een wurggreep tegen.

'Laten we hem naar de kapitein brengen,' zei Bourne tegen de eerste stuurman. Toen bekeek hij het kastje van dichtbij. Hij nam het van Arkadin over.

'Voorzichtig!' riep het bemanningslid. 'Eén schokje en het gaat af.'

Maar Bourne was daar niet zo zeker van. Het bemanningslid was veel te scheutig met zijn waarschuwingen. Zou hij niet willen dat het schip de lucht in vloog nu het door Severs vijanden was geënterd? Toen hij het kastje omkeerde, zag hij dat de naad tussen de bodem en de zijkant onregelmatig was.

'Wat doe je? Ben je gek geworden?' Het bemanningslid was zo opgewonden dat Arkadin hem tegen de zijkant van zijn hoofd sloeg om hem tot zwijgen te brengen.

Bourne stak zijn nagel in de naad en wrikte het kastje open. Er zat niets in. Het was een dummy.

Moira had er moeite mee te blijven waar ze was. Haar zenuwen waren zo strak gespannen dat ze elk moment konden knappen. De tanker stond op het punt met de sleepboten samen te komen; die lagen maar een mijl bij de kust vandaan. Als de tanks de lucht in vlogen, zouden het verlies aan mensenlevens en de schade aan de economie van het land catastrofaal zijn. Ze voelde zich nutteloos, een vijfde wiel aan de wagen, terwijl de twee mannen op jacht waren.

Ze verliet het stuurhuis en ging benedendeks, op zoek naar de machinekamer. Toen ze eten rook, stak ze haar hoofd de kombuis in. Een grote Algerijn zat aan de roestvrijstalen tafel een twee weken oude Arabische krant te lezen.

Hij keek op en wees naar de krant. 'Als je het voor de vijftiende keer leest, is het oud nieuws, maar wat kun je anders doen als je op zee bent?'

Zijn gespierde armen waren bloot tot aan de schouders. Hij had tatoeages van een ster, een halvemaan en een kruis, maar niet het insigne van het Zwarte Legioen. Ze volgde de aanwijzingen op die hij haar gaf en vond drie dekken lager de ziekenboeg. Daar zat een slanke moslim achter een klein bureau dat in een van de schotten was ingebouwd. Tegen het schot tegenover hem stond een stapelbed. In een van de bedden lag de patiënt die ziek was geworden. De dokter mompelde een traditionele moslimgroet en wendde zich van zijn laptop af om haar aan te kijken. Hij fronste zijn wenkbrauwen toen hij de kruisboog in haar handen zag.

'Is dat echt nodig,' zei hij, 'of zelfs maar verstandig?

'Ik zou graag met uw patiënt willen praten,' zei Moira, zijn vraag negerend.

'Dat is jammer genoeg onmogelijk.' De arts glimlachte zoals alleen artsen dat kunnen. 'Ik heb hem een kalmerend midden toegediend.'

'Wat is er met hem aan de hand?'

De arts wees naar de laptop. 'Daar probeer ik nog achter te komen. Hij heeft aanvallen gehad, maar tot nu toe kan ik het ziektebeeld niet vinden.'

'We zijn straks in Long Beach. Daar kunt u hulp krijgen,' zei ze. 'Ik wil alleen de binnenkant van zijn ellebogen zien.'

De arts trok zijn wenkbrauwen op. 'Pardon?'

'Ik moet zien of hij een tatoeage heeft.'

'Ze hebben allemaal tatoeages, die matrozen.' De arts haalde zijn schouders op. 'Maar ga gerust uw gang. U zult hem niet wakker maken.'

Moira liep naar het benedenbed en bukte zich om de dunne deken van de arm van de patiënt af te trekken. Toen ze dat deed, kwam de dokter een stap naar voren en sloeg haar op haar achterhoofd. Ze viel naar voren en sloeg met haar kin tegen het metalen frame van het bed. De pijn trok haar ruw terug uit een afgrond van zwartheid en ze rolde kreunend om. Ze had de zoete kopersmaak van bloed in haar mond en vocht tegen de ene na de andere golf van duizeligheid. Vaag zag ze dat de dokter over zijn laptop gebogen zat en zijn vingers over de toetsen liet gaan. Er vormde zich een bal van ijs in haar buik.

Hij gaat ons allemaal vermoorden. Terwijl die gedachte door haar hoofd galmde, pakte ze de kruisboog, die op de vloer gevallen was. Ze had nauwelijks tijd te richten, maar ze was zo dichtbij dat het niet zo nauw luisterde. Ze fluisterde een gebed en liet de pijl vliegen.

De dokter veerde omhoog toen de pijl in zijn wervelkolom binnendrong. Hij wankelde achterover naar Moira toe, die tegen het frame van het bed zat. Hij stak zijn armen uit en graaide met zijn vingers naar het toetsenbord, en Moira stond op en sloeg hem met de kruisboog op zijn achterhoofd. Zijn bloed spetterde als regen over haar gezicht en handen, het bureau en het toetsenbord van de laptop.

Bourne vond haar op de vloer van de ziekenboeg, met de computer op haar schoot. Toen hij binnenkwam, keek ze naar hem op en zei: 'Ik weet niet wat hij heeft gedaan; ik durf dit ding niet uit te zetten.'

'Ben je ongedeerd?'

Ze knikte. 'De scheepsarts werkte voor Sever.'

'Aha,' zei hij terwijl hij over het lijk stapte. 'Ik geloofde hem niet toen hij zei dat hij maar één man aan boord had. Het zou net wat voor hem zijn om nog iemand achter de hand te hebben.'

Hij knielde neer en onderzocht haar achterhoofd. 'Het is een oppervlakkige wond. Ben je bewusteloos geweest?'

'Nee, ik denk van niet.'

Hij pakte een groot verbandgaas uit de kast en goot daar alcohol op. 'Klaar?' Hij drukte het gaas tegen haar achterhoofd, waar haar haar met bloed aan haar huid geplakt zat. Ze zette haar tanden op elkaar en kreunde een beetje.

'Kun je het een minuut op zijn plaats houden?'

Ze knikte, en Bourne nam de laptop voorzichtig in zijn handen. Er draaide een programma op; dat was duidelijk. Twee radio *buttons* op het scherm knipperden, de ene geel, de andere rood. Aan de andere kant van het scherm zat een groene radio button, die niet knipperde.

Bourne slaakte een zucht van verlichting. 'Hij heeft het programma opgeroepen, maar jij was bij hem voordat hij het kon activeren.'

'Goddank,' zei ze. 'Waar is Arkadin?'

'Ik weet het niet. Toen de kapitein tegen me zei dat je naar beneden was gegaan, ben ik hierheen gekomen.'

'Jason, je denkt toch niet...'

Hij zette de computer weg en hielp haar overeind. 'Ga jij naar de kapitein, dan kun je hem het goede nieuws vertellen.'

Ze keek hem bezorgd aan. 'En jij?'

Hij gaf haar de laptop. 'Ga naar het stuurhuis en blijf daar. En Moira, deze keer meen ik het echt.'

Met de kruisboog in zijn hand liep hij de gang op en keek naar rechts en links. 'Oké. Nu!'

Arkadin was naar Nizjni Tagil teruggekeerd. In de machinekamer, omringd door staal en ijzer, besefte hij dat wat er ook met hem gebeurde, waar hij ook heen ging, hij nooit uit de gevangenis van zijn jeugd zou kunnen ontsnappen. Een deel van hem was nog in het bordeel van Stas Koezin en hem, een deel van hem reed nog door de nachtelijke straten, terwijl hij jonge meisjes ontvoerde, die hem met hun bleke, angstige gezichten aankeken zoals herten in het schijnsel van koplampen kijken. Maar wat ze van hem nodig hadden kon – of wilde – hij hun niet geven. In plaats daarvan had hij hen de dood in gestuurd, hun dood in de kuil met ongebluste kalk die Koezins gangsters tussen de sparren en dennen met hun laaghangende takken hadden gegraven. Het had al vele keren gesneeuwd sinds hij Jelena bij de ratten en de ongebluste kalk vandaan had gesleept, maar de kuil zat nog zo levendig als een laaiend vuur in zijn geheugen. Kon hij die herinnering maar uitwissen.

Hij schrok toen hij Stas Koezin naar hem hoorde roepen. *En al jóúw slachtoffers dan?*

Maar het was Bourne, die de stalen trap naar de machinekamer afdaalde. 'Het is voorbij, Arkadin. De ramp is voorkomen.'

Arkadin knikte, maar vanbinnen wist hij wel beter: de ramp had zich al voorgedaan en het was te laat om de gevolgen tegen te houden. Toen hij naar Bourne toe liep, probeerde hij hem een vaste vorm te geven in zijn gedachten, het leek wel of Bourne telkens vervormde, als iets wat je door een prisma ziet.

Toen hij binnen armlengte was, zei hij: 'Is het waar wat Sever tegen Ikoepov zei, namelijk dat jij je voorbij een bepaald moment niets meer kunt herinneren?'

Bourne knikte. 'Dat is waar. Ik kan me het grootste deel van mijn leven niet herinneren.'

Arkadin voelde een vreselijke pijn, alsof zijn ziel uit elkaar werd gescheurd. Met een primitieve kreet klapte hij zijn stiletto open. Hij dook naar voren en stak naar Bournes buik.

Bourne draaide zich opzij, pakte Arkadins pols en draaide hem rond om hem zo te dwingen het wapen te laten vallen. Arkadin haalde uit met zijn andere hand, maar Bourne blokkeerde hem met zijn onderarm. Daarbij kletterde de kruisboog op het dek. Arkadin schopte hem de schaduw in.

'Het hoeft niet zo te gaan,' zei Bourne. 'Er is geen reden om vijanden te zijn.'

'Daar is alle reden voor.' Arkadin maakte zich van hem los en zette een nieuwe aanval in, die door Bourne werd gepareerd. 'Snap je het dan niet? Wij zijn hetzelfde, jij en ik. Wij tweeën kunnen niet in dezelfde wereld bestaan. Een van ons zal de ander doden.'

Bourne keek in Arkadins ogen, en hoewel zijn woorden die van een krankzinnige waren, zag Bourne geen waanzin in die ogen. Alleen een onbeschrijflijke wanhoop en een onverbiddelijke wil om wraak te nemen. In zekere zin had Arkadin gelijk. Wraak was het enige wat hij nog had, het enige waar hij voor leefde. Nu Tarkanian en Devra dood waren, had het leven alleen nog betekenis voor hem als hij hun dood wreekte. Bourne zou niets kunnen zeggen wat hem op andere gedachten bracht; dat zou een rationele reactie op een irrationele impuls zijn. Het was waar: zij tweeën konden niet in dezelfde wereld bestaan.

Op dat moment maakte Arkadin een schijnbeweging naar rechts met zijn mes. Zijn vuist ging naar links en trof Bourne zo hard dat hij op zijn hielen wankelde. Tegelijk stak hij het mes in Bournes linkerdij. Bourne kreunde, vocht tegen het omknikken van zijn knie, en Arkadin schopte keihard met zijn zware schoen tegen Bournes gewonde dij. Het bloed spoot eruit en Bourne viel. Arkadin sprong op hem en beukte met zijn vuist op Bourne in terwijl die zijn messteken blokkeerde.

Bourne wist dat hij dit niet veel langer kon volhouden. Arkadins verlangen naar wraak had hem een bovenmenselijke kracht gegeven. Bourne, die voor zijn leven vocht, zag kans lang genoeg terug te stoten om onder Arkadin vandaan te kunnen rollen. Toen sprong hij overeind en rende mank naar de trap.

Arkadin greep hem vast toen hij zes treden boven het dek van de machinekamer was gekomen. Bourne schopte met zijn slechte been. Daarmee verraste hij Arkadin, die onder zijn kin werd getroffen. Toen hij achteroverviel, klauterde Bourne zo snel als hij kon de sporten op. Zijn linkerbeen stond in brand, en doordat zijn gewonde spier overuren moest maken, trok hij een spoor van bloed achter zich aan.

Hij kwam op het volgende dek en ging verder de trap op, steeds maar hoger, tot hij bij de eerste verdieping benedendeks kwam, waar volgens Moira de kombuis was. Hij vond hem, rende naar binnen en pakte twee messen en een glazen zoutstrooier. Hij stopte de strooier in zijn zak en haalde uit met de messen toen Arkadin in de deuropening verscheen.

Ze vochten met hun messen, maar Bournes onhandige vleesmessen waren geen partij voor Arkadins slanke stiletto, en Bourne werd opnieuw getroffen, ditmaal in zijn borst. Hij schopte Arkadin in zijn gezicht en liet zijn messen vallen om de stiletto uit Arkadins hand te worstelen, maar dat lukte niet. Arkadin stak opnieuw naar hem en het scheelde niet veel of Bournes lever werd doorboord. Hij week terug en rende door de deuropening om de laatste trap naar het open dek te nemen.

De tanker was bijna tot stilstand gekomen. De kapitein was druk bezig de verbinding tot stand te brengen met de sleepboten die hem het laatste eindje naar de LNG-terminal zouden trekken. Bourne zag Moira nergens, en dat was een zegen. Hij wilde haar niet in de buurt van Arkadin hebben.

Bourne, die zijn toevlucht in de containerstad wilde zoeken, werd omgegooid toen Arkadin op hem sprong. Elkaar vastgrijpend rolden ze door tot ze tegen de reling aan bakboord kwamen. De zee was ver beneden hen, kolkend tegen de romp van de tanker. Een van de sleepboten liet zijn sirene horen toen hij langszij kwam, en Arkadin verstijfde. Voor hem was het de sirene die liet weten dat er iemand uit een van de gevangenissen van Nizjni Tagil was ontsnapt. Hij zag de zwarte hemel, proefde de zwavelrook in zijn longen. Hij zag Stas Koezins monsterlijke gezicht, voelde Marlenes hoofd tussen zijn enkels onder water, hoorde de verschrikkelijke knallen toen Semion Ikoepov op Devra schoot.

Hij brulde als een tijger, trok Bourne overeind en bewerkte hem met zijn vuisten tot hij achterovergebogen over de reling hing. Op dat moment wist Bourne dat hij zo zou sterven als hij geboren was, door een val over de zijkant van een schip, verdwenen in de diepe zee en alleen door de genade Gods tegelijk met de vangst van een vissersboot naar boven gehaald. Zijn gezicht was bebloed en gezwollen, zijn armen voelden aan als loden gewichten en hij zou over de reling gaan.

Op het laatste moment haalde hij de zoutstrooier uit zijn zak. Hij brak hem tegen de reling en gooide het zout in Arkadins ogen. Arkadin bulderde van schrik en pijn, zijn hand ging in een reflex omhoog, en Bourne griste de stiletto uit zijn hand. Verblind vocht Arkadin door en greep het mes vast. Met bovenmenselijke inspanning, zonder zich iets aan te trekken van het lemmet dat in zijn vingers sneed, ontfutselde hij de stiletto aan Bourne. Bourne gooide hem van zich af, maar Arkadin had het mes weer in handen. Hij kon weer iets zien door zijn betraande ogen, en hij stortte zich met zijn hoofd tussen zijn schouders op Bourne. Al zijn gewicht en vastbeslotenheid zaten achter die aanval.

Bourne had één kans. Hij ging Arkadin tegemoet, negeerde het mes, greep Arkadin bij zijn jasje en gebruikte diens eigen snelheid door hem over zijn heup omhoog te tillen. Arkadins dijen sloegen tegen de reling en zijn bovenlichaam zette de beweging voort, zodat hij ondersteboven over de reling vloog.

Hij viel en viel en viel... het equivalent van twaalf huizenverdiepingen, voordat hij onder de golven verdween.

45

'Ik heb vakantie nodig,' zei Moira. 'Ik denk dat Bali me wel zal bevallen.'

Bourne en zij zaten in de NextGen-kliniek in een van de campusgebouwen met uitzicht op de Stille Oceaan. De *Moon of Hormuz* was met succes aangekoppeld in de LNG-terminal en de lading van de sterk gecomprimeerde vloeistof was van de tanker naar de containers op de wal geleid, waar het gas langzaam werd opgewarmd en tot zeshonderd keer zijn huidige volume uitzette, zodat het door individuele consumenten, nutsbedrijven en krachtcentrales van ondernemingen kon worden gebruikt. De laptop was overgedragen aan de IT-afdeling van NextGen, die de software zou onderzoeken en definitief zou blokkeren. De dankbare president-directeur van NextGen had de kliniek zojuist verlaten, nadat hij Moira tot hoofd van de beveiligingsdivisie had benoemd en Bourne een uiterst lucratieve adviesfunctie bij de onderneming had aangeboden. Bourne had Soraya gebeld en ze hadden elkaar op de hoogte gesteld. Hij had haar het adres van Severs huis gegeven en verteld welke clandestiene activiteiten daar werden ontplooid.

'Ik wou dat ik wist hoe een vakantie aanvoelde,' zei Bourne toen hij klaar was met telefoneren.

'Nou...' Moira glimlachte. 'Je hoeft het maar te vragen.'

Bourne dacht een hele tijd na. Vakanties hadden geen rol gespeeld in zijn leven, maar als er ooit een tijd was om er een te nemen, dacht hij, dan was het nu. Hij keek haar weer aan en knikte.

Haar glimlach werd breder. 'Ik zal NextGen alle regelingen laten treffen. Hoe lang wil je gaan?'

'Hoe lang?' zei Bourne. 'Op dit moment mag het een eeuwigheid duren.'

Op weg naar het vliegveld ging Bourne naar het Long Beach Memorial Medical Center, waar professor Sever was opgenomen. Moira, die niet met hem mee had willen komen, bleef in de auto met chauffeur zitten wachten die NextGen voor hen had gehuurd. Ze hadden Sever in een eenpersoonskamer op de vierde verdieping gelegd. In die kamer heerste een doodse stilte, afgezien van de beademingsapparatuur. De professor was dieper in coma weggezakt en kon nu niet meer op eigen kracht ademhalen. Uit zijn keel stak een dikke slang die kronkelend naar het beademingsapparaat ging, dat piepte als een astmalijder. Andere, kleinere slangetjes gingen naar naalden in Severs armen. Een katheter die met een plastic zak aan de zijkant van zijn bed was verbonden, ving zijn urine op. Zijn blauwige oogleden waren zo dun dat Bourne dacht dat hij de pupillen eronder kon zien.

Toen hij daar naast zijn vroegere mentor stond, merkte hij dat hij niets te zeggen had. Hij vroeg zich af waarom hij zich gedwongen had gevoeld hierheen te komen. Misschien alleen om het kwaad nog eens tegenover zich te zien. Arkadin was een moordenaar, zuiver en simpel, maar deze man had zichzelf van de grond af opgebouwd tot hij een leugenaar en bedrieger was. En toch leek hij nu zo kwetsbaar, zo hulpeloos. Het was moeilijk te geloven dat hij het meesterbrein was geweest achter het monsterlijke plan om een groot deel van Long Beach in de as te leggen. Want zoals hij had gezegd: zijn sekte kon niet in de moderne wereld leven en moest die wereld vernietigen. Was dat de echte reden, of had Sever ook toen tegen hem gelogen? Hij zou het nooit weten.

Hij werd opeens misselijk, alleen al doordat hij bij Sever in de kamer was, maar toen hij zich omdraaide, kwam er een parmantig mannetje binnen dat de deur achter zich dicht liet vallen.

'Jason Bourne?' Toen Bourne knikte, zei de man: 'Ik ben Frederick Willard.'

'Soraya heeft me over je verteld,' zei Bourne. 'Goed werk, Willard.'

'Dank u, meneer.'

'Alsjeblieft, noem me geen meneer.'

Willard keek hem met een afkeurend glimlachje aan. 'Pardon, maar mijn training is zo diep ingeworteld dat ik me niet anders meer kan gedragen.' Hij keek naar Sever. 'Denkt u dat hij in leven blijft?'

'Hij is nu in leven,' zei Bourne, 'al zou ik het geen leven noemen.'

Willard knikte, al leek het of hij zich helemaal niet interesseerde voor de gezondheid van de man die in het bed lag.

'Ik heb beneden een auto staan wachten,' zei Bourne.

'Ik ook.' Willard glimlachte, maar hij deed dat een beetje triest. 'Ik weet dat u voor Treadstone hebt gewerkt.'

'Niet voor Treadstone,' zei Bourne. 'Voor Alex Conklin.'

'Ik heb ook voor Conklin gewerkt, vele jaren geleden. Het is een en hetzelfde, meneer Bourne.'

Bourne werd ongeduldig. Hij wilde naar Moira toe, naar de tropische luchten van Bali.

'Weet u, ik ken alle geheimen van Treadstone – allemaal. Dat is iets wat alleen u en ik weten, meneer Bourne.'

Een zuster kwam op haar geluidloze witte schoenen de kamer in. Ze bekeek Severs gegevens, noteerde iets op zijn kaart en liet hen weer alleen.

'Meneer Bourne, ik heb er lang en diep over nagedacht of ik hierheen moest komen om u te vertellen...' Hij schraapte zijn keel. 'Weet u, de man met wie u vocht op de tanker, de Rus die overboord ging...'

'Arkadin.'

'Leonid Danilovitsj Arkadin, ja.' Willard keek Bourne aan, en iets in hem kromp ineen. 'Hij was van Treadstone.'

'Wat?' Bourne kon niet geloven wat hij hoorde. 'Was Arkadin van Treadstone?'

Willard knikte. 'Voordat u... Hij was Conklins laatste pupil voordat u kwam.'

'Maar wat is er met hem gebeurd? Hoe is hij uiteindelijk voor Semion Ikoepov komen te werken?'

'Ikoepov had hem naar Conklin gestuurd. Ze waren ooit vrienden,' zei Willard. 'Conklin was gefascineerd toen Ikoepov hem over Arkadin vertelde. Treadstone kwam in die tijd in een nieuwe fase en Conklin dacht dat Arkadin ideaal was voor wat hij van plan was. Maar Arkadin kwam in opstand. Hij onttrok zich aan de organisatie en vermoordde Conklin bijna voordat hij naar Rusland ontsnapte.'

Bourne deed wanhopige pogingen al die informatie te verwerken. Ten slotte zei hij: 'Willard, weet je wat Alex van plan was toen hij Treadstone in het leven riep?'

'Jazeker. Ik heb u al verteld dat ik alle geheimen van Treadstone ken. Uw mentor, Alex Conklin, probeerde het volmaakte beest te creëren.'

'Het volmaakte beest? Wat bedoel je?' Maar Bourne wist het al, want hij had het gezien toen hij in Arkadins ogen keek, toen hij begreep dat hij zichzelf daarin zag.

'De ultieme krijger.' Willard, die zijn hand op de deurkruk had, glimlachte nu. 'Dat bent u, meneer Bourne. Dat was Leonid Dani-lovitsj Arkadin, dat wil zeggen, totdat hij het tegen u moest opne-men.' Hij keek aandachtig naar Bournes gezicht, alsof hij naar een spoor zocht van de man die hem had getraind tot hij een uitmun-tende undercoveragent was geworden. 'Uiteindelijk heeft Conklin succes gehad, nietwaar?'

Er ging een koude rilling door Bourne heen. 'Wat bedoel je?'

'U tegen Arkadin – zo was het altijd al bedoeld.' Willard maak-te de deur open. 'Jammer dat Conklin niet meer heeft mogen zien wie er won. Maar dat was u, meneer Bourne. Dat was u.'